SEL

Jussi Adler-Olsen

SEL

La neuvième enquête du Département V

ROMAN

Traduit du danois
par Caroline Berg

Albin Michel

À Ellie, notre belle et intelligente petite-fille.

PROLOGUE

1982

Cinq minutes après l'appel, les secouristes arrivaient sur la pelouse pour découvrir la scène apocalyptique qui marquerait à jamais leurs rétines au fer rouge.

Six corps sans vie gisaient autour d'un cratère fumant, dans une puanteur mêlant l'odeur de chair brûlée à celle de l'ozone qui flottait encore dans l'air après la foudre.

« Reculez ! » cria un ambulancier à un groupe d'étudiants pétrifiés d'horreur accourus du campus de l'autre côté de la route pour voir le spectacle.

Son collègue le tira par la manche. « Viens, il n'y a plus rien à faire ici, Martin, mais regarde là-bas ! » dit-il en désignant un vieil homme un peu plus loin, à genoux dans l'herbe détrempée.

« Pourquoi étaient-ils tous ensemble ? Et pourquoi la foudre est-elle tombée sur eux et pas sur un arbre ? » gémit le vieillard quand ils l'eurent rejoint. Bien qu'il pleuve à verse et que son manteau lui colle au corps comme une serviette trempée, plus rien n'existait pour lui que ce qui venait de se passer sous ses yeux.

Martin tourna la tête du côté de l'université, où sirènes et gyrophares annonçaient l'arrivée de nouvelles voitures de patrouille et de plusieurs ambulances.

« On va lui donner un calmant. Il va faire un malaise »,
dit son coéquipier. Martin plissa les yeux. Près d'une haie
d'arbres, à travers le rideau de la pluie battante, il remarqua
deux femmes accroupies à côté d'une flaque d'eau qui s'élar-
gissait à vue d'œil.

« Venez ! Vite ! » les entendit-il crier. Martin attrapa sa
sacoche et courut les rejoindre.

« J'ai l'impression qu'elle respire, murmura l'une d'elles, la
main sous la nuque de la septième victime.

– Elle a dû être projetée par la déflagration, dit l'autre
d'une voix tremblante. Vous allez la sauver, n'est-ce pas ? »

Martin sortit délicatement de la boue le corps frêle, tandis
que derrière lui résonnaient les voix de ses collègues faisant
le constat qu'il n'y avait plus rien à faire : la foudre avait
tué les six individus qui se tenaient serrés les uns contre les
autres sous l'orage.

Martin installa la femme en position latérale de sécurité et
chercha son pouls, qui était lent et faible, mais apparemment
régulier. Alors qu'il se relevait pour demander une civière, le
corps de la jeune fille se mit à trembler. Deux inspirations
profondes gonflèrent sa cage thoracique, elle se redressa sur
ses coudes et regarda autour d'elle.

« Où suis-je ? dit-elle, les yeux injectés de sang.

– Vous êtes à Fælledparken, à Copenhague, répondit Martin. Vous avez été frappée par la foudre.

– La foudre ? »

Il acquiesça.

« Et les autres ?

– Vous les connaissiez ? lui demanda-t-il.

– Oui, nous étions ensemble. Ils sont morts ? »

Martin hésita un instant, puis confirma d'un signe de tête.

« Tous ? »

Il observa son visage. Il s'attendait à y voir une réaction de choc et de chagrin, mais les rides qui barraient son front exprimaient un sentiment très différent.

« Parfait », dit-elle le plus calmement du monde. Et malgré sa souffrance, elle ajouta avec un sourire sardonique :

« Si j'ai survécu à ça, avec l'aide de Dieu, je pourrai survivre à n'importe quoi. »

1

Mardi 26 janvier 1988

Maja

Dix jours après la Saint-Sylvestre, l'hiver s'abattit sur le pays pour de bon. Le vent se mit à souffler, impitoyable, et les températures tombèrent inhabituellement bas en dessous de zéro. Maja poussa un long soupir en regardant le verglas qui grignotait peu à peu la cour intérieure de l'immeuble. Pour le troisième hiver de suite, elle était contrainte de faire mettre des pneus neige à sa voiture, mais Noël était passé par là, et elle n'avait plus les moyens d'aller chez son garagiste habituel. Par chance, elle avait vu dans le journal local la publicité d'un atelier de mécanique dans le quartier de Sydhavnen, tout près de l'école de son fils, qui offrait un service rapide, efficace et à un prix défiant toute concurrence. Quand on est mère célibataire, on a tendance à choisir la solution la plus économique.

Lorsqu'elle était arrivée chez Ove Wilder Auto, qui était à la fois une carrosserie et un garage automobile, elle avait constaté avec soulagement que le patron était l'archétype du gars qui a grandi avec ses deux bras noueux plongés dans un moteur. Ça allait bien se passer.

« On va s'occuper de vos pneus et on jettera un coup d'œil au reste pour vérifier que tout est en ordre », lui avait-il dit en tournant la tête vers les deux mécaniciens occupés à éclairer avec une lampe torche le châssis d'une autre voiture hissée sur un pont.

« Revenez dans deux heures. Comme vous voyez, on a un peu de boulot. »

À peine trois quarts d'heure plus tard, elle recevait un coup de fil à son bureau.

C'était rapide, se félicita-t-elle, ravie, en entendant la voix du chef d'atelier, mais son sourire ne tarda pas à s'effacer.

« On ne va pas pouvoir vous rendre la voiture aujourd'hui, dit-il. Vos pneus d'été avaient une usure anormale, alors on s'est dit que vous aviez un problème de suspension. Mais finalement c'était plus grave que ça. En fait, c'est votre pont arrière, votre essieu si vous préférez, qui est au point de rupture. »

La main de Maja se crispa sur le téléphone. « L'essieu arrière ?! Et vous ne pouvez pas le ressouder ?

– On va voir ce qu'on peut faire, ma p'tite dame, avait répondu le garagiste d'un ton plein de gravité. Mais il vaut mieux ne pas trop y compter, il est quand même très oxydé. À mon avis, il va falloir le changer. »

Maja respira profondément. Elle ne voulait même pas imaginer combien une telle réparation pouvait coûter.

« Il faut qu'on en parle. Je passerai vous voir après être allée chercher mon fils à la maternelle », dit-elle en notant que son autre main, sur la table, s'était mise à trembler. Comment allait-elle trouver l'argent pour payer ? Et comment ferait-elle, sans voiture, si jamais… ?

« Si vous voulez. On ferme à dix-sept heures », répondit-il sèchement.

Enfiler une combinaison de ski à un gamin n'est pas une mince affaire. Quand elle réussit enfin à foncer en direction du garage, Max attaché dans sa poussette, quelques minutes avant l'heure de la fermeture, Maja était à bout de souffle. Et c'est avec soulagement qu'elle vit le portail ouvert au bout de la rue, et sa voiture garée le nez dehors, de la neige jusqu'aux jantes.

Max, qui adorait cette voiture, s'écria : « Ma voiture ! »

Arrivée à la grille, Maja aperçut les jambes d'un homme dépassant du pare-chocs arrière d'une fourgonnette.

Qu'est-ce qu'il fait par terre, dans la neige, par un froid pareil ? eut-elle le temps de penser avant qu'une première détonation fasse exploser toutes les vitres du garage en une pluie de débris de verre. Une deuxième une seconde plus tard lui arracha la poussette des mains. Max sanglé dedans fut projeté plusieurs mètres plus loin.

Quand elle se releva, à travers les flammes et la fumée, elle vit que de l'atelier il ne restait plus que des ruines et que sa voiture gisait sur le toit sur la chaussée. Quant à Max, il n'était nulle part.

Elle se tourna, affolée, le cœur battant, de tous les côtés.

« Maaaax ! » hurla-t-elle, la voix étouffée par une troisième explosion.

2

Lundi 30 novembre 2020

Marcus

Triste spectacle, songea Marcus Jacobsen, le chef de la brigade criminelle de Copenhague, en découvrant son inspecteur, un homme dans la force de l'âge, affalé dans son fauteuil, les yeux clos et la bouche grande ouverte.

Il poussa gentiment les pieds du dormeur posés sur le bureau.

« J'espère que je ne te dérange pas, Carl, dit-il avec un petit sourire en coin.

– C'est une question de point de vue, Marcus, répondit celui-ci en bâillant. J'étais occupé à vérifier la distance idéale entre mes pieds et le bord de cette table. »

La rénovation du sous-sol de l'hôtel de police était une épreuve pour le département V et, en toute honnêteté, le patron lui-même était loin d'être enchanté de devoir cohabiter dans ses nouveaux locaux de Sydhavnen avec l'équipe la plus ingérable du pays. N'importe qui aurait été déstabilisé par le contact quotidien avec la tronche renfrognée de Carl Mørck et cette grande gueule de Rose Knudsen. Il lui arrivait de rêver du jour où Carl & Co retourneraient s'enfermer dans la cave qui avait accueilli leurs bureaux. Malheureusement, ce jour n'arriverait jamais et Marcus le savait bien. Pourtant, en cette terrible période de pandémie, il aurait mieux valu pour tout le monde que le département V soit resté au sous-sol de l'ancien hôtel de police.

« Tu as une minute, Carl ? » Il ouvrit un dossier et en sortit un avis de décès arraché à une page de journal. « Je voudrais savoir si ceci te parle. »

Carl se frotta les yeux et se pencha sur la photocopie d'un avis de décès.

Maja Petersen
11 novembre 1960-11 novembre 2020
Regrets éternels
Sa famille

« Bah, à part que cette femme est morte le jour de son anniversaire, ça ne me dit rien de particulier. Tu penses à quoi ? »

Marcus le regarda avec gravité. « Moi, ça me rappelle la première fois où nous nous sommes vus, toi et moi.

– Ah ! OK ! Pas très gai comme association d'idées. La première fois ? Pourquoi, c'était quand la première fois qu'on s'est rencontrés ?

– En janvier 1988. Tu étais assistant de police au commissariat de Store Kongensgade. Et moi, vice-commissaire de la brigade criminelle. »

Carl ôta ses pieds du bureau et se redressa. « Comment est-ce que tu te souviens de ça ? Tu ne me connaissais pas en 1988.

– Je m'en souviens parce que toi et ton équipier étiez les premiers à être arrivés sur les lieux, après l'explosion d'un garage automobile, et que je me rappelle la manière dont tu t'es occupé d'une femme à moitié inconsciente. Son enfant venait d'être tué. »

Le meilleur enquêteur de Marcus resta un moment immobile, le regard dans le vide. Puis il reprit la coupure de presse
et essaya de relire l'avis de décès qu'il voyait flou, tout à coup.
Il n'avait pas les larmes aux yeux, quand même !?

« Maja Petersen, dit-il lentement. Tu veux dire qu'il s'agit
de la même Maja Petersen ? »

Marcus acquiesça. « Terje Ploug et moi avons été appelés
par un voisin, il y a deux semaines, pour ouvrir la porte de
son appartement. Elle pendait dans son vestibule depuis déjà
quelques jours. Il n'y a pas eu besoin d'une longue enquête
pour conclure qu'elle avait mis fin à ses jours. Par terre, à ses
pieds, nous avons trouvé la photo d'un petit garçon qu'elle
devait tenir à la main avant de mourir. » Il secoua la tête,
désolé. « Dans la salle à manger, il y avait un gâteau d'anniversaire légèrement desséché et parfaitement intact. Dessus,
elle avait inscrit deux noms et deux âges, avec du glaçage
bleu ciel : "Maja 60 ans – Max 3 ans". À part ça, elle avait
décoré le gâteau de deux croix, une devant chacun de leurs
prénoms, à la place des bougies qu'on y met d'habitude.

– Je vois. » Carl posa le document et s'appuya lourdement
au dossier de son fauteuil. « Elle est triste, ton histoire. Tu
es sûr que c'est un suicide ?

– Ça ne fait aucun doute. On l'a enterrée avant-hier, j'ai
assisté aux funérailles. En dehors du pasteur, d'une vieille dame
et de moi, l'église était complètement vide. C'était lugubre.
Après la cérémonie, j'ai parlé avec la dame en question, qui
était la cousine de la défunte. C'est elle qui a signé "Sa
famille" sous l'annonce de décès. »

Carl regarda son chef et ami d'un air songeur. « Tu me dis
que tu étais sur les lieux de l'explosion à l'époque ? Je me
rappelle la neige, le froid sibérien et pas mal d'autres détails
que je préférerais avoir oubliés, mais aucun souvenir de toi. »

Marcus haussa les épaules. Il y avait plus de trente ans, rien d'étonnant.

« Le feu était d'une violence extrême, et les pompiers n'ont jamais réussi à expliquer avec certitude comment il avait commencé, ni à déterminer l'origine des explosions, se rappela-t-il. Mais apparemment, l'atelier de mécanique avait aussi une cabine de peinture non autorisée et assez de produits inflammables pour que ça tourne mal. Je suis arrivé sur les lieux peu de temps après le drame, pratiquement par hasard, parce que j'étais en intervention à quelques rues de là au moment où ça s'est passé.

– Je me souviens d'avoir remarqué tout de suite le petit garçon mort, dit Carl. Son petit corps était couché en travers du caniveau, le visage enfoui dans la neige. On ne se débarrasse pas facilement d'une image comme celle-là. J'ai dû retenir sa mère pour l'empêcher de s'approcher de lui et de voir dans quel état effroyable il était. »

Il releva les yeux. « Qu'est-ce que tu faisais à l'enterrement de Maja Petersen ? »

Marcus poussa un long soupir. « Je n'ai jamais pu me sortir cette affaire de la tête. Déjà à l'époque, j'avais l'impression qu'il y avait quelque chose qui ne sentait pas bon. » Il montra le dossier sur la table. « J'ai passé ces derniers jours à relire les pièces du dossier et à y repenser.

– Et alors ? À ton avis, l'explosion n'était pas accidentelle ?

– Je n'ai jamais cru à la thèse de l'accident, et cette fois, à la deuxième page de l'expertise technique, je suis tombé sur un détail que je n'avais pas remarqué avant. Mais c'est vrai qu'il y a trente ans, je n'avais aucune raison d'y attacher une quelconque importance. »

Il sortit la page concernée et la poussa vers Carl.

« J'ai surligné la phrase. »

Carl Mørck prit appui sur les bras de son fauteuil et se pencha en avant. Il relut plusieurs fois la phrase stabilotée, avant de lever les yeux vers Marcus, le regard sombre.

« Du sel ?

– Oui, dit Marcus. Tu penses la même chose que moi ?

– Sans doute, mais aide-moi. C'était quand, déjà ?

– Je ne sais plus exactement de quelle affaire il s'agit, mais je me souviens qu'il y avait également une histoire de sel, je me trompe ?

– Je crois que tu as raison. »

Carl tenta de mobiliser ses neurones pour se souvenir, mais pour l'instant cela ne donnait rien.

« Peut-être que Rose ou Assad auront une idée », dit-il enfin.

Marcus secoua la tête. « Je crains que non. L'affaire remonte à plusieurs années avant qu'ils n'entrent au département V. Mais on pourrait demander à Hardy ?

– Hardy est en Suisse pour suivre un nouveau traitement, Marcus.

– Je suis au courant, mais peut-être as-tu entendu parler d'une invention assez pratique qu'on appelle le téléphone ?

– Ha ha ! Bon, d'accord, je vais l'appeler. » Carl fronça les sourcils. « Tu as eu pas mal de temps pour digérer tout ça. Est-ce que je peux te demander ce que tu as ressenti, ce jour-là, à Sydhavnen ? »

Marcus adressa un regard lourd à Carl. Oui, ce serait même un soulagement de pouvoir en parler.

Marcus raconta que la deuxième détonation avait fait exploser toutes les vitres de l'appartement qu'ils étaient en train de fouiller à quelques rues de là avec une telle violence que les débris de verre étaient venus se ficher dans les meubles et les boiseries. Heureusement, Marcus et ses collègues se trouvaient à ce moment-là dans la chambre côté cour, et ils n'avaient pas été blessés. En revanche, le locataire, un junkie qui cachait des armes pour le compte de la pire racaille de Vesterbro, avait fait une crise d'hystérie et s'était mis à déblatérer sur le jour où, enfant, il avait entendu l'explosion de l'usine à gaz de Valby.

Marcus s'était rendu prudemment dans la cuisine, où le froid glacial entrait par la fenêtre qui avait été entièrement soufflée, et avait aperçu les nuages de fumée noire et les flammes s'élevant à plus de vingt-cinq mètres au-dessus des toits.

Deux minutes plus tard, lui et son assistant arrivaient sur place, où une voiture de police était déjà garée en travers du portail, gyrophare allumé. À l'intérieur de la cour, un jeune collègue serrait une femme contre lui. Autour régnait un chaos indescriptible, et les ruines des bâtiments et l'asphalte en feu projetaient des colonnes de fumée noire vers le ciel. Sur sa gauche, Marcus avait aperçu le corps d'un petit enfant sans doute tué sur le coup, couché sur le ventre, immobile, le visage enfoui dans la neige.

Les flammes s'élevaient à plus de quarante mètres au-dessus du garage et la chaleur était intenable. La carcasse d'une Dyane Citroën gisait sur son toit, il y avait des parpaings cassés et des morceaux de carrosserie dispersés partout dans les flaques de neige fondue qui inondaient peu à peu la majeure partie du site, et quelques voitures avec des panneaux « À vendre » s'entassaient contre le mur de la cour comme des épaves chez un ferrailleur.

Un morceau du mur d'enceinte était tombé sur une fourgonnette et l'avait à moitié écrasée et derrière l'utilitaire on voyait dépasser une paire de jambes calcinées.

Les pompiers avaient mis plusieurs heures à venir à bout des flammes, mais Marcus était resté sur place pour entendre les observations de ses collègues et celles des experts en incendie de la police scientifique.

Un peu avant minuit, ils avaient trouvé à l'intérieur du bâtiment quatre autres cadavres, tellement brûlés qu'il avait été impossible de déterminer leur sexe. Et bien que leurs crânes présentent sensiblement les mêmes lésions, les experts n'avaient pas pu affirmer immédiatement si elles étaient bien liées aux violentes explosions et à la pluie de projectiles provenant des tonnes de morceaux de métal présents dans l'atelier.

La thèse de l'accident avait beau être la plus probable, Marcus avait employé les jours suivant le drame à rechercher d'éventuels mobiles indiquant un incendie volontaire. Simple question de routine. La thèse de la fraude à l'assurance avait été immédiatement écartée, du fait que l'atelier, au mépris de toute réglementation, n'avait contracté aucune police d'assurance et que, par ailleurs, le patron du garage était lui-même mort dans les flammes, ce qui excluait qu'il ait pu tirer le moindre bénéfice d'un quelconque incendie volontaire. Un règlement de comptes entre bandes n'était pas plausible non plus, car aucune des victimes, toutes identifiées comme mécaniciens, n'avait de casier judiciaire.

Avec l'aide de la veuve éplorée du propriétaire, Marcus avait pu reconstituer la brève histoire du garage.

« Pensez-vous que votre mari ou quelqu'un de sa famille ait pu avoir un contentieux avec quelqu'un ? lui avait-il demandé. Ou une dette, peut-être ? Avait-il des ennemis ? Avait-il reçu des menaces venant de concurrents jaloux ? »

À chaque nouvelle question, la femme s'était contentée de secouer la tête. Elle n'y comprenait rien. Son mari était un artisan sérieux, affirmait-elle. Il n'était pas très fort pour la paperasse, mais n'était-ce pas le cas de la plupart des gens qui étaient doués avec leurs mains ?

Marcus se rendit rapidement compte que c'était en tout cas vrai pour cette entreprise en particulier, qui n'avait fait appel ni à un cabinet de gestion ni à un comptable pour assurer sa facturation. Et tout ce qui ressemblait de près ou de loin à des courriers, factures, livres de comptes ou à une liste de clients était parti en fumée, en admettant que de tels documents aient un jour existé.

La femme avait bien conscience qu'elle allait avoir du boulot au moment de faire la déclaration d'impôts de l'entreprise, mais sachant qu'elle n'avait eu que quelques mois d'exercice, elle se disait qu'elle devrait s'en sortir.

Quand, quelques semaines plus tard, le terrain avait été nettoyé, la police ne savait toujours rien. Seul cet infime détail qu'un expert plus méticuleux que les autres avait tout de même jugé bon de noter dans le rapport émergeait quelque peu du brouillard de cette enquête, détail que Marcus venait seulement de relever en relisant le rapport, des années après les faits.

Il était écrit :

« Quelques mètres à l'intérieur de l'enceinte, au pied du grillage, on note la présence d'un monticule de sel d'une hauteur de neuf centimètres. »

Suivait un bref commentaire qui aurait peut-être dû attirer son attention au moment des faits, ou au moins le surprendre :

« Il s'agit de sel de cuisine et non de sel de déneigement. »

3

Mardi 1ᵉʳ décembre 2020

Carl

« J'ai trouvé une copie aux archives, Carl, dit Rose en jetant un document sur son bureau. Gordon et moi avons parcouru le dossier ce matin. C'est vrai que tu es le premier à être arrivé sur les lieux ?

– En effet. » Carl montra l'exemplaire de Marcus. « Le rapport que vous voyez là a amassé la poussière dans tous les bureaux du patron depuis 1988. Je suppose que vous savez ce que cela signifie ?

– Oui, qu'il n'a jamais réussi à oublier cette affaire, répondit Gordon, logique. Et qu'à présent, il aimerait qu'on l'aide à savoir pourquoi. »

Carl leva un pouce. « Tout juste. Et c'est pour cette raison que nous allons la reprendre, lâcher tout ce qu'on a en cours, et la résoudre.

– Tout lâcher !? Ça ne te paraît pas un peu drastique ? grommela Rose. On a pas mal de trucs sur le feu, Carl. »

Carl haussa légèrement les épaules. Sans doute, mais c'était à lui d'en décider. Et pour être honnête, cette affaire avait touché chez lui une corde étonnamment sensible. Tant d'années avaient passé, et le souvenir de ce petit garçon mort et de sa mère qui avait perdu ce qu'elle avait de plus cher était toujours aussi douloureux. S'il restait trop longtemps les yeux fermés à penser à ce drame, il sentait encore aujourd'hui les tremblements de cette mère dans ses bras. Était-ce parce que entre-temps, il était lui-même devenu père ?

« Nous ne faisons pas cela uniquement pour Marcus, mais également pour nous et pour le département V. Vous avez vu le commentaire que Marcus a relevé à la fin du rapport d'expertise. Je n'ai pas besoin de vous dire que ce détail sera notre point de départ.

– Vous parlez de cette histoire de sel de cuisine ? » demanda Gordon.

Carl acquiesça. « Rose, tu es arrivée au département V en 2008, n'est-ce pas ? Tu es sûre que ça ne te rappelle rien ?

– Quoi, le sel ? Non, rien du tout.

– Alors, cherche. Je suis SÛR qu'on a mis de côté une affaire, à un moment, où il était question de sel. Marcus s'en souvient aussi, mais ça doit remonter à quelques années, puisque aucun d'entre nous n'arrive à la situer dans le temps. Alors tu vas aller creuser dans d'anciennes enquêtes, disons entre 2000 et 2005, et qui sait, peut-être que tu arriveras à remettre la main sur quelque chose.

– Quelque chose ayant un rapport avec du sel, donc ? dit Rose sans enthousiasme.

– Exactement. Il me semble me souvenir vaguement d'un cas où on avait trouvé un tas de sel inexpliqué sur la scène de crime.

– Eh bien, voilà qui va être passionnant, je te remercie beaucoup, Carl Mørck de Vendsyssel, de me confier une mission d'une telle importance. Et d'ailleurs, maintenant que j'y pense, je crois qu'il y a un énorme tas de sel dans la cour de mon cousin qui habite Ganløse. Tu veux qu'on aille l'arrêter ? »

Carl haussa les sourcils. Quand la demoiselle était de cette humeur-là, il fallait frapper un grand coup.

« Je te dispense de tes commentaires. Pense plutôt à tout ce que Marcus a fait pour toi, Rose. Il t'a réintégrée grosso modo avec le même statut et les mêmes conditions de salaire que tu avais il y a cinq ans, et à un poste plus important. C'est comme ça que tu le remercies ? Tu ne crois pas qu'il mérite que tu fasses tout pour le soulager de cette affaire qui pèse sur ses épaules et sur sa vie ? »

Elle soupira. « Tu étais vachement plus marrant quand tu étais juste un vieux con râleur, et pas un vieux con râleur plein de bons sentiments. Mais soit ! Si tu as décidé de me martyriser en me faisant éplucher de vieilles affaires pendant qu'Assad résout celles que nous avons en cours, j'obtempère. »

Et elle sortit de la pièce avant que Carl trouve une repartie. Merde.

Il se tourna vers Gordon qui avait l'air de se demander ce qui allait lui tomber dessus.

« Quant à TOI, Gordon, assena-t-il sur un ton qui mit aussitôt le pauvre garçon dans ses petits souliers, tu vas m'aider. »

Ses épaules retombèrent.

« Tu vas me retrouver la veuve du propriétaire du garage ainsi que la personne qui a assisté aux obsèques l'autre jour et qui, apparemment, était la cousine de Maja Petersen. Et quand tu les auras trouvées, tu vas me les ramener ici. Exécution ! Et merci d'avance. »

Le nouveau bureau de Carl était du genre qu'on voit partout, avec un mobilier standard et facile à nettoyer. Il ouvrit la fenêtre, posa le dossier de Marcus sur le rebord et reprit tout depuis le début. Il lui fallut presque le quart d'un paquet de cigarettes pour arriver au bout du rapport qui, comme tous ceux que Marcus Jacobsen avait rédigés dans sa carrière de commissaire de police, était remarquablement précis et détaillé. On sentait toutefois, à sa lecture, qu'il avait été particulièrement touché par cette enquête, peut-être parce qu'il n'avait pas été loin d'être le premier témoin sur les lieux, et qu'il n'avait jamais pu oublier le désespoir de cette mère.

Dès la première page, Marcus exprimait son mécontentement. Il était furieux que le chef de la Criminelle de l'époque ait conclu à un accident et classé l'affaire.

Suivaient d'innombrables extraits d'interrogatoires de témoins menés par Marcus qui, pour être honnête, ne contenaient pas grand-chose de substantiel, voire rien du tout.

« Qu'avez-vous vu ? » et « Que savez-vous ? » demandait-il à chacun des témoins. « Avez-vous une idée de ce qui a pu provoquer une explosion d'une telle ampleur ? » Mais personne n'avait la moindre piste à lui donner. Maja Petersen, la jeune femme dont l'enfant était mort, lui expliquait les raisons pour lesquelles elle s'était rendue au garage en question. Elle lui racontait une histoire d'essieu arrière à changer sur la Dyane Citroën parce qu'il était corrodé. Et chaque fois qu'elle arrivait au moment où elle devait parler de l'explosion, celui où la poussette de son petit garçon de trois ans lui avait été arrachée des mains, elle se mettait à pleurer.

Ensuite venaient les explications des veuves des mécaniciens. Dans l'ensemble, rien dans leurs témoignages ne permettait de douter qu'il se soit agi d'un atelier sérieux, employant un personnel jeune et compétent. Les employés faisaient de nombreuses heures supplémentaires, mais les salaires tombaient en temps et en heure et d'après l'une des veuves, ils n'étaient pas mauvais, au contraire.

Carl souligna cette remarque d'un gros trait.

« Il faut d'abord trouver la veuve du propriétaire du garage, chef. Elle s'était remariée et avait changé de nom, mais heureusement, elle avait gardé la même adresse.

– Quand l'as-tu convoquée, Gordon ?

– Elle est déjà là. Elle attend dans le bureau de Rose. »

Carl hocha la tête, satisfait. Il allait bientôt devoir accepter le fait que le benjamin de l'équipe avait mûri et que si on lui pinçait le nez, il n'en sortirait plus du lait.

« Quant à la cousine, celle qui a mis l'annonce de décès dans le journal, elle arrive dans une heure. Elle était un peu affolée de devoir venir parler à la police, mais je l'ai rassurée en lui disant que je ne pensais pas que vous mordiez les gens. » Son visage se fendit d'un grand sourire.

« Tu ne lui as pas dit que tu en étais sûr ? » demanda Carl, incrédule. Il devait rester un peu de lait dans ce nez, finalement.

Carl referma le dossier pour éviter à la veuve de voir les photos des cadavres, qui étaient effroyables à regarder.

Il ne savait pas à quoi ressemblait la femme du garagiste trente ans auparavant, mais pour une femme de soixante ans, elle avait aujourd'hui l'air étonnamment jeune. Il ne doit pas y avoir grand-chose dans ce visage qui soit l'œuvre du bon Dieu, songea-t-il quand elle eut retiré son masque. Elle s'essaya à un sourire, mais il était pour le moins figé.

Les premières minutes, Carl avança à tâtons, mais qui ne tente rien n'a rien et à brûle-pourpoint, il décida de lui poser une question qui ne figurait pas dans le rapport. Un tir dans le brouillard.

« De grosses sommes d'argent passaient entre les mains de votre époux à cette période, comment vous en êtes-vous aperçue ? »

Elle coinça une mèche de cheveux derrière une oreille, tandis qu'une unique ride tentait de plisser son front. « Nous n'avions pas de problèmes pour payer les factures, si c'est ce que vous voulez dire.

– Je pensais plutôt aux avantages en nature dont vous avez peut-être profité. Voiture, machine à laver, vêtements de marque, ce genre de choses. »

Elle sembla soulagée qu'il lui souffle les réponses.

« Ove a acheté notre maison de campagne à Tisvilde cette année-là. Je l'ai toujours, d'ailleurs. »

Carl émit un sifflement admiratif. « C'était le bon moment pour acheter une résidence secondaire, à l'époque. Maintenant, ça coûterait un bras. »

La femme se redressa tout à coup. Elle avait pris sa remarque pour un compliment.

« Vous vous rappelez combien vous l'avez payée ? Vous l'aviez achetée comptant, je crois ? » tenta-t-il sans conviction.

Elle sembla réfléchir. Dieu qu'elle était facile à manipuler !

« Un peu plus de cent mille couronnes, je crois, dit-elle en hochant la tête comme pour se donner elle-même raison.

– Donc le garage marchait bien ? »

Elle confirma. « Ove travaillait beaucoup, il faut dire. Ils travaillaient tous énormément. »

La conversation dura vingt minutes en tout, et Carl en apprit assez pour qu'ils n'aient plus besoin de se revoir.

« J'ai bien l'impression que ce commerce était nettement plus prospère que la majorité de ses concurrents », dit-il à Rose après le départ de la veuve.

Elle ne l'écoutait pas. « Est-ce que tu as la moindre idée de la corvée que tu m'as refilée, Carl ? » Le visage de Rose avait toujours été très expressif, et il n'aimait pas du tout ce qu'il y lisait en ce moment. Et c'était lui le vieux con grincheux !

« Les affaires datant des années 2000 à 2005 ne sont pas encore digitalisées, alors je tourne des pages et des pages. Je te préviens, si ça urge autant que tu le dis, tu n'échapperas pas à une bonne grosse facture d'heures supplémentaires. »

Ben voyons. Si Rose n'existait pas, il faudrait l'inventer.

« Bien sûr, Rose, tu me diras combien de temps tu passes là-dessus. Mais surtout, je compte sur toi pour poursuivre cet excellent travail ! »

Il avait rêvé ou elle venait de lui tirer la langue ?

4

Mardi 1er décembre 2020

Carl

L'examen du dossier et du rapport médico-légal ne lui ayant fourni aucun renseignement susceptible de relancer l'enquête, Carl entreprit d'étudier les photos des corps retrouvés dans le garage. Le médecin qui avait procédé à l'autopsie écrivait à propos de l'une des victimes :

« Le cadavre retrouvé sous une table en acier ne présente aucune blessure grave hormis celle qui se trouve à l'arrière du crâne, il est vraisemblable que l'objet qui l'a frappé derrière la tête est aussi celui qui a causé la mort. Cet objet devrait être ensuite tombé intact sur le sol puisqu'il n'a été retrouvé aucun débris dans le crâne de la victime, ce qui est d'ailleurs vrai pour plusieurs des autres cadavres. Il convient de remarquer qu'on retrouve des lésions presque identiques sur trois des victimes, ne concernant que l'arrière du crâne. J'en conclus que l'explosion s'est déclenchée à une certaine hauteur et que les quatre individus précédemment mentionnés se tenaient dos à la déflagration et à une faible distance. »

Carl lut plusieurs fois de suite les explications alambiquées du légiste, tout en étudiant les photographies. Les deux derniers cadavres présentaient également une lésion à la tête, mais le coup était plus proche de la tempe. Ils avaient aussi des blessures en divers endroits du corps. L'une des victimes avait tellement de morceaux de ferraille fichés dans le torse, et si proches les uns des autres, qu'on aurait dit une planche à clous.

Carl tourna les pages jusqu'aux clichés pris lors de la fouille qui avait permis d'exhumer les victimes et se dit que ça n'avait pas dû être une tâche très agréable. Alors qu'il arrivait aux photos prises sur le parking du garage, des pas résonnèrent dans le couloir et il referma le dossier.

La cousine de feu Maja Petersen pénétra dans son bureau, visiblement affectée par la situation.

« Je n'arrive pas à croire que Maja se soit suicidée le jour de son anniversaire, c'est horrible. En plus, elle m'avait invitée pour l'occasion, mais j'ai dû décliner au dernier moment. Oh, quand j'y pense, j'en suis malade. Je suis infirmière, vous comprenez, alors avec cette fichue pandémie, on manque de personnel dans les services et j'ai dû... » Elle se mangea les lèvres et eut besoin d'un instant pour se ressaisir. « Si j'étais venue, elle n'aurait peut-être pas... »

Elle regarda Carl d'un air suppliant, comme si elle espérait en avoir assez dit pour échapper à ses questions.

Carl envisagea un instant de lui prendre la main, mais le masque mal ajusté sur le nez de son interlocutrice l'en dissuada. « Cessez de vous tourmenter. Vous n'y êtes pour rien. L'expérience m'a appris que les gens qui veulent réellement mettre fin à leurs jours s'arrangent pour qu'on les retrouve rapidement. Même dans la mort, l'être humain a du mal à supporter l'idée d'offrir à ses congénères un spectacle grotesque ou trop répugnant. Maja aurait sans doute déjà été morte à votre arrivée. Vous l'avez simplement trouvée un peu plus tard qu'elle ne l'avait prévu.

– Oui, cette idée m'a effleurée, mais merci de le souligner. Maja était une femme imprévisible et assez difficile à comprendre. Elle n'est jamais redevenue elle-même après la mort de son petit garçon. Elle donnait le change, elle faisait son boulot, mais je sentais bien, moi, que la vie lui pesait.

– J'en déduis que vous étiez proches. C'est vous qui avez publié l'annonce de décès, n'est-ce pas ?

– J'étais la dernière à la connaître vraiment. Elle ne fréquentait aucune de ses collègues en dehors du travail, et elle n'avait plus de contact avec son ex-mari, le père de Max. Ils avaient déjà cessé de se voir avant le drame et il ne l'a jamais soutenue ensuite. Je crois que ça fait partie des choses qui l'ont profondément affectée.

– Mais toutes les deux, vous vous voyiez régulièrement ? »

Elle acquiesça. « C'est exact. Nous ne parlions presque jamais de l'accident. Si, peut-être un peu au début, évidemment. Au moment où ça s'est passé, il n'était pratiquement question que de cela. Mais depuis, pendant toutes ces années, nous n'avons plus évoqué le sujet, pas sérieusement, en tout cas. »

Elle essuya du dos de la main le liquide translucide coulant de ses narines. Carl remarqua la forte personnalité qui se dégageait de cette femme, même dans cette situation pénible.

« Il y avait tant de détails qui la minaient. Elle se reprochait surtout d'avoir choisi ce garage en particulier sous prétexte d'économiser quelques centaines de couronnes. Elle s'en voulait d'avoir acheté une voiture pourrie. Elle était furieuse contre elle-même d'avoir même pensé à rouler en voiture juste parce que c'était l'hiver, et enfin, elle s'accusait d'avoir été trop pressée de savoir combien allait lui coûter le remplacement de cet essieu. Si vous saviez le nombre de petites choses qui affectaient son quotidien ! Elle ne pouvait pas entendre parler de combinaisons d'hiver, de poussettes, de vieilles bagnoles ou de je ne sais combien d'autres sujets sans fondre aussitôt en larmes. Ils devaient être drôlement tolérants à son boulot pour continuer à la supporter, je vous le dis, moi !

– Je vois dans le rapport d'autopsie que le petit garçon portait une attelle à une jambe. Vous savez ce qu'il avait ?

– Max est né avec un problème à l'articulation du genou. Les premières années de sa vie, il a dû subir un certain nombre d'opérations.

– Mais il marchait ?

– Oui, à peu près. Mais c'était principalement grâce à Maja. C'est à cause de ce handicap que son compagnon l'a quittée quelques mois après la naissance. Il s'est senti incapable de vivre avec un enfant à problèmes et une femme qui ne parlait que de ça. Vous savez, le genre de lâche qui abandonne sa compagne dès que la vie devient difficile, et qui continue à vivre la sienne comme si de rien n'était. »

Carl lui demanda son numéro de téléphone professionnel afin de pouvoir la joindre facilement s'il lui venait d'autres questions, même s'il avait le sentiment qu'il n'y avait plus grand-chose à aller chercher de ce côté-là.

Pour l'instant, il allait devoir garder l'esprit ouvert aux différentes théories explorées par le passé et travailler de manière créative. Il y avait cette histoire de jambes que Maja disait avoir vues dépasser d'une camionnette. À l'époque, elle prétendait avoir justement été surprise par ce détail, alors pourquoi pas ?

Et si c'était effectivement le cas, qu'est-ce que cet homme faisait là ? Était-il absurde de penser qu'il était déjà mort avant les explosions ?

Carl essaya de réécrire le scénario. Si l'homme était déjà mort, ils avaient affaire à un crime, et dans ce cas, une infinité de nouvelles questions allaient devoir trouver des réponses.

Qu'est-ce qui avait provoqué les lésions observées à l'arrière du crâne des victimes ? L'homme qui était à l'extérieur de l'atelier était-il à cet endroit parce qu'il avait tenté de s'enfuir ? Pourquoi les autres n'avaient-ils pas réussi à échapper aux flammes ? Étaient-ils déjà morts avant les explosions ? Au vu des plans de l'atelier, quatre des cadavres se trouvaient relativement près les uns des autres, au milieu du bâtiment, à proximité du vestiaire, mais comment avait-on réussi à tuer toute la bande sans que personne n'oppose aucune résistance ? Ou bien avaient-ils résisté ? Et qu'est-ce qui avait tout fait sauter ? L'une des théories était que la première explosion avait été provoquée par des bidons de Tynol, un solvant puissant. Était-ce ce qui s'était passé ? Et que faisait ce tas de sel à l'extérieur du bâtiment ? Avait-il été déposé là volontairement, ou quelqu'un était-il passé à cet endroit avec un sac percé, et dans ce cas, que faisait cette personne dans un endroit aussi isolé, un sac de sel troué à la main ? Ils n'auraient sans doute jamais de réponse à la plupart de ces questions, mais Carl comprenait maintenant pourquoi Marcus n'avait pas voulu classer l'affaire à l'époque, et pourquoi il n'était jamais parvenu à l'effacer de sa mémoire.

Une question essentielle venait s'ajouter à toutes les autres : s'il s'agissait d'un crime, quel en était le mobile ?

De toute évidence, la société Ove Wilder Auto gagnait plus d'argent que la moyenne de ses concurrents. Mais par quel moyen ? Trafic de drogue ? Blanchiment ? Escroquerie ?

Carl secoua la tête et regarda de nouveau les photos. Il y avait plus de trente ans que c'était arrivé, comment relancer cette enquête ?

« Vous avez réussi à tirer quelque chose des dames que je vous ai envoyées, Carl ? » La curiosité de Gordon était son moteur dans l'existence. « Vous avez relevé quelque chose d'intéressant dans leurs témoignages ? »

Carl bascula la tête d'un côté à l'autre. « Je ne sais pas trop. Disons qu'on en sait un peu plus sur la femme qui a perdu son enfant dans... l'explosion », dit-il avec une légère hésitation sur le dernier mot. Il allait dire « accident », mais décidément quelque chose l'en empêchait.

« Oui ! fit Gordon. Le destin de cette femme a de quoi déprimer n'importe qui. C'est terrible de voir une vie entière détruite par un évènement de ce genre. Une simple étincelle, et... boum ! » Il soupira, désolé, puis fronça les sourcils à la vue de la photo très nette qui se trouvait sur le dessus du dossier ouvert devant Carl. Il alla chercher une chaise et vint s'asseoir au ralenti sans quitter le tirage des yeux.

« C'est bien la Dyane de Maja qu'on voit sur cette photo ? »

Carl acquiesça. En même temps, c'était un peu écrit dans l'angle du cliché...

« Cette photo ne se trouvait pas dans notre exemplaire du dossier ! fit remarquer Gordon d'une voix contrariée.

– Ah. Et alors, qu'est-ce qu'elle a de spécial ?

– Vous avez une loupe dans le tiroir de votre bureau, Carl ? »

Après avoir fouillé quelques instants dans son désordre, Carl tendit à son assistant l'objet demandé.

Gordon déplaça la loupe sur la photographie pendant quelques secondes. « Eh ben merde, alors ! » s'exclama-t-il enfin.

Il tira à lui le dossier et tourna les pages jusqu'à ce qu'il ait trouvé ce qu'il cherchait.

Il lut le document deux fois pour être certain de ne pas se tromper. Puis il le reposa, secoua la tête, incrédule, et le fit glisser vers son supérieur.

« Regardez. C'est l'interrogatoire de Maja auquel a procédé Marcus environ un mois après le drame, dit-il en tapotant la feuille du doigt.

– Oui, merci, je viens de le lire. Elle dit qu'elle venait voir Ove Wilder, qui l'avait informée au téléphone que son essieu arrière devait être remplacé parce qu'il était rouillé.

– Exactement. Maintenant, regardez bien la voiture. Qu'est-ce que vous voyez ? »

Carl passa la loupe au-dessus de la photographie.

« Je vois qu'ils ont changé l'essieu comme promis. Il n'a pas l'air neuf, mais au moins, il n'est pas rouillé. Ils ont dû utiliser une pièce d'occasion qu'ils avaient en stock.

– OK, alors laissez-moi vous rafraîchir un peu la mémoire, Carl. Le garage appelle Maja vingt-cinq minutes à peine avant l'explosion pour lui annoncer qu'elle va avoir besoin d'un nouvel essieu.

– Oui.

– Au risque d'être désobligeant, Carl, je constate que vous ne connaissez rien à la mécanique si vous pensez qu'on peut changer un essieu aussi rapidement.

– Tu veux dire qu'ils l'avaient déjà changé avant de l'appeler, et alors, où est le problème ?

– Non seulement ce n'est pas un essieu neuf, comme vous l'avez quand même remarqué, mais il a l'air d'être d'origine. Alors si vous voulez mon avis, cette voiture n'a jamais eu besoin d'un changement d'essieu.

– J'entends ce que tu me dis », déclara Carl en regardant avec regret son paquet de cigarettes. Pourquoi un homme majeur et vacciné n'avait-il plus le droit de fumer une cigarette quand il en avait envie, si cela pouvait l'aider à réfléchir ?

Il tourna les yeux vers Gordon avec un soupir. « Tu veux dire qu'ils lui ont menti et qu'ils ont essayé de lui vendre une réparation qui n'était pas indispensable ?

– Oui, ou alors ils n'ont jamais eu l'intention d'effectuer cette réparation, mais seulement de la lui faire payer. Quoi qu'il en soit, ils comptaient voler à cette femme une somme non négligeable. »

Carl examina la photo à nouveau.

« En d'autres termes, d'après toi, le garage Ove Wilder Auto escroquait ses clients ?

– Sans aucun doute. Vous n'imaginez même pas l'argent qu'on peut gagner en procédant de cette façon, à condition d'avoir suffisamment de clients, et je suis sûr que c'était leur cas, vu les prix qu'ils annonçaient pour les appâter. Ils devaient systématiquement trouver un problème fictif sur les voitures qu'on leur apportait, à un endroit du véhicule où les clients n'allaient pas vérifier. Vous voyez la combine ? »

Carl fronça les sourcils. C'était peut-être une bonne idée d'aller creuser un peu dans les dépenses des employés du garage.

Peut-être qu'eux aussi avaient eu entre les mains de grosses sommes en liquide et s'étaient offert des maisons de campagne ou des objets de luxe ?

5

Mardi 1er décembre 2020

Quelque part au nord de Copenhague

Les dossiers des deux derniers candidats à l'élimination étaient posés sur la table, à côté de la bougie de l'avent qui diminuait avec détermination en direction du chiffre 1. Leurs deux visages souriaient sur les photos, avec des regards hautains et durs. Leurs CV puaient l'ambition et l'égocentrisme. Deux hommes de pouvoir qui ne reculaient devant rien pour réussir. Qui allait l'emporter ? Là était la question.

Le choix n'était pas aisé. Le premier était sur liste d'attente depuis plusieurs années, et l'autre n'était en lice que depuis quelques mois. Fallait-il choisir celui qui faisait le plus de mal ? Ou bien le plus facile à éliminer ? Ou alors, celui qui ne manquerait à personne et dont la disparition ferait le moins de vagues ? Chaque fois, c'était le même dilemme qu'il fallait traiter avec le plus grand sérieux.

Le fait que le premier candidat soit célibataire et sans enfant faisait évidemment pencher la balance de son côté. Un homme extraverti dans son genre, qui a choisi de vivre seul, est capable de décisions imprévisibles. Il fait des tas de nouvelles rencontres et son cercle d'amis varie constamment. La liste de ses relations est plus difficile à établir. Une éventuelle enquête avait des chances de partir dans tous les sens et de rendre le travail de la police long et compliqué, un avantage qui méritait d'être pris en compte. Le deuxième candidat, marié pour la deuxième fois, avait une famille dysfonctionnelle composée de membres très occupés chacun de leur côté. Qui pourrait affirmer avec certitude où il se trouvait et ce qu'il était en train de faire au moment où l'enlèvement aurait lieu ? Le premier candidat risquait de mourir de mort naturelle avant son élimination, ce qui, en tout état de cause, n'était guère souhaitable. Mais il n'était pas en mauvaise santé et il pouvait encore tenir le coup un an ou deux. L'autre avait donné récemment cette très gênante interview dans le journal, ce qui plaidait gravement contre lui. Alors, qui choisir ? L'enlèvement ne devait avoir lieu que dans une semaine, mais il fallait aussi penser aux préparatifs.

Une lumière puissante éclaira brusquement les deux photographies. Le détecteur de mouvement avait repéré un visiteur remontant l'allée.

La sonnette de la porte déchira le silence de la maison. Il était minuit moins vingt, qui cela pouvait-il être ?

Les documents disparurent sous le sous-main vert bouteille et un coupe-papier à double lame, pointu comme un pic à glace, émergea du tiroir. Depuis de nombreuses années, ce genre de précautions était devenu indispensable.

La physionomie du visiteur fit l'objet d'un examen méticuleux sur l'écran de contrôle. L'image n'était pas très nette, mais l'individu était seul et il se tenait parfaitement immobile. Aucun mouvement de tête ne trahissant l'impatience, aucune déambulation n'accusant l'ennui, la porte d'entrée fut entrouverte d'une main, avec précaution, tandis que l'autre restait cachée dans le dos, les doigts tenant fermement le manche de l'arme blanche.

La personne qui s'avança dans la lumière du vestibule avait un visage familier.

« Ah, Debora, c'est toi ? Pourquoi n'as-tu pas téléphoné avant de venir ?

– Tu sais bien que je refuse de parler d'une exclue au téléphone.

– Exclue ? C'est comme ça que tu dis ? Il y a un moment qu'Eva n'est plus des nôtres, pourtant. Ça fait au moins deux mois, non ?

– Exactement, et il y a longtemps que ça lui pendait au nez.

– On va avoir des problèmes ?

– Je ne lui fais pas entièrement confiance, c'est tout. On entend des choses.

– Elle sait ce qu'il en coûte de rompre le secret.

– Je pense qu'elle le sait, oui. »

Debora entra, arborant un visage serein pour étayer son propos.

« Tant mieux, Debora, tant mieux. Et avec sa remplaçante, comment ça se passe ?

– C'est une perle. Je l'ai appelée Ruth. Un joli nom biblique, je trouve, mais son vrai nom, c'est Ragnhild. Ragnhild Bengtsen. »

6

1993

Ragnhild

Ragnhild était assise en tailleur sur un vieil édredon posé sur des cartons pleins de saloperies. C'est son père qui disait que c'étaient des saloperies. Son père était un homme dur comme la pierre. Elle avait entendu un jour à la télévision qu'il y avait des gens « durs comme la pierre ». Mais ces gens-là ont aussi un cœur de pierre et ça, c'est très dangereux.

Ragnhild passait presque tout son temps seule. Il faut dire que c'était l'unique endroit où elle pouvait s'asseoir, parce que sur le canapé et le fauteuil il y avait toujours un tas de trucs dégoûtants, et par terre c'était encore pire, à cause des bestioles qui couraient partout.

Une fois, elle avait eu le malheur de dire à sa mère que les maisons de ses camarades d'école n'étaient pas sales comme la leur, et celle-ci s'était mise en colère et l'avait secouée comme un prunier. Après, Ragnhild avait eu mal à la tête et au cou, alors maintenant, elle faisait bien attention à ce qu'elle disait et elle restait tranquillement dans son coin le plus souvent possible.

Ses parents se disputaient tous les jours. Son père gueulait à sa mère qu'elle était une truie, et sa mère traitait son père de porc en criant encore plus fort.

Ragnhild ne comprenait pas tout ce qu'ils se reprochaient, mais cela lui faisait quand même de la peine.

Le soir, son père n'était jamais à la maison, et sa mère se mettait à déplacer des choses dans le cagibi derrière la chambre, puis à les remettre au même endroit, inlassablement. Alors Ragnhild s'installait devant leur petit écran de télévision en noir et blanc, sans aucun adulte pour lui dire de ficher le camp, et là, elle était contente.

Ragnhild adorait cette télévision. Cela lui était complètement égal qu'elle ne soit pas en couleur, comme celles qu'elle voyait chez ses camarades. L'important était qu'elle l'avait pratiquement pour elle toute seule. Aucun autre enfant ne pouvait la regarder autant qu'elle. Des émissions avec des animaux sauvages, surtout. Quand il y avait un bon film, Ragnhild restait devant l'écran bien après minuit, alors que ses camarades de classe étaient au lit depuis longtemps.

Les films préférés de Ragnhild étaient ceux dans lesquels il y avait un homme de l'âge de son père qui était bon avec les gentils et qui tapait sur les méchants. Son préféré était John Wayne. Elle aimait beaucoup son sourire de travers et sa démarche fière et lente, ses grandes mains et ses revolvers qui faisaient peur à tout le monde. Quant à ceux qui n'avaient pas peur, ils avaient tort, parce que chaque fois, John Wayne venait leur casser la figure et il repartait avec son sourire de travers. John Wayne, Arnold Schwarzenegger et Sylvester Stallone étaient les meilleurs. Elle s'était entraînée pour bien apprendre leurs noms. À l'école, elle parlait d'eux si souvent que les autres élèves ne voulaient même plus l'écouter. Une fille lui avait dit un jour qu'ils n'avaient rien de spécial et qu'en plus ils n'existaient même pas. Ça avait fait beaucoup de peine à Ragnhild et ça l'avait mise en rogne.

Quand il faisait chaud, il y avait une odeur horrible dans la maison et ces jours-là, son père ne rentrait pas non plus pendant la journée. Lorsqu'il était fâché et de mauvaise humeur, il disait des mots que la maîtresse de Ragnhild ne voulait pas entendre, et si elle en utilisait un sans faire exprès, la maîtresse la grondait. Son père utilisait aussi de vilains mots quand il s'en prenait à elle et elle avait peur. L'été dernier, celui où elle avait eu six ans et où il y avait eu beaucoup de soleil, son visage s'était couvert de taches de rousseur. Cela faisait sourire les gens, mais pas son père. Il lui avait expliqué que les taches de rousseur apparaissaient seulement quand on était une mauvaise personne, comme sa mère, et que c'était le mal qui essayait de sortir à travers la peau. Il avait essayé de les effacer avec un chiffon et il lui avait tripoté les cuisses et l'entrejambe en lui disant que c'était de là que venaient les taches, mais ça ne les avait pas fait partir.

Cette année, il avait recommencé alors qu'elle n'avait presque pas de taches de rousseur. Ragnhild n'aimait pas quand il faisait ça. Mais quand elle le lui disait, c'était encore pire.

Ragnhild aurait bien aimé avoir un chat, pour pouvoir le caresser et lui parler, mais sa mère n'avait pas voulu. Elle avait crié très fort en disant que les chats sentaient mauvais avec leur pisse et leurs croquettes de poisson et que Ragnhild n'avait pas intérêt à ramener ce genre de saleté à la maison.

Mais Ragnhild s'en fichait que ça ne plaise pas à sa mère. De toute façon, ça sentait déjà mauvais. Alors quand la chatte des voisins avait eu des petits, ils lui en avaient donné un avec des rayures marron en lui disant qu'elle n'était pas obligée de le leur rapporter.

Lorsque son père l'avait entendu miauler, il était devenu rouge comme une tomate et il avait essayé de donner des coups de pied au chaton avec ses grosses chaussures. Ragnhild s'était mise à pleurer et elle l'avait pris dans ses bras pour le protéger. Alors il lui avait donné des coups de pied à elle, à la place.

Sa mère était arrivée et avait dit que c'était bien fait pour elle, et qu'elle n'avait qu'à obéir. À ce moment-là, Ragnhild avait vraiment commencé à avoir peur parce que, en sept ans d'existence, elle n'avait jamais vu ses parents être d'accord sur rien. C'est ce jour-là aussi qu'elle s'était dit pour la première fois qu'elle serait plus heureuse s'ils n'étaient pas là.

7

Mercredi 2 décembre 2020

Marcus

Marcus avait déjà eu une journée chargée, et il se serait bien passé de cet appel. Et d'ailleurs, le patron des stups, Leif Lassen, alias le Pif, n'avait pas eu l'air particulièrement content de lui transmettre la nouvelle qu'il venait de recevoir.

« Je ne peux pas t'en dire beaucoup plus pour l'instant, Marcus. Je voulais juste te tenir au courant. La police hollandaise, le commissariat de Slagelse et notre division de Copenhague sont en train de rassembler les éléments d'un dossier de plainte contre Carl Mørck, peut-être Hardy Henningsen et à titre posthume, contre feu l'inspecteur Anker Høyer. Ils sont soupçonnés d'avoir dirigé ensemble un important réseau de trafic de drogue jusqu'à la mort d'Anker en 2007. L'affaire dont je te parle est grave. Il s'agit de celle que depuis des années nous appelons "l'affaire du pistolet à clous". Je suis désolé, Marcus, nous savons tous l'importance que Carl a pour toi et pour la brigade criminelle. »

Marcus prit une longue inspiration par la bouche.

« Marcus ? Tu es toujours là ? »

Il expira lentement puis déglutit pour faire passer la boule qu'il avait dans la gorge. « Merde. Je ne m'attendais pas à ça. Un trafic de drogue ? Et tu penses vraiment que Carl et

Hardy auraient pu être mêlés à ça ? Je t'avoue que j'ai du mal à le croire. Qu'est-ce qu'on leur reproche, au juste ? Je veux dire, quel lien Carl et Hardy sont-ils supposés avoir avec cette histoire ? Vous avez des preuves solides ? J'espère pour vous que c'est le cas, parce que les deux types dont tu me parles sont des collaborateurs appréciés et estimés.

– Je le sais. Mais je te jure que c'est sérieux. Il semble qu'il y ait assez de preuves dans le dossier pour valoir à Carl six ans de prison ferme. Le rôle joué par Hardy n'est pas encore très clair, en revanche, la culpabilité d'Anker Høyer ne fait aucun doute. S'il était encore en vie, il en prendrait pour douze ans, minimum !

– La formule "Il semble que" ne veut rien dire dans le département que je dirige, Leif. Mais je te remercie de m'avoir prévenu et évidemment, je ne parlerai de ceci à personne. Je compte sur toi pour me tenir au courant. »

Marcus était sous le choc. Que Hardy et l'ex-collègue de Carl, Anker Høyer, aient pu tremper là-dedans n'était pas impensable. Ne serait-ce que parce qu'on avait trouvé des traces de cocaïne dans le corps de l'inspecteur Høyer lors de son autopsie. Mais Carl ? Impossible ! Marcus ne pouvait pas et ne voulait pas le croire. Cependant, il connaissait le Pif, et celui-là, quand il était sur une piste, il ne croyait qu'à son flair.

Le patron de la Crim' sortit de son bureau et alla marcher dans le couloir. Il était incapable de rester assis tout seul dans son bureau à ruminer ces sombres pensées.

« S'il te plaît, Lis, dit-il à la secrétaire et assistante poly-valente du département, est-ce que je peux te demander de rassembler tout ce que tu trouves sur ce qu'on avait appelé à l'époque "l'affaire du pistolet à clous" et de m'en faire une copie ? Il n'y a aucune urgence, merci. »

En prononçant les mots « pistolet à clous », Marcus n'avait pas pu s'empêcher de tourner les yeux vers les deux bureaux qu'occupait le département V. Il devait faire attention à ne pas se trahir comme ça. Il y avait des pros du langage corporel à l'étage.

La porte du bureau de Carl était comme toujours entrebâillée, quant à celle du bureau de Gordon, d'Assad et de Rose, elle était carrément grande ouverte. Apparemment, seul Gordon était à son poste, un casque audio sur la tête et le nez plongé dans son calepin.

Et n'était-ce pas un sourire qu'il avait sur les lèvres ?

Un pas énergique résonna au fond du couloir, et comme il n'y avait qu'une seule personne dans ce service qui soit capable de déployer une telle énergie, Marcus l'attendit.

« Salut, Assad, tu peux venir dans mon bureau un instant, s'il te plaît ? » l'interrompit-il dans sa course.

Ses cheveux frisés étaient à présent mêlés de gris, ce qui n'avait rien de surprenant après les deux années difficiles qu'il venait de passer. C'est aussi pour ça que Marcus l'avait intercepté avant qu'il ne s'immerge dans l'étrange et mystérieux univers du département V.

« Tu reviens de mission ? »

Assad acquiesça et bâilla en même temps, tandis qu'ils s'installaient tous deux dans le bureau de Marcus. « Oui, excusez-moi, mais je sonne à des portes depuis sept heures ce matin.

– Le *cold case* de Hedehusene, je présume ? »

Assad bâilla de nouveau. « Oui, patron. Mais je ne crois pas qu'on va pouvoir beaucoup avancer dans cette enquête. Ça remonte à trop loin. Les pistes sont froides. »

Marcus fronça les sourcils. Quand Assad jetait l'éponge, on pouvait considérer que l'affaire demeurerait irrésolue, ce

qui allait contre ses principes. Pour lui, aucun crime ayant
entraîné la mort n'avait le droit de tomber dans l'oubli, et
celui-là moins que les autres.

Il regarda Assad avec indulgence. « Et chez toi, ça va à
peu près ? »

Assad s'efforça de sourire. « Vous savez, quand le chameau
du zoo apprend qu'on veut l'envoyer à la boucherie, il met
sa fourrure tachetée et il va se cacher chez la girafe. »

Marcus eut un sourire amusé, mais en réalité il compatissait
sincèrement. Il n'aimait pas du tout voir Assad dans cet état.

« Ta femme va s'en sortir, n'est-ce pas ?

– Oui, Marwa est celle d'entre nous qui s'en sort le mieux,
à vrai dire, et c'est normal. Elle se sent danoise et elle sait la
chance qu'elle a d'être ici. Nella ne va pas trop mal, elle a eu
sa mère pour la soutenir toutes ces années en Irak, et elle a
toujours parlé danois avec Marwa. Mais les viols, la mort de
ses enfants et de ceux de Ronia, les menaces de mort contre
elles, ça, elles ne s'en remettront jamais. » Il s'interrompit,
le temps de réprimer les larmes qui voilaient ses yeux bruns.
« Je fais tout ce que je peux, mais il faudra longtemps pour
qu'elles puissent dormir tranquilles la nuit. C'est Ronia qui
va le plus mal. Les années passées en Irak et en Syrie l'ont
brisée et l'ont changée pour toujours. Malgré les horreurs
qu'elle a subies, elle ne parle pratiquement que l'arabe. Et
depuis qu'elle est ici, elle s'est malheureusement radicalisée.
Elle est beaucoup moins danoise que les deux autres.

– Je suis désolé de l'apprendre, Assad. Elle semble souffrir
du syndrome de Stockholm. Elle s'est peut-être attachée à
ses bourreaux ? Il paraît que ça arrive souvent, ce que j'ai
toujours eu du mal à comprendre. Mais je suppose qu'elle
est suivie par un psychologue ?

– Nous le sommes tous, depuis plus d'un an. Le Danemark est un pays extraordinaire dans ce domaine. Ma famille a eu plus de chance que la plupart des gens comme nous. »

Marcus hocha la tête. « Et ton fils ?

– Je vous remercie de poser la question, patron. Alfi, c'est un autre problème. Lui est né en Irak et il n'a pas la nationalité danoise. C'est déjà bien qu'il soit autorisé à vivre avec nous en attendant que sa demande d'asile soit traitée. Mais s'ils l'obligent à repartir là-bas, qu'est-ce qu'on fait ? On repart avec lui ? »

Bien qu'il connaisse parfaitement les règles, Marcus répondit : « On ne peut pas se passer de toi ici, Assad. Je vais le faire savoir et j'essayerai de faire freiner la procédure, dans le cas où cela s'avérerait nécessaire. »

Le sourire d'Assad restait prudent. À sa connaissance, personne n'avait le pouvoir de faire ça. Et il avait raison de le penser.

« Ça nous briserait si ça arrivait. Mais Alfi est incapable de réussir les tests et les examens demandés. Il ne parle presque pas le danois et ça m'étonnerait qu'il apprenne un jour. Nous ne comprenons pas pourquoi il a autant de retard. D'après Marwa, l'accouchement s'est bien passé. Le psychologue qui le voit régulièrement ne comprend pas non plus. C'est un jeune homme de bientôt dix-neuf ans, mais il se comporte toujours comme un petit garçon.

– Je suppose que c'est à cause des conditions difficiles dans lesquelles il a grandi. Alfi a été privé de stimuli dans son enfance, Assad.

– Je n'ai aucune idée de la façon dont il a grandi. » Assad baissa les yeux, luttant de nouveau contre les larmes, puis releva la tête. « La relation qu'il avait avec son ravisseur, Ghaalib – que ce porc pourrisse en enfer –, ressemblait plus

à celle qu'un chien a avec son maître. Alfi a vraisemblablement vécu beaucoup trop isolé, et avec Marwa, bien que
nous essayions de le stimuler de toutes les manières possibles,
nous en sommes au point où nous nous demandons s'il sera
normal un jour. Avant d'arriver au Danemark, il ne savait
pas ce que c'était un téléphone portable, ou n'importe quel
objet électronique. Nous avons dû lui apprendre à appuyer
sur des touches et à regarder un écran. La première fois
qu'il a vu un match de foot à la télé, il hurlait comme s'il
était dans un stade. Dans ce domaine, ça va un peu mieux.
Il est capable de rester des journées entières à jouer à des
jeux vidéo et à regarder la télévision. Et je crois qu'il intègre
tout. Dernièrement, nous l'avons entendu dire quelques mots,
ça nous a donné un peu d'espoir. Mais confinés dans un
appartement à longueur de journée avec Marwa et les filles
depuis... plusieurs mois maintenant... ça devient... » Il poussa
un soupir. Il était inutile d'en dire plus.

Assad regarda Marcus avec reconnaissance. « Je sais que je
vous l'ai déjà dit, Marcus, mais jamais je ne vous remercierai
assez de m'avoir donné un aussi long congé. Après ce qui
est arrivé à Berlin[1], ces six mois que j'ai pu passer avec ma
famille nous ont sans doute sauvé la vie. Si nous pouvons
faire quoi que ce soit pour vous remercier, dites-le-moi. Ça
peut être n'importe quoi, patron, vous n'avez qu'à claquer
des doigts, et on arrive. Même tondre votre pelouse, pas de
problème, on sera là. Tout ce que vous voulez. » Il essaya
de claquer des doigts, mais sans succès.

Marcus leva les mains en riant.

« C'est bon, Assad, tout va bien ! D'abord, je n'ai pas de
pelouse.

---

1. Lire *Victime 2117* du même auteur.

– Bon, alors je ne sais pas. Si vous êtes constipé, un jour, je viendrai vous préparer un vrai café irakien, et vous allez voir ce que vous allez voir ! »

Il rit lui-même de sa dernière proposition. Dieu merci, il avait gardé son sens de l'humour.

« Merci beaucoup, j'ai hâte de goûter ça... je crois. Mais puisqu'on parle de service, est-ce que je peux te demander de travailler avec Carl sur l'affaire que je viens de confier au département V ? J'ai compris récemment qu'elle me tient beaucoup plus à cœur que je ne le pensais. »

Assad acquiesça et s'éloigna.

Marcus resta planté là, songeur. Si le Pif venait à mettre ses menaces à exécution, il allait trouver à qui parler. Carl Mørck était un type assez impénétrable, et il ne faisait aucun doute qu'il lui était arrivé quelque chose lors de cette fusillade sur l'île d'Amager dans laquelle Anker avait été tué, mais de là à croire que son meilleur enquêteur, un homme qui avait résolu avec son équipe tant d'affaires insolubles – personne ne lui arrivait à la cheville ! –, trempait dans un trafic de drogue, non, Marcus s'y refusait.

8

Mercredi 2 décembre 2020

Carl

« Je te conseille d'aérer avant l'arrivée de Rose, chef », dit Assad. Carl haussa les épaules et leva à peine un regard fatigué. Et puis quoi encore ?

« J'ai demandé à Gordon de téléphoner aux veuves des mécaniciens, pour leur demander si leur mari avait fait des dépenses inhabituelles pendant la période qui a précédé leur décès. Je lui ai dit de les prévenir que s'ils avaient commis quoi que ce soit d'illégal, elles ne risquaient rien à cracher le morceau, puisque de toute manière, il y avait prescription, et qu'on leur posait cette question uniquement pour essayer de découvrir s'il y avait un mobile derrière l'explosion du garage et si la mort de leurs époux était d'origine criminelle. »

Assad eut un air dubitatif. « Pourquoi, on ne le connaît pas déjà, le mobile ?

– Non. À l'époque, on a cherché en vain la raison de ces meurtres, en admettant qu'il s'agisse bien de meurtres. On a vérifié si l'affaire pouvait être liée aux guerres de gangs ou à la drogue, ou à une escroquerie à la plaque d'immatriculation et au trafic de voitures volées avec les pays de l'Est. Mais toutes ces pistes ont abouti à des impasses. Le garage n'a existé que sept mois à peine, et hormis les deux premières déclarations à l'URSSAF, qui montraient un important déficit, on n'a trouvé aucune trace des revenus de l'entreprise, vu que la femme du patron, qui s'occupait de la comptabilité, n'a même pas eu le temps de faire de déclaration fiscale. Comme tout a brûlé, ordinateurs, fichier clients, bons de commande, factures d'achat de pièces, etc., on a fait chou blanc de ce côté-là également. Il a même été évoqué, au moment de l'enquête, que s'il ne s'agissait pas tout simplement d'un accident, les responsables de l'éventuel attentat avaient pu se tromper de cible. Une piste qui n'a mené nulle part non plus, d'ailleurs. »

Assad gratta sa barbe naissante et dit : « On a quand même la preuve qu'ils n'étaient pas blanc-blanc, puisque Gordon a découvert ce matin qu'ils escroquaient leurs clients sur les réparations.

– L'expression, c'est "blanc-bleu", Assad.

– Enfin, on ne peut pas savoir parce que sur les photos, ils sont plutôt... noir-noir. »

Carl sourit. Si la langue danoise manquait de proverbes, on pouvait toujours compter sur Assad pour en inventer.

« Quoi qu'il en soit, même si le garage facturait à ses clients des réparations fictives ou superflues, ça ne les empêche pas d'avoir commis des crimes plus graves, reprit-il. Tu as une idée ?

– Est-ce qu'on a demandé à la veuve s'ils s'occupaient aussi d'achat et de revente de véhicules ?

– Nous savons que c'était le cas et nous avons retrouvé plusieurs annonces dans les journaux gratuits.

– La vente de voitures volées dont on a changé les plaques d'immatriculation peut parfois engendrer des règlements de comptes. Je sais par exemple que les ressortissants d'Europe de l'Est n'aiment pas du tout se faire arnaquer. Qu'il s'agisse de compteurs trafiqués, de faux carnets d'entretien, ou autre. On a trouvé des traces d'explosifs, à l'époque ?

– Non.

– Tu sais pourquoi cette affaire tient tant à cœur au patron, chef ? »

Carl détourna un instant les yeux. Il le savait parfaitement. Mais son équipe n'avait pas besoin de tout connaître de la vie de Marcus.

« Pour des tas de raisons, je crois. Le petit garçon mort, sa mère qui s'est suicidée, et les questions restées sans réponse.

– Moi, je crois que le patron avait promis à la mère du garçon qu'il retrouverait les responsables. »

C'était bien possible, pensa Carl, et ce ne serait ni la première ni la dernière fois qu'un policier avait dû trahir sa promesse. Dans une affaire de ce genre, n'importe qui serait prêt à promettre n'importe quoi si cela pouvait soulager un peu la peine des rescapés. Mais une chose est sûre, on ne se débarrasse jamais d'une promesse non tenue.

« Vous aviez raison, Carl ! » entendirent-ils claironner dans le couloir. Ce garçon apprendrait-il un jour à attendre d'être entré dans le bureau pour dire ce qu'il avait à dire, sans mettre au courant toutes les concierges des bureaux voisins ?

Deux belles taches roses brillaient sur les joues laiteuses de Gordon. Il était excité comme une puce.

« Vous avez eu le nez creux, Carl. Tous les mécaniciens sans exception ont acheté toutes sortes de choses coûteuses pendant la période qui a précédé le drame. On peut dire qu'il a circulé un sacré paquet de fric dans cette petite entreprise.

– OK, parfait. Merci, Gordon. Tu peux nous en dire un peu plus ?

– Des voitures, de l'électronique, des voyages. Et le plus beau, c'est que, d'après les veuves, tout était réglé en liquide.

– Du black, marmonna Assad.

– Exactement. Les mécaniciens étaient une sacrée bande de voyous qui se connaissaient depuis le lycée technologique. D'après l'une des épouses, c'était la foire à la combine. Ça lui était égal de tout me raconter, parce qu'elle l'avait déjà quitté avant qu'il meure. Je peux vous dire qu'elle n'avait pas la langue dans sa poche. D'après elle, dès qu'il se présentait un moyen d'embobiner quelqu'un, ils ne s'en privaient pas. Les voitures qu'ils vendaient étaient toutes des vieilles guimbardes qu'ils avaient maquillées. Ils passaient leur temps dans les ventes aux enchères où ils achetaient pour une bouchée de pain des voitures dont personne ne voulait. Elle pense qu'ils devaient en vendre au moins cinq ou six par semaine, de ces épaves-là.

– Nom de Dieu ! Ça ferait plus de cent voitures vendues sur la courte période où a existé le garage. Elle sait aussi à qui ils les ont vendues ?

– À tous ceux qui étaient assez naïfs ou assez fauchés pour les leur acheter. Beaucoup d'immigrés, je crois. »

Assad et Carl échangèrent un regard. Ils avaient pensé à la même chose en même temps.

« Est-ce qu'elle avait entendu parler de plaintes ou de réclamations ?

– Ils ne donnaient jamais de détails, et quand elle posait des questions à son mari, il lui disait de fermer sa gueule et de s'occuper de ses fesses.

– Et elle n'a pas jugé bon de raconter tout ça à la police, à l'époque de l'incendie ?

– Elle était déjà partie, à ce moment-là. Ça faisait trois mois qu'elle vivait avec un restaurateur suédois sur la Costa del Sol. Elle n'a entendu parler du drame qu'en rentrant au Danemark. Alors, non, elle n'a jamais rien dit à la police.

– Elle t'a parlé d'autres formes d'escroquerie ? »

Les taches sur les joues de Gordon devinrent encore plus nettes. Le clou du spectacle allait arriver. Il avait gardé le meilleur pour la fin.

« L'une des autres épouses m'a expliqué qu'ils trichaient systématiquement sur les factures de réparation. Je vous l'avais dit, Carl. La moindre facture était rallongée de plusieurs milliers de couronnes sous prétexte de réparations jugées indispensables qu'ils découvraient au moment où ils mettaient le nez dans le moteur ou sous le châssis. » À voir comment il trépignait en racontant son histoire, Gordon devait être sur le point d'exploser de fierté.

« Bravo, Gordon, c'est du bon travail. Le profil du client mécontent commence à prendre forme. Maintenant, attendons de voir si Rose trouve d'autres affaires dans lesquelles il y avait un tas de sel sur le lieu du crime.

– Un tas de sel ? » s'étonna Assad.

Carl poussa le dossier vers lui. « Bienvenue sur l'enquête, Assad. Je te laisse découvrir l'affaire tout seul. C'est moi qui vais chercher Lucia à la crèche, aujourd'hui », dit-il.

Une vague d'émotion le traversa lorsqu'il prononça cette dernière phrase.

Carl était obligé d'avouer qu'en dépit du coronavirus, cette période était la plus heureuse de sa vie. Tout s'était arrangé. Mona et lui avaient mis au monde la plus adorable des petites filles, ils avaient emménagé ensemble, et ils étaient mariés. Depuis plusieurs semaines, Ludwig habitait en alternance chez un copain, et maintenant, il était question qu'il y reste jusqu'à Noël. Mona avait recommencé à travailler et quand, exceptionnellement, ils étaient tous deux occupés à l'heure où il fallait aller chercher Lucia, leur jeune voisine de palier était ravie de gagner un peu d'argent pour les dépanner en faisant du baby-sitting. Les seules ombres encore au tableau étaient la fille aînée de Mona, qui avait carrément claqué la porte après la naissance du bébé, et la situation familiale d'Assad qui l'affectait énormément. Carl avait plusieurs fois surpris Assad, cet homme si fort et si résilient, avec des larmes dans les yeux à un moment où il se croyait seul.

« J'ai mis Assad sur le coup tout à l'heure, raconta Carl à Mona après lui avoir résumé l'affaire en buvant son café d'après dîner. Je sais que tu l'as vu la semaine dernière en consultation. Je peux te demander comment il va ? »

Elle fit non avec la tête et se concentra, souriante, sur la difficile mission de viser la bouche de Lucia avec la cuillère de purée.

« OK, le secret professionnel, tout ça. Alors je vais te poser la question autrement, madame la psychologue : ai-je tort de croire qu'il est prêt à travailler sur une enquête ? Elle ne sera pas simple, car Marcus et moi pensons l'un et l'autre qu'elle pourrait être en lien avec d'autres affaires non résolues. Je suis obligé de déléguer certaines tâches. Et franchement, je ne peux pas continuer à laisser Assad passer ses journées à effectuer des interrogatoires de routine alors qu'on a entre les mains une énigme comme celle-là. »

Elle continua de sourire, comme si elle avait des bouchons dans les oreilles ou qu'elle était incapable de penser à autre chose qu'à la prochaine cuillerée de banane écrasée.

Carl poussa un long soupir. « Mona, s'il te plaît. Il faut vraiment que je sache si je risque de nuire à ses progrès en lui demandant plus que ce qu'il peut fournir. »

Enfin, elle tourna les yeux vers lui. « Tu t'en rendras compte toi-même, n'est-ce pas ? »

9

Mercredi 2 et jeudi 3 décembre 2020

Rose

Une unique lampe d'architecte était encore allumée dans les bureaux de la brigade criminelle, où Rose piochait machinalement dans un sachet de chips molles. Après cinq heures de travail supplémentaires, alors qu'elle ne ressemblait plus à rien et que l'odeur de tous ces vieux documents couverts de poussière commençait à lui donner la nausée, elle découvrit enfin quelque chose.

Ce mince rapport datant de 2002 aurait pourtant eu toutes les chances de passer inaperçu au milieu des épaisses piles de dossiers, sachant qu'il n'était constitué que d'une seule chemise contenant quelques photos et deux pages de texte. Le rapport d'enquête avait conclu à un suicide, avec toutefois une remarque typique de l'inspecteur Hardy Henningsen lorsqu'un ou plusieurs détails lui paraissaient un peu louches : « Affaire classée, avec quelques réserves. »

La victime était un homme dans la force de l'âge retrouvé dans son garage, intoxiqué au gaz d'échappement, deux jours après la Pentecôte. Le corps avait été découvert par sa femme de ménage alors qu'elle venait chercher des produits d'entretien. L'autopsie avait déterminé que le décès remontait à trois jours au moins, et que le moteur de la Volvo, dont le plein venait d'être fait, tournait au ralenti depuis aussi longtemps. Hormis le fait qu'il s'agissait d'un membre du Parlement célèbre pour ses positions tranchées, entre autres la stérilisation thérapeutique des femmes ayant eu plus de deux enfants et bénéficiant d'aides sociales, sa disparition n'avait pas fait assez de bruit pour défrayer la chronique. De l'avis général, ce décès prématuré, qui mettait fin à sa carrière politique, était un avantage pour lui-même et pour la communauté.

L'unique raison pour laquelle son suicide avait malgré tout été classé dans la pile des meurtres présumés était les deux légères marques en creux sur ses poignets, signalées par le médecin légiste, et que la femme de ménage avait mises en rougissant sur le compte de mœurs sexuelles particulières de son patron – pas du genre que son mari et elle, en tout cas, pratiquaient dans leur chambre à coucher. Le commissaire adjoint de l'époque, Marcus Jacobsen, avait confié aux inspecteurs Carl Mørck et Hardy Henningsen la tâche de remettre la main sur une ou plusieurs des possibles partenaires sexuelles du défunt. Leurs recherches s'étant révélées infructueuses, on avait classé l'affaire, avec la brève remarque de Hardy Henningsen en guise de conclusion.

Vers le milieu du rapport se trouvaient quelques descriptions de ce qu'on avait répertorié dans le garage. Les étagères regorgeant de rouleaux d'essuie-tout, de papier-toilette et de boîtes de tomates pelées. Du matériel de peintre et des pots de peinture desséchée, des taches d'huile et du sel renversé sur le sol, un vélo qui n'avait pas servi depuis des années, en admettant qu'il ait été utilisé un jour. Et pour finir, une galerie pour toit de voiture suspendue au plafond, un balai et un seau de ménage.

Au moment où Rose lut ce rapport, son estomac gargouillait déjà depuis une heure, malgré les chips. Si elle avait cédé à la faim et parcouru ces deux pages distraitement pour être plus vite rentrée chez elle, elle n'aurait probablement pas noté le détail minuscule, mais pas tout à fait anodin, du petit tas de sel sur le sol du garage.

Elle examina rapidement les photos.

Le cadavre était assis à la place du conducteur, le buste légèrement basculé vers l'avant. Les mains posées sur ses genoux. Il était élégamment vêtu de la veste en tweed qui était sa marque de fabrique et à part ça, il n'y avait rien à noter d'inhabituel. Sur la photo peu ragoûtante où on le voyait couché sur la table d'autopsie, on remarquait immédiatement les taches livides, rose pâle, qui caractérisent la mort par asphyxie au dioxyde de carbone. Rose se souvenait parfaitement de cet imbécile grassouillet. De son vivant, elle l'avait toujours trouvé répugnant.

Dans cette banale maison d'un lotissement de Rødovre, le garage paraissait immense. Si le type avait eu femme et adolescents, il y a longtemps qu'ils l'auraient transformé en un local pour y organiser des soirées d'enfer. Mais en l'occurrence, ce n'était rien d'autre qu'une dépendance parfaitement entretenue communiquant avec le reste de la maison, avec une porte basculante donnant sur l'extérieur qu'on avait trouvée déverrouillée.

Le tas de sel n'était visible que sur les clichés sur lesquels la voiture ne se trouvait plus. Il s'agissait d'un petit monticule blanc, d'une hauteur de six à sept centimètres, qui n'avait pas de quoi surprendre dans cette pièce par laquelle transitaient régulièrement des denrées alimentaires de toutes sortes.

Rose en avait oublié sa faim.

« Tu aurais dû m'appeler hier soir, Rose, lui dit Carl le lendemain matin.

– Je ne voulais pas réveiller Lucia, et puis j'avais envie de rentrer chez moi. Je ne suis arrivée à la maison qu'à vingt-deux heures trente », répliqua Rose.

Carl appréciait son dévouement.

« Viens », dit-il, l'entraînant d'une main, le rapport dans l'autre. En chemin vers le bureau du patron, ses collègues crurent le voir sourire.

Il ne fallut pas longtemps à Marcus Jacobsen pour remarquer la note de triomphe dans leurs regards, et il prit congé de son interlocuteur. « Qu'est-ce que vous m'apportez là ? » demanda-t-il quand Carl posa la fine chemise sur la table devant lui.

« La deuxième affaire que tu m'as demandé de dénicher, et c'est grâce à Rose qu'elle a été exhumée des archives, claironna-t-il en la regardant, pas peu fier. Dès que j'ai lu le rapport, elle m'est revenue en tête. Tu avais raison, j'aurais dû appeler Hardy, avec son aide, je l'aurais retrouvée tout de suite. »

Carl montra à Marcus la fin du document et la réserve émise par Hardy.

« Il se serait sûrement souvenu de la conclusion qu'il avait apportée à ce rapport, et peut-être également de ceci. »

Carl sortit la photo du garage vide du dossier et pointa du doigt le tas de sel.

Marcus étudia le cliché à travers ses lunettes en demi-lune.

« Ça alors ! » s'exclama-t-il. Puis il dit à Rose : « Est-ce que tu te rends compte de ce que tu as peut-être déclenché avec ta découverte ?

– Je crois que oui. Ce petit tas de sel ressemble à s'y méprendre à celui qui se trouvait devant le garage qui a pété en 1988. Il pourrait donc y avoir un lien entre les deux affaires, et qui sait, avec d'autres ? » Elle fronça les sourcils et ajouta : « Oui, mais je vous avoue que ça m'inquiète. Parce que si c'est le cas, ça va être un boulot de dingue d'éplucher tous les dossiers sur lesquels nous avons travaillé entre 1988 et aujourd'hui. J'espère que vous vous en rendez compte. Et si on ne trouve pas d'autre tas de sel, M. Mørck ici présent va nous demander de remonter encore plus loin que 1988. Et ça, ce sera sans moi.

– Je sais que cela représente un travail énorme, Rose, mais, à ton avis, pourquoi est-ce qu'on va le faire quand même ?

– Parce que dans les deux affaires, le meurtrier a essayé de déguiser son crime.

– Alors pour toi, il y a meurtre avec préméditation dans les deux cas ? s'enquit Marcus en regardant longuement la jeune femme.

– Nous le pensons tous les deux, et toi aussi, Marcus, tu le penses, intervint Carl. Sinon pourquoi cette explosion dans un garage automobile t'obséderait-elle à ce point, après tout ce temps ?

– D'accord, mais écoutez-moi bien, je veux que vous restiez objectifs. L'intuition est une chose, mais on peut aussi se laisser tromper par une succession de hasards. Je propose qu'en attendant de tomber sur une autre affaire dans laquelle un monticule de sel aurait été retrouvé à proximité d'un cadavre, nous continuions à n'y voir que l'effet du hasard. Trouvez-m'en une de plus, et on en reparle, d'accord ?

– S'il le faut, rétorqua Rose. Mais si ces deux affaires-là étaient en réalité des meurtres, on peut partir du principe que dans d'autres affaires similaires, la cause du décès a été si habilement camouflée qu'elles n'ont jamais atterri à la brigade criminelle, et que de ce fait, nous ne les retrouverons pas dans nos archives. Il pourrait s'agir d'affaires classées sous la rubrique "accident ayant entraîné la mort", "suicide", ou tout simplement "mort naturelle", et là on parle de plusieurs milliers de cas. Sans compter que, géographiquement parlant, ils peuvent s'être produits n'importe où au Danemark. »

Marcus posa ses deux mains à plat sur la table et se pencha pour approcher son visage de celui de Rose. « Oui, Rose, tu as raison. Mais pourrais-tu me rafraîchir la mémoire, s'il te plaît ? Ce membre du Parlement est mort quand déjà, j'ai oublié ? Il y a dix ans, à peu près ?

– Presque le double. Dans ce rapport, le légiste a estimé que le type était mort dans la soirée du dimanche de Pentecôte 2002. La victime s'appelait Palle Rasmussen, répondit Rose.

– Si longtemps que ça ! » fit Marcus en se calant au fond de son fauteuil. Il se tut un long moment, le temps de remonter jusqu'à cette date dans son calendrier mental.

« Je ne suis pas sûr que le département V puisse mener cette enquête tout seul, Marcus », dit Carl.

Marcus leva un doigt pour leur indiquer que sa réflexion n'était pas terminée. Mais Rose prit sur elle de l'interrompre malgré tout avec une proposition : « Je trouve qu'on devrait envoyer cette photo et celle du tas de sel de 1988 à tous les districts du pays, pour savoir si un inspecteur ou un expert de la police scientifique se souviendrait d'une situation comparable. »

Rose attendit leur réaction avec un regard grave.

« Allons-nous oser dire à haute voix que nous risquons de retrouver cette histoire de sel ailleurs, et peut-être en plusieurs occurrences ? demanda Marcus.

– Tu penses à un tueur en série ? dit Carl.

– Si nous découvrons d'autres affaires dans lesquelles un tas de sel était présent sur la scène de crime, alors oui, c'est à ça que je penserai. »

Manifestement, l'inspecteur Mørck ne fut pas enchanté à cette perspective.

« Cela signifie qu'il va falloir mettre le paquet : profilage, recherche de mobile, nouveaux interrogatoires d'anciens témoins, relecture d'anciens interrogatoires, d'expertises techniques, comparaison de monceaux de rapports de police, et j'en passe. Ça va prendre des mois.

– C'est exact, Carl. Mais imagine que plusieurs affaires classées sans suite pointent dans la même direction. Tu ne serais pas content d'en résoudre toute une série d'un seul coup, et de faire un peu le vide dans tes tiroirs ? Imagine qu'on résolve le mystère de l'explosion du garage Ove Wilder Auto et qu'une flopée d'autres affaires dégringolent des armoires par la même occasion. »

Les rides d'expression qui plissent un visage peuvent traduire plusieurs émotions contradictoires. En cet instant, la figure de l'inspecteur Carl Mørck ressemblait à un plan dessiné par un architecte sous LSD.

10

Jeudi 3 décembre 2020

Carl

« Tant que nos bureaux seront situés à moins de cinq mètres de ceux de nos collègues, je veux que vous me promettiez la plus grande discrétion sur le travail que nous sommes sur le point d'entreprendre. Je suis bien conscient que vous ne pourrez pas éviter de parler aux autres enquêteurs dans ce couloir, mais je vous prie de ne rien leur révéler de ce qui se passe ici. Si nous réussissons, les deux tiers d'entre eux nous haïront, et dans le cas contraire, les mêmes se moqueront de nous. Je ne souhaite ni l'un ni l'autre, alors aussi longtemps que nous travaillerons dans une telle promiscuité, nous devrons avant toute chose assurer notre tranquillité, nous sommes d'accord ? »

Carl se tourna vers la série de tableaux blancs couvrant tout un mur du bureau que partageaient Assad, Rose et Gordon.

« Mes amis, à partir de maintenant, cette pièce est notre salle de crise. J'ai tracé cinq colonnes qui vont vite se remplir, du moins je l'espère.

« La première colonne est simple : date et lieu du crime.

« La deuxième colonne, celle des victimes, est un peu plus compliquée. S'il s'est passé plusieurs années depuis le meurtre présumé, il ne sera pas facile de décrire l'individu et de savoir quelles étaient ses activités et ses habitudes.

« La troisième colonne concerne le mode opératoire, et je ne serais pas étonné s'il se révélait difficile à définir.

« Je ne m'attends pas à ce que nous remplissions la quatrième colonne à coup sûr avant d'avoir cerné un éventuel coupable. Je l'ai intitulée : "Mobile". Pouvons-nous supposer que les deux cas déjà avérés ont pour point commun le fait que les victimes ont, d'une façon ou d'une autre, été réduites à l'impuissance avant d'être tuées ? Rose, qu'en penses-tu ?

– Les mécaniciens étaient déjà hors d'état de nuire avant qu'on fasse exploser le garage, ça, c'est certain. Quant au parlementaire Palle Rasmussen, il a été neutralisé derrière son volant avant que les gaz d'échappement finissent le boulot, confirma-t-elle.

– Quel âge avait la Volvo, tu as une idée ?

– Elle était assez vieille pour ne pas avoir de pot catalytique.

– Dommage pour Palle, dit Carl. Si elle avait été plus récente, elle n'aurait pas dégagé autant de monoxyde de carbone. Assad, tu as l'air songeur. Tu as quelque chose à nous dire ?

– Je ne sais pas, chef, c'est difficile pour moi en ce moment, tout est un peu confus dans ma tête. Mais je me demande quand même comment on fait pour assommer quatre types d'un seul coup. Comment quelqu'un a-t-il pu réussir à leur fracasser le crâne à tous en même temps sans qu'aucun d'entre eux n'ait eu le temps de réagir ? »

Gordon leva poliment le doigt avant de parler, il allait vraiment falloir qu'il se débarrasse de cette habitude. « Je me suis fait la même réflexion. Je crois que ce sont ces coups sur la tête qui ont causé la mort, et que l'explosion n'avait pour but que de camoufler l'opération et d'empêcher qu'on puisse retrouver des indices comme de l'ADN, des objets compromettants ou des films de surveillance ou... »

Il ne lui vint pas d'autre exemple, mais c'était suffisant.

« Je suis du même avis, approuva Rose.

– Donc, on les aurait endormis d'une façon ou d'une autre avant de les frapper, dit Assad. L'homme qui se trouvait à l'entrée du garage a peut-être tenté de sortir à l'air libre, mais il n'a pas eu le temps. C'est à ça que je pensais, en fait.

– Parfait, alors allons-y. Comment ont-ils été endormis, quelqu'un a une proposition ?

– Peut-être à l'aide d'un gaz quelconque ? proposa Gordon.

– Vous oubliez qu'il y avait une cabine de peinture pour carrosserie dans le bâtiment et probablement un bon système de ventilation. Ce qui semble infirmer cette hypothèse.

– Est-ce qu'on ne peut pas inverser ce genre de VMC, comme sur un vieil aspirateur, pour qu'il souffle de l'air à l'intérieur au lieu de l'extraire vers l'extérieur ? » s'enquit Rose.

Carl haussa les épaules. « Aucune idée. C'est possible, mais cela me semble un peu compliqué, non ? » Les autres eurent l'air d'être de son avis.

« Quid du parlementaire ? Qu'a-t-il pu se passer ?

– La même chose, sans doute, dit Assad. D'abord, on l'a endormi pour qu'il ne puisse pas s'enfuir de la voiture, pendant qu'il était lentement empoisonné par les gaz d'échappement.

– Avec de l'éther ou du chloroforme, peut-être ? suggéra Gordon.

– C'est possible. » Carl avait évidemment déjà pensé à cette éventualité. « Ce sont deux produits très volatils et presque impossibles à déceler sur un cadavre, quant à les détecter dans l'air au bout de trois jours, avec tout ce monoxyde de carbone, aucune chance. On inscrit ça sur le tableau comme un éventuel *modus operandi* ? »

Tous acquiescèrent.

Carl écrivit.

« Est-ce que la même méthode a pu être utilisée pour les meurtres dans le garage ?

– Vraisemblablement, répliqua Gordon.

– Dans ce cas, qu'est-ce que ça nous apprend sur le meurtrier ?

– Qu'il ou elle sait beaucoup de choses sur les lieux et sur les personnes qu'il ou elle tue. L'heure à laquelle le politicien rentre chez lui, la configuration du garage, etc., continua Gordon.

– Oui, et aussi qu'il ou elle a des connaissances dans le domaine des produits anesthésiants et que les crimes ont été soigneusement planifiés. C'est flagrant quand on regarde le meurtre compliqué à l'intérieur de l'atelier, mais qu'est-ce qui nous indique que c'est aussi le cas pour le meurtre devant le garage ? »

Carl les interrogea d'un geste, à tour de rôle. Cette fois, ce fut Assad qui répondit.

« Le sel se trouvait sous la voiture. Donc il a été versé là, en tas, avant qu'on vienne la garer à cet endroit. »

Carl leva un pouce puis donna ses consignes.

« Rose, tu me rédiges une note concernant une recherche de coïncidence tas de sel/mort suspecte. Tu l'envoies à tous les districts et évidemment à tous les services de la maison. Tu sais comment on fait. Dès à présent, tu deviens le référent. S'ils ne réagissent pas immédiatement, tu leur téléphones et tu les relances. » Il accompagna cet ordre de son plus doux sourire, mais manifestement, cela ne suffit pas à la radoucir. Rose détestait ce genre de mission.

« Sérieusement, il n'y a vraiment aucun d'entre vous qui se rappelle une affaire dans laquelle on aurait trouvé un tas de sel à côté de la victime ? » reprit Carl.

Tous secouèrent la tête.

« Dommage, parce que moi non plus. Alors pour l'instant, on s'en tient aux affaires s'étendant sur une période allant de 1988 à 2010. C'est-à-dire ce que Rose a déjà commencé. À partir de maintenant, Gordon, et jusqu'à nouvel ordre, c'est toi qui t'en charges. Si tu veux profiter de l'expérience de Rose, tu commences par regarder les archives photo, ça te fera gagner du temps. Si tu découvres un tas de sel sur un cliché, tu épluches soigneusement le rapport correspondant, et ensuite tu viens nous en parler. Reste attentif et essaye de ne rien laisser passer.

– Je ferais peut-être mieux de dire tout de suite aux commissaires des différents districts que si personne ne se souvient *a priori* d'une affaire impliquant un tas de sel, nous aimerions qu'ils fassent des recherches dans leur documentation photo, non ? intervint Rose.

– Très bonne idée, dit Carl. Quant à toi, Assad, je voudrais que tu réfléchisses à un mobile pour les deux meurtres affichés sur ce tableau. Je ne serais pas étonné que tu leur trouves un point commun. Les types dans cet atelier qui trichaient avec les ventes de voitures et les discours belliqueux et xénophobes du parlementaire Palle Rasmussen auraient pu donner des envies de vengeance à un immigré. C'est une piste un peu mince, mais la femme qui avait déjà quitté son mari au moment des faits nous a dit que beaucoup de clients du garage étaient des immigrés. En consultant le fichier des cartes grises pour la période ayant précédé l'attentat, tu auras le nom des acheteurs. En recoupant avec une éventuelle plainte contre Palle Rasmussen pour injures et harcèlement moral, cela nous donnerait un mobile commun, même si je t'accorde que ce serait un sacré coup de pot.

– Je pense que ça ne va pas fonctionner, chef, déclara Assad.

– Et pourquoi, je te prie ?

– Parce que je crois que ces ventes de voitures se faisaient en dehors de l'activité du garage et que le nom de l'entreprise Ove Wilder Auto ne figurera pas sur les certificats de cession.

– OK. » Carl réfléchit, les sourcils froncés. « Mais il fallait bien qu'ils mettent un nom de vendeur sur ces certificats ! Enfin, admettons que tu aies raison. Alors dans ce cas, commence par chercher les noms des employés du garage dans le registre, peut-être qu'ils vendaient les véhicules sous leur propre nom. Et profites-en pour en apprendre un peu plus sur chacun d'entre eux. »

Assad haussa les épaules. Il n'était pas convaincu. Tant pis, l'important était qu'il fasse le boulot.

« Et toi, Carl, tu comptes faire quoi ? lui demanda Rose sur un ton mielleux. Tirer sur tes clopes nauséabondes en attendant qu'on trouve quelque chose et qu'on vienne bien sagement te le rapporter ?

– Oui, entre autres, répondit-il en réprimant un réflexe d'agacement. Et à part ça, je vais aller mendier une grosse somme d'argent à la direction pour pouvoir vous payer vos heures supplémentaires. Car je suppose que vous ne voulez pas que je vous les fasse passer en RTT sur les dix prochaines années ?

– Super, Carl, on compte sur vous », dit Gordon, enchanté. Il adorait les heures supplémentaires, du moment qu'elles étaient rémunérées. Il faut dire qu'en dehors de son travail, il ne faisait pas grand-chose.

« Et enfin, je vais essayer d'établir le profil d'un coupable potentiel en faisant la synthèse des deux affaires, termina Carl.

– Tu parles ! Tu vas confier ça à Mona. Et toi, tu vas jouer avec ta fille pendant que nous, on bosse. »

Décidément, Rose était sur le pied de guerre.

Carl choisit de le prendre à la rigolade. « Très bonne idée, merci beaucoup.

– Juste une dernière question qui fâche, Carl, insista-t-elle. Si le sel a été mis là volontairement, cela signifie qu'on a affaire à un meurtrier qui joue avec le risque d'être découvert, ou en tout cas, à quelqu'un qui tient à laisser sa signature. Ce qui en fait, de mon point de vue, un tueur en série très organisé que nous rêverions de mettre sous les verrous. Mais si cette histoire de sel n'est que l'effet du hasard, alors quoi ?

– C'est entre autres pour ça que je vous demande de rester discrets sur vos progrès et vos échecs. Mais si c'était effectivement un hasard, nous essayerons simplement de résoudre deux affaires non élucidées. C'est pour ça qu'on nous paye, non ? »

La réunion terminée, Carl se rendit dans son bureau où il s'en grilla une, penché à la fenêtre. Voir la fumée d'un blanc bleuté s'élever vers le ciel l'aidait à réfléchir.

Et maintenant quoi ?

Il savait que Marcus se battrait bec et ongles pour obtenir les subventions, et cette question se réglerait d'elle-même. En ce qui concernait le profil psychologique des victimes, il allait commencer par étudier la carrière du politicien, son image publique et les éventuelles plaintes déposées contre lui pour diffamation ou autres délits de ce genre. Carl se souvenait bien de l'enquête sur sa mort, puisque Hardy et lui avaient travaillé dessus ensemble.

Mais Hardy se la rappelait encore mieux.

11

Jeudi 3 décembre 2020

Carl

« Je suis en train d'attendre mon tour dans un service ambulatoire. Il y a un bruit infernal autour de moi, alors essaye de parler fort et d'articuler, Carl. »

Carl eut beau tendre l'oreille, il n'entendait aucun bruit. « Morten dit que tu fais des progrès, là-bas en Suisse, Hardy. Tu es optimiste ?

– Quand tu parles d'optimisme, tu me demandes si je pense remarcher un jour ?

– ... C'est le cas ?

– Si les dernières interventions sur ma moelle épinière ont réussi, s'ils arrivent à fabriquer un exosquelette adapté à un homme de ma taille, avec un tas de roulements compliqués, si je parviens à remobiliser ma masse musculaire aujourd'hui inexistante, j'ai une chance de pouvoir me tenir debout un jour, mais ne t'attends surtout pas à me voir courir le cent mètres.

– Je n'en demande pas tant, Hardy. Mais tes bras, est-ce qu'il y a une chance pour que tu puisses t'en resservir ? »

Le long silence qui suivit était malheureusement une réponse en soi. Hardy était paralysé de la tête aux pieds depuis plus de dix ans, qu'aurait-il pu répondre à une question aussi stupide ?

« Je crois, oui », dit-il pourtant.

Carl émit un hoquet de surprise. Si Hardy retrouvait ne serait-ce qu'un tout petit peu de sa mobilité, tout changerait. C'était presque trop beau pour être vrai.

Hormis cette petite lueur d'espoir, Hardy ne souhaita pas s'attarder sur son traitement. Le coup de fil d'encouragement quotidien de Morten et de Mika lui suffisait pour ne pas éprouver le besoin d'évoquer le sujet plus longuement. Toutes ces nouvelles technologies n'en étaient qu'au stade de l'expérimentation, et personne ne pouvait en prédire l'issue. De plus, Hardy était un homme prudent.

« Pour changer de sujet, Carl, Morten m'a dit que tu avais rouvert l'enquête sur le meurtre du parlementaire Palle Rasmussen. J'imagine que c'est pour ça que tu m'appelles.

— Non, je t'appelais pour...

— Elle puait vraiment, cette affaire. Qu'est-ce qui aurait pu pousser un personnage public, un type qui adorait être sous le feu des projecteurs, à tirer tout à coup sa révérence ? Aucune explication, pas de message d'adieu, rien qui permette de suggérer une dépression. Je me souviens parfaitement de ce dossier. C'était l'un des hommes politiques les plus méprisés du pays, un personnage qui paraissait se nourrir du sentiment de haine, autant celle qu'il inspirait que celle qu'il portait aux autres. Tu crois vraiment qu'un homme comme lui aurait du jour au lendemain éprouvé assez de dégoût envers lui-même et sa misérable existence pour avoir envie de mettre fin à ses jours ?

— C'est vrai que c'est surprenant. Mais à vrai dire, j'avais surtout une question sur un point de détail : est-ce que tu te souviens d'un tas de sel retrouvé sur le sol du garage ?

— Un tas de sel ?

– Je te dis ça parce qu'on travaille sur une autre affaire, plus ancienne, sur laquelle on avait également trouvé du sel à un endroit inhabituel.

– Non, je t'avoue que ça ne me dit rien. Pourquoi est-ce important ? »

Carl lui expliqua les similitudes trouvées dans les deux affaires.

« Ça alors ! Tu crois que c'est une simple coïncidence ?

– Je n'en sais rien. J'ai une autre question à propos de Palle Rasmussen. À l'époque, on avait cherché à savoir s'il avait eu une relation sexuelle avec quelqu'un qui l'aurait attaché. Tu te rappelles peut-être que le médecin légiste avait noté des marques à ses poignets ?

– Ça oui, je m'en souviens, mais comme je l'avais déjà dit à ce moment-là, et comme l'avait confirmé le médecin légiste, ce genre de marques ne subsistent pas très longtemps, tant que la personne est en vie. Alors, soit il avait participé à une partie fine à tendance sadomaso en rentrant du Parlement, et si ma mémoire est bonne, il en aurait eu largement le temps, soit quelqu'un l'avait attaché à son volant. Tu ne te rappelles pas que sa femme de ménage nous avait dit que d'habitude, son volant était recouvert d'une housse synthétique, un genre de polaire, qui n'y était plus quand elle l'avait découvert ?

– Non, j'avais oublié. Tu veux dire que si cette moumoute avait été en place, la police scientifique aurait vu dessus des traces de ce qu'on avait utilisé pour l'attacher à son volant ?

– Je dis juste que je trouve bizarre que cette housse ait disparu.

– Pourquoi est-ce qu'on avait arrêté l'enquête, au fait, j'ai oublié ? Je peux poser la question à Marcus, mais si toi...

– Ils vont venir me chercher dans un instant, Carl, je n'ai plus beaucoup de temps. » Hardy réfléchit pendant quelques secondes. « L'enquête a été stoppée à cause d'un dîner de famille qui avait eu lieu aux alentours de la Pentecôte, deux jours avant le décès de Palle Rasmussen.

– Ça ne me dit rien.

– C'est normal, tu n'étais pas là à la fin, le patron t'avait envoyé sur une autre affaire avec Anker.

– Ah ? OK. Et il s'était passé quoi pendant ce dîner ?

– On nous a raconté qu'à la fin du repas, Palle Rasmussen était légèrement saoul, ce qui arrivait souvent, et qu'il avait plaisanté à propos d'une présentatrice télé qui s'était tiré une balle dans la tête devant les caméras, en disant que c'était le suicide le plus absurde qu'on puisse imaginer. Je le cite : "Quand on veut se donner la mort, je trouve que la moindre des choses est de veiller à faire un beau cadavre." "Quand on veut se donner la mort…", ce sont les mots qu'il a employés, et la famille y a vu *a posteriori* la preuve que c'était dans ses intentions. Nous avions beaucoup d'autres enquêtes en cours à cette période, et je suppose que Marcus a décidé de classer celle-là pour en privilégier une autre. J'étais furieux, pour tout te dire. »

Carl entendit un remue-ménage à l'autre bout de la ligne, et Hardy répondit en anglais à une phrase qu'on lui disait en français.

« Toutes ces informations concernant la housse du volant et le dîner de famille ne devraient-elles pas figurer dans le rapport, Hardy ?

– Pourquoi, ce n'est pas le cas ? » Il y eut de nouveau du bruit en arrière-fond. « Ah, c'est l'heure, Carl. J'espère que j'ai pu t'aider un petit peu. »

Un peu ? Je veux, mon neveu ! Mais les révélations de Hardy soulevaient aussi un certain nombre de nouvelles questions.

« On reste en contact, d'accord ?

– *Ciao !* » répondit simplement son ami avant de raccrocher.

« Salut, Rose. Désolé d'interrompre ton travail. »

Elle leva vers lui un visage peu avenant, le téléphone à la main.

« Est-il possible qu'il y ait des pages manquantes dans le dossier concernant le suicide du parlementaire ? »

Elle raccrocha à contrecœur avec un soupir sonore. « De quoi est-ce que tu parles ? »

Carl lui rapporta la conversation qu'il avait eue avec Hardy.

« Tu lui as parlé ? Il va bien ?

– Ça progresse lentement. Il n'a pas pu me dire grand-chose, à ce stade, mais il m'a semblé optimiste. Pour en revenir à notre affaire : penses-tu que certaines pages de ce rapport aient pu être égarées ?

– Je n'en ai pas la moindre idée. Mais si c'est le cas, Gordon retombera peut-être dessus, puisqu'il est en train d'éplucher l'intégralité des archives. Tu n'as qu'à lui demander. » Elle désigna sans se retourner l'homme pâle et aussi longiligne qu'un poteau télégraphique entouré de lutins de Noël. Il était installé devant un rapport, une pile de dossiers d'un mètre de haut à sa gauche et un tas de cinq centimètres à peine à sa droite.

« Comment ça se passe, Gordon, ça avance ? »

Il se tourna brusquement vers son chef avec des yeux de bête traquée, tant il était absorbé par la tâche en cours.

« Je vois que tu as bientôt fini, plaisanta Carl avec un petit geste du menton vers la montagne des rapports qu'il n'avait pas encore lus.

– Vous plaisantez ? Ça, c'est juste le sommet de l'iceberg. Il y en a encore des centaines comme ça dans les archives. »

Carl lui donna une tape sur l'épaule en jetant un coup d'œil à un lutin tout blanc qui avait attaqué l'ascension de l'écran d'ordinateur par la face nord. « Tu as commencé tes décorations de Noël, c'est joli, dis donc ! » mentit-il avant de lui exposer brièvement sa requête. Il le briefa et s'empressa de fuir dans le couloir, avant que Gordon ne se mette à se lamenter sur son sort.

Carl n'eut aucun mal à choisir quel membre de la famille Rasmussen il allait interroger : il ne réussit à joindre que celui qui jadis avait été convoqué pour identifier le corps.

Un homme en chemise à carreaux, veste de velours côtelé et jean informes vint lui ouvrir en traînant les pieds dans une paire de chaussures ergonomiques. Il devait aussi porter une barbe rousse à une époque, dont il ne subsistait que quelques buissons grisâtres. Il avait le genre maître d'école négligé des années soixante-dix et ressemblait à un modèle d'identification pour hipsters 2.0. Comme eux, il n'était pas beau à voir.

Carl sortit son badge de policier et abaissa son masque. « Bonjour. Vous êtes un parent de Palle Rasmussen, est-ce exact ?

– Je ne peux malheureusement pas le nier, donc je vous le confirme, dit l'homme sans faire mine de le laisser entrer.

– Vous rappelez-vous avoir participé à un dîner de famille quelques jours avant sa mort, auquel Palle Rasmussen était également présent ?

– Je peux vous demander pour quelle raison vous venez me reparler de cette histoire plus de quinze ans après ?

– J'ai besoin de renseignements en lien avec une autre enquête sur laquelle nous travaillons actuellement. La mort de

Palle Rasmussen présente quelques similitudes avec l'affaire en question, je ne peux malheureusement pas vous en dire plus. »

L'instituteur à la retraite soupira. Ce n'était manifestement pas la réponse qu'il espérait.

« Je faisais partie de l'investigation, c'est la raison pour laquelle c'est moi qui viens vous voir.

– Cet imbécile s'est suicidé, point final.

– Comment pouvez-vous en être aussi sûr ?

– Ah, là vous m'avez bien eu », dit-il en éclatant de rire, dévoilant une denture patinée par de grandes quantités de tabac à priser et de fumée de pipe. « Oui, j'étais présent à ce dîner, une tradition familiale avant la Pentecôte. Comme nous l'avons dit à votre grand collègue à l'époque, Palle s'est soudain mis à faire des remarques déplacées au sujet du suicide.

– Pourquoi déplacées ?

– Parce qu'il a choisi le moment où notre cousin venait de nous annoncer qu'il avait un cancer, ce qui n'était pas gentil.

– Dois-je en déduire que Palle Rasmussen manquait d'à-propos ? »

L'instituteur le regarda comme il aurait regardé un élève qui n'a pas fait ses devoirs. « D'à-propos ? Bien au contraire ! Palle savait exactement ce qu'il faisait. Il a sciemment cherché à atteindre notre cousin, en jouant sur son chagrin et sa peur. Palle était comme ça : méchant et totalement dépourvu d'empathie. Un con patenté.

– Est-ce que vous, vous croyez qu'il s'est suicidé ?

– Moi ? Je vais vous dire ce que je pense. Je m'en fous royalement, tout comme je m'en foutais quand je l'ai appris.

– Est-ce que vous pensez que c'est le sentiment général parmi les membres de votre famille ? »

Le type sortit sur le palier. « Si c'est à quelqu'un qui ne croit pas à son suicide que vous voulez parler, alors il faut que vous alliez voir sa nièce. Elle était complètement fascinée par ce type et ses idées révoltantes.

– Sa nièce ?

– Sa nièce, oui. Elle a à peu près son âge. C'est la fille de son frère aîné. Palle était le benjamin.

– Vous avez son adresse ?

– Vous plaisantez ? Tout le monde sait où habite Pauline Rasmussen, pas vous ?

– D'accord ! On parle de CETTE Pauline Rasmussen-là ! Mais il y a une chose que je ne comprends pas, Pauline Rasmussen n'est pas...

– ... d'extrême droite, vous voulez dire ? Non, vous avez raison, elle est même devenue tellement rouge qu'on ne la verrait pas si elle tombait dans une marmite de homards bouillis. »

12

1993

Pauline

Pauline n'était pas une adolescente comme les autres. Alors que ses copines rêvaient de devenir infirmières ou d'épouser un toubib, elle avait d'autres aspirations.

À vrai dire, Pauline avait une seule ambition : celle d'être vue. D'évoluer dans la lumière des projecteurs et que des centaines de regards suivent chacun de ses gestes. Pauline ne voulait pas être ignorée, ni méprisée, ni oubliée. En ce temps-là, ce rêve lui donnait les mains moites et faisait rougir son décolleté.

Et puis, par une belle journée d'été, elle et ses parents avaient été invités à passer quelques jours dans une maison de campagne en compagnie de ses oncles et de leurs familles respectives.

Elle s'ennuyait ferme depuis une semaine, quand un jour, un homme aux yeux pleins de concupiscence s'était joint à eux. Dès le premier instant, la façon qu'il avait de la regarder lui avait fait bouillir le sang.

Dans la fratrie, Palle Rasmussen était loin de remporter tous les suffrages. On le trouvait dur et outrancier dans ses propos, et il avait un rare talent pour transformer en foire d'empoigne le plus paisible des après-midi en famille.

Pauline savait par son père que Palle se destinait à la politique, et elle trouvait cela beaucoup plus passionnant que les autres corps de métier représentés par la famille Rasmussen, qui avait surtout produit des épiciers ou des comptables.

La première fois qu'elle s'était trouvée en tête à tête avec lui, son oncle s'était approché d'elle, très près. Il lui avait tendu une raquette de ping-pong, et il lui avait demandé de le frapper au visage.

Elle avait hésité, mais il avait posé sa main entre ses cuisses et lui avait serré l'aine, en la prévenant que si elle n'obéissait pas, il allait serrer plus encore et lui faire très mal, alors elle l'avait frappé si fort que la raquette s'était brisée sur sa joue.

Il avait fait un pas en arrière et l'avait regardée avec étonnement. Pauline fut d'abord effrayée par ce qu'elle venait de faire, mais contre toute attente, son oncle était allé chercher une autre raquette et il lui avait demandé de recommencer.

Il y eut peut-être une ou deux personnes à table pour remarquer le visage cramoisi de Palle, mais il s'en fichait, quant à Pauline, elle venait de tomber follement amoureuse de lui.

Peu de temps après cet épisode, Palle donna à Pauline la clé de son appartement, et de ce jour, rien n'aurait pu égaler ce qui se passait dans l'intimité de leur chambre. Son oncle lui avait fait découvrir le pouvoir que lui donnait son sexe pour avancer dans l'existence.

Il lui faisait des compliments et l'écoutait comme personne, et l'intérêt qu'il lui témoignait était aussi excitant pour elle que les traitements qu'elle lui infligeait l'étaient pour lui. Leur relation était d'une intensité qui allait au-delà de tout ce qu'elle aurait osé imaginer, et Pauline était comblée. Exercer sa force sur le corps d'un autre, sentir son plaisir à travers ses cris de douleur, en voir le résultat concret sur sa peau lui donnaient un sentiment de puissance extraordinaire.

13

Vendredi 4 décembre 2020

Carl

La meneuse de revue et artiste de cabaret Pauline Rasmussen n'aimait pas se voir rappeler son affection passée pour
son oncle. Alors, quand Carl se pointa le matin suivant à la
répétition de son nouveau spectacle et lui annonça le motif
de sa visite, elle l'entraîna derrière les cintres et lui demanda
de baisser d'un ton.

Carl se montra compréhensif. « Dites à vos partenaires que
vous souhaitez faire une pause. J'aimerais qu'on aille s'asseoir
sur un banc de l'autre côté du canal pour bavarder un peu. »

En s'asseyant, elle serra son manteau autour d'elle, frisson-
nante, ce qui n'avait rien de surprenant, puisque la dernière
fois que Carl avait regardé le thermomètre ce jour-là, la température avait tout juste réussi à se hisser au-dessus de zéro.

« J'irai droit au but, Pauline. Je sais qu'il fut un temps où
vous aimiez beaucoup votre oncle, mais qu'aujourd'hui il en
est autrement. Je voudrais juste que vous sachiez que vous
pouvez compter sur ma discrétion. » Il tira une fermeture
Éclair imaginaire devant ses lèvres pour illustrer son propos.
« Quelqu'un de votre famille m'a dit qu'à sa connaissance,
vous étiez la seule à apprécier Palle Rasmussen, à l'époque,
et que rien n'aurait pu vous convaincre qu'il s'était donné

la mort. Pouvez-vous me dire ce qui vous rendait aussi affir-
mative ?

– Et vous, est-ce que vous pouvez me garantir que tout ce
que je dirai aujourd'hui restera entre vous et moi ? demanda-
t-elle d'un air inquiet.

– Je vous le promets. Secret professionnel et *tutti quanti.* »

Carl connaissait Pauline Rasmussen pour l'avoir vue à la
télévision. C'était une comédienne pleine d'assurance, douée
d'un grand talent comique et d'une jolie voix. Mais, assise
sur ce banc en ce moment, son humour et son assurance
avaient entièrement disparu. Sa voix semblait sur le point de
se briser et Carl sentit qu'elle était au bord des larmes.

« Je l'adorais, comprenne qui pourra, avec ce qu'on sait de
lui aujourd'hui. Malgré son arrogance, il avait un charisme
extraordinaire. Je suppose que c'est ce qui lui valait tant de
suffrages lors des élections. J'étais tombée amoureuse de lui
et je suis restée sa maîtresse pendant plus de neuf ans. Il
a rompu quelque temps avant sa mort, sous prétexte qu'il
aimait quelqu'un d'autre. Ce qui m'a fait le plus souffrir,
c'était de voir cet amour irradier de lui jusqu'au jour de sa
mort. Pourquoi se serait-il suicidé ? C'était l'homme le plus
fort que je connaisse, il aurait survécu à n'importe quoi.

– Y compris au fait que la femme qu'il aimait ne voulait
pas de lui ?

– Oui, y compris à cela. »

Carl ferma la porte de son bureau. La conversation qu'il
allait avoir maintenant n'était pas pour toutes les oreilles.

Un concert de grognements retentit au bout du fil quand
l'ancien homme politique et vice-commissaire Kurt Hansen,
qui avait en plusieurs occasions prodigué à Carl moult conseils
utiles, décrocha son téléphone. Le temps où il avait ses entrées

à Christiansborg remontait à de nombreuses années, mais Carl était sûr d'une chose : Hansen tenait le perchoir du Parlement à l'époque où Palle Rasmussen y siégeait.

Contre toute attente, l'ancien parlementaire sembla ravi d'entendre la voix de Carl. Il devait s'ennuyer ferme dans sa vie de retraité et, comme ses concitoyens, il souffrait sans doute du cruel manque de vie sociale imposé par le coronavirus.

« Palle Rasmussen ? Ce porc ! Quand je pense que j'ai dû le supporter séance après séance ! Et puis, il était impossible de l'éviter. Il était partout. Il travaillait même le dimanche, ce salopard d'athée. Beurk !

– Kurt, s'il te plaît, tu veux bien rentrer tes griffes cinq minutes ! J'enquête en ce moment sur son suicide et j'ai vraiment besoin de savoir s'il avait des ennemis.

– Ha ha ! Tu doutes qu'il se soit suicidé, c'est ça ? Eh bien, tu sais quoi, j'espère que tu as raison, parce que si quelqu'un l'a tué, il mérite une médaille plutôt qu'une peine de prison. Cela étant dit, si cette remarque doit sortir d'ici, je préférerais que tu ne me cites pas. » Il rigola. « Mais pour répondre à ta question, cet homme avait des ennemis à la pelle. Tu es vraiment sûr que tu as assez de temps pour creuser de ce côté-là ?

– J'ai déjà lu un certain nombre de lettres d'injures qui lui avaient été adressées, ainsi que des déclarations qu'il a faites et des interviews de lui, alors je sais qu'il y a de quoi faire. J'imagine qu'au Parlement aussi, on lui envoyait régulièrement des lettres de menace.

– Même moi, il m'est arrivé d'en recevoir au cours des années où j'ai siégé à Christiansborg, alors j'imagine que lui, il en a reçu cent fois plus.

– Tu sais si on archive ce genre de courriers, en général ?

– Ça m'étonnerait. » Il se racla une ou deux fois la gorge pendant qu'il réfléchissait. « Tu devrais te rapprocher de Vera Petersen, la pauvre femme était la secrétaire de sa toute petite formation politique. C'est une chic fille. Du temps où elle travaillait pour lui, elle avait un job de merde, mais maintenant elle est secrétaire à la Confédération de l'industrie danoise. Appelle-la, vois ça avec elle. Elle a forcément lu toutes ces saloperies, ou au moins une partie. »

Le tuyau était bon. Vera se révéla être un puits d'informations, une usine à solutions et elle avait une mémoire infaillible. Le genre de secrétaire à rendre les patrons superflus.

Elle reconnut que pendant un temps, elle avait été secrétaire et coordinatrice du parti dirigé par Palle Rasmussen. En l'écoutant, Carl comprit que ça n'avait pas été une partie de plaisir.

« Pratiquement toutes les lettres de menace que nous recevions étaient anonymes. Toutes contenaient le même genre d'horreurs. On lui écrivait qu'il méritait de crever, qu'il avait une cervelle de poulet et qu'il ferait mieux de se jeter du haut du pont de Langebro. On lui disait qu'il était ignoble et répugnant et que chaque fois qu'il ouvrait la bouche, il répandait autour de lui une odeur de pourriture. » Elle s'interrompait à tout bout de champ. « Excusez-moi, j'en ai pour une seconde. » Puis elle partait transmettre un message à l'un ou à l'autre et elle revenait. Cette femme abattait un travail de dingue.

« Pensez-vous qu'il y ait une chance de retrouver l'un de ces courriers ?

– À mon avis, ils ne se trouvent pas à Christiansborg. Je me souviens qu'il rapportait son courrier chez lui. Plus leur contenu était agressif, plus ces mails l'amusaient, j'ai l'impression. Pour lui, une insulte avait valeur de trophée. Je crois qu'il projetait de lancer une procédure en diffamation, juste avant les élections. Il adorait voir les médias se vautrer dans cette fange, parce que ça faisait parler de lui. De manière générale, quand il s'agissait de faire son autopromotion, c'était un excellent stratège. On dit qu'il vaut mieux une mauvaise publicité que pas de publicité du tout. Ce sont des bêtises, bien sûr, mais dans son cas, cet adage se vérifiait. Excusez-moi, je reviens. »

Elle avait encore disparu, mais de toute façon, Carl avait fini. Merci, au revoir, et au suivant.

En entendant de nouveau la voix de l'inspecteur Mørck au téléphone, Pauline Rasmussen eut l'air un peu inquiète.

« J'ai juste une petite question à vous poser, Pauline. Qui a hérité de Palle Rasmussen ?

– Euh, moi. Mais vous ne croyez tout de même pas que...

– Je voulais juste savoir ce qu'étaient devenus son mobilier et ses affaires.

– Il n'y avait rien qui ait une quelconque valeur. J'ai récupéré son ordinateur et quelques meubles sans intérêt – pas de design danois, malheureusement. D'ailleurs, j'avais déjà tout ce qu'il me fallait.

– Son ordinateur, vous l'avez toujours ?

– Oui, peut-être. Je n'en suis pas sûre. Si je l'ai encore, il doit être au grenier. Je n'ai pas pu l'ouvrir parce que c'est un Apple et que je n'y comprends rien. » Elle prit son élan pour éclater de rire, mais elle n'en eut pas le temps.

« Vous pourriez essayer de le retrouver ?

– Euh... je suis un peu prise, là.

– Ça ne vous prendra pas longtemps. On peut venir vous aider, si vous voulez. »

Manifestement la proposition la prit de court, car elle mit du temps à répondre.

« Hum, non, c'est gentil, je vais m'en occuper, mais après la première, si ça ne vous ennuie pas.

– Non, je comprends très bien. Et c'est quand, la première ?

– Demain. »

Carl hocha la tête, satisfait. Un ordinateur ! Quelle aubaine. La première enquête ayant conclu à un suicide, la police ne devait pas avoir vérifié son contenu. Alors le département V allait s'en charger.

« Je suppose qu'il y a aussi un carton contenant divers papiers et articles.

– UN carton ! s'exclama-t-elle avec un ricanement ironique. Il y avait au moins cinquante caisses remplies à ras bord de toutes sortes de documents. Palle tenait à garder ces saletés chez lui, mais moi, qu'est-ce que vous vouliez que j'en fasse ? J'ai tout brûlé. »

Carl eut la vague impression qu'elle en faisait un peu trop.

« Merci, Pauline. Mais soyez gentille de regarder s'il ne reste pas un carton quelque part. Et j'attends votre appel après-demain, quand vous aurez eu le temps d'aller jeter un coup d'œil dans votre grenier. Et puis merde pour demain, alors ! C'est comme ça qu'on dit, non ? »

La conversation s'arrêta là.

Tout cela était vraiment étrange. Ce type était tout de même un homme public supposé s'être suicidé, et il n'y avait pas la moindre allusion au contenu de son ordinateur dans le rapport. Mais à présent que ce suicide était devenu discutable, il allait falloir vérifier ce qu'il contenait.

« Je peux ? » Marcus Jacobsen avait discrètement poussé la porte et il était debout sur le seuil, avec l'air d'un homme qui cherche désespérément quelqu'un à qui parler.

Carl repoussa son fauteuil et l'invita à entrer.

« Regarde ça, dit Marcus en s'asseyant et en faisant glisser son portable vers Carl. Qu'est-ce que tu vois sur cette photo ?

– Un cercueil dans une église. C'est celui de Maja ?

– Oui. Et dessus ?

– Plusieurs bouquets ?

– Il y en a trois en tout. L'un vient de la cousine de Maja, l'autre de moi.

– Et le troisième ?

– C'est la question que je me suis posée, alors quand la cérémonie a été terminée, je suis allé vérifier et il n'y avait dessus ni carte ni ruban.

– Ça doit arriver souvent, non ?

– Ça dépend du nombre de personnes présentes à l'enterrement. En l'occurrence, nous n'étions que deux.

– Tu veux dire qu'il s'agit d'un donateur anonyme ?

– J'ai posé la question au bedeau et il m'a dit que le bouquet était déjà posé sur le cercueil quand les pompes funèbres l'ont apporté.

– Alors c'est l'agent des pompes funèbres qui l'y a mis. »

Marcus acquiesça. « Oui, c'est lui. Je lui ai téléphoné, et il m'a dit que lorsqu'il a ouvert la boutique, le bouquet se trouvait devant la porte avec un petit morceau de papier accroché par une épingle, sur lequel il était écrit : "Obsèques de Maja". Ça l'a surpris parce que ça ne lui était encore jamais arrivé, mais il a quand même posé le bouquet sur le cercueil.

– Il avait gardé le bout de papier ?

– Non, mais il l'a retrouvé dans sa corbeille après que je lui ai posé la question.

– Bon, allez, dis-moi, Marcus, qu'est-ce qu'il avait de particulier ?

– Je l'ai fait analyser, et il n'y avait ni trace ADN ni empreintes digitales. Il était imprimé sur une feuille de papier machine classique 80 grammes, dans laquelle la note avait été découpée.

– Tu as rapporté le bouquet au commissariat ?

– Oui et j'ai aussi interrogé plusieurs fleuristes, supermarchés, stations-service et kiosques, dans un périmètre relativement large autour de l'agence de pompes funèbres. Le bouquet n'était enveloppé ni dans du papier de soie, ni dans du plastique transparent, et malgré les nombreux endroits où l'on vendait ce type de bouquets de tulipes, personne n'a pu éclairer ma lanterne, sauf pour me préciser qu'en cette saison, les fleurs ne pouvaient pas venir du jardin d'un particulier. Et vraiment, ça me contrarie de ne pas avoir trouvé la moindre trace sur le morceau de papier.

– J'entends ce que tu me dis, Marcus, et je t'accorde que c'est suspect. De toute évidence, la personne qui a déposé ce bouquet ne souhaitait pas être identifiée.

– Nous sommes d'accord. Du coup, j'ai passé toute la journée à retracer les faits et gestes de Maja ces derniers mois. Je pensais que cette mystérieuse personne apparaîtrait à un moment donné, mais ça n'a pas été le cas.

– Tu penses que Maja ne s'est pas suicidée ?

– Non, je n'irais pas jusque-là. Mais son destin est peut-être lié à celui de quelqu'un d'autre. J'ai aussi essayé de retrouver la trace de cette personne dans ses affaires, et tu sais sur quoi je suis tombé ?

– Non, mais tu vas me le dire.

– J'ai retrouvé toute sa comptabilité personnelle, rangée chronologiquement dans des dossiers remontant jusqu'en 1980, où elle a décroché son premier emploi. J'ai pu avoir un aperçu exhaustif de ses finances, année après année.

– Eh bien, Marcus, tu n'as pas chômé, on dirait.

– Je n'ai pas eu grand-chose à faire, à vrai dire, parce que certains revenus avaient été surlignés régulièrement tous les mois, et ce depuis le 1er mars 1988, et il ne s'agissait pas d'un salaire.

– Mars 1988, un mois après l'explosion.

– Exactement. Et pas des petites sommes. Entre 1988 et 1998, elle a touché cinq mille couronnes chaque mois. De 1999 à 2009, la somme est passée à dix mille couronnes, et à partir de 2009 jusqu'à aujourd'hui, le versement s'élevait à vingt mille euros par mois. »

Carl fit un petit calcul de tête. Les maths n'étaient pas son fort, mais il faut dire que son professeur de mathématiques à l'école de Brønderslev n'était pas une lumière.

« Ça fait un peu plus de quatre millions de couronnes. C'est beaucoup d'argent. Est-ce que ce ne serait pas son ancien mari qui se serait racheté une conscience ? Il doit bien gagner sa vie, pour pouvoir se passer d'une telle somme.

– Toute personne capable de dépenser autant d'argent sans le déduire de ses impôts doit très bien gagner sa vie. Quoi qu'il en soit, le mari n'est pas notre Crésus, parce qu'il est mort d'un cancer en 2008. »

Carl baissa de nouveau les yeux sur la photo du cercueil.

« Tu en as parlé à la cousine ?

– Oui. Elle était au courant que Maja recevait de l'argent de temps en temps, mais pas qu'il était question de sommes pareilles, ni qu'il s'agissait d'un versement régulier qui ne s'était jamais tari en trente ans.

– Je suppose que tu as interrogé la banque ? »

Marcus regarda Carl comme s'il le prenait pour un simple d'esprit.

« Ah, je vois, il n'y a jamais eu de virements bancaires. »

Marcus Jacobsen poussa un soupir. « La cousine pense que cet argent lui était envoyé de façon anonyme. Peut-être en liquide dans une enveloppe déposée dans sa boîte aux lettres, mais ce n'est qu'une supposition. Et d'après la banque, Maja venait tous les mois à sa succursale avec une enveloppe pleine d'argent liquide qu'elle déposait sur son compte. Elle savait comment faire pour ne pas avoir d'ennuis, car elle n'y a jamais touché. À sa mort, en comptant ses propres économies, elle avait sur son compte épargne pas loin de cinq millions et demi de couronnes, soit près de sept cent cinquante mille euros.

– Et elle ne les a pas dépensés !? C'est incroyable ! Elle était sans doute aussi perplexe que nous le sommes.

– Probablement. Mais elle devait se dire que cet argent avait un lien avec l'explosion, que c'était l'argent du sang. À mon avis, elle n'avait pas tort. En dehors des employés du garage, il n'a probablement jamais été question que quelqu'un d'autre meure. Mais le petit garçon de Maja a été tué. »

Dommage collatéral, pensa Carl. Une expression qu'on avait beaucoup entendue ces dernières années, en lien avec les attaques de drones lancées par les États-Unis. Des innocents tués alors que d'autres étaient visés.

« Qui paye en général l'argent du sang, Marcus ?

– Quelqu'un qui a mauvaise conscience, ou à qui sa culture ou sa religion commande de le faire.

– Une somme aussi importante indique peut-être que c'est une organisation qui est derrière l'explosion du garage. Ce qui expliquerait pourquoi les mécaniciens n'ont eu aucune chance de s'en tirer. »

Marcus inspira profondément. « Je n'en sais rien, Carl. Est-ce qu'une organisation de délinquants issus de l'immigration ou une bande aurait l'idée de déposer un banal bouquet de tulipes devant la porte d'un croque-mort ? Il y a quelque chose qui ne colle pas. »

Carl ne pouvait pas le nier. « Tu penses donc que nous parlons d'un quintuple assassinat doublé d'un attentat aux explosifs qui auraient été entièrement prémédités.

– Au vu des informations dont nous disposons actuellement, je crois que c'est ce dont il s'agit ici. Une tuerie de masse caractérisée. »

14

Lundi 7 décembre 2020

Carl/Assad

En passant devant le comptoir de Lis, Carl vit des monceaux de documents, sans doute en attente d'être copiés. Ce désordre était assez inhabituel pour qu'il le remarque. Au milieu des décorations joyeuses et des panneaux souhaitant « Joyeux Noël » en cinq langues et autant de couleurs, Lis semblait fatiguée. Depuis que Mlle Sørensen, alias Ilse la Louve, était partie à la retraite, personne n'avait été recruté pour la seconder. Là aussi, les restrictions budgétaires avaient fait leur œuvre.

Débile, eut-il le temps de penser avant que Rose ne déboule de son bureau tel un poulain lâché au pré par une belle journée de printemps, manquant de renverser un jeune inspecteur qui sortait du bureau d'en face.

« Il faut que tu viennes tout de suite, Carl, ordonna-t-elle d'une voix tonitruante qui avait certainement retenti dans tous les bureaux de la Criminelle.

– Tu pourrais baisser d'un ton, Rose, s'il te plaît ? lui demanda-t-il. Nous ne sommes plus tout seuls dans nos locaux isolés au sous-sol de l'hôtel de police, et je n'ai pas envie que…

– Tais-toi, Carl, s'il te plaît. Au cas où tu ne l'aurais pas remarqué, Assad et moi sommes enfermés ici depuis des heures, et excités comme des puces. »

Assad avait toujours l'air épuisé, mais les rides d'expression étaient réapparues au coin de ses yeux. « Viens voir, chef, on a trouvé le clou dans la meule de foin.

– Assad, bon Dieu, on dit "l'aiguille dans"… » Carl s'arrêta au milieu de sa phrase en voyant ce que l'index insistant d'Assad lui montrait sur le tableau.

Dans la colonne « Date et lieu » était inscrit : « 28/04/1998, Vordingborg ».

« Qu'est-ce que c'est ? demanda-t-il en s'approchant du tableau.

– Comme tu peux le constater, l'affaire remonte à plus de vingt ans. Ce qui n'a pas suffi à la faire disparaître dans l'obscure grotte de l'oubli.

– Je ne vois rien dans les autres colonnes. C'est quoi ? Un meurtre ? »

Ses deux assistants haussèrent les épaules en même temps.

Assad retourna son fauteuil et activa son écran, faisant apparaître une image particulièrement glauque. Il y avait une éternité que Carl n'avait pas vu autant de sang. Un homme entre deux âges était assis par terre, les jambes croisées, le front appuyé contre une machine-outil. Il était pâle comme un linge et extrêmement mort, entièrement exsangue. Derrière lui on pouvait apercevoir un immense atelier désert éclairé par des néons et rempli d'autres machines.

« D'où vient le sang ? » s'enquit-il.

Assad cliqua, et un gros plan des bras, du torse et des jambes croisées du mort s'afficha. « Il a les avant-bras coincés entre ses cuisses, expliqua Rose. Il est probablement tombé en état de choc immédiatement après qu'on les lui a tranchés.

– Quelle horreur ! On lui a coupé les deux mains ?

– Oui, il est appuyé à une cisaille guillotine, une machine capable de sectionner des plaques de métal de cinq millimètres d'épaisseur. Alors couper deux poignets, tu parles, ça a été de la rigolade.

– C'est qui ?

– Le propriétaire de la S.A. Oleg Dudek Outils Industriels.

– C'est un Russe ?

– Un Polonais, corrigea Assad. Il est arrivé au Danemark après la chute du Mur et s'est établi d'abord dans la ville de Herning, au Jutland. Plus tard, il a transféré son usine dans le Seeland, à Vordingborg et il l'a considérablement développée.

– Il n'employait pratiquement que de la main-d'œuvre étrangère, non syndiquée et évidemment sous-payée, et il a eu un tas de problèmes, ajouta Rose. Je crois qu'il avait été condamné à payer de grosses sommes en jours-amendes, à cause de sa politique d'embauche et parce qu'il ne respectait pas les mesures de sécurité les plus élémentaires, avec pour résultat un grand nombre d'accidents. Il a failli être contraint de fermer sa boîte par ordre de justice.

– Salut ! » lança Gordon, tout sourire, depuis le pas de la porte. Mais son sourire se figea instantanément quand son regard se posa sur l'écran de son collègue.

« Mein Gott ! » s'exclama-t-il entre deux spasmes. On aurait dit qu'il allait vomir sur le bureau.

« Respire, Gordon », conseilla Carl. Il allait falloir inscrire ce garçon à un stage de médecine légale à l'Université populaire. Il était temps de l'endurcir un peu.

« Il s'est passé quoi, là ? bredouilla la grande asperge du bout de ses lèvres livides.

– Le type a eu les mains tranchées par la cisaille, schlac ! » répondit Assad, factuel. Ce n'était peut-être pas la meilleure façon de rasséréner Gordon.

Carl se tourna vers Rose. « Et pour quelle raison cet homme a-t-il atterri sur notre tableau ? Qu'est-ce qui vous fait dire qu'il n'a pas été victime d'un des nombreux accidents du travail que tu mentionnais tout à l'heure, sachant qu'il ne s'encombrait pas de mesures de sécurité dans son usine ? » Il réfléchit un instant. « Ou alors c'est un suicide ! Il était aux abois parce que la médecine du travail ou le fisc menaçaient de fermer sa boîte.

– Ce n'est pas une façon de se suicider, Carl. C'est gore ! gémit Gordon en s'asseyant lourdement à son poste de travail.

– L'enquête a en effet conclu à un accident du travail, et l'usine a été fermée aussitôt après. Mais, mais, mais... » Rose fit un signe de tête à Assad qui passa au cliché suivant. Un gros plan des deux mains tranchées gisant derrière la machine sur un lit de sciure.

Derrière eux retentit un bruit sourd. Gordon venait de s'évanouir et sa tête avait atterri lourdement sur son bureau. Ils entendirent avec soulagement qu'il respirait normalement et revinrent à l'écran de l'ordinateur. Ils n'auraient plus à se soucier de lui pendant un moment.

« Qu'est-ce que cette photo nous apprend que nous ne sachions déjà, Rose ? Tu penses à l'endroit où les mains sont posées ? Tu crois qu'elles ont été déplacées ?

– Non, Carl. La police scientifique affirme dans son rapport que l'angle de la cisaille et sa rapidité d'action ont fait qu'elles sont tombées sur le sol très exactement là. En revanche, ce qu'au premier coup d'œil, on pourrait prendre pour de la sciure, est en fait ce que toi et moi appelons communément... du sel de cuisine. »

Du sel ! Carl sentit un frisson glacé lui parcourir la colonne vertébrale.

« Va me chercher Marcus tout de suite, Assad. Quant à toi, Rose, tu peux commencer à remplir les autres colonnes. »

Carl se frotta le menton. 1988, 1998, 2002. S'ils n'avaient pas affaire à un tueur en série, il voulait bien s'appeler Gertrude, ou n'importe quel autre nom d'ailleurs.

Assad vérifia le numéro de rue et gara la voiture de service devant l'entrée d'une petite maison en béton cellulaire aussi basique que fonctionnelle. Le genre qu'on fabriquait en quinze jours dans les années soixante, à l'époque où même les smicards avaient les moyens de s'installer dans la banlieue des grandes villes. Il prit une photo de la maison en se disant qu'il aimerait bien en construire une semblable pour lui et sa famille. Je me demande ce que ça coûte ? songeait-il quand un homme aux cheveux rouge carotte vint lui ouvrir la porte.

Une assiette de gâteaux dégoulinants de miel qui firent fondre de nostalgie le cœur d'Assad apparut sur la table, et Jurek Jasinski, ancien contremaître de l'usine d'Oleg Dudek, s'assit, prêt pour l'interrogatoire.

« J'ai plusieurs fois prévenu Dudek. Je l'ai même menacé de démissionner et de rentrer au pays s'il ne mettait pas de l'ordre dans son entreprise », dit-il dans un danois très correct mais teinté d'un accent polonais qui, en comparaison, faisait ressembler celui d'Assad à un accent des beaux quartiers.

« Mais il n'a jamais voulu m'écouter. Au fait, vous savez ce que signifie le prénom Dudek ? »

Assad secoua la tête. Qu'est-ce qu'il croyait ? Que n'importe quel immigré maîtrisait le polonais ?

« *Dudek* signifie "protecteur du peuple". C'est rigolo, non ? Enfin, tout ça pour dire qu'il ne faisait pas honneur à son prénom. » Il éclata d'un rire si sonore qu'Assad faillit avaler sa pâtisserie de travers.

« J'ai quelques questions à vous poser, d'accord ?

– *Shoot* », dit le type en dégainant un pistolet imaginaire du holster fictif qu'il ne portait pas à la hanche, et en pressant une gâchette tout aussi inexistante. Puis il souffla sur le bout de son index, et son visage se fendit d'un large sourire. Assad n'était malheureusement pas d'humeur à se joindre à son hilarité.

« C'était quel genre d'homme, ce Dudek ? demanda-t-il au boute-en-train.

– Quel genre ? » L'homme réfléchit un peu avant de répondre. « Je dirais qu'il était du genre granit. Même absence d'humour et de sensibilité, aussi dur et résistant. C'est ça que vous vouliez dire ?

– Euh, je me demandais plutôt pourquoi et comment il lui est arrivé ce qui lui est arrivé. Pensez-vous que quelqu'un ait pu le forcer à faire ce qu'il a fait ? »

Jurek Jasinski éclata de rire. « Il aurait fallu que ce soit un sacré gaillard.

– Il a pu le menacer de n'importe quoi. Par exemple, de lui mettre une balle dans la tête ?

– Comment voulez-vous que je le sache ? Je n'étais pas là, si c'est ça que vous suggérez. »

Assad secoua la tête. « Non, ce que je voudrais savoir, c'est si Oleg Dudek était le genre d'homme à se suicider ? » Les questions incitatives tenaient rarement dans une cour d'assises, mais dans la vraie vie, elles pouvaient faire l'affaire.

Jurek Jasinski haussa les épaules. « C'est bien ce qui s'est passé, non ? On ne sait jamais ce qu'un type comme lui peut inventer. Quand les choses n'allaient pas comme il voulait, Dudek n'avait pas de limites.

– Je vois. Mais la façon dont il l'a fait, en se tranchant les deux mains, cela vous paraît dans son caractère ? »

Étrangement, l'homme se mit à rire de nouveau.

« Dudek était un dur et c'était un type violent. Ancien militaire, boxeur aussi. Un sport qu'il pratiquait aussi à domicile à voir la tête de sa femme.

– Donc, vous pensez que oui. »

Il haussa une nouvelle fois les épaules.

« Je ne comprends pas comment ça a pu arriver, insista Assad. Est-ce qu'il manquait une pièce sur cette machine qui aurait pu éviter l'accident ? »

Jasinski se pencha vers Assad. « Il faut que vous compreniez quelque chose, monsieur le policier. Ces machines étaient toutes de vieilles épaves venant des pays de l'Est. Quand elles tombaient en panne, elles restaient en panne. Et cette cisaille était un danger mortel pour tous ceux qui s'en servaient. Il y a un jeune Pakistanais qui a perdu tous les doigts d'une main à cause de cette saloperie. » Il fit le geste de glisser le tranchant de sa main droite à la base des métacarpes de sa main gauche.

« L'accident a valu à Dudek une grosse amende. Heureusement, notre chef d'atelier avait eu le réflexe de mettre les doigts du pauvre gamin dans sa bouche et de les garder là jusqu'à ce qu'ils arrivent à l'hôpital. Le gars n'est plus aussi adroit qu'avant, mais au moins, il a toujours ses doigts.

– La machine était défectueuse, alors ?

– Oui, et j'avais interdit à mes gars de s'en servir, ce qui m'a presque coûté ma place, d'ailleurs.

– Ça s'est passé combien de temps avant la mort de Dudek ?

– Un an environ. Enfin, je crois.

– En admettant que ce ne soit pas un accident, avait-il des raisons de se suicider ?

– Peut-être qu'il en avait marre de ses problèmes avec l'administration et avec les syndicats. L'usine aurait fermé de toute façon.

– Alors je ne comprends pas très bien, parce que après sa mort, on a découvert qu'il avait mis beaucoup d'argent de côté, en liquide et sur des comptes en Pologne. Ce qui signifie qu'il aurait très bien pu payer les amendes et se plier aux exigences des autorités.

– C'est possible, mais Dudek était un drôle de type.

– Pourquoi était-il seul à l'usine, ce jour-là ?

– Parce qu'il arrivait toujours une demi-heure avant les autres. »

Assad soupira. Comment faire dire à cet homme ce qu'il avait envie d'entendre, s'il refusait de réfléchir un tant soit peu à la question ?

« Avec le recul, vous ne trouvez pas cette histoire un peu étrange ?

– Écoutez-moi bien, monsieur le policier. Moi et tous ceux qui travaillaient dans cette usine, on s'est retrouvés au chômage du jour au lendemain, alors on avait d'autres soucis. Je n'en avais rien à foutre de savoir pourquoi Dudek était mort. J'ai deux enfants à nourrir. Et ce n'est pas ma bonne femme qui va nous entretenir ! Dès qu'elle a su que l'usine fermait, elle a commencé à se lamenter : "Jurek, Jurek, de quoi on va vivre, maintenant ?" Comme tous mes collègues, dès le lendemain, j'étais déjà en train de courir d'une boîte à l'autre pour trouver du boulot. Mais pour des gars comme nous, il n'y a pas de travail dans le sud du Seeland et c'est pour ça que j'ai atterri dans la banlieue de Copenhague.

– Il ne vous est jamais venu à l'idée qu'il avait pu être assassiné ? Que quelqu'un souhaitait sa mort ? Est-ce que votre ancien patron avait beaucoup d'ennemis ? »

Un rugissement d'hilarité fit vibrer la table basse. « Vous feriez mieux de me demander s'il avait un seul ami, je vous aurais répondu en deux secondes, parce qu'il n'en avait aucun. Tout le monde savait que c'était une ordure. Y compris ses clients. Mais il n'était pas cher, et ça, c'est plus important que d'être sympathique.

– Pensez-vous que quelqu'un le haïssait plus que les autres ? »

Nouveau haussement d'épaules.

« Une dernière chose. Derrière la machine où on l'a trouvé, il y avait du sel. Je trouve ça bizarre. Vous avez une explication à me donner ? »

Jurek Jasinski eut l'air perplexe. « Du sel, non, je ne vois pas pourquoi il y aurait eu du sel à cet endroit. Normalement, on met du sable. Mais le patron avait parfois des drôles d'idées. S'il n'avait plus de sable, il a peut-être utilisé la première chose qu'il avait sous la main. Il devait rester un sac de sel de déneigement de l'hiver dernier, et il en aura profité pour l'écouler.

– Ce n'était pas du sel de déneigement, c'était du gros sel, du genre qu'on utilise pour cuisiner.

– Alors il avait dû le piquer à sa femme. » Le rire de Jurek l'agaça beaucoup moins, cette fois. Assad se dit qu'il commençait à s'habituer.

« Pourquoi mettiez-vous du sable, ou en l'occurrence, du sel, à cet endroit ?

– Derrière la cisaille guillotine, il y avait un tour d'usinage, qui projetait de la sciure métallique et de l'huile. Le sable était étalé là pour absorber les projections. »

En arrivant au bureau, Assad tomba sur Marcus, Carl, Gordon et Rose en pleine réflexion devant le tableau blanc, où de nouvelles questions étaient apparues depuis son départ.

Assad les survola rapidement.

« Il y en a une à laquelle je peux répondre tout de suite, annonça-t-il. Le sel se trouvait à l'endroit où habituellement il y avait du sable. D'après Jurek Jasinski, il devait avoir été mis là parce qu'ils étaient en rupture de sable. Mais je suis surpris quand même que les experts n'aient pas vérifié s'il y avait du sable sous le sel, et si c'était le cas, j'aurais aimé savoir s'il y avait suffisamment d'huile et de sciure métallique pour justifier qu'on ait été obligé d'ajouter quelque chose pour absorber les projections du tour d'usinage.

– Et à part ça, tu as appris quelque chose de nouveau ? Ce Jurek Jasinski avait-il une théorie sur la mort de son patron ? » s'enquit Carl.

Assad secoua la tête. « Non, mais j'ai eu confirmation que personne ne l'aimait, ni sur son lieu de travail, ni ailleurs.

– J'ai parlé au responsable de l'enquête de l'époque, dit Marcus à Assad. Il se souvenait parfaitement que la pointe du pied de la victime était coincée sous la pédale qui servait à actionner la machine. Ce simple fait suffisait à faire croire à un accident. Il m'a également rapporté d'autres éléments qui n'allaient pas à l'encontre de cette hypothèse. Pour lui il n'y avait aucune raison de ne pas classer l'affaire.

– Ah bon ? Je ne me souviens pas d'avoir lu quoi que ce soit concernant une chaussure coincée sous une pédale, intervint Carl. Tu es sûr que c'était dans le dossier ?

– Tiens, regarde, c'est là ! indiqua le patron en montrant le passage dont il parlait après avoir feuilleté le rapport pendant quelques instants. "La victime était assise, avachie, les jambes croisées et une chaussure insérée sous la pédale actionnant la cisaille."

– C'est écrit "insérée". Ce n'est pas la même chose que "bloquée" sous la pédale, grogna Carl. Une telle imprécision dans le vocabulaire devrait être sévèrement réprimandée. »

Marcus Jacobsen les regarda l'un après l'autre, l'air sombre.

« Je te l'accorde, et maintenant, ce type figure sur ce tableau avec les autres. Mais je t'avoue que je serais surpris, voire étonné que vous parveniez à une conclusion différente de celle de l'accident, sauf s'il y a un meurtrier dans la nature, avec des mobiles peu clairs, qui assassine les gens de manière à faire croire systématiquement qu'il s'agit d'un accident ou d'un suicide. Vous êtes d'accord avec moi ?

– Pas tout à fait. » Rose laissa passer un court instant avant de poursuivre. « Le mobile n'est pas encore très clair, mais nous connaissons les victimes, et aucune d'entre elles n'était un enfant du bon Dieu. C'étaient tous des gens qui en mourant n'ont manqué à personne, ce qui, à défaut de mobile, constitue un dénominateur commun. Mais à part ça, pour ma part, je suis d'accord. »

Assad alla s'asseoir. Qui pouvait prétendre être un enfant du bon Dieu ? Est-ce que lui-même était un enfant du bon Dieu ? Il avait des doutes.

« Et maintenant ? demanda-t-il.

– Oui, et maintenant ? renchérit Carl en levant la tête vers le tableau. Nous allons essayer de trouver d'autres affaires, et espérer que notre meurtrier aura commis une erreur sur son parcours.

– Et s'il n'y en a pas d'autres ? » s'enquit Gordon.

Marcus Jacobsen posa sa main sur celle du jeune homme.

« Crois-moi, Gordon, dit-il en tapotant son nez du bout de l'index. Il y en aura d'autres ! »

Et puis arriva le week-end.

15

Lundi 7 décembre 2020

Carl

« Félicitations ! dit Carl Mørck quand Pauline Rasmussen prit son appel sur son portable. J'ai lu les critiques dans la presse dominicale. Elles sont excellentes. Et vous allez jouer tous les jours jusqu'à Noël, c'est formidable. Pourvu que le coronavirus et la Première ministre ne vous mettent plus de bâtons dans les roues, maintenant. »

Carl baissa les yeux sur le journal posé devant lui. « *Politikens* écrit que "*Cabaret* est une irrésistible satire, portée magistralement par la voix limpide et l'extraordinaire talent comique de Pauline Rasmussen", et ça continue sur le même ton élogieux. Cinq étoiles et une presse unanime, vous devez être satisfaite et soulagée, j'imagine. »

Carl s'attendait à ce qu'elle le remercie et exprime son contentement, mais il se trompait.

« J'ai changé d'avis, Carl Mørck. Je n'irai pas fouiller dans le grenier. De toute façon, je doute qu'il y ait là-haut quoi que ce soit qui puisse vous intéresser. Si cela avait été le cas, vos collègues l'auraient trouvé.

– D'accord, mais si c'est aussi inintéressant, vous n'avez aucune raison de ne pas nous le remettre.

– Sans doute. Mais je n'ai pas la tête à ça, et je ne le ferai pas. D'ailleurs, maintenant que j'y pense, je suis à peu près sûre de m'être débarrassée de l'ordinateur et de tout le reste. Sur ce, je vous souhaite une bonne journée. » Et elle raccrocha.

Carl se leva, soucieux. Il s'était toujours demandé comment un adulte majeur et vacciné pouvait mentir de façon aussi stupide et évidente.

« Assad, on va faire un tour, dépêche-toi ! lança-t-il en l'entraînant vers le parking.

– Qu'est-ce qui se passe ? demanda Assad en posant les pieds sur le tableau de bord.

– Il se passe que mon sixième sens me dit que cette Pauline Rasmussen était beaucoup plus proche de feu Palle Rasmussen qu'elle ne veut bien l'admettre. »

Ils arrivèrent devant sa maison de ville, à Herlev, à l'instant où elle passait la porte, un lourd carton dans les bras.

Elle était mal coiffée et attifée d'un jogging informe.

« Elle n'a pas traîné, dis donc », fit remarquer Carl en garant la voiture à cheval sur le trottoir, de manière à bloquer un véhicule en stationnement dont le coffre était grand ouvert.

En reconnaissant Carl et Assad, Pauline se figea.

« Bonjour », dit Carl tout sourire en faisant un signe de tête à Assad qui alla la délester gentiment de son fardeau. Elle aurait pu se prévaloir de toutes sortes de droits et rappeler à Carl qu'il n'avait pas celui d'agir ainsi, mais elle resta immobile, incapable même de lui rendre son salut.

« On va vous débarrasser également de tout ceci, dit Carl Mørck, serviable, désignant son siège arrière encombré. Comme ça vous pourrez vaquer à vos occupations. »

Elle se laissa faire, docile. « Il est possible que vous trouviez là-dedans des choses dont je ne suis pas très fière, dit-elle d'une voix blanche, mais j'étais jalouse, c'est tout. »

« Bonne pioche ! Dans celui-là, il y a un ordinateur, Carl, s'exclama Gordon en ouvrant le troisième et plus gros carton posé sur le bureau. C'est un vieil iMac G4, ça doit commencer à valoir des sous, un engin pareil. »

Carl sourit. « Va demander aux gars du quatrième de t'aider à le déverrouiller. Dis-leur que les bons comptes font les bons amis.

– Vous ne voulez pas que je le fasse moi-même ? proposa-t-il, optimiste.

– Tu peux essayer, mais n'oublie pas que tu as déjà du boulot, répondit Carl avec un signe de tête vers la pile de dossiers entassés sur son bureau. Et, Assad, c'est quoi cette odeur ? Tu ouvres un kebab ou quoi ? » Carl avait dit ça pour rire, mais il s'arrêta en découvrant la casserole qui mijotait sur un Campingaz au milieu des lutins de Noël de Gordon, dont le nombre allait toujours croissant.

« Vous vous rappelez, chef, qu'avec cette pandémie, on est privés de cafétéria ? Alors aujourd'hui Rose a commandé un risotto de mouton. »

L'estomac de Carl se retourna. Il aurait tout entendu. De la viande de mouton dans le risotto ? Et pourquoi pas du poisson avec une sauce au chocolat ? Quelle horreur !

« Mets le couvercle, s'il te plaît, Assad. Sinon, tous les collègues vont rappliquer.

– Tu crois ? Alors j'en apporterai plus la prochaine fois ! »

Carl se prit la tête entre les mains. Les années passées dans le sous-sol de l'hôtel de police avaient enlevé à son équipe tout sens des réalités.

« Pense juste à mettre le couvercle, Assad. Et ensuite, tu t'attelleras à la réjouissante tâche de lire tout ce qui se trouve dans ces cartons. Il n'y a pas loin d'un millier de mails, sans compter les autres papiers. Peut-être trouveras-tu des lettres de menace parmi eux. »

Puis il s'adressa à Rose : « Et toi, tu en es où ? Est-ce que nos homologues de province se sont rappelé avoir vu du sel sur des scènes de crime ?

– Non. Mais la majeure partie des districts ne m'ont pas encore répondu. En attendant, je fais des recherches sur l'histoire culturelle du sel et sa valeur symbolique. J'ai lu dans un ouvrage de Mark Kurlansky que le sel avait été une monnaie d'échange pendant de nombreux siècles, vous le saviez ? On l'appelait "l'or blanc". Le mot "salaire" vient d'ailleurs du mot "sel".

– Je sais que dans l'ancien temps, on l'extrayait de la tourbe et des algues », ajouta Gordon.

Rose le fit rougir d'un simple regard et reprit : « Plus je creuse le sujet, plus je suis étonnée de voir l'importance du sel dans l'histoire du monde, et aussi avec quelle violence les représentants du pouvoir ont utilisé ce condiment essentiel pour asservir l'homme de la rue. À la fin du XVIIIe siècle, le monopole du sel a joué un rôle dans la Révolution française. Même chose aux États-Unis, lorsque les Américains se sont révoltés contre les Anglais. En Inde, en 1930, avec sa longue marche pour la paix, Gandhi s'insurgeait contre le monopole du sel de l'Empire britannique. Avec ses disciples, ils avaient obtenu du sel par évaporation de l'eau de mer, transgressant ainsi la loi du sel édictée par l'Angleterre. Le Mahatma fut emprisonné, la révolte éclata en Inde et l'Angleterre perdit le pouvoir. Une fois de plus, à cause du sel. Même dans la Bible, le sel a une signification. »

Carl regarda Rose pendant quelques secondes, puis dit :

« Excuse-moi, Rose, tu pourrais me répéter tout le dernier passage ? J'avais la tête ailleurs. »

Carl regarda le tableau. Les trois affaires qu'ils avaient déjà affichées dataient de 1988, 1998 et 2002. Celui qui avait commis ces crimes ne devait plus être très jeune, en admettant qu'il ou elle soit toujours en vie. Le plus ancien, s'ils n'en trouvaient pas qui l'ait précédé, remontait à trente-deux ans déjà, et le ou la coupable devait avoir soixante ans aujourd'hui, voire plus. Car il fallait une certaine maturité pour commettre un crime aussi élaboré que celui du garage. Quel âge avait le criminel à ce moment-là, vingt, trente, quarante ans ?

Quelqu'un frappa à la porte, et tous levèrent la tête.

« Bonjour », dit la visiteuse timidement, d'une voix un peu rauque, en retirant son masque vert. Ses cheveux noirs dont quelques mèches dépassaient du foulard étaient brillants, sa peau lumineuse, son sourire spontané et chaleureux. C'était Marwa, l'épouse d'Assad, méconnaissable si l'on se souvenait de la femme qu'ils avaient vue assise dans un fauteuil roulant devant l'église du Souvenir, à Berlin, avec assez d'explosifs sous son siège pour tout anéantir à cent mètres à la ronde.

« Marwa, mais qu'est-ce que tu fais là ? lui demanda Assad en venant l'embrasser.

– Mmm, ça sent bon ici », dit-elle en guise de réponse, avec un clin d'œil à son mari. Ce risotto ne devait pas lui être tout à fait étranger. « Je suis venue chez le bureau de Marcus. Je le voulais moi aussi, après tu as dit qu'il a eu merci, parce qu'il a aidé vous à retrouver moi. »

Carl sourit. C'était un peu comme d'entendre Assad il y a dix ans, en pire. Une langue délicieusement truffée de fautes.

Elle se tourna vers Carl. « Et aussi à toi, alors, Carl. C'est longtemps, mais tu ne sais pas... » Un instant, elle fut submergée par les images gravées dans sa mémoire. « Quand nous sommes à Berlin. Merci, Carl. Merci, merci, merci », dit-elle comme chaque fois qu'ils s'étaient croisés depuis.

Elle rassembla son courage et vint l'enlacer.

« Merci à vous tous, vous êtes. Vous êtes très formidables, alors ! »

Elle leur serra la main tour à tour, pendant qu'Assad l'observait avec une tendresse presque palpable. Puis elle regarda autour d'elle. « Je comprends beaucoup pourquoi tu es content ici, c'est grand et très joli. »

Elle leva les yeux vers le tableau et lut ce qui y était écrit. Ce n'était pas tout à fait réglementaire de la laisser faire, mais Carl se dit qu'elle et Assad parlaient sûrement aussi librement du boulot à la maison que Mona et lui le faisaient.

Au bout d'un moment, elle interrompit sa lecture et fronça les sourcils.

« Qu'est-ce que tu as vu, Marwa ? »

Elle montra du doigt le panneau d'affichage au mur avec une expression de dégoût. « Je ne sais pas qui est cet Oleg Dudek, mais la date, je la connais bien, alors.

– Pourquoi dis-tu cela, Marwa ? Qu'est-ce qui s'est passé à cette date ? » lui demanda Assad.

Elle se tourna vers lui d'un air bouleversé. « Tu le sais, Assad, mais oui ? Le 28 avril est le jour où naît le diable, Saddam Hussein ! »

« Ça ne t'a pas surpris de voir à quel point Marwa était troublée, Assad ?

– Il y a beaucoup de choses qui la choquent, Carl. Quand on reçoit un courrier administratif, elle s'accroupit dans un coin de la chambre à coucher. Quand je rentre trop tard le soir, elle pleure. Quand Ronia se met à hurler, ou que Nella pleure, elle s'isole quelque part, loin de nous.

– Qu'en dit le psychologue ?

– Il dit qu'elle finira par aller mieux, mais que ça prendra du temps. Et d'une certaine manière, je comprends la réaction qu'elle a eue tout à l'heure. Nous haïssions tous Saddam Hussein. Mais je n'avais pas réalisé que cette date avait un rapport avec lui. »

Carl hocha la tête. « Comment ça se passe avec les cartons, tu trouves quelque chose ?

– Si certains de ces mails contiennent des menaces, je ne suis pas encore tombé dessus. Mais j'ai trouvé des tas de messages dans ce genre... » Il lui tendit une feuille de papier sur laquelle Carl put lire :

Je t'ai vu à la télé hier, et tu m'as fait mouiller en une seconde. Je serai chez moi demain à quatre heures, tu passes ? Je t'embrasse.

« Bon, je vois que le type avait du succès. Tu dis qu'il y en a beaucoup. Tu sais qui les a envoyés ?

– Pauline Rasmussen, c'est écrit en haut. C'est sans doute pour ça qu'elle ne voulait pas qu'on fouille dans ses cartons.

– Hé ! Donne-m'en quelques-uns, Assad, j'ai besoin de faire un break. Le sel, j'en ai ma claque pour aujourd'hui », lança Rose.

Assad posa un carton entier devant elle en riant.

« Est-ce qu'on sait comment s'appelait la nouvelle amoureuse de Palle Rasmussen ? Elle aussi lui a envoyé des mails ? » demanda Carl.

Ses deux assistants restèrent muets.

Carl compta les caisses. Il y en avait six en tout. Ils allaient bien finir par tomber sur quelque chose.

16

Lundi 7 décembre 2020

Ragnhild

Chaque fois que Ragnhild attaquait les premières marches de l'escalier en marbre vert, elle se sentait pousser des ailes. C'était dans les salons obscurs de cette maison de maître que sa vie avait changé. Tandis qu'elle et les autres racontaient ce qu'elles avaient accompli au cours des dernières semaines, son sang coulait plus vite dans ses veines que si elle venait de tomber amoureuse.

Elle avait fait des études, elle avait eu des emplois intéressants, quelques liaisons passagères, mais rien ne pouvait rivaliser avec leur petit club et la mission qu'elles s'étaient fixée. Ces réunions étaient sa raison de vivre et cette fois, Ragnhild avait plusieurs histoires à partager.

« Bienvenue, Sara, Martha et Ruth », dit Debora en disposant les chaises et en leur indiquant leurs places respectives.

Ragnhild aimait les noms que Debora leur avait donnés, en particulier le sien, Ruth. Ils faisaient d'elles une sororie constituée autour d'une cause commune, dans le respect de leurs personnalités individuelles. Libres de toute règle, de toute identité et de toute obligation.

Hormis celle de lutter bec et ongles contre la déchéance de la société dans laquelle elles vivaient.

« On commence par toi, Ruth ? » dit Debora.

La poitrine de Ragnhild se gonfla de fierté en entendant son prénom de sororité. Allait-elle réellement avoir l'honneur d'ouvrir la séance ? Quelle joie ! Une gorgée de son thé et elle était prête.

« J'ai trois choses à vous raconter depuis la dernière fois », dit-elle avec un regard pour chacune. Martha poussa un léger soupir, elle ne devait pas en avoir fait autant, mais Sara, qui avait la capacité de rester impassible, ne battit pas un cil.

Ragnhild commença par le credo qu'elles utilisaient comme introduction à leurs réunions.

« Se faire justice soi-même est interdit par la loi, alors nous appelons cela rétablir l'ordre, car nos actions contribuent à construire un monde meilleur. »

Les trois autres applaudirent discrètement, et Ragnhild se lança.

« Quand je constate la détermination qui est la mienne aujourd'hui, je tremble de joie, parce que je sais qu'elle portera ses fruits. »

Les dix minutes suivantes, elle parla sans être interrompue, et quand elle eut terminé, Debora se leva et vint la serrer dans ses bras.

« Je suis muette d'admiration, dit Martha, ça va être dur de passer après toi, Ruth. »

Martha prit la parole. De sa part, on pouvait s'attendre au pire, mais Martha était aussi la plus transparente d'entre elles, et quand elle n'était pas satisfaite de son action, elle l'avouait franchement.

« Ça a été une période calme. Peut-être que je n'ai pas fait assez d'efforts, ou que les occasions ne se sont pas présentées. Je dois dire, Ruth, que tu excelles dans l'art de te trouver au bon endroit au bon moment pour administrer la bonne punition. Je n'ai ni ta chance ni ton talent. »

Ragnhild protesta mollement, mais son double, Ruth, se délecta du compliment.

« Cependant, le coup du parapluie a comme d'habitude fait merveille, poursuivit Martha. Cette fois, j'ai décidé de consacrer une journée entière à faire tomber tous les cyclistes qui ne respectaient pas les piétons ou ignoraient le Code de la route. Le processus était chaque fois le même : descendre d'un bus à une station du centre-ville directement sur la piste cyclable. »

Ragnhild eut peine à retenir son enthousiasme, mais un simple regard de Debora l'obligea à laisser Martha continuer son histoire sans l'interrompre.

« Bien sûr, il est arrivé que certains cyclistes s'arrêtent pour permettre aux passagers de descendre, mais rarement. Quand, par la fenêtre arrière, j'en repérais qui allaient trop vite et n'avaient nullement l'intention de ralentir, alors je descendais, le parapluie tendu, et je le passais entre les rayons de leur vélo. Si j'avais la chance de faire tomber le premier, d'autres le suivaient dans sa chute. Et bien qu'ils se soient retrouvés avec des égratignures, des roues voilées et des guidons tordus, je ne me suis jamais excusée. » Elle continua en s'adressant directement à Ragnhild. « Au contraire, je les ai injuriés, je leur ai conseillé de respecter le Code de la route à l'avenir et de faire preuve d'un peu de jugeote la prochaine fois. »

Cette fois Ragnhild ne put s'empêcher d'applaudir discrètement.

« En une seule journée, j'ai cassé six parapluies et j'ai réussi à faire chuter au moins vingt de ces cyclistes irresponsables et stupides qui mettent la vie des piétons en danger. » Elle sourit avec modestie. « Et croyez-moi, ceux-là ne passeront plus jamais à côté d'un bus arrêté sans s'assurer d'abord que tous les passagers sont descendus. »

Elle se tut et son visage se plissa en une grimace désolée. « Il y a juste un petit hic.

– Parle, Martha, dit Debora.

– Je suis restée tout le temps en centre-ville et je pensais avoir été prudente. Mais quelqu'un a dû signaler l'un des épisodes à la police : au dernier arrêt, j'ai vu une voiture de patrouille arriver, avec sirène et gyrophare. »

Le silence s'abattit sur la pièce, et Debora posa sa tasse.

« Ont-ils fait un rapport, Martha ? demanda-t-elle.

– Oui, mais sans moi, parce que j'étais déjà cent mètres plus loin. Mais à cause de ça, je n'ai pas pu continuer.

– Parfait ! » Debora se tourna vers Ragnhild et Sara. « Écoutez-moi bien. Si, Dieu nous en préserve, l'une d'entre vous devait un jour avoir affaire à la police, être interrogée ou filmée par une caméra de surveillance, ou décrite avec précision par un témoin et recherchée, bref si vous avez été identifiée, vous n'aurez plus votre place à cette table. »

Martha baissa la tête. « Même si on m'avait remarquée ou filmée, ils n'ont aucun moyen de m'identifier. Mes vêtements venaient d'une friperie et je les ai déposés ensuite dans un container de recyclage. Je portais un foulard et un masque, ainsi qu'une perruque que je n'utilise qu'une fois sur dix.

– Bien. Mais si cela devait arriver, vous accepteriez la sanction et oublieriez cette association pour toujours, nous sommes d'accord ? Vous affirmeriez avoir agi de votre propre initiative et ne parleriez de nous à personne. C'est bien compris ? »

Toutes acquiescèrent. C'était la règle. Ragnhild était la dernière à avoir rejoint le groupe, et elle savait qu'elle avait remplacé une certaine Eva, exclue parce qu'elle avait fait l'objet d'un rapport de police. Elle ne connaissait pas tous les détails de l'histoire.

« Une chose encore, et je ne pourrai jamais vous le répéter assez souvent : vos actions ont pour but de rendre ce monde meilleur. C'est pourquoi vous ne devez jamais causer des dommages irréversibles à vos victimes, compris ? Cette fois, tu as été très près de dépasser cette frontière, Martha. Tu dois apprendre à te contrôler. »

Quand le regard de Debora devenait froid comme de la glace, Ragnhild détournait la tête.

« À toi, Sara, dit Debora, de nouveau chaleureuse.

– Je n'ai rien de particulier à rapporter, malheureusement. J'ai eu la grippe presque tout le mois dernier, et je ne suis pratiquement pas sortie de chez moi.

– Ça arrive, et personne ici ne t'en voudra. Ce n'est pas le coronavirus, j'espère. »

Elle secoua la tête. « Mais hier, j'étais au théâtre, à une représentation privée. Il n'y avait pas beaucoup de monde, c'est l'époque qui veut ça. » Elle rit sans conviction. « Bon, je sais que ça n'a rien d'exceptionnel, mais j'ai fait un croche-pied à des gens qui n'avaient pas eu la courtoisie d'arriver à l'heure, ni de tourner la tête vers moi en passant, tandis qu'ils gagnaient leur place. Aucun n'a compris ce qui lui était arrivé, parce qu'ils me tournaient le dos. Ils ont dû croire qu'ils avaient trébuché. Je peux vous assurer qu'ils ont été vertement tancés par les spectateurs de la rangée de devant. »

Debora sourit. « En effet, ce que tu as fait n'a rien d'excep-tionnel, mais il n'y a rien de plus agaçant que d'être confronté au manque de politesse de nos concitoyens. Je suis convaincue que chacune d'entre nous a eu envie, à un moment ou à un autre, de faire un croc-en-jambe à ces malotrus. »

Ragnhild fut incapable de se retenir. « Ah ça oui ! Et même de les pousser dans le vide quand ils me marchent sur les pieds au premier rang du balcon. »

17

Mardi 8 décembre 2020

Carl

« Le service des cartes grises vient de m'envoyer la liste des véhicules vendus par le garage au cours des deux derniers mois qui ont précédé l'explosion, dit Gordon en tendant la liste à Carl. Ils n'en ont pas vendu autant que je le croyais. En fait, ils ont réalisé deux fois moins de ventes en janvier 1988 qu'en décembre 1987. Bref, le garage a vendu quatre voitures en janvier, mais aucune d'entre elles à un immigré.

– Tu as appelé les acheteurs pour leur demander s'il s'agissait de véhicules de seconde main et s'ils avaient eu un problème quelconque ? »

Gordon eut l'air affolé : « Vous voulez que moi, je fasse ça ? Vous avez oublié que je suis en train d'essayer de craquer l'ordinateur de Palle Rasmussen ?

– Tu es en train de le faire ? Mais tu as avancé un peu, au moins ?

– Euh, non. J'ai essayé de trop nombreuses fois avec trop de mots de passe différents. Il n'a pas aimé et il s'est bloqué.

– Dépêche-toi d'apporter cet ordinateur au service informatique, Gordon. Ce sont tout de même eux les plus qualifiés, si je peux me permettre. Pendant ce temps-là, tu vas me trouver les numéros des quatre acquéreurs et tu vas les appeler. Puis tu téléphoneras à ceux qui ont acheté des voitures en 1987 et enfin, mais seulement après avoir fait tout ça, tu recommenceras à lire les vieux rapports de police. Je n'ai d'ailleurs pas l'impression que la pile ait beaucoup diminué, depuis hier. »

Le pauvre garçon faillit se mettre à pleurer.

Carl se tourna vers Rose. Elle le regardait, l'air rogue et fatigué, les bras croisés sur la poitrine. « Et toi, Rose, tu vas lui donner un coup de main, vu que maintenant tu n'as plus qu'à attendre que les commissariats de tout le pays se manifestent. »

Elle poussa un soupir à fendre l'âme. « Dites donc, monsieur Mørck, si vous étiez un tant soit peu attentif à ce qui vous entoure, vous verriez que je suis occupée à éplucher les mails de Palle Rasmussen. Je lis à en avoir les yeux qui me tombent des orbites, mais pour l'instant, ça ne donne pas grand-chose. Et je vous interdis de traiter qui que ce soit ici de tire-au-flanc, pas vrai, Gordon ? »

La grande saucisse pâlichonne lui lança un regard reconnaissant.

« Et on peut savoir à quoi s'occupe Son Altesse Sérénissime en ce moment ? Franchement, qu'est-ce qui t'empêche, toi aussi, de jeter un coup d'œil au tas de vieilles affaires poussiéreuses empilées sur le bureau de Gordon, hein, Carl ? »

Depuis un quart d'heure, Carl fixait son paquet de cigarettes. Dehors soufflait un vent glacial, et il n'avait aucune envie d'ouvrir la fenêtre.

Tant pis, se dit-il. Je vais m'en griller une petite, et puis j'irai faire un tour aux toilettes pendant que le bureau s'aère. Ni vu ni connu.

Il aspira une longue bouffée en faisant le point sur ce qu'ils savaient déjà.

La leçon que Rose leur avait faite sur le sel à travers les âges l'avait interpellé. Ce simple composé chimique, NaCl, ou chlorure de sodium, qui avait influencé politiquement, religieusement, économiquement et culturellement les continents avait à présent pris possession de son esprit.

Pourquoi ce tas de sel à proximité des victimes ? Était-ce un symbole, ou bien le meurtrier le répandait-il sur le lieu de son crime pour les inviter à suivre cette piste ? Mais comment retrouver la trace de l'achat d'un banal sel de cuisine qui ne coûtait rien et qu'on pouvait se procurer n'importe où ?

Combien de fois par le passé ce malade avait-il sévi dans sa folie meurtrière ? songea-t-il. Et quand ?

En 1988, 1998 et 2002, ça, c'était déjà prouvé. En admettant qu'il y ait un intervalle régulier entre les crimes, par exemple deux ans, on trouverait peut-être des affaires semblables en 1990, 2000 et 2004. Si c'était le cas, leur travail en serait facilité. Et s'ils ne trouvaient rien ces années-là précisément, il faudrait qu'ils cherchent dans les années qui précédaient et celles qui suivaient.

Une autre chose le troublait. Que signifiaient les marques sur les poignets de Rasmussen ? L'explication la plus plausible était qu'on l'avait attaché au volant de sa voiture, et que c'était pour cette raison qu'on en avait retiré la housse. Une autre possibilité était que Hardy et lui n'aient pas été assez méticuleux quand ils s'étaient mis en quête des éventuelles partenaires sexuelles de Palle Rasmussen. Sa femme de ménage n'avait-elle pas dit que l'homme avait « des habitudes sexuelles qu'elle et son mari n'étaient pas du genre à pratiquer dans leur chambre à coucher » ?

Quelqu'un avait quand même bien dû demander à cette femme comment elle le savait, alors pourquoi sa réponse ne se trouvait-elle pas dans le rapport ? Manquait-il des pages dans ce dossier ? Plusieurs détails pointaient décidément dans ce sens.

Il composa le numéro de Hardy.

Une voix très fatiguée lui répondit, et ce n'était pas celle de Hardy.

« Salut, Morten, qu'est-ce qui se passe ? Pourquoi est-ce que c'est toi qui réponds ?

– Salut, Carl. Hardy vient de faire une petite crise. Les Suisses ont pratiqué une intervention sur son dos qui lui a provoqué des douleurs dans des endroits qu'il ne sentait plus depuis des années.

– OK. Mais c'est une bonne chose, ça, non ?

– Personne n'en sait rien. Il peut s'agir de douleurs fantômes. C'est-à-dire de douleurs dans des parties du corps dont son cerveau se souvient et qui ne sont pas réelles. Il souffre le martyre.

– Je peux lui parler ? Juste deux petites questions ?

– Pourquoi crois-tu que j'ai cette voix ? On est tous crevés. Je l'ai veillé et consolé pendant des heures. Si toi tu arrives à lui tirer un mot, alors... »

Il posa le téléphone un court instant. « Qu'est-ce que tu en dis, Hardy ? C'est d'accord ? » entendit Carl en arrière-fond.

Morten revint au téléphone et poussa un soupir éloquent. « Je vais te le passer, Carl, mais quelques secondes seulement, d'accord ?

– Salut, dit Hardy d'une voix effroyablement faible.

– Salut, Hardy. Je suis désolé de ce qui t'arrive. J'espère qu'ils savent ce qu'ils font, là-bas.

– Oui, répondit-il laconiquement.

– Bon, je vais être bref. L'affaire Palle Rasmussen. Est-ce que tu te rappelles pourquoi la femme de ménage a suggéré qu'il était adepte de jeux sadomasochistes ?

– À cause des journaux pornos. » La réponse avait fusé. Ce bon vieux Hardy, aussi fiable qu'une encyclopédie. « Du sang sur les draps, parfois. » Il se tut quelques instants pour reprendre des forces. « Et des traces rouges au dos... de son T-shirt, quand elle venait... faire des lessives le matin.

– Je vois. On avait essayé de dénicher ses partenaires sexuelles, toi et moi, il me semble.

– On avait essayé... et échoué. Cherché dans son mobile et dans son ordi... » Il poussa un soupir de souffrance audible. « ... mais il n'y avait... aucun contact.

– Son ordinateur, aussi ? Tu te souviens de ce que c'était comme ordi ?

– Un iMac, mais on n'avait rien trouvé de particulier... Que de la politique.

– Et ça, ça figurait dans le rapport ?

– Oui ! Aïe, oh merde, uffff... Oui, évidemment que c'était dans le rapport.

– Merci, Hardy. Tu peux me repasser Morten, s'il te plaît ? »

Morten était fou de rage. « Tu n'es vraiment pas fiable, Carl. Je suis furieux. Je t'avais dit quelques secondes et ça a duré presque une minute. Franchement, tu ne te rends pas compte, tu verrais Hardy en ce moment, il est pâle comme la mort. Si, Hardy, je le dis comme je le pense, déclara-t-il en aparté. Carl ne comprend rien à ce qui se passe ici.

– Tu as parfaitement raison, Morten, reconnut Carl. Mais d'un autre côté, toi, tu ne comprends pas non plus ce qui se passe chez nous, se défendit-il. On parle d'un meurtre, là. J'espère sincèrement que Hardy va surmonter cette crise et que son état va s'améliorer. Vous allez rester combien de temps là-bas, tu as une idée ?

– Le temps qu'il faudra, si tu permets. Enfin, pour le moment, on n'est pas près de rentrer, tu as peut-être entendu parler d'un truc qui s'appelle la Covid 19 ? Et sur ce, salut ! »

Raccrocher au nez des gens était une façon comme une autre de prendre congé.

Carl jeta son mégot par la fenêtre et chassa la fumée du mieux qu'il put.

Ses collègues n'avaient donc pas réussi à mettre la main sur les partenaires sexuelles de Palle Rasmussen. Pourquoi ? Avaient-ils conclu que ce devait être des professionnelles ? Il ne s'en souvenait pas.

Carl prit une autre cigarette. S'il devait fumer, il fallait qu'il le fasse plusieurs heures avant de rentrer chez lui. Il ne voulait pas que Mona sente qu'il avait recommencé.

Il se pencha à la fenêtre et jeta un coup d'œil dans la rue. Le mégot qu'il venait de jeter fumait encore sur le bitume humide, merde. La prochaine, il faudrait qu'il pense à l'éteindre avant de le jeter.

Bon, ils n'avaient pas retrouvé de prostituée. Mais qui avaient-ils interrogé, à l'époque ? Avaient-ils demandé à sa nouvelle maîtresse si elle pouvait expliquer les marques sur les poignets de Palle Rasmussen ? Il avait beau réfléchir, cela ne lui revenait pas. Et comment s'appelait-elle ? Ça aussi, ça lui était sorti de la tête.

« Excuse-moi, Carl, on peut savoir ce que tu fais ? »

Pris sur le fait, il ouvrit un large bec... et vit sa cigarette tomber dans le vide et rejoindre la première.

Il se retourna et se trouva nez à nez avec une Rose indignée.

« Mona ne veut pas que tu fumes et il est interdit de fumer à l'intérieur du commissariat de Teglholmen, sans compter que tu sais à quel point je déteste cette odeur. Et toi, tu te permets de le faire quand même. Tu veux que je te dénonce à Mona ? C'est ça ? Tu veux qu'elle soit obligée de te rappeler que si tu continues, Lucia grandira sans son papa ? Je te signale que tu n'es plus un jeune homme, Carl Mørck. Tu es VIEUX. Enfin, l'avantage, c'est qu'avec le peu de volonté dont tu fais preuve, tu ne deviendras pas beaucoup plus vieux que tu ne l'es déjà. »

Elle débita sa tirade à la vitesse d'une salve de mitraillette, et avec à peu près autant d'impact et de précision de tir.

« S'il te plaît, non.

– Quoi, non ?

– Ne le dis pas à Mona.

– Alors, arrête de faire le con. Et en plus, tu jettes tes mégots dans la rue ?! »

Il ne répondit pas à cette remarque. « Tu as découvert quelque chose ? Qu'est-ce que tu as dans la main ?

– On a trouvé deux mails que, personnellement, je trouve plutôt édifiants. Surtout celui-ci. Regarde la date, d'abord. »

Carl obtempéra.

Le mail était daté du 17 mai 2002, deux jours avant le pseudo-suicide de Palle Rasmussen. Le courriel, qui portait en objet : « À tout hasard », avait été envoyé à partir d'une adresse Hotmail. Il allait être difficile, voire impossible, de retrouver son expéditeur.

Il disait :

Palle, votre meeting de l'autre jour à Nørrebrohallen m'a fait forte impression. Je ne sais pas comment vous l'exprimer, mais comme vous l'avez déjà compris, j'aimerais vous revoir. Vous avez peut-être remarqué que je m'étais assise au troisième rang, face à vous, et que j'ai demandé à la personne devant

moi de se pousser parce que je voulais croiser votre regard. Je
vous donnerai bientôt de mes nouvelles.

« C'est tout ? dit Carl.

– Je trouve que ce message en dit long, répondit Rose. La
femme qui écrit commence par la flatterie, et je crois savoir que
pour Palle Rasmussen, c'était le meilleur des aphrodisiaques.
Ensuite, elle ne se fait pas connaître. C'est une méthode que
j'emploie souvent, mais moi, j'utilise un pseudo. Elle peut
avoir évité de signer par mesure de prudence. Parfois, il faut
savoir être discret sur Internet. C'était sûrement vrai aussi
à cette époque-là. Quoi qu'il en soit, elle ne donne aucun
nom, et aucune idée non plus de l'endroit où le rendez-vous
doit avoir lieu.

– Tout cela est exact. Mais où vois-tu une proposition
malhonnête dans ce message ? »

Elle haussa les épaules. « Peut-être qu'il n'y en a pas, et dans
ce cas, son auteur ne manque pas de classe. Le message peut
aussi avoir été envoyé par une personne qui était simplement
fascinée par le charisme et les opinions de l'homme politique.

– Elle parle quand même de croiser son regard.

– Oui.

– Et le deuxième courriel ?

– Le voici. Il a été expédié par Sisle Park, la dernière
copine de Palle, ou qui l'a été à un moment ou à un autre
de sa vie. »

Ah voilà, c'était comme ça qu'elle s'appelait. Sisle. C'est
vrai qu'elle avait un drôle de prénom.

« Regarde la date, là aussi, c'est assez intéressant. »

Le mail avait été envoyé le 16 mai 2002, c'est-à-dire la
veille de celui qu'ils venaient de lire.

Mon cher Palle, vous allez peut-être me trouver envahissante, mais je pense que nous avons encore des choses à nous dire. Je propose que nous nous retrouvions au café Sommersko après-demain, samedi, vers 16 h. Je suis de passage à Copenhague. Ça vous irait ? Sisle.

« Elle lui avait proposé un rendez-vous la veille du jour où il s'est suicidé ? Ce qui m'amène à te demander s'il imprimait aussi ses réponses en général et celle qu'il lui a faite en particulier.

– Nous avons bien avancé avec les premiers cartons et *a priori*, rien ne laisse à penser qu'il imprimait ses propres mails. Seulement ceux de sa boîte de réception. Mais on trouvera les autres sur son ordinateur. »

Carl soupira. « Est-ce que Gordon a enfin envoyé l'iMac de Rasmussen aux geeks du quatrième ?

– Il l'a fait. Et maintenant, il se bat avec la nouvelle mission que tu lui as confiée. Et je peux te dire que ce n'est pas une partie de plaisir. Sur les quatre personnes qui avaient acheté une voiture d'occasion au garage, deux sont mortes, et il ne parvient pas pour l'instant à localiser les deux autres. Mais Carl, s'il te plaît, essaye d'être un peu gentil avec lui. C'est un garçon sensible. Et en ce moment, il est vulnérable.

– Ah bon, pourquoi ?

– Il s'est mis sur un site de rencontres et ça ne marche pas très bien. En fait, il n'a eu aucune touche. Et par les temps qui courent, on ne peut pas savoir si cet échec total est dû à sa tronche d'amibe ou bien à la peur du virus. »

Devant les centaines de baies vitrées rutilantes de ces bâtiments en proche banlieue de Copenhague, Carl sentit qu'il ferait mieux de remonter la ceinture de son pantalon. L'entreprise que dirigeait Sisle Park ne donnait pas envie de se présenter avec le sourire du plombier. Il remarqua au passage la plaque qui, par sa taille et son poids en laiton, aurait pu aussi bien convenir à une grande ambassade.

Dessus, on pouvait lire, en toute simplicité, le nom de « Park Optimizing » et, en dessous, la liste des différentes compétences de l'entreprise, réparties sur quatre étages. La compagnie de Sisle Park était une société polyvalente comprenant divers départements spécialisés dans plusieurs domaines. Import-export, commerce équitable, développement durable, consulting, édition, formulation chimique et au moins vingt autres qui passaient si loin au-dessus de la tête de Carl qu'il lui aurait fallu un traducteur.

Sisle Park le reçut au deuxième étage, en personne.

Malgré la taille de Carl, qui était loin d'être ridicule, la femme devait faire au moins un quart de tête de plus que lui. Trop de ferments lactiques dans le biberon, aurait dit son père. En tout cas, ce n'était pas normal pour une femme d'être aussi grande.

Carl jeta un rapide coup d'œil à ses talons, ce qui le consola un peu. Sans eux, ils auraient pu se parler à peu près les yeux dans les yeux.

« Bien », dit-elle en le précédant dans son bureau avant de prier sa secrétaire de les laisser. Son tailleur-pantalon gris et son regard direct indiquèrent à Carl on ne peut plus clairement que l'entretien serait bref et qu'elle déciderait de son déroulement.

Il observa le pli tranchant du pantalon et se fit la réflexion que Palle Rasmussen était un homme aux goûts pour le moins éclectiques.

« J'ai cru comprendre qu'il s'agissait de Palle ? commença-t-elle avec froideur.

– De Palle et de vous. Oui.

– Je l'ai très peu connu. Vous savez que cela remonte à près de vingt ans ? »

Question stupide.

« Inutile de le prendre de haut, dit-il en souriant. Si je suis là aujourd'hui, c'est à cause de ça. » Il lui tendit son mail de jadis. « Il semble, à la lecture de ce mail, que vous l'ayez très bien connu, au contraire », dit-il pendant qu'elle lisait.

Elle releva les yeux, imperturbable. « Et alors ? Ce type ne me lâchait pas d'une semelle. C'est pourtant clair, je voulais le rencontrer pour rompre avec lui !

– Ah ! Alors vous admettez que vous aviez une liaison ? »

Elle réalisa qu'elle venait de se trahir. « J'avais trente ans et quelques, à l'époque. On fait des tas de bêtises à cet âge-là. C'était une aventure sans lendemain.

– Nous ne sommes pas certains que Palle Rasmussen se soit suicidé, alors évidemment, nous nous intéressons beaucoup à la façon dont il a occupé les jours et les heures qui ont précédé sa mort. Cette rencontre a-t-elle eu lieu, finalement ? »

Derrière son fond de teint impeccable, de petits nerfs faciaux commencèrent à tressauter. « Je ne crois pas être obligée de répondre à cette question, dit-elle en approchant un ongle rouge sang de l'intercom.

– Non, vous avez raison. Mais que diriez-vous d'aller faire un petit tour avec moi dans les bureaux de la brigade criminelle ? »

Le front de Sisle Park se plissa. « Tout cela est absurde. Je vais vous demander de vous en aller, maintenant.

– J'y compte bien, mais avant, j'ai quelques questions à vous poser, ce ne sera pas long. Ensuite je vous promets de vous laisser tranquille. Enfin, je crois. »

Cette fois, elle appuya sur le bouton de l'intercom. « Tu peux venir, s'il te plaît ? Je crois que l'inspecteur Mørck est sur le point de s'en aller. »

La secrétaire ouvrit la porte du bureau et Carl la salua d'un hochement de tête avant de se tourner à nouveau vers sa patronne.

« Sisle Park, aviez-vous des rapports sexuels avec Palle Rasmussen, oui ou non ? » lui demanda-t-il. Il observa avec un plaisir non dissimulé le regard affolé qu'elle lança à sa secrétaire.

« Voulez-vous que je répète ma question ? proposa Carl avec une amabilité feinte quand la porte fut refermée.

– Comment osez-vous ?... Non. Je n'ai jamais eu de relation avec lui. Et je ne sais pas ce qui a pu vous faire imaginer une chose pareille.

– Une allusion de sa nièce, Pauline Rasmussen. »

Elle eut un mouvement de recul, comme s'il lui avait craché à la figure.

« De quoi elle se mêle, cette traînée ?

– Pourquoi tant de mépris ? Parce qu'elle avait une liaison avec son oncle ou parce qu'elle se produit dans des spectacles de cabaret ?

– Parce qu'elle est vulgaire et qu'elle continuait à voir Palle alors qu'il essayait de coucher avec moi.

– Il essayait, seulement ?

– Vous avez bien lu le contenu de ce mail ?

– J'ai lu que vous ne vouliez pas vous montrer envahissante, voilà ce que j'ai lu. J'y ai vu une relation de soumission dans laquelle c'était lui qui décidait et j'ai compris également à ce mail qu'il n'avait pas envie de vous voir.

– Ça, pour décider, il décidait. Trop, même. Il me faisait la cour, mais je n'ai pas couché avec lui. D'abord parce qu'il était encore avec Pauline et puis parce qu'il avait des fantasmes que je ne pouvais ni ne voulais satisfaire.

– Mais encore ? »

Elle pinça ses lèvres rouges et se tordit les mains. Manifestement, ça avait du mal à sortir.

Mais le moment était venu et Carl était prêt. Maintenant, il allait devoir faire preuve de tact.

« Je suis tenu au secret professionnel et tout ce qui se dira dans ce bureau restera dans ce bureau. J'aimerais savoir ce qui vient de vous passer par la tête à l'instant, car c'est probablement important pour mon enquête.

– Il voulait me faire faire des choses qui me font horreur.

– Des choses sexuelles ?

– Il voulait s'adonner à des pratiques sadomasochistes avec moi. Il me l'a demandé franchement. Il voulait que je le domine.

– Vous voulez dire : que vous l'attachiez, que vous le fouettiez et ce genre de choses ?

– Entre autres. »

Il soutint son regard un moment, et le lâcha.

Puis il se leva et tendit la main. « Merci, Sisle Park. Vous m'avez été d'une aide précieuse. »

Elle baissa la tête, comme une reine qui se demande sur lequel de ses pieds royaux danser.

En sortant du bureau, Carl observa avec intérêt la faune qui veillait au bon fonctionnement des nombreuses affaires de Sisle Park. Partout des femmes en tailleur sur mesure, dont un seul devait coûter le prix de l'intégralité de sa garde-robe.

Qu'est-ce qu'une femme comme Sisle Park, qui avait si bien réussi, qui était à la tête de multiples entreprises, qui ne recrutait apparemment que des femmes, avait pu trouver à un type odieux, laid, adipeux et manipulateur comme Palle Rasmussen ?

Carl sourit en pensant que Vigga, la hippie farfelue et haute en couleur qui avait jadis été son épouse, était la preuve vivante qu'en matière de couples, les ménages les plus improbables pouvaient fonctionner.

18

Mardi 8 décembre 2020

Assad/Carl

Après être venus à bout de quatre cartons sur six, Rose et Assad avaient mis la main sur trois lettres de menace sans ambiguïté, auxquelles venaient s'ajouter dix courriers d'un genre plutôt comique, que Palle avait annotés dans la marge, et pas moins de trente mails envoyés par Pauline.

« À la place de Pauline Rasmussen, jamais je n'aurais osé envoyer des messages pareils à un homme politique siégeant à Christiansborg. Elle devait bien se douter que sa secrétaire connaîtrait tout de leur relation, dit Assad.

– Certains sont assez savoureux pour que même moi, j'en rougisse », avoua Rose.

Gordon leva le nez de ses dossiers. « Toi, Rose, rougir ? »

Assad sourit. Décidément, les Danois n'avaient aucun tabou en matière de sexe. C'était libérateur. C'était dans tous les autres domaines qu'ils avaient des problèmes avec la notion de liberté.

Et Assad en savait quelque chose.

Ce matin, il venait d'essuyer une crise domestique plutôt traumatisante. Depuis le mois de novembre de l'année précédente, la police danoise avait décidé de renforcer sa sécurité interne, et elle avait demandé au Renseignement de contrôler les conjoints de tous ses effectifs, ainsi que leurs enfants de plus de dix-huit ans résidant au domicile de leurs parents. Le but de l'opération était d'optimiser la sécurité au sein de la police et, pour ce faire, il fallait que la famille proche des seize mille neuf cents fonctionnaires des forces de l'ordre danoises obtienne une habilitation de sécurité de niveau dit « confidentiel » allant jusqu'à « secret-défense ». Assad se demandait sincèrement pourquoi la police avait soudain mis en place une telle mesure. De quoi avait-elle peur ?

Dès qu'il en avait été informé, Assad avait fait part de ses inquiétudes à Marcus Jacobsen, qui lui avait promis que lui et sa famille n'auraient jamais à se soumettre à cette enquête. Assad était un collaborateur en qui Marcus avait toute confiance, et un héros. En outre, son histoire familiale était connue de tout citoyen danois lisant un tant soit peu la presse. Ce jour-là, Marcus l'avait invité à venir le voir immédiatement si lui ou sa famille recevaient un quelconque formulaire à remplir, lui affirmant que cela n'irait pas plus loin. Et en effet, Assad n'avait plus entendu parler de rien.

Et puis ce matin, Marwa avait reçu ce courrier les convoquant elle, ses deux filles majeures et son fils, pour un entretien dans les bureaux du Renseignement. La lettre indiquait qu'à l'issue de ce premier rendez-vous, on leur remettrait un certain nombre de documents à remplir et à signer. La nouvelle avait déclenché l'hystérie générale. Marwa avait crié à Assad qu'il lui avait promis que cela n'arriverait pas. Nella avait fondu en larmes et Ronia avait lancé les pires imprécations, disant des choses qui ne devaient en aucun cas revenir aux oreilles du ministère de l'Intérieur. Seul Alfi était resté muet.

Assad avait besoin d'aide pour arrêter tout ce cirque. Il risquait d'être renvoyé de la police, bien sûr, mais la menace d'expulsion vers l'Irak qui planait au-dessus de la tête de son fils Alfi et la possibilité que Ronia soit accusée de collusion avec un terroriste connu et qu'en réaction elle attaque publiquement les valeurs que représentait la société danoise l'inquiétaient plus encore.

« Nous avons quelques éléments concrets, Carl, dit Rose quand il rentra de sa visite dans les bureaux de Sisle Park. Nous avons rassemblé un certain nombre de courriels écrits par Pauline Rasmussen et adressés à Palle Rasmussen au cours des quatre mois qui ont précédé sa mort. Il apparaît dans ces lettres qu'ils entretenaient une liaison à caractère sexuel et, qui plus est, d'une nature assez particulière.

– Je suis au courant, Sisle Park vient de me le dire.

– Le dernier mail que nous avons trouvé en ton absence a été envoyé à Palle Rasmussen la veille de sa mort. Je pense que l'expéditeur anonyme est Pauline Rasmussen et qu'elle l'invite à passer lui rendre visite le lendemain, avant de rentrer chez lui. Elle écrit qu'elle lui réserve une surprise. Une surprise qui fait délicieusement mal.

– Je vois. » Carl sourit. « Voilà peut-être ce qui explique les marques trouvées sur ses poignets. Peut-être que la surprise les a menés trop loin.

– Il est mort d'une asphyxie au monoxyde de carbone, Carl. Pas à cause d'ébats sexuels hors normes.

– Pas directement, je sais. Mais l'imbécile a pu annoncer à Pauline qu'il avait décidé de la remplacer.

– Et elle l'aurait asphyxié de force ? Tu penses qu'elle l'a trimbalé, avec ses cent kilos et quelques, alors qu'elle doit peser… je ne sais pas, tu dirais combien, toi ? » rétorqua Rose.

Elle n'avait pas tort. La meneuse de revue préférée des Danois était une crevette, comparée à la majorité des femmes.

« Et puis il y a les lettres de menace, poursuivit-elle. Ces trois-là n'y vont pas de main morte, et elles remontent à fin 2001, pendant la période de Noël. La première vient de l'un de ses opposants, qui exige de Palle Rasmussen qu'il se retire de la scène politique danoise en le prévenant que s'il ne le fait pas de lui-même, il sera sacrifié. »

Carl fronça les sourcils. « Est-ce qu'il y a un détail qui nous permet de retrouver l'expéditeur ?

– Son adresse électronique.

– Convoquez-le. Le deuxième ?

– Anonyme, mais nous pensons qu'il s'agit du même expéditeur. Il menace de nouveau de tuer Palle Rasmussen, et le vocabulaire et la syntaxe sont à peu près similaires.

– Nous vérifierons s'il s'agit de la même personne quand nous l'interrogerons. Et le troisième ?

– Le troisième décrit en détail ce qui risque de lui arriver. Il n'y a pas un morceau qui ne sera pas lentement détaché de son corps à l'aide d'une lame émoussée. Il brûlera dans les flammes de l'enfer, sera jeté du haut de la tour de l'hôtel de ville, émasculé, décapité et j'en passe.

– Celle-là, on va la mettre de côté dans un premier temps. Elle a probablement été envoyée par un déséquilibré. Si quelqu'un a assassiné Palle Rasmussen, ce n'est pas lui. Mais faites-le venir si vous voulez et si vous en avez l'énergie, de toute façon, ça ne mènera pas à grand-chose puisque le délai de prescription est dépassé. Cela dit, ça ne lui fera pas de mal d'être confronté à ses mails orduriers, il a peut-être continué à en envoyer tous azimuts, et il sera rattrapé par la loi à un moment donné.

– Et puis, il y a les lettres de menace rigolotes comme celle-ci, par exemple : "Je vais conserver ma merde pendant un mois entier et te l'envoyer à la gueule, pour la mélanger à toute la merde qui sort de ta bouche." Bref, le mot "merde" revient constamment dans la plupart des courriels.

– Le plus amusant de tous, je l'ai ici, annonça Assad. Écoutez ça : "Salut Palle, salut petit cochon, il me manque justement un peu de graisse de porc pour faire rôtir un cochonnet sur mon gril. Tu préfères fournir la graisse ou prendre la place du rôti ? Une bonne petite tranche de paleron avec des oignons frits et des grattons, ça devrait renforcer notre système immunitaire contre toutes les absurdités débilissimes qui se déversent de ton groin. Nous ne savions pas ce que nous allions faire avec ta cervelle, mais finalement nous avons décidé de la jeter aux ordures. C'est ce qu'on fait quand on trouve un étron sur la voie publique, pas vrai ?" »

Carl secoua la tête. Pourquoi le bon Dieu dans Son paradis n'avait-Il pas protesté vertement quand les hommes avaient inventé la communication digitale ?

« Le plus beau, c'est que Palle a commenté le mail, et au stylo-plume, en plus. Il écrit : "Paleron de porc aux oignons frits, absurdités débilissimes, ha ha. Expressions bien tournées que je vais pouvoir utiliser contre mes adversaires politiques, mes électeurs vont rigoler un bon coup." »

Non seulement Palle Rasmussen était un imbécile, mais en plus il était puéril et ennuyeux, songea Carl, effaré.

« Écoutez-moi. Vous allez continuer à fouiller jusqu'à ce que tous les cartons soient vides. Mettez les mails de Pauline dans un tas à part et apportez-les-moi. On va lui permettre de les relire une dernière fois, c'est la moindre des choses. Et au fait... qu'est-ce que je sens, aujourd'hui, dans ce bureau ? »

Ils se tournèrent à l'unisson vers la marmite cachée derrière la collection toujours plus fournie des ridicules babioles de Noël de Gordon. Une armée de lutins, des cheveux d'ange suspendus au plafonnier, des cœurs en papier tressé accrochés à la lampe d'architecte et un sapin de Noël miniature appuyé à son clavier d'ordinateur.

« C'est un ragoût à la Marwa, Carl. Un reste de leur dîner d'hier.

– Au moins, ça ne sent pas l'agneau, remarqua Carl avec soulagement.

– C'est normal, c'est du lièvre. Il a été tué avant-hier par l'un de leurs amis. »

Carl réprima un spasme. Dieu le préserve de ce genre d'amis.

« Le premier client du garage vient d'arriver, je vous l'envoie, annonça Gordon à travers l'intercom. Mais je vous préviens, il m'a tout l'air d'être un ticket perdant. »

Carl secoua la tête en voyant entrer un homme d'au moins quatre-vingts ans, clopin-clopant, regardant de tous les côtés avec curiosité. Il y avait trente-deux ans que ce garage avait explosé, à quoi s'attendait-il ?

« Très excitant », dit le vieillard d'une voix chevrotante étouffée par un masque porté de travers, tandis qu'il s'imprégnait de l'atmosphère d'un bureau de la police judiciaire et, à vrai dire, ils auraient aussi bien pu en rester là. Il avait été content de sa petite Peugeot, mais il l'avait donnée à sa fille, qui l'avait ensuite échangée contre un voyage au Portugal. Gordon l'avait qualifié de ticket perdant. Il était en dessous de la vérité.

« Et l'autre ? lui demanda Carl par l'intercom.

– Il ne viendra que demain. Et il est encore plus vieux.

– Merci, Gordon. Annule la convocation et replonge-toi dans les rapports, d'accord ?

– Je suis déjà dedans, répondit son jeune assistant avec un gros soupir.

– Trie-les par ordre chronologique.

– Ils le sont déjà.

– Alors commence par les années 2000 et 2004. Dans un premier temps, contente-toi de regarder les photos, OK ?

– Pourquoi ces années-là spécialement ?

– Intuition féminine. »

Un grand éclat de rire résonna dans l'intercom. Rose, évidemment.

Carl alla s'asseoir devant la fenêtre et envisagea de fumer encore une cigarette, pendant qu'il essayerait d'imaginer la dernière journée de Palle Rasmussen. Quelques heures de travail au Parlement, pour bien commencer ce dimanche de Pentecôte, puis une partie de jambes en l'air musclée, avec bondage, probablement au domicile de Pauline. La question étant : musclée jusqu'à quel point ? Et un petit suicide pour finir la journée.

Il relut le rapport d'autopsie qui était sans ambiguïté : aucune plaie ou lésion de fraîche date sur le corps de la victime. Des lacérations anciennes sur le dos et la trace d'une plaie profonde à l'anus, mais après plusieurs jours passés dans un garage à l'air saturé de monoxyde de carbone, c'est à l'asphyxie que concluait le rapport. Il ne lui restait plus qu'à aller demander franchement à Pauline en quoi avaient consisté leurs jeux amoureux, le jour de sa mort.

Après sa séance récréative présumée chez Pauline, la dernière journée dans la vie tronquée de Palle Rasmussen demeurait un mystère. Avait-il quitté l'appartement de Pauline à bord de sa propre voiture ? Avait-il mis fin à leur relation ce jour-là ? Et si oui, pourquoi ? Venir faire un tour entre les draps de sa maîtresse en rentrant du bureau était-il dans les habitudes du parlementaire ?

Un rugissement retentit dans le bureau voisin. Ils devaient être plus d'un, dans ce couloir, à maudire l'arrivée du département V dans les locaux de Teglholmen et le désordre que cela avait occasionné. Pauvre Marcus qui ne tarderait pas à devoir prêter l'oreille à leurs doléances !

« Carl ! Viens voir ! » cria Rose. On ne lui avait jamais appris la discrétion à cette mouette rieuse ?

« Ça a intérêt à être important, Rose ! On dirait un cochon qu'on égorge. Je ne t'ai pas déjà demandé... »

Il s'interrompit.

« Vous avez vu un revenant, ou quoi ? dit-il en découvrant l'expression de leurs visages. Qu'est-ce qui se passe, les enfants ? »

Les sourcils d'Assad formaient deux accents circonflexes tellement il était excité. « On vient de toucher le jackpot, chef. Regardez le tableau. »

Carl lut :

Date : 17 mai 2000. Lieu : Søllerrød
Victime : Carl-Henrik Skov-Jespersen
Cause de la mort : balle dans la tempe
Mobile : inconnu

« Voyons ?! C'est toi qui as trouvé ça, Gordon ? Oui ? Bravo ! Mais le sel, il est où ? » Carl suivit des yeux l'index de Gordon qui se posait sur une photo si floue qu'elle n'aurait même pas dû figurer au dossier. Qu'est-ce que c'était que ce photographe trop paresseux pour retourner sur la scène de crime et la reprendre ? « On peut savoir ce que ça représente ? demanda-t-il en se penchant sur le cliché.

– Retourne la photo, Carl. Tu la regardes à l'envers. Tu deviens myope, papi ? »

Il fusilla Rose du regard et mit la photo dans l'autre sens. « Qu'est-ce que je suis supposé regarder ? »

Assad tendit une loupe à Carl qui la déplaça lentement au-dessus du bureau sur lequel le cadavre était affalé.

Un doigt à la peau très brune entra dans son champ de vision, montrant un bol.

Carl plissa les yeux : « Il est asiatique ? On dirait, à en juger par les inscriptions !

– Concentre-toi plutôt sur les étagères, chef, conseilla Assad, pour l'aider. Sur la deuxième, tu remarqueras une assiette avec un couteau et une fourchette posés sur le rebord et à côté, un pot de sel et un moulin à poivre. Nous en avons déduit que l'homme venait de déjeuner. Mais si tu regardes bien le pot de sel, tu verras qu'il n'est pas vide.

– Et vous avez décidé qu'il contenait du sel. Franchement, vu la qualité de la photo, j'hésiterais à être aussi catégorique.

– Et tu aurais raison. Mais maintenant, regarde cette photo-là, dit Assad en lui présentant un autre cliché. On peut dire que Gordon n'a pas les yeux dans sa poche. »

Cette fois, la victime était photographiée sous un angle différent. Le mort avait le nez écrasé sur la table, au milieu d'une purée de cervelle et de sang qui avait éclaboussé le set de table sous l'orifice de sortie de la balle.

« Apparemment, il s'est tiré une balle dans la tempe droite. » Carl secoua lentement la tête. « Je constate aussi qu'il est dans une position bizarre. Vu la taille de l'orifice de sortie, il a dû utiliser un très gros calibre. Sa tête aurait dû percuter violemment la table du côté gauche à un angle oblique par rapport à l'impact du tir. »

Ils hochèrent la tête de concert. « On va y venir, Carl. Mais regarde par terre entre le corps et l'étagère. »

Il reprit la loupe et la déplaça sur la photo. Ah oui, il y avait quelque chose.

« Bien vu, Gordon. Comment la police scientifique a-t-elle décrit ça dans le rapport ?

– Sans y attacher d'importance. Elle parle juste de sel de cuisine et suggère que le bol qui est sur la table a dû se renverser. »

Carl opina lentement du bonnet.

« Et la position de la tête ? Il est forcément mort sur le coup avec un trou pareil. C'était quoi comme arme ? »

Ils lui montrèrent la photo suivante.

« Waouh, bah merde alors. Ce n'est pas tous les jours qu'on voit un feu comme celui-là. » Il déchiffra la gravure : « Desert Eagle, Israel Military Industries. Quel calibre, Assad ? Magnum 44 ?

– 357.

– Aïe. Mort sur le coup, boum ! Normalement, il aurait dû être propulsé hors de sa chaise, non ?

– Tu es vraiment sûr que tu n'as pas besoin de lunettes, Carl ? le taquina Rose de nouveau. C'est pourtant clair comme de l'eau de roche.

– Qu'est-ce qui est clair ?

– La raison pour laquelle cette affaire a atterri dans les archives de la PJ, bien sûr. Ce qui est clair, c'est qu'il s'agit d'un meurtre, pas d'un suicide.

– Il y a une tache à côté du pied de la table, c'est là que sa tête a violemment heurté le sol. Ce qui nous apprend qu'on l'a ramassé et réinstallé sur sa chaise. Ce qui veut dire que, de deux choses l'une, soit le meurtrier est un crétin patenté, ce que nous ne pensons pas, soit il a fait ça pour signaler aux enquêteurs qui découvriraient le corps qu'ils avaient du pain sur la planche.

– Pardon », dit doucement Carl. Quand il pensait au nombre d'enquêtes sur lesquelles il avait travaillé personnellement et sur lesquelles avaient travaillé ses collègues ! Il n'y aurait rien eu d'étrange à ce que certaines soient plus floues dans sa mémoire. Mais cette affaire en particulier n'était pas de celles qu'on oublie, car elle avait de quoi mobiliser tous les neurones d'un cerveau d'enquêteur. La victime suscitait la controverse, l'enquête n'avait jamais abouti, et l'histoire avait fait les gros titres des journaux. Carl se demanda tout à coup s'il était devenu trop vieux pour ce métier. Et si Rose avait raison de lui conseiller de faire vérifier sa vue. Bref, c'était pas la joie.

« OK, ça y est, je m'en souviens. Le type était marchand d'armes, n'est-ce pas ? »

Rose pointa son index vers lui, et il se sentit comme un cancre qui vient enfin de trouver la bonne réponse. « Bingo. Et le meurtre a été mentionné dans les médias comme une véritable exécution dans laquelle chaque détail semblait accuser sa très méprisable profession. Peu de temps après, on a arrêté un Russe domicilié au Danemark, à cause du carnet de commandes de la victime, dans lequel le type était cité à plusieurs endroits comme débiteur de sommes relativement importantes. Ce Russe a nié être l'auteur du crime, et à la suite d'un accord avec le procureur, il a révélé d'importants trafics d'armes avec certains pays frappés d'embargo.

– Que dit le casier judiciaire de la victime ?

– Il n'en a pas, répondit Gordon en haussant les épaules, comme si cela lui paraissait normal.

– Un marchand d'armes au Danemark sans casier judiciaire ! En tout cas, il connaissait son métier », marmonna Carl.

19

Mardi 8 décembre 2020

Tabitha

Pour Tabitha, être exclue du club des justicières présidé par Debora avait été le commencement d'une nouvelle vie. Toutes ces règles l'avaient entravée, et le secret autour de leurs prénoms et identités lui avait toujours semblé puéril. Eva était un prénom ridicule. Son véritable prénom, Tabitha, lui, venait vraiment de la Bible.

Elle était adulte, et intelligente, pourquoi se laisser brimer par leur prêchi-prêcha ?

Alors comme ça, il ne faut pas faire de mal aux gens !? avait-elle pensé en quittant la maison de Debora. Et de quel droit avait-elle décidé cela ? Il lui fallait quelques jours pour déterminer où elle placerait la limite. Elle n'avait nullement envie de se faire de nouveau arrêter, mais si cela devait se produire, il lui suffirait de reporter la faute sur Debora et de dire qu'elle avait été endoctrinée. Elle était tout à fait capable de supporter quelques mois de prétendu sevrage dans un hôpital psychiatrique, si c'était le prix à payer pour que Debora aille en prison à sa place. Tabitha aurait adoré la voir sortir de sa belle maison entre deux policiers venus pour la mettre au trou. Rien que l'expression la fit éclater de rire.

Tout avait commencé de manière assez innocente. Debora était assise à une terrasse de café, avec une telle quantité de croissants, de gâteaux et de café devant elle que le petit déjeuner occupait toute la table. Tabitha s'était assise à la table voisine et avait souri à la vue de cette orgie de nourriture, tout en se plaignant de la lenteur de la serveuse. Il n'avait pas fallu longtemps avant que les deux femmes se retrouvent à la même table en train de parler de la marche du monde, du Danemark et des gens, et de la tragédie de voir tout, dans ce pays, partir à vau-l'eau.

Tabitha avait compris plus tard qu'il s'agissait d'une méthode bien rodée qu'employait Debora pour recruter des candidates pour son club. Elle applaudissait à ses moindres remarques, la complimentait sur sa beauté et son intelligence, l'écoutait mieux qu'on ne l'avait jamais écoutée, et très vite, Tabitha avait ressenti l'impression merveilleuse d'être élue.

Ce n'est que le jour où elle s'était vue dans une glace, un sourire satisfait aux lèvres après avoir assommé un touriste chinois parce qu'il avait craché par terre dans un McDonald's, qu'elle s'était aperçue qu'elle avait été sélectionnée pour rejoindre une croisade contre l'incivilité.

Tabitha avait adhéré à ce projet avec enthousiasme et aucun contrevenant à son code moral n'avait la moindre chance d'échapper à son châtiment. Elle jugeait tout le monde et ne faisait preuve d'aucune clémence, punissant avec des mots, des injures, des coups et pire encore. Elle s'en prenait aux pickpockets, aux fonctionnaires suffisants et aux vendeuses qui laissaient attendre les clients sans raison, aux chauffeurs de bus impolis, aux gens qui élevaient la voix en pleine rue ou vous bousculaient en passant, aux resquilleurs et à ceux qui doublaient dans les files d'attente, aux individus qui colportaient des ragots ou parlaient mal d'autrui. Ensuite ce fut au tour des professeurs de grandes écoles qui annulaient leurs cours, des gens imbus d'eux-mêmes qui mettaient des « voyez-vous » dans toutes leurs phrases et se croyaient meilleurs que les autres. Il suffisait de regarder autour de soi pour en voir partout, de ceux-là. Bref, elle avait pris sur elle de lutter contre la dégradation des mœurs.

Aux réunions hebdomadaires du club, Debora était toujours enthousiasmée par son rapport, et Tabitha se sentait comme un bon petit soldat qui se bat pour défendre les valeurs de son pays et le remettre dans le droit chemin. Un jour, elle fut arrêtée par la police après avoir cassé une bouteille de champagne sur la tête d'un type qu'elle avait surpris en train de frapper un pauvre corniaud hirsute. Les badauds rassemblés dans la rue piétonne pataugeaient dans le sang de sa victime en criant que le gars l'avait bien cherché et que la police ferait mieux d'emmener l'animal chez un vétérinaire pour le faire soigner. Tout cela apportait bien sûr de l'eau à son moulin, mais finalement, ça ne l'avait pas aidée.

Sa condamnation pour coups et blessures n'avait pas encore été prononcée, et ne le serait probablement jamais, à cause du retard des tribunaux. En revanche, elle n'avait pas échappé à la sanction de Debora. Tabitha avait été informée qu'elle pouvait se lever et partir sans se retourner. Elle avait eu droit à un dernier discours l'avertissant des sérieuses représailles qu'elle encourait si elle venait à dévoiler à quiconque les activités du club.

Tabitha, se disant qu'elles n'oseraient tout de même pas la tuer, avait déposé quelques jours plus tard une lettre de menace dans la boîte de Debora, dans laquelle elle prononçait la peine de mort de son organisation et l'informait que le jour de son procès, elle ne l'épargnerait pas.

Puis elle avait commencé sa propre croisade, frappant chaque fois que cela lui semblait juste.

Un jour qu'elle se promenait en voiture dans le quartier des anciennes douves, trois types basanés, avec des casquettes à l'envers, lui firent une queue de poisson, l'obligeant à piler. Non contents de l'avoir obligée à freiner aussi brusquement, l'un d'eux la gratifia d'un doigt d'honneur à travers la lunette arrière. Alors, quand quelques secondes plus tard, le troisième baissa sa vitre et déversa une pluie de mégots, de cendres et de gobelets en carton sur la chaussée, elle décida qu'ils allaient payer très cher cette ultime provocation.

Elle les suivit à distance et put constater que ce n'étaient pas les seuls déchets qu'ils balanceraient sur leur trajet jusqu'à Sønder Boulevard, où ils finirent évidemment par s'arrêter sur une place réservée aux handicapés.

Tabitha alla tranquillement se garer le long du trottoir opposé, sortit un couteau de sa boîte à gants et alla crever les quatre pneus de la BMW. Puis elle ramassa un sac en plastique qui traînait sur le terre-plein central, le remplit d'autant de déchets et de merdes de chien qu'il pouvait en contenir, et attendit patiemment qu'ils reviennent, d'humeur festive, la clope au bec, d'une démarche trop décontractée pour ne pas avoir été soigneusement étudiée.

Quand ils se furent à nouveau jetés à leurs places à l'intérieur de leur carrosse, elle traversa la chaussée et frappa de son index replié côté conducteur.

L'homme descendit la vitre et, à l'arrogance de son expression, elle vit qu'il était prêt à la menacer de coups, ou pire encore.

« Je vous ai vus jeter vos ordures sur la route, bande de porcs. La prochaine fois, vous les rapporterez chez vous, d'accord ? » dit-elle calmement. Et elle lui jeta le contenu du sac à la figure.

Avec une bordée de jurons, le chauffeur bascula sur sa droite et son voisin fut à son tour couvert d'immondices, tandis que Tabitha courait vers sa voiture et démarrait dans un crissement de pneus.

« Bonne chance pour me rattraper, bande de connards ! » hurla-t-elle par la fenêtre en leur rendant le doigt d'honneur de tout à l'heure. Car même l'être le plus humilié du monde ne va pas loin avec quatre pneus à plat.

Tabitha partait ainsi tous les jours dans la peau du Docteur Jekyll et rentrait le soir dans celle de Mister Hyde. Les gens qui maltraitaient leurs enfants ou leurs animaux avaient droit à un tel coup de canne dans les jambes qu'ils avaient du mal à se relever. Elle s'en prenait aux SDF comme aux bourgeois. On devait traiter correctement les enfants et les animaux, un point c'est tout.

Malheureusement, quelques mois après son exclusion, les choses tournèrent fort mal pour elle.

Comme d'innombrables fois auparavant, elle avait pris le train jusqu'à la gare d'Østerport, un bon point de départ pour ses missions de reconnaissance à travers les larges rues conduisant à la place Kongens Nytorv. À peine sortie, elle remarqua devant la façade mouillée de pluie et fraîchement rénovée de la gare un couple qui filmait Dag Hammarskjölds Allée en plan panoramique afin d'immortaliser un océan de parapluies, la voie ferrée et la galerie d'art Den Frie Udstilling. Tiens, tiens, des Américains, se dit-elle en les entendant, à cent mètres de distance, exprimer bruyamment leur enthousiasme. À partir de là, la balade irait sans doute directement du Freedom Museum jusqu'à leur ambassade bien-aimée.

Lamentable. Elle était prête à parier qu'ils connaissaient la dinde qui leur tenait lieu d'ambassadrice.

Tabitha s'apprêtait à les rejoindre quand, de l'autre côté de la route, à travers la circulation particulièrement dense, elle aperçut une vieille dame visiblement découragée à la vue de l'abribus et des bancs bondés. Son vieux sac en vinyle lui tirait sur l'épaule. Elle venait probablement de faire ses courses, et l'effort semblait avoir été pénible pour son dos usé par le fardeau d'une vie difficile.

Tabitha nota la présence d'un jeune homme à l'allure athlétique assis sur le banc de l'abribus. Son empathie naturelle était manifestement si engourdie qu'il ne daigna même pas se lever pour céder sa place à son aînée, et Tabitha décida d'aller le secouer un peu. Elle traversa la route en empruntant sagement le passage piéton, mais à l'instant où elle allait le sermonner, il se leva de lui-même et céda sa place à l'ancêtre. Il proposa même de lui porter son cabas, trop lourd pour qu'elle le garde sur les genoux. La chétive créature lui sourit comme s'il était la première personne serviable qu'elle ait rencontrée depuis une éternité.

Tabitha sourit également, mais remarqua tout de même les regards que le type lançait dans toutes les directions, excepté celle de la place Lille Triangel, d'où le bus devait arriver.

Qu'est-ce qu'il a derrière la tête ? songea-t-elle en s'approchant, mais en restant de l'autre côté de la cloison en verre, de manière à pouvoir arrêter sa course dans le cas où il déciderait soudain de partir en courant.

« Ce n'est pas celui-là », dit la vieille dame quand un premier bus s'arrêta pour laisser monter des passagers.

Le type hocha la tête. « Ça tombe bien, ce n'est pas le mien non plus, dit-il en constatant d'un bref coup d'œil que le banc s'était libéré.

– Merci beaucoup pour votre aide, je vais reprendre mon sac, maintenant qu'il y a de la place, dit la dame en s'écartant un peu et en tapotant la place vide à côté d'elle.

– Je voudrais vous aider à le porter dans le bus, il est un peu lourd », dit le jeune homme avec une insistance qui ne laissait pas de place à la contradiction. Et, au moment où le bus quittait l'arrêt, il prit son élan pour partir en courant.

Il avait à peine parcouru un mètre que Tabitha saisissait la lanière du sac pour le tirer à elle, ce qui ne suffit pas, toutefois, à l'arrêter. Manifestement, il n'en était pas à son premier vol à la tire. Il tira le sac à lui d'un coup sec, mais Tabitha refusa de céder. Il tenta de lui donner un coup de pied, mais Tabitha tint bon. Elle ne lâcha prise que lorsqu'il l'eut entraînée sur la chaussée. Il demeura une seconde interloqué quand l'absence de résistance le fit basculer en arrière sur le bitume. La seconde suivante, il se faisait écraser par un camion si gros qu'il n'aurait jamais dû avoir l'autorisation de circuler dans une ville comme Copenhague.

Les passants se mirent à hurler, tandis que Tabitha contemplait la scène avec calme. C'est à cet instant qu'elle remarqua de nouveau les deux Américains, qui filmaient la scène depuis la gare routière, leur caméra dirigée sur elle.

« *It was an accident !* » cria-t-elle en s'efforçant d'avoir l'air catastrophée, tandis que le chauffeur du camion sautait de sa cabine et vomissait ses tripes devant ce qui restait du voleur.

Très vite, elle fut entourée de passants vociférant qu'elle avait lâché le sac exprès, et que le jeune homme était tombé devant le camion par sa faute.

Elle vit plusieurs témoins téléphone à la main et décida qu'il était temps pour elle de disparaître.

Mais Tabitha n'était pas la seule à savoir lire le langage corporel des gens, et brusquement, une main se referma sur son avant-bras.

Bientôt grouilla une armée d'ambulanciers, de psychologues de crise et de policiers. L'un d'eux lui récita ses droits et c'est ainsi que s'acheva la carrière de redresseuse de torts de Tabitha.

20

Mardi 8 décembre 2020

Ragnhild

Dès leur arrivée, elles remarquèrent l'air grave de Debora. À vrai dire, elle avait toujours cet air-là, mais cette fois, deux rides verticales creusaient son front éternellement soucieux, donnant à son visage une expression encore plus dramatique que d'habitude.

« Si je vous ai convoquées, c'est pour que nous discutions de la manière dont nous allons anticiper la suite, après ce qui s'est passé aujourd'hui. »

Toutes acquiescèrent.

« À propos du confinement ? s'enquit Martha.

— Ça aussi, bien sûr, rétorqua Debora. La directive du gouvernement ne va pas faciliter notre mission, mais ce qui est plus grave, c'est qu'Eva a de nouveau été arrêtée. Cette fois, elle est devenue un réel danger pour notre organisation.

— La police l'a arrêtée ? » Ragnhild secoua la tête sans comprendre. Elle n'avait jamais rencontré Eva, puisque c'était sa place qu'elle avait récupérée dans le groupe. « Pourquoi ? demanda-t-elle.

— Nous l'ignorons pour l'instant, Ruth, mais ce que je sais, c'est qu'elle est accusée d'avoir causé la mort d'un jeune homme. »

Ragnhild se tourna vers les deux autres. Elles pensaient manifestement la même chose qu'elle. C'était une très mauvaise nouvelle.

Debora reprit la parole. « Ce qui signifie qu'à partir d'aujourd'hui, nous allons devoir suspendre complètement nos activités, et qu'il n'y aura plus aucune réunion jusqu'à nouvel ordre. Nous devons prendre le maximum de précautions, pour le cas où Eva nous dénoncerait. La police ne doit rien trouver de compromettant, ni à cette adresse ni chez vous.

– Elle ne nous dénoncera pas, protesta Sara.

– Je ne le crois pas non plus, mais si vous avez quoi que ce soit à votre domicile qui prouve ce que vous avez fait par le passé ou avez l'intention de faire dans l'avenir, il faut immédiatement vous en débarrasser. Ici, je vais changer tout le mobilier, effacer la moindre empreinte digitale et détruire toute trace ADN vous liant, Eva ou vous, à cette maison. Et surtout, recommanda-t-elle l'index levé, pas un mot sur notre organisation ! S'il vous venait l'envie de partir seules en croisade, abstenez-vous, c'est tout à fait inenvisageable. Vous avez compris ? »

Elles hochèrent la tête, mais Ragnhild était furieuse. Tout ce qui la faisait se lever le matin, tout ce qui la définissait lui était soudain devenu interdit, ses contacts humains en dehors du travail, ses rencontres avec le club, et à présent sa passionnante mission de redresseuse de torts.

« On peut craindre qu'Eva essaye de faire croire au procureur qu'elle a des troubles psychiques et prétende lors de ses auditions qu'elle est devenue une sorte de zombie télécommandé. Et que c'est moi, et vous, Martha et Sara, qui l'avons manipulée pour la rendre ainsi. Je précise, Ruth, que pour des raisons évidentes, tu n'es pas concernée, sachant qu'elle ne t'a jamais rencontrée. »

Debora réfléchit quelques instants, s'assurant qu'elle n'avait rien oublié. Puis elle poursuivit, le regard sombre :

« Non seulement Eva est de loin la plus intelligente d'entre nous, mais c'est aussi la plus rusée, il va falloir faire très attention, d'accord ?

– Étant donné les circonstances, ce serait bien que l'on connaisse son vrai nom, de manière à pouvoir lire ce qu'on dira sur elle dans la presse, dit Martha. Je suppose qu'elle ne s'appelle pas Eva ?

– Non, répondit Debora. Elle s'appelle Tabitha Engstrøm.

– Tu nous as dit un jour que tu serais sans pitié pour celles qui révéleraient notre secret, dit Sara. On peut savoir ce que tu feras à Tabitha si elle nous dénonce ?

– À votre avis ? »

Depuis des heures, Ragnhild était scotchée à son écran de télévision, sans voir la moindre information concernant une dénommée Tabitha Engstrøm. Il est vrai que les restrictions Covid et l'évolution galopante du nombre de malades monopolisaient tous les médias. Ragnhild réalisa soudain, au milieu du flot constant de discussions et de digressions, que cette situation inédite était la meilleure protection que Tabitha pouvait espérer. Tant que la menace d'une nouvelle vague de contagion les empêcherait de l'approcher en prison, il fallait vivre avec le risque qu'à chaque instant elle soit tentée de les dénoncer, mettant fin à l'existence de leur organisation.

Cela ne doit surtout pas arriver, songea-t-elle avant de réaliser que si elle n'avait jamais tué personne, elle s'en sentait parfaitement capable. Après tout, elle avait vu comment on tuait les cochons à la ferme de ses grands-parents, la carotide d'un être humain était parfaitement visible sous la peau et il existait une infinité d'objets assez tranchants pour la sectionner, alors éliminer un être humain ne devait pas être beaucoup plus compliqué. Ce qui l'était, c'était d'approcher cette Tabitha Engstrøm tant qu'elle était en maison d'arrêt, et de s'enfuir après en avoir terminé avec elle, ce dernier point étant la signature du crime parfait.

Malgré les consignes de Debora, la réussite de ce projet ne lui vaudrait-elle pas une reconnaissance sans limite de la part de son mentor ? Et s'il y avait une chose à laquelle Ragnhild aspirait plus que tout, c'était de plaire à Debora. Combien de fois, à l'issue de leurs réunions, lui était-il arrivé de traîner devant sa maison jusqu'à ce qu'elle ait éteint toutes les lumières ? Elle adorait imaginer ce qui se passait dans l'obscurité de ces pièces. Ce n'était pas comme si elle était amoureuse d'elle, ou du moins elle ne le croyait pas, mais Debora était leur leader. Elle les avait recrutées, elle l'avait choisie, elle. C'était à Debora qu'elles rendaient compte de leurs coups, elle encore qui leur montrait la voie et les aidait à raffiner et à optimiser leur combat.

Elle enfin qui avait transformé la triste existence de Ragnhild en un état d'euphorie permanent.

Ragnhild regardait l'écran, admirant, d'une chaîne à l'autre, les tenues élégantes portées par leur Première ministre à chaque nouvelle conférence de presse, et l'assurance avec laquelle elle condamnait le Danemark à un immobilisme presque total.

Mais comment arrêter Tabitha si tout le monde devait rester confiné chez soi ?

Ce soir-là, Ragnhild eut du mal à s'endormir.

21

Mercredi 9 décembre 2020

Ragnhild

Les diverses mesures de sécurité prises pour le pays touchèrent tous les secteurs, et une affaire comme celle de Tabitha Engstrøm nécessitait des auditions de témoins, des preuves, des heures d'interrogatoires et une multitude de convocations de personnes potentiellement porteuses du coronavirus. Ces conditions rendant pratiquement impossible une procédure en bonne et due forme, on libéra Tabitha après sa comparution, ainsi qu'il est prévu par la loi au Danemark. On la pria de ne pas quitter le pays et de prévenir les autorités en cas de déplacement inhabituel. On reprendrait son affaire quand on serait revenu à une situation plus normale.

Ragnhild n'avait pas exclu que les choses puissent se passer ainsi, alors quand Tabitha était sortie, dans un imperméable fluide, libre comme l'air, un grand sourire sur ses lèvres écarlates, elle se trouvait comme par hasard à cinquante mètres du tribunal.

C'était donc à cela qu'elle ressemblait. Une femme apprêtée et insouciante.

Cette bouche n'est pas supposée sourire, songeait Ragnhild. Elle devrait même être définitivement close afin de ne pas aller raconter ce qui se passe au sein de notre petit club.

Pour l'instant, Tabitha Engstrøm est heureuse et soulagée, mais dès qu'ils la remettront en prison, elle parlera, je le lis sur son visage.

Tant qu'elles marchèrent dans les rues fréquentées de Copenhague, Ragnhild garda le couteau bien tranchant caché dans la poche de son manteau, la main serrée autour du manche. L'important était de stopper Tabitha, mais qu'elle le fasse maintenant ou plus tard ne faisait aucune différence. Dès que l'occasion se présenterait, Ragnhild serait prête à frapper.

Où vas-tu, Tabitha ? se demandait-elle. Plus tard, dans les rues quasi désertes d'Amager où elle la suivait toujours à une distance raisonnable, elle n'avait toujours pas trouvé de réponse à sa question.

Si elle quitte Amagerbrogade et qu'elle prend une petite rue transversale, je la rattraperai en quelques secondes, se disait-elle. Mais à quel endroit devait-elle frapper et avec quelle force ? Ne valait-il pas mieux l'égorger, comme prévu ? Mais évidemment, il y aurait beaucoup de sang et Ragnhild ne pouvait pas prendre le risque d'être éclaboussée. Elle pourrait bien sûr la saisir, lui donner un grand coup de couteau et la repousser loin d'elle aussitôt, ce qui exigerait un geste précis et une entaille profonde, et tant d'aléas pouvaient compromettre cette méthode. Si Tabitha l'entendait arriver, ou qu'un bruit extérieur lui faisait tourner la tête au dernier moment, cela suffirait à tout faire rater.

Ragnhild sentit l'inquiétude s'emparer d'elle, mais elle n'avait pas le droit d'hésiter. Tabitha avait trahi le code d'honneur du club, et Debora avait dit elle-même que cela allait lui coûter cher, que si elle cafardait, elle devrait l'éliminer. Et même si leur chef leur avait interdit de s'en charger, Ragnhild n'avait pas l'intention de lui obéir. Quand ce serait fait, elle ne doutait pas que Debora applaudirait son initiative.

La solution se présenta quelques centaines de mètres plus loin. Un automobiliste avait percuté un panneau de signalisation si violemment qu'il l'avait cassé par le milieu. À présent, le poteau métallique tronqué dressait son moignon à un mètre du sol.

Allez, Tabitha, aide-moi. Continue dans la même direction, pria Ragnhild, et ne traverse pas non plus. Ne te rapproche pas des vitrines des magasins, continue à marcher au bord de la piste cyclable comme tu l'as fait jusqu'à maintenant.

Elle accéléra le pas. À une cinquantaine de mètres du panneau, elle était presque arrivée à la hauteur de Tabitha. Elle sortit les mains de ses poches et, mentalement, elle répéta le geste qui projetterait sa victime sur le cylindre métallique déchiqueté.

À vingt mètres du poteau, quelques pas seulement les séparaient et quand Tabitha fut à soixante-quinze centimètres du tube fatal, Ragnhild se précipita et lui fit un croche-pied, tout en la poussant de toutes ses forces. Tabitha chut sans même chercher à se retenir et le métal acéré vint se ficher tout droit dans le décolleté de son manteau, s'enfonçant dans sa poitrine un peu en dessous du cœur.

Elle hurla quelques secondes et Ragnhild la frappa dans le dos avec ses deux poings, de façon à faire entrer le poteau brisé plus profondément dans la plaie.

Puis elle s'enfuit par une petite rue avant même que sa victime ait cessé de respirer.

Ragnhild n'était pas loin de s'évanouir, tant son cœur battait fort, et malgré l'immense fierté qui lui gonflait le cœur, elle vomit plusieurs fois dans le caniveau.

Jamais, même lors des meilleurs trips de haschich qu'elle avait faits dans sa jeunesse, elle ne s'était sentie planer comme elle planait au moment où, après avoir gravi l'escalier en marbre vert de la maison de Debora, elle appuya sur le bouton de la sonnette avec le signal convenu.

Elle dut attendre quelques minutes avant que la porte ne s'ouvre, et son euphorie s'évapora aussitôt.

« Qui êtes-vous ? » demanda-t-elle à l'homme qui était finalement venu lui ouvrir. Il était gigantesque et n'avait pas l'air commode. Jamais elle n'aurait pu imaginer la fragile et ravissante Debora avec un homme comme celui-là. Ils se jaugèrent mutuellement pendant une seconde, et la sensation n'avait rien d'agréable, vu l'apparence bizarre du bonhomme. On aurait dit qu'on avait collé une tête sur un corps qui ne lui appartenait pas.

« Qui je suis ? N'est-ce pas plutôt à moi de vous demander cela ? rétorqua-t-il. Pour quelle raison venez-vous sonner chez moi ? »

Chez lui ? Alors Debora avait réellement un mari ? Un mari aussi laid que celui-là ? Elle avait du mal à le croire.

« Je dois parler à Debora ! Dites-lui que Ruth est là. »

Il la regarda d'un air surpris. « Debora ? Et on peut savoir qui est cette Debora ? »

Prise d'un doute, Ragnhild fit un pas en arrière pour regarder la façade de la maison. Il n'y avait pas d'erreur, pourtant.

« Je ne sais pas qui vous êtes. Mais Debora est la propriétaire de cette maison. » Ragnhild était réellement alarmée, à présent.

Il fronça les sourcils et avança d'un pas. « J'ignore de quoi vous parlez, dit-il. Et maintenant, je trouve que vous devriez vous en aller. »

Ragnhild recula. « Vous lui avez fait du mal ? Vous êtes un cambrioleur ? »

Elle fit encore un pas en arrière et jeta un coup d'œil alentour, prête à sauter par-dessus la haie du voisin si le géant s'avisait tout à coup de s'en prendre à elle.

« Deboraaa ! cria-t-elle, aussi fort que possible, en levant la tête vers les fenêtres du premier étage.

– Vous êtes complètement folle, ma pauvre dame. Pourquoi cette Debora compte-t-elle tant pour vous ?

– J'ai quelque chose d'important à lui dire à propos d'une personne dont elle n'a plus rien à craindre. »

Elle crut voir un rideau bouger.

Ragnhild sourit. Mais le coup de poing que l'homme lui assena eut tôt fait d'effacer ce sourire. Il l'avait frappée si fort que tout ce qui la maintenait habituellement sur ses pieds, son sens de l'équilibre, son système nerveux, sa volonté et ses muscles bandés, l'abandonna sur-le-champ.

22

Jeudi 10 décembre 2020

Carl

Cette fois encore, l'allocution de la Première ministre fut loin d'être un agréable divertissement. Bien que le vaccin soit quasiment prêt, il semblait évident que la pression des contaminations toujours plus nombreuses allait vite tourner au vinaigre en pleine période de fêtes.

Les différents acteurs de la conférence de presse emplissaient l'écran, tel un peloton d'exécution ayant pour cible la moitié du pays. Le ministre de la Santé ouvrit le bal, suivi par les autres intervenants. Neuf cent dix-huit morts, annoncèrent-ils d'un ton tragique, avant d'expliquer aux téléspectateurs que le Danemark était entré dans la deuxième vague de l'épidémie, et que les restrictions prendraient effet dès le lendemain à 16 heures. On connaissait la chanson : confinement, tests, gel hydroalcoolique, masque, obligation de tousser dans sa manche, isolement, récession économique.

Cela finissait par devenir lassant, et prodigieusement agaçant.

« Alors ? dit Carl. Qu'est-ce que vous en pensez ? En tout cas, moi je n'ai pas l'intention de ralentir notre activité. Si on est obligés de se faire tester tous les jours, avec nos badges, on devrait pouvoir resquiller. »

Ils semblaient tous abattus par la nouvelle. Assad pensait évidemment à sa famille. Que leur arriverait-il s'il tombait malade ? Rose, elle, n'avait pas la moindre envie de se retrouver confinée dans son appartement, merci, elle avait déjà donné. Quant à Gordon, il était simplement triste, et ça se voyait. Lui qui venait justement de s'inscrire sur un site de rencontres ! Si plus personne n'avait le droit de sortir, il pouvait dire adieu à ses rêves de conquête amoureuse !

« Avant que le pays entier ne devienne fou, je vais rendre une petite visite à Pauline Rasmussen et la confronter aux mails que nous avons découverts, dit Carl. Pendant ce temps, vous n'avez qu'à continuer ce que vous êtes en train de faire. Rose et Assad, vous vous occupez du marchand d'armes, Gordon, tu continues à chercher d'anciennes affaires et tous les trois, vous lisez les mails de Palle Rasmussen jusqu'à ce qu'il n'y ait plus rien dans les cartons. »

Un soupir général accueillit les ordres de Carl. Décidément, le petit personnel n'était plus ce qu'il était !

Il était à peine sorti du parking que Gordon l'appelait déjà sur son portable.

« On vient de recevoir un appel de la police nationale. Tout le monde est convoqué au réfectoire dans vingt minutes.

– Alors, amusez-vous bien », railla Carl. Il ne laisserait personne perturber son enquête, pas même la police nationale.

Deux kilomètres après la sortie de la ville, la circulation devint plus fluide. Quelques voitures allèrent même se ranger sur le bord de la route, tandis que les radios répétaient en boucle avertissements et admonestations.

Des masques usagés traînaient partout sur les trottoirs. Quel affligeant spectacle !

Carl secoua la tête. Le coronavirus !? En réalité, les gens s'en fichaient comme de l'an 40, tant qu'ils pouvaient continuer à satisfaire leurs envies. Mais l'humain est ainsi fait et Carl n'avait pas attendu la pandémie pour s'en rendre compte.

Il poussa un long soupir.

Combien de temps tout cela allait-il durer ?

Un vélo pour femme traînait par terre dans l'allée devant la maison de Pauline Rasmussen. La porte d'entrée était grande ouverte et une voix de femme gueulait dans le couloir, très énervée, ponctuant chaque phrase de : « C'est pas vrai ! », « Ça va pas recommencer ! »

Carl pouvait fort bien comprendre ce qui se passait.

En le voyant sur le pas de la porte, Pauline fourra le portable dans sa poche et le prit à témoin.

« Vous vous rendez compte, toutes les représentations sont annulées pour une durée indéterminée ! hoqueta-t-elle. Annuler, annuler, annuler, ils n'ont que ce mot à la bouche. »

Carl compatit comme il put, mais cela ne l'empêcha pas de lui parler ensuite, et sans ambages, de ce qu'ils avaient trouvé dans les cartons de Palle Rasmussen. Elle devint blême, mais sa réaction ne troubla pas l'inspecteur Mørck outre mesure. Au contraire, plus il aurait de témoins instables du genre de cette Pauline Rasmussen, plus ses interrogatoires seraient productifs. Comme son cousin politiquement incorrect le lui avait toujours dit : « Le malheur des uns fait le bonheur des autres. »

« Vous et Palle étiez ensemble le jour de sa mort. Nous savons qu'il vous a rendu visite en rentrant du Parlement, et également que vous vous adonniez avec lui à des pratiques sexuelles sadomasochistes. Alors je vous pose la question, Pauline : êtes-vous allée trop loin ce jour-là ? Avez-vous tué votre oncle pendant un jeu amoureux ? Vous a-t-il demandé de le raccompagner chez lui et de l'attacher à son volant pour qu'il ne puisse pas couper le moteur de sa voiture ? »

Le centre de la parole semblait s'être brusquement paralysé dans le cerveau de Pauline.

« Bon, alors je vais vous dire comment je vois les choses. Palle s'est arrêté chez vous avant de rentrer chez lui. Pouvez-vous me le confirmer ? »

Elle soupira.

« Vous lui avez ligoté les poignets avec des liens très serrés et vous l'avez frappé un peu partout sur le corps, est-ce exact ?

– Non, je ne l'ai jamais attaché, ce n'était pas nécessaire.

– Vous voulez dire que vous pouviez lui faire mal, sans avoir besoin de l'attacher ? C'est inhabituel, non ? Nous avons trouvé des cicatrices de lésions autour de son anus, ça doit faire très mal un coup de fouet à un endroit aussi sensible. »

Elle tourna vers lui un regard méprisant. « Palle était capable de supporter bien pire que cela. C'était un homme, un vrai.

– D'accord, mais alors dans ce cas, je ne comprends pas pourquoi il avait autour des poignets des marques profondes, comme celles que laisse un collier de serrage en plastique.

– Je n'y suis pour rien. Ce n'est pas moi qui lui ai fait ces marques.

– Mais vous l'avez raccompagné chez lui, ensuite, n'est-ce pas ?

– Je crois avoir déjà répondu à cette question. »

Son regard était devenu glacial et Carl sentit qu'elle était en train de lui échapper.

« Mais je vais vous le répéter. Non, je ne l'ai pas raccompagné chez lui. Une fois qu'il avait joui, Palle ne pensait qu'à filer. De manière générale, Palle ne pensait qu'à lui.

– Et pourtant, vous êtes restée sa maîtresse pendant neuf ans et demi. C'est difficile à croire.

– Croyez ce que vous voulez. Si quelqu'un lui a fait ces marques sur les poignets, ce n'est pas moi. Je ne suis pas fière de ma relation avec lui, mais je ne peux rien y changer.

– Était-il déprimé, ce jour-là ?

– Il était toujours un peu triste après l'orgasme, après que je l'avais humilié, mais pas plus ce jour-là que les autres.

– Pourquoi avez-vous essayé de m'empêcher de mettre la main sur les cartons de Palle et sur son ordinateur ? S'il y a quelque chose dont mes collègues ou moi-même n'avons pas eu connaissance, dites-le-moi maintenant. Parlez, Pauline, ou vous risquez de vous trouver dans une situation délicate.

– Ma situation ? dit-elle froidement. Ma situation est celle de quelqu'un qui ne sait pas comment elle va s'en sortir maintenant que la ministre de la Culture m'a enlevé mon unique moyen de subsistance. Vous croyez peut-être qu'elle va payer pour toutes les représentations qui ne vont pas avoir lieu ? Hein ? Elle va faire ça, la ministre de la Culture ? »

Carl haussa les épaules. En quoi cela le concernait-il ?

« Qu'allons-nous découvrir dans l'ordinateur, Pauline ? Vous voulez bien nous le dire pendant qu'il est encore temps ? »

Elle secoua la tête. « Vous devriez vous en aller, maintenant. »

Carl retrouva Rose exactement à l'endroit où il l'avait laissée en partant, assise devant un tas de photos et une pile de dossiers.

« Qu'est-ce que tu as fait d'Assad et de Gordon ? » lui demanda-t-il.

Elle répondit d'abord par un soupir, puis elle expliqua : « Cette fois, le commissaire a renvoyé la moitié d'entre nous dans leurs foyers. À partir de maintenant, tout le monde, y compris au sein du département V, doit garder un minimum de deux mètres de distance avec ses collègues : on marche sur la tête. Comme au printemps dernier, dans la mesure du possible, nous devons éviter les auditions en présentiel, et nous devons interroger nos témoins, et éventuels suspects, par téléphone. »

Carl n'en revenait pas. « Attends, l'expérience du printemps ne leur a rien appris ? On ne peut pas interroger les gens par téléphone. Ils mentent, *a fortiori* quand on ne les a pas en face de soi. Non, mais tu les imagines, à l'autre bout du fil, en train de se foutre de notre gueule ! »

Il tourna les talons et s'éloigna à grands pas dans le corridor. Heureusement, Marcus était là et il n'avait pas l'air content non plus.

« C'est vrai que vous allez encore nous demander de procéder à des interrogatoires par téléphone ?

– C'est ce que préconise le directeur de la police, en effet, dit-il en levant vers Carl un regard las.

– Ça vaut aussi pour les mises en accusation ? » demanda-t-il à moitié pour rire.

Marcus acquiesça.

« Et qu'est-ce que je risque si j'ignore complètement cette directive ?

– Je n'en sais rien. Si, à cause de ton insubordination, tu attrapes la Covid, alors tu seras vraiment dans la merde.

– Parce que j'aurai chopé le virus ? Et toi, qu'est-ce qu'il t'arrivera ?

– Oh, moi tu sais, je ne sors pas de mon bureau, alors comment veux-tu que je sache ce que vous fabriquez toute la journée ? »

Parfait, c'était exactement ce que Carl avait envie d'entendre.

« Gordon et Assad ont été renvoyés chez eux jusqu'à nouvel ordre, Marcus. Ce qui ne va pas faire avancer notre enquête. Je croyais que tu voulais résoudre l'affaire Maja Petersen ? »

Il haussa les épaules. « Que veux-tu que je te dise, ça attendra que le nombre de contaminations baisse !

– J'en prends bonne note, Marcus. Et en attendant, je te souhaite une bonne journée. »

« Assad, tu as l'adresse du gars qui envoyait des mails venimeux à Palle Rasmussen et qui le menaçait de le sacrifier s'il ne se retirait pas de la politique ? »

Assad se racla la gorge. Il était en train de tomber malade, ou quoi ?

« Je l'ai eu au téléphone, chef. » Carl entendit des pleurs derrière lui et Assad lança quelques phrases en arabe dans la pièce.

« Qu'est-ce qui se passe, Assad ?

– Il se passe que ce n'est pas facile de travailler dans un appartement de trois pièces, avec des gens qui braillent toute la journée.

– Il n'y a pas un autre endroit où tu pourrais aller bosser ? »

Assad se remit à gueuler en arabe. Il n'avait pas entendu sa question.

« Alors, il t'a dit quoi, le gars des injures par mail ?

– Que tout personnage politique qui ment ou qui interprète la loi comme ça l'arrange doit être neutralisé par la force. Et que c'est bon pour eux de voir à quel point on les hait.

– Il sait qu'il peut être condamné pour menace et intimidation ?

– Je crois qu'il m'a répondu qu'il s'en fichait comme d'une guigne, drôle d'expression, quand j'y pense. »

Carl sourit. « Il a dit : "comme d'une guigne" ? C'est pas un perdreau de l'année, dis donc.

– Franchement, je crois qu'il n'y a rien pour nous de ce côté-là, répondit Assad. Le type habite Nakskov depuis toujours. Il souffre de fonte musculaire et il est en fauteuil roulant.

– Je vois.

– Les affaires que nous avons trouvées jusqu'ici sont tout simplement trop anciennes, chef. Les pistes sont froides. Mais Rose et moi pensons tous les deux qu'il y en a d'autres, quelque part. Plusieurs, même. Il faut juste que nous en trouvions une plus récente, dans laquelle on aurait trouvé du sel de cuisine, pour avoir des indices plus frais et plus lisibles qui nous conduiraient vers le coupable.

– Je suis d'accord avec toi. Pour l'instant, nous avons quatre scènes de crime sur lesquelles le meurtrier a laissé du sel, comme s'il s'agissait d'un rituel. Mais tant que nous n'aurons pas défini un mobile, nous continuerons à courir dans tous les sens comme des poulets sans tête.

– Ce que nous savons, c'est que ces crimes ont été commis en 1988, 1998, 2000 et 2002. Si cet intervalle de deux ans se vérifie, on devrait plutôt se pencher sur les plus récents.

– Euh, les plus récents ? Qu'est-ce que tu entends par là ? Pour autant qu'on puisse le savoir, le meurtrier peut avoir arrêté depuis des années, ou même être mort, fit remarquer Carl.

– Les crimes ont tous été commis une année paire. Et si on commençait par voir quels meurtres ou morts suspectes se sont produits en 2010 ?

– Pourquoi en 2010 ? Pourquoi pas en 2012, 2014, 2016… ?

– Tu l'as dit toi-même, chef. Le meurtrier a commencé sa série de meurtres en 1988, ou même avant ça. En tablant sur 2010, on a plus de probabilités qu'il soit toujours actif.

– À t'entendre, c'est une recherche qui est déjà en cours.

– C'est vrai, je fouille en ce moment dans les archives du ministère de la Justice.

– Tu sais, j'espère, que les archives digitales ne contiennent pas tout ?

– Je sais, mais vu que je dois travailler depuis la maison, il faut bien que je commence quelque part, pas vrai ? »

23

Jeudi 10 décembre 2020

Carl

« Gordon est déjà revenu ? Vous savez que selon la brigade du coronavirus et notre honorable commissaire, nous sommes trop nombreux à être fidèles au poste. Qu'est-ce qui t'amène, Gordon ? Tes lutins de Noël te manquaient ?

– Je n'arrivais pas à bosser chez moi parce que je n'ai qu'un seul écran et une connexion Internet déplorable. C'est lent. Ça me rend dingue. »

Carl se tourna vers Rose. « Écoute-moi, Rose. Je vais te demander d'établir un programme de présences pour le département V. Marcus nous donne le feu vert pour nous organiser comme nous voulons, du moment qu'il n'est pas au courant, sinon c'est lui qui risque d'avoir des problèmes. Je propose que les interrogatoires se passent hors de nos murs, et qu'aussi longtemps que la direction se mêlera des faits et gestes de la police qui bosse vraiment, on fasse en sorte d'être deux au maximum dans les bureaux. Ça marche ? Assad ne va pas bien, et chez lui ce n'est pas facile en ce moment, alors essayons de l'aider. »

Elle était d'accord. « Cette enquête commence à se compliquer et pas seulement à cause de la Covid 19. Pour bien faire, il nous faudrait cinq personnes de plus. Minimum ! »

Carl vit du coin de l'œil Gordon qui écoutait Rose en dodelinant de la tête comme le chien avec son élastique dans la nuque que son ex-femme Vigga avait posé sur la plage arrière de la vieille poubelle qui lui servait de voiture.

Il se leva, prit un feutre rouge, s'approcha de la fenêtre et écrivit sur la vitre :

L'AFFAIRE DES ANNÉES PAIRES

« Je propose que chacun d'entre nous inscrive ce qu'il fait, au fur et à mesure, sur cette vitre. Comme ça, chaque fois que nous serons tentés de bayer aux corneilles, cela nous rappellera que nous avons du pain sur la planche, ça marche ? »

Il tendit le feutre à Gordon. « Vas-y, à toi de jouer ! Tu as une idée ? »

Le haricot beurre réfléchit un instant.

« Je pense que nous devrions faire la liste de tous les mystères auxquels nous nous sommes heurtés jusqu'ici. »

Carl approuva d'un signe et Gordon écrivit :

Mystère 1 : Les pages qui manquent dans le dossier de Palle Rasmussen. Que sont-elles devenues ?
Mystère 2 : Trouver du sel dans les rapports d'anciennes affaires non résolues. Y en a-t-il d'autres ?
Mystère 3 : Quand nous connaîtrons le contenu de l'ordinateur de Palle. Y trouverons-nous des indices sur les circonstances de sa mort ?

« Très bien. Et au fait, il est où cet ordinateur, pour l'instant ?

— Au service informatique. Ils manquent de bras, vu la conjoncture, mais ils ont promis d'essayer de faire au plus vite.

– Bon, mais n'hésite pas à les relancer. On ne peut pas attendre éternellement. À ton tour, Rose. »

Elle prit le feutre des mains de Gordon avec humeur.

« Est-ce qu'il y a autre chose que des mystères et des points d'interrogation dans cette histoire ? » Elle resta un court moment devant la fenêtre, le feutre posé sur sa lèvre inférieure avant de continuer la liste commencée par Gordon.

Mystère 4 : Qui a tué le marchand d'armes Carl-Henrik Skov-Jespersen ?
Mystère 5 : Qui a tué le directeur d'usine Oleg Dudek ?
Mystère 6 : Qui a tué le garagiste Ove Wilder et les quatre mécaniciens ?
Mystère 7 : Pourquoi laisser du sel sur les scènes de crime ?

Carl leva la main. « Je note la question qu'aurait posée Assad, c'est simple. »

Mystère 8 : Meurtres et morts suspectes en 2010. Où ? Quand ?

« Et à cela, je voudrais ajouter que c'est Assad qui a suggéré de faire un point sur l'année 2010. Sommes-nous d'accord sur le fait que : 1) tous ces crimes ont un dénominateur commun, et que : 2) nous ne nous intéressons jusqu'à nouvel ordre qu'aux années paires ? »

Ils acquiescèrent.

« Parfait, alors l'avenir dira si nous avions raison de le penser, et s'il y en a eu d'autres. »

Gordon leva le doigt.

« Et que voudrait dire l'élève au fond de la classe ? plaisanta Carl.

– J'ai remarqué qu'au fil des années, les crimes sont commis de plus en plus tard.

– Oui, moi aussi, dit Rose. En 1988, ça s'est passé le 26 janvier, en 1998, c'était le 28 avril, en 2000, le 17 mai, et en 2002, deux jours plus tard, c'est-à-dire le 19, le jour de la Pentecôte. C'est peut-être un hasard, n'empêche qu'il semble quand même y avoir un schéma qui se dessine. »

Carl contempla un long moment le parking boueux à travers les lettres tracées en rouge sur la vitre. Enfin, il se retourna vers son équipe. Un frisson tiède lui parcourut l'échine. Cela lui faisait cet effet-là quand la nuit, dans leur lit, Mona posait la jambe sur son ventre. Et aussi quand il était sur le point de voir une percée dans une enquête.

Il sourit et posa de nouveau la pointe du feutre sur la vitre.

Mystère 9 : Les dates des meurtres ont-elles une signification ?

« Bravo, bien vu, tous les deux. Je vais étudier ça de plus près. »

Pourquoi avaient-ils l'air contrariés, tout à coup ?

Deux lignes de conduite évidentes se présentaient maintenant à lui. Dans la période allant de 1988 à 2000, ils allaient devoir concentrer leurs recherches sur les années 1990, 1992, 1994 et 1996, et sur les crimes survenus entre le 26 janvier et le 28 avril, une tâche chronophage qu'il pouvait facilement déléguer.

Ainsi, il pourrait travailler uniquement sur les dates qu'ils connaissaient déjà. Si le sel laissé sur les scènes de crime était un rituel, les dates l'étaient peut-être aussi.

« Écoute, Gordon, dit-il. Que dirais-tu de concentrer tes recherches sur les années paires entre 1990 et 1996 et sur des dates situées entre le 26 janvier et le 28 avril, c'est-à-dire après la mort d'Ove Wilder et avant celle d'Oleg Dudek ? »

Gordon parut dérouté. Il devait se demander s'il s'agissait d'une suggestion ou d'un ordre.

« Et on en parle quand tu as fini, d'accord ? »

Gordon fit un léger signe de tête.

« Et toi, Carl, qu'est-ce que tu vas faire ? » s'enquit Rose. Son visage quand elle faisait la gueule avait le pouvoir de changer le paysage.

« Je te le dirai quand j'aurai avancé. »

Aucune bouffée d'air pur n'est meilleure que celle qu'on aspire à travers une cigarette sans filtre. Derrière les voitures garées sur le parking, Carl avait sous les yeux un capharnaüm de bâtiments jetés pêle-mêle dans le décor, sans doute supposés hisser le quartier de Teglholmen au firmament des nouvelles splendeurs architecturales de la ville de Copenhague. Qu'est-ce que les urbanistes avaient dans la cervelle, franchement ? Les architectes étaient drogués ou quoi ?

Carl avala une dernière bouffée et écrasa son mégot sur le bitume.

C'était sur ce parking que son ancien bureau au sous-sol de l'hôtel de police lui manquait le moins. Pas de pas résonnant dans la cage d'escalier, pas de salut poli en passant, pas de poignée de main à échanger. Ici, il était tout seul et il avait la paix pour mettre de l'ordre dans le chaos de ses pensées.

Il passa la main dans ses cheveux de moins en moins fournis et se frotta le crâne avec un mouvement circulaire, une des rares habitudes héritées de son père. Parfaitement inutile, au demeurant.

Ils avaient inscrit neuf questions sur la vitre là-haut. Et ils auraient pu en ajouter une centaine, c'en était effrayant.

Mais pour l'instant, seule la neuvième lui occupait l'esprit. Peut-être l'avait-il mal formulée. Il avait écrit : « Les dates ont-elles une signification ? » Est-ce qu'à la place il aurait dû écrire : « Pourquoi ces dates-là ? » ou encore : « Qu'est-ce que ces foutues dates ont de spécial ? », comme Rose l'aurait sans doute formulé avec le sens de la précision qui la caractérisait.

Il revoyait le visage de Marwa quand elle avait parlé de la date du 28 avril à Assad, et son étonnement quand elle avait vu qu'il ne se rappelait pas que c'était celle de la naissance de Saddam Hussein.

Il y avait peut-être quelque chose à creuser ? Cette affaire avait-elle un lien avec le Moyen-Orient ? C'était à vérifier. Ils disposaient de trois autres dates et ne devraient pas avoir trop de mal à trouver des réponses sur le Net.

Il arrivait parfois, même si c'était exceptionnel, qu'une recherche Google fournisse des éléments utiles à la résolution d'une enquête, mais le plus souvent, les moteurs de recherche donnaient des renseignements erronés ou imprécis risquant de vous envoyer sur de fausses pistes. Tout en lançant une recherche sur le 26 janvier 1988, date à laquelle le garage d'Ove Wilder avait été rayé de la carte, Carl sourit tout seul devant cet aveu. Le premier lien lui apprit qu'en Australie, ce jour de l'année avait été baptisé « Invasion Day », en souvenir de celui où les navires britanniques avaient débarqué à Sydney Cove. Depuis 1988, cette date était marquée par d'importantes manifestations en commémoration du commencement de la destruction de la civilisation aborigène. Le voilà bien avancé !

Un traité de paix avait également été signé à cette date entre l'Égypte et Israël. On pouvait donc considérer à ce titre qu'elle avait contribué à changer la face du monde.

Carl poussa un long soupir. Cette affaire pouvait donc quand même avoir un lien avec le Moyen-Orient ? Voilà qui n'allait pas faire plaisir à Assad, songea-t-il.

Pendant qu'il y était, il tapa la date du 17 mai 2000 dans le moteur de recherche. C'était le jour où on avait retrouvé le cadavre de Carl-Henrik Skov-Jespersen, marchand d'armes de son état, tué d'une balle dans la tempe. À cette date-là, il ne trouva aucune information ayant trait au Moyen-Orient. Certes, la guerre Iran-Irak touchait à sa fin, et des négociations étaient en cours sur le retrait des armées israéliennes du Liban, mais il ne s'était rien passé de particulier le 17 mai 2000.

Comment allait-il découvrir un mobile dans cette affaire si les différents meurtres n'avaient aucun dénominateur commun ? se demanda Carl.

Enfin, il tapa la date du 19 mai, jour de la mort de Palle Rasmussen. Apparemment, c'était ce jour-là que l'Égypte avait bloqué le passage aux navires israéliens dans le canal de Suez, ce qui avait déclenché la crise du canal de Suez en 1956. Quelque chose le taraudait, mais Carl ne parvenait pas à savoir quoi.

Je fais fausse route, il ne s'agit pas du Moyen-Orient, se dit-il.

Il sortit une cigarette de son paquet et la rangea aussitôt. Même ça, il n'en avait plus envie.

Il regarda l'heure qui n'avançait pas. Peut-être qu'il commençait à en avoir sa claque de ce métier ?

24

Vendredi 11 décembre 2020

Carl

Le pays allait de nouveau être partiellement confiné et les médias étaient dans tous leurs états. Pourtant, le meurtre bestial de Tabitha Engstrøm, au beau milieu d'une rue de Copenhague, eut droit aux gros titres dans les journaux.

Cela faisait deux jours à présent que le corps empalé avait été dégagé d'un poteau de signalisation cassé, deux jours que la commission de la voirie et le ministère de l'Aménagement du territoire et de l'Environnement se chamaillaient pour savoir qui était responsable du poteau meurtrier. Malgré ses quintes de toux, la commissaire Bente Hansen s'était tenue la veille devant une horde de journalistes et avait essayé tant bien que mal de révéler le moins de détails possible sur l'avancée de l'enquête.

Des résidents d'Amager, des comités de mères de famille, de funambules, d'échecs ou de backgammon, des associations de commerçants et une foule de curieux exprimaient à qui voulait l'entendre leurs craintes que la ville soit devenue une cité de non-droit et réclamaient la démission du maire.

La police avait très rapidement eu la description de l'assassin, grâce à deux amoureux en train de se filmer mutuellement avec leurs smartphones et qui avaient eu la présence d'esprit d'immortaliser sa fuite. On s'attarda assez peu sur le fait que personne n'ait eu l'idée de poursuivre cet individu relativement chétif, de sexe féminin, et de l'arrêter. Apparemment, les témoins étaient en état de choc. Un philosophe et théoricien du monde moderne affirma dans l'émission de télévision « Aftenshowet » qu'il était assez caractéristique de l'époque que même en état de choc, certaines personnes soient capables de sortir leur téléphone portable et de prendre des photos.

Bente Hansen expliqua qu'ils étaient actuellement en train de visionner les bandes des caméras de surveillance installées de façon plus ou moins légale devant les commerces du quartier, afin d'essayer de savoir où la femme s'était rendue après son crime, et elle révéla que l'une de ces caméras l'avait filmée en train de vomir sur le trottoir, aussitôt après le meurtre.

« Nous analysons le contenu de son estomac pour déterminer ce qu'elle avait mangé ce jour-là, et établir son profil génétique. »

Les journalistes posaient leurs questions tous en même temps. À quoi cela allait-il servir ? Avait-elle vomi parce qu'elle était bouleversée par son crime ? Fallait-il en déduire que c'était un geste impulsif et que cette femme n'avait jamais encore commis un acte d'une telle violence ?

« J'ose espérer que cette dernière hypothèse est exacte », répondit Bente Hansen entre deux quintes de toux.

Et la journée fut terminée.

« Bente Hansen ayant malheureusement été déclarée positive au coronavirus, nous allons être nombreux à télétravailler, dit le patron de la brigade criminelle à Carl, avec l'expression d'un homme ravagé par les soucis. Je dois mettre la moitié des effectifs de l'étage en quarantaine.

– Ben voyons ! répliqua Carl. Mais je te rappelle que ni moi ni mes collaborateurs n'avons été en contact avec Bente et son équipe depuis un siècle. D'ailleurs, je n'ai aucun contact avec qui que ce soit de la brigade criminelle et je ne vois pas pourquoi j'en aurais ! »

Il prit soin de cacher sa jubilation en ajoutant : « En tout cas, il est hors de question que je me mette en quarantaine.

– Tu es sûr que tu n'as pas de fièvre ? »

Carl posa la main sur son front. Il sentit ses rides, sa peau grasse, mais pas de température anormale.

« Et les autres ? Finalement, ça tombe plutôt bien que j'aie demandé à la moitié d'entre vous de rentrer chez eux. »

Carl haussa les épaules. Il ne voyait pas l'intérêt de dire à Marcus que Gordon était déjà revenu.

« Je suppose que tu es au courant de l'affaire sur laquelle travaillait Bente ? demanda Marcus.

– Tu parles de la femme qui en a empalé une autre sur la souche d'un poteau métallique cassé ?

– Ce qui est assez étrange, c'est que la victime, Tabitha Engstrøm, venait tout juste d'être libérée à la suite d'une comparution et dans l'attente de son procès. Sur les vidéos de surveillance qu'on a trouvées sur son trajet, on voit que sa meurtrière l'a prise en filature dès sa sortie du tribunal et qu'elle l'a suivie jusqu'à l'endroit où elle l'a tuée.

– On a identifié la meurtrière ?

– Ce matin. La gérante d'une boutique de mode l'a reconnue sur la vidéo dont tu as peut-être vu un extrait aux infos, sur TV2 News et sur DR Nyheder. La femme lui a vendu le manteau qu'elle avait sur le dos. Une boulangerie du quartier où habite la meurtrière a également informé la police qu'elle lui avait acheté une crêpe berlinoise le matin même avec sa carte bleue, ce que le contenu de son estomac a confirmé. Elle l'avait avalée en cinq bouchées et elle était à peine digérée. »

Carl pouvait aisément comprendre ce genre de fringale.

« Nos collègues ont passé la journée à chercher la dénommée Ragnhild Bengtsen, puisque c'est ainsi qu'elle s'appelle, poursuivit Marcus, mais elle s'est volatilisée. Elle semble avoir été aperçue dans le quartier résidentiel près de la brasserie Carlsberg, mais on n'en a pas la preuve. La femme qui a appelé pour nous le dire n'avait pas l'air très sûre d'elle et n'a été capable de nous décrire ni sa tenue ni l'heure exacte à laquelle elle l'aurait vue ni dans quelle direction elle marchait. Et maintenant, il nous manque du personnel pour aller vérifier l'information. »

« Dites-moi que c'est pas vrai ! s'écria Rose en pivotant nerveusement sur son fauteuil de bureau. Marcus veut qu'on arrête tout !? Mais c'est pratiquement sur son enquête qu'on est en train de bosser !

– Ne t'énerve pas, elle est juste mise en suspens. Bente Hansen est malade, son équipe est cas contact, et Marcus n'a personne d'autre pour l'affaire Ragnhild. La presse et les habitants d'Amager réclament des explications, bref, tout le monde est à cran à cause de ce meurtre, et le patron a besoin de quelqu'un pour s'en occuper. Et c'est tombé sur nous.

– C'est complètement délirant. Ce n'est pas du tout un boulot pour le département V.

– Je suis d'accord avec toi. Et j'ai essayé de le lui faire comprendre, mais il a insisté. » Carl se tourna vers Gordon. « Bon, et toi, qu'est-ce que tu as trouvé ?

– Je peux vous dire que Ragnhild Bengtsen a trente-trois ans, qu'elle est secrétaire à la compagnie ferroviaire Banedanemark, divorcée, sans enfant, qu'elle a eu une relation avec un collègue qui n'a pas duré, et qu'elle est introuvable depuis le meurtre. C'est tout pour le moment. »

Un grognement leur fit tourner les yeux vers le pas de la porte. Assad venait d'entrer, hirsute, les vêtements encore plus froissés que d'habitude, et l'air abattu.

« Je ne supportais plus de rester chez moi », annonça-t-il.

On lui fit un court résumé des dernières directives du patron et Gordon refit à Assad un bref topo sur les éléments qu'il avait réunis.

« Merci, Gordon, le remercia Carl. Est-ce que quelqu'un est allé fouiller son appartement ?

— L'équipe de Bente Hansen n'en a pas eu le temps, mais j'ai récupéré le mandat de perquisition.

— Eh bien, allons-y. Rose, toi, tu gardes la maison pendant que les hommes du département V prennent le terrible risque de s'aventurer en terre hostile. »

Il rit de sa propre blague, mais Rose, pas du tout. Et elle suivit le mouvement.

« Que dit la géolocalisation de son portable, Gordon ? s'enquit-elle.

— Elle n'en avait pas sur elle. Peut-être qu'elle n'en a pas tout court, je n'en sais rien.

— Il faut qu'on arrive à connaître ses déplacements, par n'importe quel moyen. Je veux la retrouver. En fait, on a deux choses à faire : la localiser et établir un mobile. Ensuite, on pourra retourner à notre enquête. »

Rose n'avait manifestement pas lu les journaux récemment parce qu'elle demanda à Gordon : « Et elle a tué qui, cette Ragnhild Bengtsen ?

— Une femme de trente-cinq ans répondant au nom de Tabitha Engstrøm, qu'elle avait suivie alors qu'elle sortait du tribunal. La veille, plusieurs témoins ont vu la même Tabitha

Engstrøm lâcher brusquement et intentionnellement la sangle d'un sac à main qu'elle était en train d'arracher à un voleur à la tire, de sorte que ce dernier est tombé sur la chaussée devant les roues d'un camion en face de la gare d'Østerport. Le type est mort. J'ai le rapport, si tu veux le lire. »

Il lui montra une photo de l'accusée et une photo du type écrasé. Le corps broyé ne ressemblait plus à rien.

« J'ai entendu parler de cet incident à la radio. Pour une fois, on aurait presque envie de plaindre le voleur. »

L'appartement de Ragnhild Bengtsen expliquait à lui seul pourquoi sa locataire ne pouvait habiter avec personne, et surtout pas avec un homme. Qui, en effet, aurait pu vivre au quotidien dans ces deux petites pièces aux murs rose dragée, décorés de posters d'acteurs à demi nus dans la force de l'âge.

« Seigneur tout-puissant ! » s'exclama Rose en détaillant sans complexe les anatomies musclées d'Arnold Schwarzenegger, Sylvester Stallone, Jason Statham, Bruce Willis, Will Smith, Clint Eastwood, et d'une trentaine d'autres, dont Carl n'aurait pas pu nommer le tiers.

« En effet, ça, je ne l'avais pas vu venir, grommela-t-il. Et à votre avis, qu'est-ce qu'on peut en déduire ?

– Que la dame a des goûts assez spéciaux. » Perdu dans sa contemplation, Assad frottait son menton mal rasé. « Aucun d'entre nous n'a ce qu'il faut pour la séduire, je crois.

– C'est sûr que sur ces murs, il n'y a pas un seul mou du genou, commenta Rose, l'air presque gourmand. Mais franchement, vous ne trouvez pas que le choix de ces posters est très révélateur ? »

Ses trois collègues la regardèrent, perplexes. Hormis une étude sur l'effet des stéroïdes, ils ne voyaient pas bien ce qu'il y avait d'édifiant dans cet étalage de muscles.

« Voilà ce que je pense, poursuivit-elle. Tous ces posters viennent évidemment de films d'action, mais, par exemple, les affiches de Schwarzenegger ne sont pas celles de la série *Terminator*, où on peut dire qu'il joue un vrai méchant. Ce qui n'est pas le cas dans *Predator*, dont vous pouvez voir l'affiche ici. En fait, toutes ces affiches représentent les héros les plus extraordinaires de l'histoire du cinéma. Regardez combien il y a de posters de Bruce Willis dans *Die Hard* ! » Rose sourit. « La femme qui vit ici marche à l'action. Elle ne craint pas de dire son admiration pour les justiciers. Tu devrais prendre quelques photos, Carl, et les montrer à Mona quand tu rentreras. Je suis sûre qu'elle sera de mon avis.

– OK, mais rappelez-vous que la perquisition n'est pas notre spécialité, alors s'il vous plaît, on essaye de rester dans les clous. Ouvrez l'œil car nous ne savons pas ce que nous cherchons. Vous devez être extrêmement méticuleux et par pitié, ne cassez rien qui pourrait constituer une piste. On y va ? »

Ragnhild Bengtsen était une femme ordonnée. Le contenu de ses tiroirs était soigneusement trié, les impôts dans un tas, les papiers de Sécurité sociale dans un autre, les relevés de comptes dans un troisième. Ses souvenirs de scout et d'une courte période où elle avait joué dans une équipe de handball étaient rangés dans une chemise en compagnie de lettres envoyées par un garçon de Møgeltønder et de quelques esquisses au crayon des lieux qu'elle avait visités du temps où elle était écolière. Il n'y avait rien chez elle qui fasse penser à un « incroyable talent » ou à un trait de caractère hors du commun. Une photo posée sur son étagère, prise lors d'une fête, indiquait même l'inverse. La femme qui habitait cet appartement était juste une jeune Danoise sympathique et souriante.

Rose fut celle qui émit le plus de réserves. « Il doit quand même y avoir un indice ici qui explique ce qui a pu motiver les actes de cette cinglée », dit-elle en essayant de soulever les rebords des fenêtres pour voir si on n'avait pas caché quelque chose en dessous.

« En tout cas, elle ne lit pas. Il n'y a pas un seul livre. » C'était le genre de chose que Gordon remarquait immédiatement.

« Est-ce que tu as vu un document indiquant qu'elle a un coffre à la banque quelque part ? » demanda Rose. Gordon agita l'index pour dire que non.

« Quelqu'un sait s'il y a une cave ou un grenier avec l'appartement ? » interrogea Assad.

Carl soupira. « Il va falloir qu'on dérange le concierge à nouveau. Tu peux t'en occuper, Assad ? »

Celui-ci acquiesça.

« Venez voir ! » cria Rose depuis la pièce voisine.

Carl et Gordon entrèrent dans la chambre et s'appuyèrent au mur.

« Elle a un écran plat ancienne génération au pied de son lit, mais il n'est pas connecté à une box. D'après le concierge, elle bénéficie de l'accès proposé par la copropriété, c'est-à-dire les chaînes de la DR, celles de TV2 et quelques autres. » Elle alluma l'écran pour faire la preuve de ce qu'elle venait de dire.

« En revanche, je vois qu'elle a plusieurs centaines de DVD », fit remarquer Gordon.

Rose sourit. « Et il faut voir les titres ! »

Carl n'y connaissait rien en cinéma, et il préféra se concentrer sur les actualités de TV2 News qui défilaient sur l'écran plat : la Covid, encore et toujours. La situation était sombre dans de nombreux pays. La nouvelle du meurtre sur l'île d'Amager avait été reléguée au second plan, mais d'un autre côté, comment aurait-elle pu rivaliser avec une pandémie mondiale ?

« Il n'y a que des films d'action, dit Gordon.

– Oui, mais tu as vu lesquels ! s'exclama Rose, enthousiasmée. Regarde un peu ça !

– Euh, je t'avoue que je n'en connais pas beaucoup. Dans ma famille, ce genre n'est pas très apprécié.

– Oui, d'accord, mais quand même. Charles Bronson dans *Un justicier dans la ville*, Bruce Willis dans le remake du même film sous le titre original, *Death Wish*, Liam Neeson dans *Taken 1, 2* et *3*, Viggo Mortensen dans *Les Promesses de l'ombre*, Michael Caine dans *Harry Brown*, pour n'en citer que quelques-uns. Tous sans exception parlent de vengeance et de se faire justice soi-même. »

Carl commençait à voir où elle voulait en venir. « Donc, la dame passait ses soirées dans son lit en compagnie de messieurs qui prennent les choses en main, si j'ose m'exprimer ainsi.

– De messieurs et de dames. » Elle montra une étagère sur laquelle on pouvait voir entre autres le film de Jodie Foster *The Brave One* et *Monster* avec Charlize Theron.

« Il y a aussi des DVD sans titre, dit Carl. On va les emporter, mais faites attention aux empreintes digitales.

– Est-ce qu'on sait si Ragnhild a un jour porté plainte pour une agression qu'elle aurait subie ? demanda Rose.

– Tu veux dire un viol ? Non, jamais. Elle apparaît pour la première fois dans les annales de la police avec le meurtre de Tabitha », répondit Gordon.

Une heure et demie plus tard, ils n'étaient guère plus avancés. Ils avaient tous bien travaillé, surtout Rose, qui avait fouillé chaque recoin de l'appartement. Elle avait vérifié les coutures des matelas, retourné le canapé, soulevé les tapis, martelé les coussins, crapahuté sous la table et sous le bureau, ouvert les tiroirs et démonté les panneaux au fond des commodes et des placards.

Franchement frustrée de n'avoir rien découvert, elle jurait contre Ragnhild Bengtsen en descendant jusqu'à la cave où les attendait le concierge. Mais pas plus que dans l'appartement ils ne trouvèrent le moindre objet susceptible de les éclairer. Carl n'avait encore jamais vu une cave comme celle-là. Tout était soigneusement rangé sur des étagères, dans des cartons et des classeurs marqués d'étiquettes mentionnant leur contenu. Le local était tellement propre qu'on aurait pu manger par terre.

Rose retourna son index qu'elle venait de passer sur une étagère. « Elle a dû faire venir M. Propre récemment, pour que ce soit aussi impeccable.

– M. Propre ? demanda Assad.

– Mme Pliz, si tu préfères ! » traduisit Carl. Mais Assad n'eut pas l'air plus avancé.

Le concierge confirma. « C'est vrai. Elle est descendue ici la semaine dernière. Mardi, je crois, parce que les poubelles passent le mercredi et que je me souviens d'avoir sorti les containers le lendemain matin. »

Carl regarda dans le couloir mal éclairé. En effet les grandes poubelles vertes y étaient sagement alignées.

« Alors je crois qu'on peut remballer, les enfants. Si les poubelles passent le mercredi, on ne trouvera plus rien d'intéressant, dit-il. S'il y avait quoi que ce soit de compromettant ici, elle s'en est débarrassée. Il ne nous reste plus qu'à nous rendre à l'évidence, nous arrivons deux jours trop tard. »

25

Vendredi 11 décembre 2020

Carl

Le cadavre entièrement nu était encore frais et ne devait pas être en terre depuis plus d'un jour ou deux. L'état de cette femme allait rendre son identification difficile tant son corps avait été malmené, mais Marcus Jacobsen et Carl Mørck avaient déjà leur petite idée, et pour cause. La taille et l'âge correspondaient, en tout cas.

« Propriété privée », disait un panneau accroché à la grille d'enceinte du terrain vague, une recommandation que quelques jeunes gens d'un village situé au sud de Arresø avaient ignorée, y voyant surtout la garantie de trouver un endroit tranquille où ils pourraient fumer un peu d'herbe et se tripoter sans être dérangés.

« On a de la chance que ces jeunes gens aient été de nature curieuse. » Marcus regarda la route départementale qui s'étendait, déserte, à perte de vue. « Sans eux, cet endroit était la cachette idéale.

– Qu'est-ce qui leur a donné l'idée de creuser ? demanda Carl.

– Ils ont remarqué la terre meuble et noire au milieu de la friche et se sont dit qu'une bande de voyous du village voisin avait dû faire un trou dans la nuit. S'ils avaient découvert des armes, de la drogue ou de l'argent, le plan était sans doute de s'enfuir avec.

– Je vois. Ça a dû leur faire un sacré choc », dit Carl en photographiant le cadavre à distance, avec son portable, sans entrer dans la lumière des puissants projecteurs afin de ne pas déranger l'équipe technique.

Le spectacle n'était pas beau à voir. Carl ne s'habituerait jamais aux sévices que certaines personnes étaient capables de faire subir à d'autres. Tous les doigts de la morte avaient été sectionnés après la deuxième phalange et elle avait plusieurs dents cassées. Son visage avait été écrasé par un objet contondant et, à en juger par la profondeur des trous dans son crâne, il devait s'agir d'un gros marteau à tête carrée, du genre marteau de charpentier.

« Un sacré choc, oui. Deux d'entre eux sont en train de parler avec une psychologue. »

Marcus Jacobsen fit un signe de tête à un technicien de la police scientifique, qui vint les rejoindre.

« Je suis désolé, nous n'avons pas trouvé d'empreintes de pas assez claires ni de traces de pneus utilisables, et en creusant, les jeunes ont aussi effacé d'éventuelles traces d'un corps qui aurait été traîné sur le sol, annonça-t-il froidement. Dans la tombe, il n'y avait que le cadavre. »

Carl émit un grognement. « À qui appartient le terrain, vous avez une idée ? s'enquit-il auprès d'un confrère de la police du Nord Seeland.

– Oui, il fait partie de la commune de Hillerød. Au départ, on devait y construire une usine, mais le projet a été repoussé d'année en année depuis au moins dix ans. Je crois qu'on envoie des employés municipaux tondre de temps en temps, mais il y a un moment qu'ils ne sont pas venus.

– Quand les jeunes gens ont-ils découvert le cadavre exactement ?

– Il y a un peu plus d'une heure et demie, à seize heures vingt, répondit le policier.

– Et à votre avis, il y a combien de temps qu'elle est là ?

– Vingt-quatre heures maximum, je dirais.

– OK. Le soleil s'est couché à quelle heure, hier ?

– Comme aujourd'hui, à quatre heures moins vingt. »

Carl se tourna vers Marcus. « Je dirais que le cadavre a été enfoui après la tombée de la nuit. Je pense qu'on peut également parier sur le fait que ceux qui ont fait disparaître le corps connaissaient déjà ce terrain, et qu'ils savaient exactement où creuser.

– Tu veux dire que ceux qui l'ont enterrée ont pris en compte la possibilité qu'un jour dans l'avenir, on pose les fondations d'un nouveau bâtiment et que le risque qu'on creuse ici, au bord de la grille d'enceinte, était minime ?

– Exactement. Et si j'ai raison, ce serait peut-être une bonne idée de fouiller un peu plus. Qui sait s'ils n'ont pas déjà utilisé ce lieu ? »

De retour à son bureau, Carl passa un moment à faire défiler sur son portable les photographies de ce qu'ils supposaient être le cadavre de Ragnhild Bengtsen. La différence entre la fille souriante sur la photo qu'ils avaient vue dans son appartement et cet être brutalisé, nu et souillé brisait le cœur.

Carl prit une cigarette et la fit rouler entre ses doigts. Combien de fois avait-il, comme en ce moment, regretté d'avoir choisi cette voie ? Il se demanda ce qu'était devenu le jeune paysan innocent et optimiste débarqué du Jutland. Où était passé l'homme au cœur pur fraîchement diplômé de l'école de police ? Que faisait-il ici à cette heure tardive pendant que les autres étaient tranquillement assis dans leur canapé, à regarder la télévision en famille ?

Il inspira longuement par le nez. Il avait hâte de rentrer chez lui et de serrer sa fille dans ses bras.

Il posa la cigarette sur le bureau, se leva péniblement et se rendit dans le bureau de ses collègues pour les briefer sur la découverte du jour. Il était quand même impressionné qu'ils soient encore au bureau.

« Écoutez-moi... », eut-il juste le temps de dire, avant que Gordon se détourne de ses écrans et lui coupe la parole.

« On a enfin eu un retour concernant le Mac de Palle Rasmussen, dit-il. L'ITK, enfin le service informatique de l'hôtel de police n'avait pas le temps de s'en occuper, alors ils l'ont envoyé au NC3, le département cybercriminalité, qui nous a répondu ce que nous savions déjà, c'est-à-dire que tout est effacé et qu'ils doivent restaurer les fichiers. Il paraît que lorsqu'un ordinateur est passé par Christiansborg, son contenu est systématiquement nettoyé avant que l'appareil soit remis aux héritiers. Les fichiers liés à l'activité professionnelle du détenteur sont en général confidentiels. D'après eux, c'est aussi simple que ça. »

Carl fronça les sourcils. Merde. Il se demanda pourquoi Gordon avait l'air si content de leur annoncer que ce problème d'ordinateur était encore loin d'être réglé.

« ITK, NC3, tous ces diminutifs me rendent chèvre, grogna Assad. Il faudrait avoir un dictionnaire dans la tête pour les comprendre. Dans un SMS, on écrit "btw" pour dire "au fait", "afk" pour signaler qu'on s'est éloigné de son ordinateur et "dsl" quand on est désolé. Et il n'arrête pas d'en arriver de nouveaux. On est obligés de parler aussi en diminutifs dans la police ?

– Ce ne sont pas des diminutifs, mais des sigles, Assad, ou des acronymes. Quant à NC3, pour ta gouverne, c'est un diminutif du sigle NCCC, qui, dans la police nationale, veut dire National Cyber Crime Center[1].

– Alors ça devrait s'appeler NCCCPN, ce serait plus logique. » Assad réfléchit un instant et ajouta : « Alors à partir de maintenant, je vais faire écrire ABPD3ECC sur ma carte de visite.

– Pas très facile à retenir », fit remarquer Gordon.

Carl regarda sa montre. Dans vingt minutes, il serait parti.

« Quand est-ce qu'on le récupère, alors, cet ordi ? les interrompit-il.

– Ils vont y jeter un coup d'œil demain. Et ils l'auront craqué à huit heures dix, demain matin.

– Un samedi, génial ! Ça veut dire qu'ils vont travailler dessus toute la soirée ?

– Non, je vous ai dit qu'ils regardaient ça demain.

– Et l'équipe du week-end embauche à quelle heure ?

– À huit heures, mais d'après eux, ça ne prendra pas plus de dix minutes. » Gordon hasarda un sourire. Et comprit qu'il n'aurait pas dû. Pour faire diversion, il se tourna vers Assad : « Et alors, ça signifie quoi ABPD3ECC ?

– Ça veut dire Arabe Basané Père De 3 Enfants et Complètement Crevé, tu croyais que ça voulait dire quoi ? »

Carl ferma les yeux un instant. L'idée de la cigarette qui l'attendait dans son bureau le saisit par la nuque.

« Qu'est-ce qui te fait sourire, Gordon ? » lui demanda Rose sans attendre de réponse. Elle vint poser un petit carton sur son bureau. « Je viens d'appeler l'hôpital. J'ai parlé à Bente.

– Ah bon, de quoi ? dit Carl.

---

1. Office national de lutte contre la cybercriminalité.

– Tu ne devrais pas d'abord demander comment elle va ? Où est passée ton empathie ? »

Carl poussa un soupir. « Alors, comment va-t-elle ?

– Elle est très malade, en fait. Je crains que nous n'ayons pas la possibilité de lui reparler avant qu'elle parte en soins intensifs. Elle n'arrivait pratiquement pas à respirer.

– Bon, eh, tu arrêtes le psychodrame, s'il te plaît ! J'aime beaucoup Bente et je suis sincèrement navré pour elle. »

Rose baissa la tête. Message reçu.

« Mais à part ça, qu'est-ce qu'elle t'a appris qui pourrait nous servir ?

– Elle ignorait qu'on nous avait confié les enquêtes sur Ragnhild Bengtsen et Tabitha Engstrøm, et j'ai senti que ça l'agaçait un peu. Mais elle m'a tout de même conseillé de me mettre en relation avec un type de son équipe, Manfred, qui est en quarantaine.

– Et tu l'as fait ?

– Tu me prends pour une truffe ? Évidemment que je l'ai fait, et il m'a raconté que Tabitha Engstrøm était connue pour ses propos haineux sur les réseaux sociaux.

– Je vois. Mais par les temps qui courent, c'est monnaie courante. C'est encore considéré comme un crime ? demanda Carl.

– En l'occurrence, Tabitha menaçait les gens des pires châtiments s'ils se comportaient mal.

– Mais encore ?

– Par exemple, elle disait que les femmes qui laissent leurs enfants dans un landau sur un trottoir le temps d'aller faire une course méritent que leurs gosses se fassent kidnapper.

– Il n'y a pas eu un cas, à New York, il y a quelques années, où la mère a été condamnée ? s'enquit Gordon. Une Danoise, en plus.

– Absolument, dit Rose. *"The Pramcase"*, c'est comme ça que les journaux américains avaient appelé l'affaire. La mère a même écrit un livre il y a quelques années.

– Et à part ça ? soupira Carl.

– Selon elle, les gens qui crachent dans la rue méritent qu'on leur frotte le visage dans leurs glaires.

– OK, la bonne femme était plutôt du genre intransigeant. Mais ce qu'il faut savoir, c'est si elle se contentait de menaces, ou si elle passait à l'acte.

– Elle passait à l'acte et de manière systématique.

– Jusqu'au jour où elle a poussé le bouchon trop loin, à la gare d'Østerbro.

– Exactement. Quand Tabitha s'est fait tuer, l'équipe de Bente Hansen a obtenu un mandat pour fouiller son appartement. Malheureusement, ils n'ont pas eu le temps d'envoyer les éléments au labo. J'ai entendu dire que Bente Hansen s'est littéralement écroulée sur le parking, là, dehors, alors qu'ils rentraient de cette perquisition et ils ont tous été renvoyés chez eux. » Rose tendit à Carl le petit carton avec lequel elle était arrivée. « Manfred, son équipier, m'a expliqué où dans leur bureau se trouvait ce qu'ils ont récupéré dans son appartement, et je suis allée le chercher. »

Elle sortit de la boîte un carnet protégé par une couverture plastifiée, l'ouvrit à la première page et commença sa lecture :

LIVRE DE BORD, Tabitha Engstrøm, mars 2018.
1) Directrice du club : Debora, environ 50 ans.
2) Membres : Sara, environ 35 ans, Martha, à peu près le même âge. Mon pseudo est Eva.
3) Devise du club : « On peut appeler cela se substituer à la loi, mais aussi rendre la justice, car à chacune de nos actions, le monde devient un endroit un peu meilleur. »

Rose leva les yeux du carnet et dit à ses trois collègues attentifs : « Les pages qui suivent sont un récapitulatif documenté de soixante-cinq actions perpétrées par Tabitha entre 2018 et 2020. C'est du lourd, je peux vous dire, et cela suffit à prouver qu'elle était coupable de ce dont on l'a accusée à Østerport. La mort du voleur de sac à main n'avait rien d'accidentel.

– C'est un vrai filon que tu as trouvé là, dit Assad. Est-ce qu'elle cite Ragnhild quelque part, en tant que membre du fameux club ?

– Non, mais Tabitha se fait appeler Eva, et nous ne pouvons pas nous fier aux prénoms cités. Il peut s'agir de l'une des deux autres femmes mentionnées, on n'en sait rien.

– Ce carnet n'a donc pas été présenté lors de sa comparution au tribunal, puisqu'elle a été libérée dans l'attente de son procès, dit Carl.

– Bah non, puisque la perquisition de son appartement n'a eu lieu qu'après sa mort. Et Bente Hansen n'a demandé le mandat au juge que parce qu'elle cherchait une relation entre la victime et son assassin.

– Nous allons tous étudier soigneusement le contenu de ce carnet, mais je veux bien que tu nous lises un passage qui décrit l'une de ces "actions".

– OK. Alors, hormis le meurtre à la gare d'Østerport, l'exemple le plus marquant est celui où elle explique avoir frappé brutalement un jeune homme à la gorge parce qu'il avait insulté une handicapée. Elle l'a attaqué avec son trousseau de clés. Après vérification, j'ai appris que le type a dû subir plusieurs opérations et qu'il a encore du mal à parler aujourd'hui.

– Et elle n'a jamais été soupçonnée d'avoir commis ces agressions ?

– Non, à part la fois où elle a poussé le type sous les roues du camion, elle s'en est toujours sortie impunément.

– Y a-t-il des informations concernant les trois autres femmes dont elle parle ? Debora, Martha et, rappelle-nous le nom de la dernière ?

– Sara. Non, aucune. Elle ne les mentionne qu'à la première page.

– En lisant sa devise, on a déjà une vague idée de la vocation de ce club, mais est-ce qu'on sait plus concrètement de quoi il s'agit ? demanda Gordon. En tout cas, ce n'est ni un club de cuisine ni un club de lecture.

– Quelqu'un a une proposition ? dit Carl.

– Ce n'est pas un club avec lequel on a envie de se fâcher », proposa Rose.

Le front d'Assad se plissa. « En Lituanie, nous sommes tombés sur un groupe extrêmement violent qui pratiquait la vendetta et qui s'en prenait essentiellement à ceux qui avaient travaillé pour les services secrets soviétiques avant la chute du Mur. Est-ce que ça pourrait être ce genre d'organisation ? »

Rose et Gordon le pensaient.

« Vous avez pu jeter un coup d'œil aux DVD sans jaquettes que nous avons rapportés de l'appartement de Ragnhild Bengtsen ? demanda Carl.

– C'est ce que je suis en train de faire, justement, répondit Gordon, mais pour l'instant, je n'ai rien vu. Il y en a deux qui défilent au moment où je vous parle », dit-il en désignant deux écrans noirs derrière lui.

« Tu pourrais avancer un peu les bandes ? » suggéra Carl.

Gordon acquiesça. « J'allais le faire, rétorqua-t-il en pressant le bouton AV des deux lecteurs. Mais si vous avez une minute pour écouter ce que je voulais vous raconter tout à l'heure… Marcus et moi sommes allés à Skævinge après avoir reçu un tuyau de la police locale, et il s'est avéré que… »

Soudain tous les regards convergèrent vers l'un des deux écrans qui, en une seconde, était passé d'obscur à neigeux pour montrer ensuite en accéléré deux petits clips vidéo.

« Rembobine, Gordon », lancèrent Rose et Carl d'une seule voix.

La neige revint à l'écran un court instant, puis lui succédèrent plusieurs extraits d'une émission de télé américaine.

« Je connais ce programme, s'écria Gordon. C'est une émission absurde, dans laquelle on voit des gens en train de faire toutes sortes de conneries et la plupart du temps, de se faire mal, pendant que l'animateur et ses invités se marrent comme des bossus. Ça s'appelle "Ridiculousness". »

Sur le deuxième écran, l'image commença également à trembloter, tandis que sur le premier, de pauvres bougres se fracassaient contre le rebord d'une piscine, ou montaient sur la plage à toute allure à bord d'un jet-ski, au risque de se briser le cou. Sur l'écran numéro 2, une série de clips démarra.

« Ça aussi, tu sais ce que c'est, Gordon ? demanda Carl avec un geste du menton vers le deuxième moniteur.

– Pour être honnête, oui. Ce passage-là, je l'ai déjà vu, en fait. Le type s'appelle Johnny Knoxville et il joue dans une série télé très populaire intitulée "Jackass", dans laquelle les participants n'arrêtent pas de se blesser grièvement. Dans cet épisode, Knoxville fait un tas de trucs débiles, comme se faire asperger les yeux avec une bombe au poivre, ou se prendre une décharge avec un Taser. Dans le clip que vous êtes en train de voir, il se fait mordre le téton par un petit crocodile, et juste après, il est en voiture et se fait percuter violemment par un autre véhicule, c'est vraiment dingue. »

Carl émit un grognement. « Qu'est-ce qui pouvait bien plaire à Ragnhild Bengtsen là-dedans ? Pourquoi gardait-elle ces images planquées sur des DVD après un long moment d'écran vide ? Est-ce que ces programmes ne sont pas parfaitement accessibles, si dingues soient-ils ? »

Assad tendit à Carl un verre de thé. « Je n'ai presque pas mis de sucre, promit-il tout en montrant l'écran du doigt. À mon avis, c'était pour dissimuler ça. »

Carl serra sa main autour du verre et se tourna de nouveau vers les écrans.

« Quelle horreur ! » s'exclama Gordon, et Carl trouva sa réaction très en dessous de la vérité.

Sur les deux moniteurs, les séquences télévisées avaient été remplacées par des clips qui n'avaient rien d'innocent. Sur le premier, on assistait à des accidents mortels, montés les uns après les autres, pendant que le deuxième diffusait des vidéos d'agressions et de meurtres réels. Les images étaient légèrement floues, mais il était impossible de douter de leur authenticité. Violence atteignant son summum dans une scène d'attaque en bande à la matraque, attaque dans le dos avec une issue manifestement fatale, fusillade au milieu d'une foule, tuerie de masse dans un lycée, bavures policières.

« Éteins cette merde, Gordon ! » ordonna Rose.

Assad ne fit pas de commentaire. À quoi pensait-il à cet instant ?

« Enfin, maintenant, on a la preuve que Ragnhild Bengtsen avait un pète au casque, dit-elle après que Gordon eut obéi.

– Qu'est-ce qui a pu la pousser à collectionner ce genre d'horreurs ? murmura Gordon, blanc comme un linge.

– Tu te rappelles les posters qu'elle a sur ses murs. Ils représentent tous, sans exception, des héros qui se font justice eux-mêmes. Et même si les clips vidéo que nous venons de voir sont encore plus violents et encore plus gratuits, en fin de compte, ils mettent en scène la même chose, expliqua Rose. Des gens qui sont convaincus d'être des redresseurs de torts. Elle en était peut-être arrivée au même point et à un degré aussi extrême que Tabitha. Quel lien y avait-il entre ces deux femmes, c'est ce qui nous reste à découvrir. »

Carl but une gorgée de thé. Il se racla la gorge plusieurs fois pour ne pas se mettre à tousser. Il déglutit, s'éclaircit la gorge de nouveau, puis fut pris d'une violente quinte de toux. Tous vinrent lui donner des claques dans le dos qui ne firent qu'empirer les choses. Au bout d'une minute, il avait à peu près retrouvé son souffle et posa sur Assad un regard humide.

« Waouh ! Tu sais quoi, Assad, finalement, je le préfère encore avec du sucre. Qu'est-ce que tu as mis dans ce thé ?

– Juste un peu de gingembre, chef. On prend une racine fraîche, on la râpe directement dans la théière et on la laisse infuser une heure, avant de chauffer le thé à nouveau. Il paraît que c'est très bon pour la santé. »

Carl poussa un soupir résigné. « D'accord, Assad. Mais s'il te plaît, la prochaine fois, préviens-moi », puis il répondit à Rose : « Tu as raison, ce serait pas mal de savoir quel était le lien entre les deux femmes, mais je crains que Ragnhild Bengtsen n'ait quelque difficulté à répondre à cette question.

– Pourquoi vous dites ça, Carl ? » demanda Gordon.

Carl retrouva dans la photothèque de son portable le cliché du cadavre de la jeune femme et le brandit sous le nez de son jeune assistant. « À cause de ça ! » En voyant la tête de Gordon, Carl Mørck constata qu'il existait une teinte plus pâle que le blanc.

26

Samedi 12 décembre 2020

Maurits

Avant l'âge de trente ans, Maurits van Bierbek avait amassé une fortune considérable grâce à la téléréalité. Il avait commencé comme simple directeur de casting, puis il était devenu scénariste et enfin, après avoir monté sa propre société, Unbelievable Corporation, concepteur et producteur d'une longue liste de programmes à faire rougir d'indignation le plus immunisé des téléspectateurs.

Mais Maurits n'avait pas honte de ce qui le faisait vivre. Tant qu'il y aurait des chaînes de télé prêtes à investir dans ses productions, il ne voyait pas où était le problème. Sa famille, des catholiques de Rotterdam, l'avait maudit et voué aux flammes de l'enfer, mais il avait coupé tout lien avec elle et était venu s'installer au Danemark. Et à présent, Maurits se fichait royalement de son anathème.

Sa nouvelle famille ne trouvait rien à redire en revanche à la vie professionnelle de Maurits, puisqu'il avait rencontré sa deuxième femme, Victoria, sur le plateau de l'une de ses toutes premières émissions, « Four Rooms in a Hotel », dans laquelle elle n'avait pas hésité à montrer, sous le regard des caméras, le pouvoir que son sexe exerçait sur les hommes. Victoria et ses filles étaient simplement ravies de voir l'argent couler à flots et d'habiter à côté d'autres gens riches comme lui à Gammel Holte. Elles avaient des amis chics, des placards remplis de pulls en cachemire, une piscine intérieure et une salle de cinéma au sous-sol. Qu'auraient-elles pu demander de plus à la vie ?

Parfois, Maurits avait tellement d'idées de nouvelles émissions dans la tête qu'il avait l'impression qu'elle allait exploser. Rien de surprenant donc à ce qu'année après année, de nouveaux formats de téléréalité aient vu le jour, construisant sa fortune et détruisant son âme. On ne crache pas sur le succès, et le moins qu'on puisse dire était que le fruit de ses efforts se comptait en or pur. Quand l'émission « What To Do With a Drunken Sailorboy[1] » avait pulvérisé les records d'audience, battant les programmes les plus populaires dans vingt-cinq pays, Maurits avait décidé que sa société, dédiée exclusivement à la création de nouveaux concepts de téléréalité, deviendrait numéro 1 dans le monde. Cet objectif n'ayant pas encore été atteint, malgré des productions aussi regardées que « Reality Prison », « Cougars and Youngsters », « Who's Next on the Couch », « Paradise or Hell », et la dernière en date, « Did She Really Say That[2] », Maurits avait compris que le show suprême restait à inventer.

Il avait fallu que la Covid 19 resserre impitoyablement sa main de fer sur la planète tout entière pour que naisse dans son esprit l'idée qui rapporterait les plus gros bénéfices jamais réalisés par une société de production audiovisuelle.

---

1. *Drunken Sailor* ou *What Shall We Do With the Drunken Sailor ?* est un chant de marins en langue anglaise sur un air traditionnel irlandais, repris et popularisé par un très grand nombre d'artistes.

2. « Prison réalité », « Cougars et adolescents », « Qui sera la prochaine sur le divan », « Paradis ou enfer », « Elle a vraiment dit ça ».

L'émission s'intitulerait « Who's Going to Die First[1] », et le panel des concurrents serait illimité. Il y aurait des soldats envoyés en zone de guerre, des malades en phase terminale filmés dans un service de cancérologie. Un quartier pauvre tout entier, dans lequel les gens vivraient dans la misère et une trop grande promiscuité, permettant au coronavirus de s'en donner à cœur joie. Dans une série comme celle-là, les candidats seraient suivis de près, on pourrait les monter les uns contre les autres, monter leurs proches les uns contre les autres, avec pour résultat de fragiliser les plus exposés. Et pour finir, on promettrait au dernier des cinq survivants une très grosse somme d'argent, assez importante pour lui permettre de vivre pour le restant de ses jours, et la rivalité entre eux prendrait de telles proportions qu'ils deviendraient incontrôlables dans leur sauvagerie. Ensuite, Unbelievable Corporation n'aurait plus qu'à trouver de nouveaux thèmes et de nouveaux candidats. Le suspense naîtrait d'une seule et même question : qui allait mourir le premier, et dans quel ordre les autres allaient-ils disparaître ?

Plus Maurits pensait à ce concept, plus il l'enthousiasmait. Cette idée dépassait tout ce qu'il avait imaginé jusqu'ici : des émissions mettant en scène des hommes et des femmes jeunes, aux comportements indécents, autocentrés et obsédés par leur corps, jusqu'à celles dans lesquelles des candidats se faisaient tatouer les motifs les plus obscènes dans les circonstances les plus improbables et aux endroits les plus intimes de leur anatomie, ou encore celles où les participants avaient pour mission de trouver un ou une partenaire en respectant une règle d'or : coucher dès le premier soir et ne jamais le ou la revoir.

Son nouveau concept dépassait de loin tous ceux-là et Maurits avait commencé à s'en vanter un peu partout autour de

1. « Qui mourra en premier ? »

lui. Il racontait à qui voulait l'entendre qu'il avait imaginé une émission de téléréalité inédite et extraordinaire. Il était même allé jusqu'à prétendre, dans une interview pour un journal, qu'il s'agirait de l'émission de téléréalité la plus provocatrice et la plus dingue qu'on ait jamais vue.

Moins d'un mois après la parution de l'article, il avait reçu un coup de fil d'un représentant du plus grand réseau de reality-show au monde, la Global Rea Inc. Son interlocuteur l'avait informé que le groupe pour lequel il travaillait souhaitait racheter sa société, à condition, bien sûr, que son nouveau concept s'avère porteur. Maurits avait évidemment accepté d'en communiquer le titre et résumé l'idée en quelques mots, sans trop en dire, bien entendu, après quoi, l'homme au bout du fil lui avait annoncé un montant de rachat si astronomique que trente secondes après avoir raccroché, Maurits était encore en apnée.

Sur cette base de négociation, Maurits van Bierbek ne fit aucune difficulté pour accepter qu'un chauffeur vienne le chercher chez lui à dix heures le samedi suivant, afin de l'emmener dans une salle de réunion à l'aéroport de Copenhague, où l'attendrait un représentant de Global Rea Inc. pour l'interroger sur sa nouvelle idée.

Si tout se passait bien, on lui remettrait à l'issue de ce rendez-vous une lettre d'intention d'achat. Ensuite, l'affaire serait entre les mains de leurs avocats respectifs.

Une femme élégante, en tailleur impeccable, l'attendait au volant d'une Lexus devant l'entrée de sa villa, moteur tournant au ralenti.

« Bonjour, monsieur van Bierbek. À cette heure-ci, nous devrions mettre entre trente-cinq et quarante minutes pour atteindre l'aéroport, je vous invite donc à vous installer confortablement, vous trouverez dans le réfrigérateur diverses boissons prévues à votre intention, dit la femme avec un accent du sud des États-Unis. Dom-Pérignon frappé, gin Hernö, tonic et eau gazeuse. Si vous préférez, nous avons également un merveilleux Château La Cabanne, Pomerol, à température ambiante. » Elle croisa son regard dans le rétroviseur. « M. Victor Page, représentant de Global Rea Inc. et sous-directeur de la société, apprécie les réunions décontractées, vous pouvez donc profiter du bar. Je suis l'assistante de M. Page et il m'a priée de vous demander un premier exposé préparatoire afin que nous en sachions un peu plus sur les projets immédiats d'Unbelievable Corporation. Seriez-vous d'accord pour partager quelques informations avec moi pendant que nous roulons ? »

Maurits accepta d'un signe de tête en direction du rétroviseur. Il déboucha le Dom-Pérignon sans quitter la femme des yeux, se demandant si elle aimerait partager avec lui autre chose que des informations.

« Cela fait quelques années déjà que nous observons l'expansion de votre société. Nous sommes admiratifs de la façon dont vous avez fait évoluer les normes sexuelles des téléspectateurs dans d'innombrables pays, sans jamais être inquiété personnellement. Global Rea navigue, pour sa part, au bord d'une frontière que vous avez depuis longtemps franchie. Mais nous avons compris à présent qu'il va nous falloir changer radicalement notre façon de penser si nous voulons aller plus loin, et nous pensons qu'Unbelievable Corporation peut nous y aider. »

Elle tourna légèrement la tête et le regarda comme s'il leur avait déjà passé les rênes de sa société.

« Et vous, monsieur van Bierbek, vous n'avez jamais eu de scrupules ? Vous n'avez jamais envisagé de vous arrêter avant que le jeu ne vous dépasse ? » Elle sourit. « Inutile de me répondre. Votre dernier concept prouve que vous en avez moins que jamais. »

Maurits aurait voulu sourire, mais dès la cinquième gorgée de Dom-Pérignon, malgré son incomparable légèreté, la finesse de ses bulles qui stimulaient tous ses sens à la fois, il eut l'impression que ses paupières ne lui obéissaient plus.

« Comment ton cerveau malade ose-t-il proposer au public une émission comme "Who's Going to Die First" ? Comment peux-tu te regarder dans la glace sans vomir ? » attaqua subitement la femme.

Maurits mit quelques instants à intégrer les deux dernières phrases, puis il réalisa que le ton avait radicalement changé.

« De quel droit t'autorises-tu à faire tomber les barrières morales naturelles de l'être humain ? » poursuivit-elle, tandis que son regard dans le rétroviseur devenait plus froid, et sa voix plus dure.

Maurits voulut tendre la main pour prendre la bouteille d'eau, mais son bras ne lui répondait plus.

« Tu n'as pas honte d'inciter des jeunes femmes à se comporter comme des prostituées ? De pousser des hommes et des femmes à renoncer à toute forme de loyauté, à sombrer dans la fornication, le mensonge, la trahison et à détruire celui ou celle qui était auparavant son ou sa meilleure amie ? De souhaiter la mort de tes concitoyens ? »

Maurits souriait, à présent. Il avait compris que c'était un test, et il savait parfaitement comment il aurait dû réagir, si seulement sa langue avait bien voulu l'aider un peu. Il se dit qu'il n'aurait pas dû boire du champagne aussi tôt dans la journée.

« Je vais te dire ce qui t'attend, maintenant, Maurits. Nous avons décidé de te donner un rôle dans ta dernière production. »

Maurits fronça les sourcils. Ce n'était pas du tout ce dont ils étaient convenus au téléphone. Une fois qu'il leur aurait vendu sa société, il devait élaborer cinq nouveaux concepts, après quoi il serait libéré de tout engagement. Il n'avait jamais été question qu'il participe à ses propres émissions.

« Je vois à ta tête que M. Page ne t'a pas mis au courant de cette partie du deal, mais le fait est que nous allons te faire l'honneur d'être le premier à mourir. Qu'en penses-tu ? Est-ce que cela ne va pas donner à ce nouveau format l'impulsion qu'il mérite ? »

Il pencha la tête en arrière pour se remettre les idées en place et essayer de retrouver la parole. Pourquoi M. Page s'amusait-il à ce genre de plaisanterie ?

« Dans cinq minutes, tu perdras connaissance, Maurits. Unbelievable Corporation n'a plus de patron. Tu ne retourneras jamais dans ton entreprise, et quand tu seras mort, nous détruirons le bâtiment qui l'abrite. Nous ferons disparaître tout ce qui la constitue. Personnel, collaborateurs, matériel. Tout sera effacé.

– Mais M. Page... ? bredouilla-t-il péniblement en tentant à nouveau de sourire, mais son visage était comme mort.

– Tu as raison, j'ai peut-être mentionné un M. Page à un moment donné », dit la femme tout à coup en danois. Il ne comprenait plus rien à ce qui lui arrivait. « Mais je t'avoue que je ne connais pas ce monsieur et que je n'ai nulle envie de le connaître. Désolée, mais il n'y a que moi, et je crains que ce ne soit pas une très bonne nouvelle pour toi. »

Son cerveau fut le premier à se réveiller, avec la conscience d'une douleur lancinante qui semblait prendre racine dans chaque pulsation du sang dans ses artères. Il aurait voulu crier, mais la connexion semblait rompue. Puis tous les muscles de son visage se mirent à tressauter, et derrière ses paupières fermées, il sentit ses yeux rouler dans leurs orbites. Maurits mit une éternité à les entrouvrir pour jeter un coup d'œil à sa montre d'abord, puis aux murs blancs qui l'entouraient.

La pièce, presque entièrement vide, avait la taille d'un petit gymnase. Il n'y avait ni toilettes, ni coin cuisine, ni même de porte. À l'extrémité de la salle déserte, la seule chose témoignant d'une liaison avec le monde extérieur était un ascenseur en acier inoxydable. Il se demanda si la pièce dans laquelle il se trouvait était au rez-de-chaussée. C'est alors qu'il s'aperçut que non seulement le local n'avait pas de porte, mais qu'il n'avait pas non plus de fenêtre, de sorte qu'il n'avait aucun moyen de savoir si on était la nuit ou le jour. Quelques lampes en appliques, de faible intensité, éclairaient les murs. Et il n'y avait rien d'autre.

Il baissa les yeux et prit brutalement conscience de la situation désespérée dans laquelle il se trouvait.

Sous l'espèce de cotte de mailles qui enserrait son torse comme une armure, il n'avait plus que ses sous-vêtements. On lui avait même retiré ses chaussettes.

Il leva les yeux puis regarda à droite et à gauche. Sur les épaules de l'armure étaient soudés deux gros crochets à œil fermé, auxquels étaient accrochées deux lourdes chaînes reliées au plafond, ou plus exactement à une sorte de chariot coulissant dans deux rails solides courant sur presque toute la longueur du local.

Je peux me déplacer, se dit-il en faisant quelques pas chancelants. Le mur devant lui se trouvait à une distance de quatre ou cinq mètres environ et celui de derrière était un peu plus proche. Ses chaînes étaient assez longues pour qu'il puisse atteindre aussi les murs de côté. Grosso modo, il pouvait arpenter à peu près toute la surface de la pièce. Il tira un grand coup sur ses chaînes et comprit qu'elles étaient prévues pour résister à une traction bien plus forte que celle qu'il était capable de fournir.

« Démon ! » cria-t-il, sa voix faisant un écho dans la pièce parfaitement vide, exception faite de la chaise sur laquelle il était assis précédemment et d'une petite table métallique qui, à l'instar de la chaise, était boulonnée au sol. Pour soulager ses besoins naturels, il y avait un seau, mais pas de lavabo pour se laver les mains, pas de serviette, même pas un gobelet. Tout autour de lui était gris et blanc, et à part quelques taches d'humidité sur l'un des murs latéraux, il n'y avait pas le moindre détail coloré sur lequel poser son regard.

Maurits van Bierbek n'arrivait pas à y croire. Ce samedi avait commencé comme n'importe quel samedi. Ce matin, il était tranquillement assis devant son café au lait, dans sa cuisine bien chauffée, sa femme très dévêtue lui tournant autour après avoir envoyé la plus jeune de leurs filles à l'école, accompagnée par Roxan, leur jeune fille au pair.

Et maintenant il était ici, fou de rage, parce qu'une folle avait fait de lui un acteur de l'un de ses propres jeux, le plus morbide et le plus cruel.

Un jeu dans lequel seul le plus fort survivrait.

Lundi 14 décembre 2020

Carl

Le lundi matin, Carl arriva au bureau de bonne heure. Il s'était débattu tout le week-end avec une foule de questions et d'inconnues dont seul un travail fastidieux devant son bureau pourrait le débarrasser, il le savait. Bref, il n'avait plus qu'à s'y mettre.

« À mon avis, Carl, lui avait dit Mona l'avant-veille, il existe un rapport tout à fait naturel entre Tabitha, la femme assassinée, et Ragnhild, sa meurtrière. Et si tu es sûr que le cadavre que vous avez retrouvé hier est bien celui de Ragnhild, alors je vois se dessiner une relation encore plus claire entre les deux femmes, un lien fondamental et malveillant qui les unit. Une justicière tue une autre justicière. Je ne sais pas si, sur ce simple constat, je peux considérer les actes de ces deux femmes comme l'expression de leur folie, mais une chose est sûre, il y a derrière leur comportement un schéma obsessionnel et à l'origine de ce type de comportement, on trouve fréquemment un échec personnel déstructurant. La question est maintenant de savoir qui a manipulé ces deux femmes pour les emmener sur cette voie dangereuse qui s'est avérée fatale pour l'une comme pour l'autre. C'est ce que tu dois découvrir, Carl. »

C'est avec ces pensées dans la tête qu'il était parti travailler et c'était elles qui l'occupaient à présent.

Après avoir lu le contenu du carnet de Tabitha Engstrøm pendant une demi-heure, il n'était pas plus avancé. Pour lui, il n'y avait aucun doute sur le fait que cette femme était une psychopathe qui adorait châtier ses victimes de la manière la plus brutale, si brutale que son acte ne pouvait pas passer inaperçu. Effectivement, quatre ou cinq épisodes décrits par elle-même dans son journal avaient atterri dans les faits divers des journaux, dont deux qui avaient fait l'objet d'une enquête de police.

Il se leva de son fauteuil et, un quart d'heure plus tard, il avait mis le patron au courant du contenu du carnet de Tabitha et partagé avec lui ses réflexions.

Marcus jeta un coup d'œil à une page. « En effet, ce n'est pas de la lecture pour fillette. On pourrait même prétendre, au vu de ce que tu viens de me raconter, que Ragnhild a rendu service à la société en écartant Tabitha des rues de Copenhague.

– Et on pourrait dire la même chose de celui ou celle qui a éliminé Ragnhild Bengtsen. » Carl reprit le carnet des mains de Marcus. « Sommes-nous à présent à cent pour cent sûrs que le corps déterré à Skævinge est bien le sien ?

– Je n'ai pas encore reçu le rapport du médecin légiste, mais il m'a téléphoné hier soir et me l'a confirmé.

– Vraiment ? Et qu'est-ce qui lui permet d'en être si sûr ?

– Une dent de sagesse dans la mâchoire de la morte qui n'était jamais sortie. Du coup, le service de médecine légale a directement demandé au dentiste de Ragnhild Bengtsen de lui envoyer des radios de sa patiente, et bingo.

– La radio a confirmé ?

– Absolument. Malgré les bouts de doigts manquants et le cadavre défiguré, il n'y a aucun doute sur l'identité de la victime. C'est bien Ragnhild Bengtsen.

– Et à part ça, le légiste t'a dit autre chose d'intéressant ? demanda Marcus.

– Oui, peut-être. Ça n'a pas de lien direct avec la mort des deux femmes, mais ça peut nous aider à comprendre qui était Ragnhild Bengtsen. »

Marcus se tourna vers la fenêtre donnant sur le parking, où Gordon était en train de garer sa poubelle. « Un examen minutieux a établi que les organes génitaux de Ragnhild Bengtsen avaient été soumis à de sévères agressions.

– Un viol ? Elle n'a jamais porté plainte. Nous avons vérifié.

– Oui, je sais. Mais on a quand même découvert de très anciennes mais très graves lésions de son appareil génital, qui ont dû l'empêcher pendant de nombreuses années d'avoir une vie sexuelle normale. Et nous sommes convaincus qu'elle ne se les est pas infligées elle-même. »

Quand il fallut tirer au sort pour attribuer la première mission de la journée, ce furent Carl et Rose qui prirent l'allumette la plus courte. À présent, ils étaient tous les deux devant la porte d'une résidence secondaire à Tikøb, achetée du temps où ce genre de maisons coûtaient une misère, et que la commune laissait exceptionnellement la mère de Ragnhild Bengtsen habiter à l'année depuis qu'elle avait pris sa retraite.

Avec un air de dégoût, Rose contemplait la cabane mal entretenue en se disant qu'une destruction pure et simple aurait en l'occurrence été plus adaptée qu'une rénovation. Gouttières percées, signes de pourriture avancée laissant à certains endroits apercevoir une isolation sommaire entre le bardage extérieur et la cloison intérieure, fenêtres qui ne tenaient plus que par un seul gond, vitres fêlées, la liste était longue. Un tel état de délabrement parlait de pauvreté, de solitude et d'une municipalité négligente.

Carl fit un écart pour ne pas s'accrocher au mûrier sauvage qui avait envahi un claustra servant de brise-vent, et il frappa à la porte.

La femme qui leur ouvrit n'eut pas l'air surprise de les voir. Elle coinça une mèche de cheveux gris derrière son oreille et s'effaça pour les laisser entrer.

Une épaisse odeur de pourriture et d'urine les assaillit. « Je suppose que vous venez pour m'expulser », dit-elle d'un ton las en les devançant dans la pièce, zigzaguant entre les piles de cartons et de détritus. Elle leur désigna un canapé tellement vert de moisissure que même un chien aurait refusé de s'y coucher. Ils restèrent debout.

« Vous êtes bien la mère de Ragnhild Bengtsen ? » demanda Carl en mettant son masque, et ce n'était pas par peur du coronavirus.

Elle eut l'air étonnée. « Pourquoi, qu'est-ce qu'elle a fait ?

– Vous n'avez pas lu la presse, ces derniers jours ? »

Elle pointa du doigt une pile de journaux locaux jetés dans un coin de la pièce, cachés sous un monceau de boîtes de conserve vides, de restes de nourriture et d'emballages en plastique. Cette femme était aussi bordélique que sa fille était maniaque.

« Nous sommes venus vous informer de la mort de votre fille, madame Bengtsen. Nous sommes désolés. »

Aucune réaction ne vint modifier l'expression de son visage creusé de rides.

« Elle a été assassinée il y a plusieurs jours, mais nous n'avons trouvé son cadavre qu'hier », précisa Rose sans prendre de gants. Elle devait juste avoir envie d'en finir et de sortir de ce cloaque. « Vous ne savez sans doute pas non plus ce qui a pu conduire son assassin à la tuer ?

– Je ne lui ai pas parlé depuis dix ans, alors je ne vois pas comment je pourrais le savoir, rétorqua-t-elle, toujours aussi indifférente.

– Dix ans ! On peut savoir pourquoi ? poursuivit Rose.

– Elle a tué son père, pourquoi aurais-je eu envie de la voir ? »

Carl oublia immédiatement la puanteur des lieux. « Je n'avais pas cette information, dit-il. Sur quoi fondez-vous cette opinion ? S'agit-il d'une présomption, ou bien…

– Une présomption ! Ha ! Laissez-moi rire ! Après qu'on lui a amputé les deux jambes, c'est elle qui s'occupait de lui faire ses piqûres d'insuline, et je vous jure qu'elle n'y allait pas de main morte. Elle l'a tué, je vous dis.

– Ç'aurait pu être un acte de compassion ? demanda Rose.

– Mais oui, bien sûr ! Je me disais bien que tu avais l'air complètement conne. Et c'est des gens comme toi qu'on a dans la police, de nos jours ? Eh bien, je comprends mieux ! »

Rose ferma les yeux un instant pour encaisser l'insulte. Elle n'avait pas souvent affaire à ce genre de grande gueule. « Eh bien, merci du compliment, dit-elle. Et maintenant, je suggère que nous allions terminer cette conversation dehors. Ça sent plus mauvais qu'une fosse à purin, ici. »

Puis elle attrapa fermement le bras de la femme et la tira à l'extérieur avant que Carl ait eu le temps de l'en empêcher.

Elle ne la lâcha que lorsqu'ils furent dans la jachère qui à l'origine avait peut-être été une pelouse. « Bon, alors maintenant, la conne ici présente vous demande quelle raison Ragnhild aurait eue de tuer son père. Et pendant que nous y sommes, je voudrais bien savoir aussi pourquoi vous n'avez pas eu la moindre réaction alors que nous venions de vous annoncer que votre fille avait été assassinée. »

La femme croisa les bras devant sa poitrine et cracha par terre. « Elle l'a probablement cherché, cette sale menteuse. Cette fille était diabolique. »

Carl essaya de croiser son regard. « Pourquoi Ragnhild aurait-elle voulu tuer son père ?

– Comment le savoir ? Une de ses pensées délirantes, sans doute. Ragnhild était folle.

– Ah bon ? » Carl échangea un regard entendu avec Rose.

« Ah, ça oui ! Sinon, elle ne serait pas allée raconter que son père la maltraitait quand elle était gosse, si ? Qu'il lui enfonçait un cintre dans la chatte quand elle n'était pas sage. Quelle personne sensée irait raconter des trucs pareils, hein ? » Elle se planta devant Carl et lui hurla au visage, postillonnant sur sa veste :

« PERSONNE N'ACCUSE SON PROPRE PÈRE DE CE GENRE DE CHOSES, SI ? »

Assad leur annonça la nouvelle alors qu'ils étaient sur le chemin du retour. « Ils ont trouvé deux cadavres supplémentaires dans la friche industrielle de Skævinge, chef. »

Donc, Marcus et lui ne s'étaient pas trompés.

« Des cadavres... frais ?

– Tous les deux sont là depuis plus d'un an.

– Et ils ont été mutilés, comme celui de Ragnhild Bengtsen ?

– Non, les corps sont indemnes, mais à cause de leur long séjour sous terre, on n'aura pas le rapport avant un jour ou deux. Ils sont déjà partis à l'institut médico-légal.

– Bref, on n'en a pas encore terminé avec cette affaire », grogna Rose. Elle avait encore l'air frustrée de ne pas avoir

cassé la figure de la bonne femme qui l'avait si outrageusement insultée.

« Peut-être, et peut-être pas. Tout dépend si on trouve un
lien entre ces deux nouveaux cadavres et Ragnhild Bengtsen,
nota Carl.

– C'est bien ce que je te dis, on n'est pas près de se
débarrasser de cette enquête, marmonna Rose. Évidemment
qu'il y a un lien entre ces trois meurtres, et maintenant il va
falloir qu'on arrive à le trouver. Tu ne pourrais pas demander à Marcus de mettre quelqu'un d'autre là-dessus, qu'on
puisse retourner à notre propre enquête ? Elle est déjà assez
compliquée comme ça, je te signale. Et je te rappelle que
notre boulot, c'est de travailler sur d'anciennes affaires non
résolues ! Alors que là, on a un cadavre qui n'est même pas
encore froid. Ce n'est pas le domaine d'expertise du département V, si ?

– Tu veux bien la fermer une minute, Rose ? Je réfléchis. »

Carl laissa son regard se perdre sur la route devant lui.
Quelque part dans ce paysage de champs et de fermes pétrifié
par l'hiver, un promeneur de chien avait peut-être remarqué
une voiture roulant en direction de Skævinge, sans deviner
que son chauffeur était là pour enterrer un cadavre dans la
nuit. Quelque part aux environs de Copenhague, une personne
ou plusieurs se demandaient peut-être pourquoi des jeunes
femmes comme Tabitha ou d'autres dans sa tranche d'âge
étaient venues rejoindre leur club. Quelque part...

« Avant d'avoir découvert l'identité des deux nouveaux
cadavres, nous ne serons pas en position de décider sur quoi
nous devons ou non travailler au département V. »

Il n'entendit pas son soupir, mais ne doutait pas qu'elle
en ait poussé un.

« Les informaticiens m'ont donné des nouvelles de l'iMac de Palle Rasmussen il y a une heure, mais je peux d'ores et déjà vous annoncer qu'on va avoir un souci, dit Gordon dès qu'ils entrèrent dans le bureau.

– Pourquoi ?

– Parce qu'ils sont débordés, et parce que le disque dur a été consciencieusement effacé.

– Est-ce que tu leur as demandé d'essayer de restaurer les fichiers ? »

Gordon baissa la tête d'un air coupable.

« Tu peux les relancer, s'il te plaît, et tout de suite ? Il faut absolument qu'ils arrivent à récupérer les fichiers écrasés. Dis-leur que nous sommes bien conscients qu'ils ont beaucoup à faire, mais qu'en l'occurrence, c'est une question de vie ou de mort. »

Gordon tiqua un peu. « Vous n'exagérez pas un peu, Carl ? On ne peut pas leur dire que... »

Carl l'interrompit d'un geste et se tourna vers Assad.

« Tu n'es pas bavard, aujourd'hui, Assad. Un problème ?

– Je crois que je vais devoir démissionner, chef. »

On aurait entendu une épingle tomber dans le bureau. Le seul bruit perceptible était celui des pneus sur le parking mouillé de pluie, dehors.

Carl plongea ses yeux dans ceux d'Assad. Son regard brun était éteint, ses joues, habituellement roses sous les poils de sa barbe drue, avaient viré au gris.

« Tu plaisantes, Assad ! Tu n'as aucune envie d'arrêter de travailler dans la police. » Carl entendait lui-même à quel point sa voix était suppliante.

Les pupilles d'Assad s'étrécirent, ce qui n'était jamais bon signe chez lui. « Le Renseignement a convoqué toute ma famille avant Noël parce que nous n'avons pas rempli le questionnaire. Du coup, Ronia menace de repartir en Irak, ce qui est de la folie. Marwa et elle se disputent à longueur de journée, et ensuite elles pleurent toutes les deux. Nella se réfugie dans la chambre d'Alfi et elle est devenue aussi muette que son frère. C'est pour ça qu'il faut que je quitte la police, chef. Je ne peux pas prendre le risque de détruire ma famille, tu comprends ? Je ne peux pas laisser la PET[1] nous détruire. »

Ils ne remarquèrent pas que Rose s'était levée avant d'entendre claquer la porte du corridor. Elle était partie sans un mot, mais quelques secondes plus tard, ils l'entendirent brailler comme un singe hurleur sur des charbons ardents. Et, bien que l'immeuble de Teglholmen dans lequel ils venaient de s'installer soit à la fois moderne et solide, ils purent constater que l'isolation phonique des murs laissait à désirer.

Trois minutes plus tard, elle était de retour.

« Marcus a compris la situation, je crois, dit-elle, les joues encore tremblantes de colère. Il est en route pour les bureaux de la PET. Il va régler le problème, Assad. »

Carl se tourna vers Assad qui regardait le sol, pétrifié.

« Si on essayait d'avancer et qu'on laissait Marcus arranger les choses, Assad ? lui dit-il en posant une main sur son épaule. Je suis sûr que ça va bien se passer. » Il se risqua à serrer les doigts. « Tu as quelque chose à nous dire ? »

Assad inspira un grand coup et leva la tête au ralenti. Carl ne l'avait jamais vu dans cet état.

« J'ai regardé attentivement les séquences qui se trouvaient à la fin des DVD récupérés chez Ragnhild Bengtsen et je n'ai trouvé aucun lien entre elles, hormis le fait qu'elles sont toutes d'une grande violence, et qu'elles ont toutes été filmées

---

1. Politiets Efterretningstjeneste, service de renseignement de la police.

dans la rue. » Il posa les doigts sur ses paupières comme s'il voulait vérifier s'il avait pleuré, mais ses yeux étaient secs. « Les agressions consignées dans le carnet de Tabitha ont également eu lieu sur la voie publique, toutes sans exception, et Ragnhild a tué Tabitha dans la rue, en plein jour. J'y vois une sorte de schéma. Mais c'est tout ce que j'ai trouvé à en déduire. »

Carl estimait que c'était gaspiller le talent d'Assad que de le laisser s'occuper de ce genre de tâches, mais pour l'instant, il valait mieux ne pas trop lui en demander.

« Enfin, comme tout cela ne menait pas à grand-chose, j'ai préféré me replonger dans les *cold cases* et chercher une affaire dans laquelle on aurait découvert du sel sur la scène de crime, comme on en avait parlé.

– Et je suppose que tu n'en as pas trouvé.

– Non, mais quand même, si. »

Il tendit à Carl une feuille sur laquelle était imprimée une coupure de presse.

« Cet article se trouvait dans notre boîte mail commune. Il est arrivé ce matin. C'est un confrère d'Odense qui nous l'envoie. »

Carl se pencha au-dessus du bureau, les mains posées de part et d'autre de la feuille.

« "La présidente de TaxIcon, cabinet d'expertise comptable, retrouvée noyée dans sa piscine", lut-il à haute voix. C'est une affaire dont notre collègue d'Odense s'est occupé ? demanda-t-il.

– Non, pas personnellement, mais quand il a reçu la circulaire de Rose concernant les affaires dans lesquelles intervenait du sel, il a tout de suite pensé à celle-là. C'est un accident qui a fait couler beaucoup d'encre à Odense, à l'époque.

– TaxIcon. Jamais entendu parler. »

Rose rétorqua avec un sourire ironique : « C'est parce que tu ne lis pas les journaux ! Ou alors c'est parce qu'il faut avoir un salaire nettement supérieur au nôtre pour avoir recours à leurs services. TaxIcon est un cabinet d'expertise fiscale qui s'adresse à des gens très riches.

– Exact, et l'entreprise en question appartenait à Pia Lauge-sen, la femme qui s'est noyée, ajouta Assad. Elle avait soixante-quatre ans et vivait seule. C'est pourquoi plusieurs heures ont passé avant que son personnel la retrouve en train de flotter au milieu de sa piscine.

– Comme Brian Jones. Des Rolling Stones », dit Carl.

En voyant le regard vide de ses collègues, il se sentit tout à coup extrêmement vieux. Ils n'avaient visiblement aucune idée de qui était Brian Jones.

« Je veux dire qu'avoir un malaise dans une piscine, c'est assez courant. Heureusement qu'aucun d'entre nous n'a une piscine chez lui. » Cette remarque ne suscita aucune réaction non plus. « OK, d'accord, en quoi est-ce que cette histoire nous intéresse ?

– Elle nous intéresse parce que Pia Laugesen n'était pas n'importe qui, elle avait sa place dans l'orchestre. »

Carl ne comprenait plus rien.

« Elle devait jouer un rôle important pour un grand nombre de personnes, puisque l'entreprise qu'elle dirigeait générait un chiffre d'affaires semestriel de près de cent millions d'euros.

– Pas mal ! Mais l'expression à laquelle tu pensais, Assad, était peut-être : "Elle connaissait la musique" ? »

Assad haussa les épaules. Il trouvait la sienne bien meilleure.

« D'après ce que la fille de Laugesen a dit à un journal régional de l'île de Fionie, sa mère savait nager, mais elle ne se baignait jamais dans cette piscine. Pour ces deux raisons, elle trouvait à la fois suspect et étrange qu'un tel accident ait pu se produire. À vrai dire, personne ne l'avait jamais vue s'approcher de l'eau et le jardinier avait même raconté qu'elle détestait tellement cette piscine qu'elle lui avait ordonné de la combler. Malheureusement pour elle, il n'en a pas eu le temps.

– Quelles ont été les conclusions de la police, à l'époque ? »

Assad sortit le rapport de police. « À votre avis ? Apparemment, elle aurait trébuché sur un sac qui traînait au bord de la piscine, elle se serait cogné le front contre la margelle et elle serait tombée à l'eau, déjà inconsciente. Mort accidentelle, évidemment.

– Alors en quoi cette affaire nous intéresse-t-elle ? » répéta Carl.

Assad désigna une ligne du rapport. « Parce que le sac sur lequel elle a trébuché contenait du sel.

– Du sel pour la piscine ? En général on met du chlore, non ?

– On peut, et quelquefois on met du chlore et du sel. Dans le cas qui nous intéresse, je crois que c'était une piscine au chlore.

– Et maintenant, tu vas m'annoncer que le sac contenait du sel de cuisine ?

– D'après le rapport, il n'a pas été analysé. Et pourquoi la police scientifique l'aurait-elle fait ? »

Carl retourna à la coupure de journal. Ce dernier datait du 20 août 2010. Ils se tournèrent tous les quatre en même temps vers le tableau accroché au mur, et Carl prit la parole.

« Bon, alors résumons. Nous avons plusieurs meurtres sur les lieux desquels on découvre du sel, mais regardons par exemple le 19 mai 2002, jour de la mort de Palle Rasmussen. En admettant que Pia Laugesen ne soit pas décédée accidentellement, et si nous pensons toujours que le meurtrier avance progressivement dans les dates, et également qu'on a tous les deux ans une scène de crime sur laquelle on trouve du sel, j'en conclus qu'on doit se mettre à la recherche de crimes ayant eu lieu en 2004, 2006 et 2008, à des dates situées entre le 19 mai et le 20 août. Au travail.

– Crénom de Dieu ! » s'exclama Gordon.

Il leur fallut tout le reste de la journée pour mettre la main sur le rapport d'autopsie de Pia Laugesen.

« Vous ne le trouvez pas étrangement contradictoire ? dit Gordon. Le rapport la décrit comme une femme particulièrement robuste et en bonne condition physique pour son âge, puis il indique, comme nous le savions déjà, qu'elle était encore en vie au moment de tomber, et il conclut à la mort par noyade parce qu'il y avait de l'eau dans ses poumons. Elle a donc essayé de respirer alors qu'elle était déjà sous l'eau. Du coup, on pourrait également se demander s'il s'agit d'un suicide ! Mais pourquoi se serait-elle suicidée ? Elle était en bonne santé, elle avait une affaire qui marchait bien et elle pouvait se vanter d'avoir fait une belle carrière. Elle avait beaucoup d'argent, un carnet d'adresses bien rempli, et elle s'entendait bien avec sa fille. Alors, je pose la question : pourquoi après être tombée ne ressort-elle pas tout simplement de la piscine ? » Il se gratta la joue. « Il est mentionné dans le rapport de police qu'elle s'est probablement cognée sur la margelle, mais le rapport d'autopsie dément cette supposition et indique qu'elle n'avait aucune blessure ou lésion notable sur le corps ou à la tête. La police scientifique n'a relevé ni traces de sang, ni cheveux, ni cellules cutanées sur le rebord du bassin. Elle n'avait ni drogue ni alcool dans le sang. Elle savait nager mais détestait se baigner. J'avoue que je n'y comprends rien. Le rapport n'indique même pas clairement si elle était inconsciente au moment de tomber à l'eau.

– Effectivement, il est étrangement inconsistant. » Carl ignora le portable qui vibrait dans sa poche. « Mais c'est presque toujours le cas dans les présomptions de morts accidentelles, la police ne creuse pas beaucoup. Alors que s'est-il passé, selon vous ?

– Peut-être que c'était réellement un accident. Elle a eu un malaise, elle a trébuché, et elle est tombée à l'eau, proposa Gordon.

– Oui, mais le sel, qu'est-ce qu'il faisait là ? insista Carl. Vous ne trouvez pas étranges toutes ces affaires dans lesquelles il n'y a ni suspect ni mobile ? À chaque fois, l'enquête tourne court, mais le sel, lui, est toujours là. »

Son portable vibra de nouveau dans sa poche.

« C'est vrai que c'est incompréhensible, dit Rose. Personnellement, dans le cas présent, je dirais qu'on peut raisonnablement penser à un meurtre. Dans le métier qu'elle exerçait, elle a pu se faire des tas d'ennemis. Un seul mauvais conseil de sa part, avec une faillite à la clé, pouvait lui péter à la gueule.

– Et le mode opératoire, Rose, tu as une idée ? »

Assad haussa les épaules, s'approcha du tableau, et tranquillement, il remplit plusieurs cases vides.

Date : 20 août 2010. Lieu : Odense
Victime : Pia Laugesen
Cause de la mort : noyade, tête maintenue sous l'eau
Mobile : inconnu

Il reposa le feutre. « Voilà ce que je crois !

– Donc, pour toi, son meurtrier avait une grande force physique ? dit Carl.

– Pas nécessairement. Mais tu as déjà essayé de rester assis sur un chameau qui n'a plus envie de t'avoir sur le dos ? Tout à coup, tu te retrouves la tronche dans le sable sans savoir comment tu es arrivé là. Je dis juste que celui qui l'a noyée savait précisément comment s'y prendre, et qu'il l'a fait sans aucune hésitation. Et en vrai, ce n'est pas très compliqué à faire.

– Parce que tu as déjà eu l'occasion de noyer quelqu'un, Assad ? » lui dit Rose avec un grand sourire qui ne tarda pas à s'effacer devant son absence de réponse.

« Est-ce qu'on a une photo de la victime, en dehors de celle du journal où on ne la voit pas très bien ? demanda Carl. Tu vas voir sur Google, Gordon ? »

Un instant plus tard, ils étaient tous devant l'écran où Pia Laugesen apparaissait dans diverses situations et à différents moments de sa vie. Et, quels que soient son âge, son poids ou le tribut que le temps avait pris sur sa personne, on voyait que son manteau de fourrure, ses larges épaules et sa queue-de-cheval restaient sa marque de fabrique.

« Moi, sur ces photos, je vois une femme singulière, hyper-active, qui devait laisser son travail prendre le pas sur tout le reste, déclara Rose.

– Singulière, c'est le moins qu'on puisse dire. Elle porte de la fourrure toute l'année, des tas de bijoux, et elle a une bonne tignasse à laquelle s'accrocher pendant qu'on la frappe à la carotide avec le tranchant de la main », répliqua Assad avec une étrange dureté.

Le portable se remit à vibrer.

« Allô, répondit Carl d'un ton légèrement agacé, quand il eut enfin extirpé l'appareil de sa poche, car il ne reconnaissait pas le numéro.

– Carl Mørck ? dit la personne au bout du fil. Parfait !
Laslo, de la police du Nord Seeland, à l'appareil. Je dois vous
dire de la part d'un gars de la police scientifique qu'il n'a
rien trouvé de plus là où était la femme, hier. En revanche,
il a découvert quelque chose dans les autres trous, et ça lui
a paru bizarre, parce que c'était pareil dans les deux. En les
examinant de plus près, il a remarqué des traces de sel sur
les parois. On aurait presque dit que les cadavres avaient été
conservés dans du sel. Ça vous parle ? »

28

Lundi 14 décembre 2020

Maurits

Maurits n'avait ni bu ni mangé depuis que la femme l'avait enlevé quarante-huit heures auparavant. La puanteur du seau d'aisances flottait comme un brouillard dans la pièce, et ses intestins étaient aussi vides que sa vessie.

Il faut que j'évite de trop marcher, ça m'épuise, se dit-il. Si j'arrive à tenir le coup, je suis sûr que quelqu'un va me retrouver. Heureusement que j'ai mis des caméras de surveillance en dehors de la propriété alors que c'est illégal, comme ça la police pourra voir le numéro d'immatriculation de la voiture qui est venue me chercher. Ils ont peut-être déjà arrêté la femme, ce qui explique pourquoi elle n'est pas revenue ici.

Il sourit. L'enlèvement de personnes constituait un délit sévèrement puni au Danemark, et ce serait au tour de cette salope de passer ses journées à contempler des murs blancs et nus. À son tour d'être la vedette d'un spectacle morbide.

L'émission pourrait s'appeler « Je ferais mieux de me suicider ». Il rit tout seul. C'était une excellente idée, même si un programme de téléréalité de ce genre ne manquerait pas de susciter la controverse. Les gens devenaient tellement bizarres dès qu'on leur parlait de suicide.

Maurits fut content de son idée et se mit à chanter à tue-tête : « *Oh no, not me, I will survive – Oh, as long as I...* »

Il fut pris d'une quinte de toux. Sa gorge desséchée se révoltait contre l'effort qu'il venait de faire. Sa langue collait à son palais.

Putain, c'est la merde ! se dit-il tout à coup en regardant autour de lui. Il pouvait être n'importe où. Dans une cave avec des plafonds en hourdis entre les étages. Dans un dépôt isolé loin de toute zone habitée. Dans un bâtiment dont la construction avait été abandonnée avant son achèvement.

Il réfléchit. Je peux être n'importe où sur l'île de Seeland, comment me retrouveraient-ils si cette femme refuse de leur dire où je suis ?

Quand il s'était réveillé après le rapt, il avait regardé l'heure à sa montre et vu qu'il était onze heures quarante-cinq. En considérant qu'il avait passé entre dix et vingt minutes sur cette chaise, il devait se trouver à une heure et quart de chez lui.

À quelle distance était-il de Gammel Holte ? Il stoppa sa réflexion avant même d'avoir commencé le calcul, car comment aurait-il trouvé la réponse ? Il y avait bien trop d'inconnues dans cette équation. Sa kidnappeuse avait pu tourner en rond. Ou prendre une autoroute pied au plancher. Elle avait même pu traverser le Øresundbro et le détroit pour passer en Suède.

Maurits commença à transpirer. S'il était en Suède et que la bonne femme refusait de cracher le morceau, ils ne le retrouveraient jamais. Il serait encore ici demain, la bave aux lèvres et les mains tremblantes. Et après-demain et le jour suivant. Combien de temps tiendrait-il ?

Maurits se rappela tout à coup que son propre père était mort de soif. Le détail en soi n'avait rien de dramatique, sachant qu'il était sur le point de lâcher la rampe, de toute façon. Il était vieux et usé, mais il fallait bien qu'il meure de quelque chose, et les médecins n'avaient pas voulu l'y aider autrement qu'en cessant de l'hydrater. Mais ça avait quand même été long. Et Maurits se souvint de la peur de son père. Avant de fermer les yeux et de perdre connaissance, son regard était devenu terriblement vif. Ses yeux étaient son dernier contact avec le monde et il avait regardé ceux qui refusaient de l'aider, regardé son fils unique qui l'abandonnait.

Putain. Fous le camp, souvenir de merde. Fous le camp, vieillard. De toute façon, tu n'étais qu'un salaud. Qu'est-ce que ça change qu'il ait fallu te déshydrater jusqu'à ce que ton corps lâche ?

Maurits regarda sa Rolex Submariner. Cadran bleu, boîtier en or, bracelet et ardillon en or, sans chiffres, mais avec la date. Il l'avait payée deux cent cinquante mille couronnes. Et rien à foutre de ce qu'en pensaient les autres. Quand il l'avait montrée à sa famille, à la table du dîner, sa fille l'avait nargué en lui collant son Apple Watch sous le nez.

« Elle est capable de te donner ta fréquence cardiaque, ta montre ? Tu peux parler au téléphone avec ta montre ? Mon pauvre papa, tu es vraiment nul. Tu aurais pu te payer quarante Apple Watch pour le prix de ta Rolex. Ou tu aurais pu m'offrir un cheval et t'acheter une montre quand même. Plus con, tu meurs ! »

Ce jour-là, il s'était abstenu de tout commentaire et il avait rempli leurs assiettes en souriant. Qu'est-ce qu'une adolescente pouvait comprendre de ce qui donne à un adulte un authentique sentiment de bonheur ? Que savait-elle, à son âge, de la joie qu'il y a à posséder ? Cette petite morveuse écervelée changerait de toute façon son Apple Watch aussitôt qu'un nouveau modèle arriverait sur le marché.

Maurits regarda la date sur son cadran. Il y avait bientôt deux jours qu'il n'avait ni bu ni mangé. Combien de temps

son père avait-il mis à mourir ? Six jours ? Une semaine ?
Il était très affaibli au départ. Maurits avait lu quelque part
qu'on pouvait se passer d'eau et de nourriture pendant trois
semaines, du moment qu'on était en bonne santé avant ce
jeûne. Et c'était son cas.

De nouveau, Maurits regarda sa montre. S'il avait suivi le
conseil de sa fille et qu'il s'était acheté une Apple Watch, il
aurait peut-être pu téléphoner à sa famille.

Il secoua la tête. La femme qui le retenait prisonnier n'était
pas idiote. Elle l'aurait prise. Et même s'il avait eu une montre
de ce genre à son poignet, que leur aurait-il dit ? Qu'il avait
été kidnappé ? Ils devaient déjà le savoir. Mais qui l'avait
enlevé ? Toute cette histoire de rachat d'Unbelievable Corporation était une pure invention, bien sûr. Global Rea Inc. et
Victor Page n'auraient aucune idée de qui était cette femme.
Le numéro d'immatriculation de sa Lexus était probablement
faux, ou la voiture, volée. Et qu'aurait-il pu leur raconter sur
l'endroit où il était prisonnier ? La pièce n'avait aucun signe
distinctif. Pas un seul ! Elle était tellement anonyme qu'elle
aurait pu se trouver n'importe où.

Maurits sentait sa langue gonfler dans sa bouche. Putain
de soif. Il leva la tête et examina les chariots auxquels étaient
fixées ses chaînes. Si je grimpe à l'une des chaînes et que
j'attrape le chariot, est-ce que je parviendrai à le tordre assez
pour écarter le rail et libérer le chariot ? Aurai-je encore la
force de faire la même chose avec le second ? Est-ce la meilleure solution ?

Une fois qu'il aurait libéré la première de son rail, il serait
pendu au bout de la seconde chaîne de tout son poids et ne
pourrait alors pas décrocher celle-ci, bien entendu.

Maurits se leva. La situation ne se présentait pas bien.

Il entraîna les deux chariots d'un bout à l'autre de la pièce, cherchant un endroit au plafond où il pourrait s'accrocher d'une main, tandis qu'il dégagerait le deuxième chariot du rail.

Le ronronnement des roulements à billes au-dessus de sa tête, tandis qu'il parcourait le local la tête levée vers le plafond pour l'examiner dans ses moindres détails, avait un effet étrangement apaisant, mais rapidement il se rendit compte que ce bruit était en réalité son enfer personnel. Le bruit d'une main de fer à laquelle il n'échapperait jamais.

Puis soudain, il la découvrit. Elle était peinte de la même couleur blanche que le plafond et se confondait avec lui. Là-haut, tout près du mur du fond se trouvait une sorte de queue-de-cochon semblable à celle qu'il avait vissée, il y a quinze ans, autant dire dans la nuit des temps, sur le portique de son premier enfant. Le crochet était suspendu au plafond, à distance accessible de l'un des rails. S'il parvenait à passer deux doigts à l'intérieur, il pourrait soutenir son propre poids, le temps de décrocher la deuxième chaîne. Il fallait bien que les vingt minutes par jour qu'il passait dans la salle de musculation privée qu'il avait fait installer dans son sous-sol, après son infarctus il y a deux ans, servent à quelque chose.

Maurits commença à se hisser le long de la première chaîne, tandis que la deuxième mollissait à côté. La corde lisse avait été sa discipline préférée à l'école, mais trente ans s'étaient écoulés depuis et cette épreuve-ci était nettement plus difficile. La chaîne était en acier et plus glissante que la corde dont il se souvenait. Il devait serrer si fort que ses jointures blanchissaient, et ce plafond était plus haut qu'il ne l'avait cru. Il devait se trouver à plus de quatre mètres.

Ses pieds nus accrochés aux maillons, il voyait le sol s'éloigner peu à peu. S'il avait porté des baskets, ç'aurait été plus facile. Et s'il avait porté un pantalon, la chaîne ne lui aurait pas arraché la peau entre les cuisses.

« Tu DOIS arriver en haut », murmura-t-il. Comment il parviendrait à sortir de cette prison, en admettant qu'il arrive à se libérer, il n'en avait aucune idée. Mais l'ascenseur fonctionnait forcément. Et il pourrait peut-être se servir des chaînes comme d'une arme une fois qu'il les aurait libérées des rails. Peut-être...

En admettant que quelqu'un vienne.

Arrivé au sommet de la chaîne, il saisit l'extrémité de celle qui pendait à côté. Le traîneau coulissant dans le rail portait un logo « Mexita Steelware ». Comme le rail lui-même, il était en acier trempé. La tâche n'allait pas être simple. Il tordit le traîneau dans tous les sens, sans résultat. Si au moins il avait eu un pied-de-biche, il aurait eu une chance d'en venir à bout, mais ce n'était pas le cas. Tout ce qu'il avait, c'étaient ses espoirs brisés.

Il se laissa glisser au sol et tituba jusqu'à la chaise pour s'asseoir. L'effort l'avait épuisé. La peau de ses bras nus avait pris une teinte grisâtre. Ses veines saillaient.

Il avait l'impression que la température du local avait augmenté.

Maurits regarda l'ascenseur qui n'avait pas émis le moindre bruit depuis que la femme avait disparu.

Pour la première fois, il se demanda s'il était destiné à mourir dans cet endroit perdu.

29

Mardi 15 décembre 2020

Carl

Dans sa carrière d'inspecteur de police, Carl était tombé plusieurs fois sur d'incroyables coïncidences entre des affaires complètement différentes. Une fois encore, ce cas avait de quoi donner des frissons dans le dos au département V.

Deux cadavres avaient été découverts enfouis dans le sol, nappés de sel, tels des harengs dans un tonneau, et pratiquement dans le même trou, ils avaient retrouvé Ragnhild Bengtsen, la meurtrière de Tabitha Engstrøm.

La nouvelle enquête venait donc de s'inviter dans celle qui était déjà affichée sur le tableau blanc, la question était juste de savoir où était le lien.

Les deux morts étaient des hommes. Le cadavre le plus récent et le moins abîmé avait été estimé à un poids vivant de plus de cent kilos, et à une taille d'environ un mètre quatre-vingt-dix, et le plus ancien au même poids à peu près, et à vingt centimètres de moins.

« Si nous laissons un instant de côté l'affaire Ragnhild, qu'est-ce que cette découverte nous apprend, en gros ? demanda Carl aux trois autres.

– Que les deux premiers sont liés, en tout cas, suggéra Gordon.

– Oui, et qu'est-ce qu'elle nous dit encore plus clairement ? insista Carl.

– Que le meurtrier cherche sciemment à faire comprendre à des gens comme nous que la mort de ces deux hommes a un rapport avec ça, dit Assad en montrant le tableau.

– OK, alors qu'est-ce qu'il cherche, à votre avis ? À se vanter de ses actes ? Ou est-ce une façon de nous demander d'y mettre fin ? »

Carl alla se poster devant les questions sans réponse inscrites sur la vitre. « Nous allons commencer par effacer quelques lignes », dit-il en montrant les deux dernières :

Mystère 7 : Pourquoi laisser du sel sur les scènes de crime ?
Mystère 8 : Meurtres et morts suspectes en 2010. Où ?
Quand ?

« Je pense que nous avons plus ou moins la réponse au mystère numéro 7 évoqué par Rose. Nous ne sommes pas certains de la raison pour laquelle le choix du criminel s'est porté sur le sel, mais sa présence sur toutes les scènes de crime semble signifier que quelqu'un veut nous dire que tous ces meurtres ont un seul et même responsable. Vous êtes d'accord pour continuer avec cette hypothèse ? »

Ils hochèrent la tête.

« En ce qui concerne la huitième ligne, je pense qu'Assad a mis la main sur un décès qui pourrait être le meurtre que nous cherchons en 2010. Il l'a d'ailleurs déjà inscrit au tableau. » Carl le félicita d'un sourire. « Est-ce que nous sommes tous d'accord avec Assad pour considérer que le meurtre de 2010 est celui de la conseillère en placements boursiers Pia Laugesen ? » Rose et Gordon acquiescèrent.

Étrangement, Marcus Jacobsen ne semblait pas content. Pourtant, le département V avait lié deux morts suspectes et celle de Ragnhild Bengtsen à un *cold case* qu'il leur avait lui-même confié, qu'est-ce qu'il voulait de plus ?

Le patron poussa un soupir, mais on aurait plutôt dit qu'il avait avalé quelque chose de travers. « Ragnhild Bengtsen était enterrée à moins d'un mètre des deux autres trous, dit-il, je vous accorde que cela interpelle. Cependant, malgré une autopsie particulièrement attentive et un examen minutieux de la fosse où elle se trouvait, la police scientifique n'a pas trouvé le moindre grain de sel.

– Et alors ? » Carl ne voyait pas où était le problème.

« Quand plusieurs cadavres ont été enterrés si près les uns des autres et dans un endroit aussi isolé, on est en droit de penser qu'on a affaire à un seul et même assassin. Mais dans ce cas, je pose la question : si les deux cadavres les plus anciens sont liés à votre enquête, pourquoi le dernier ne présente-t-il pas les mêmes caractéristiques ?

– Peut-être parce que celui-là n'était pas un meurtre rituel comme cela semble être le cas pour les autres.

– Qu'entends-tu par "rituel" ? demanda Marcus.

– Le meurtre de Ragnhild Bengtsen n'entre pas dans le schéma. La victime n'a pas été tuée au bon moment.

– Là, il va falloir que tu m'expliques, dit Marcus.

– Viens avec moi dans l'autre bureau. »

Ils s'y rendirent tous ensemble.

Marcus étudia longuement le tableau sur le mur. Ils virent aussitôt à son expression qu'il trouvait leur analyse plausible. Les années et les dates correspondaient à un schéma cohérent permettant de relier les affaires entre elles.

Cette fois, son soupir ressemblait à un vrai soupir. « Bon, je comprends où vous voulez en venir, mais votre tableau est encore plein de trous, les enfants », dit-il.

Assad vint se camper devant lui, les mains dans les poches. « Quand est-ce que vous irez voir le Renseignement pour nous aider, moi et ma famille, patron ? Aujourd'hui ? »

Marcus fit signe que oui.

« Parfait, alors je veux bien vous expliquer ce que je crois, dit Assad. Je crois que les deux cadavres qui viennent d'arriver à l'institut médico-légal ont été tués en 2018 et en 2016, et si vous allez tout de suite arranger mon problème avec la PET et que vous revenez ici nous communiquer l'identité de ces deux hommes, moi je m'engage à remplir quelques cases supplémentaires sur ce tableau, ça marche ?

– Qu'est-ce qui te fait croire qu'on va pouvoir situer ces deux meurtres dans le temps avec une telle précision, Assad ? objecta Marcus. Ils sont peut-être enterrés là depuis beaucoup plus longtemps. Si ça se trouve, ils ont été conservés dans un congélateur pendant des années avant d'avoir été enfouis dans ce terrain.

– Je sais que ce n'est jamais très facile, surtout quand les cadavres ont été conservés dans du sel, parce que vous savez ce que je crois aussi, patron ? Je crois qu'on les a gavés de sel tous les deux avant de les mettre en terre. J'en mettrais ma tête à couper. »

Carl ne put s'en empêcher : « Ta main, Assad ? »

Assad eut l'air très fatigué, tout à coup. Peut-être Carl l'avait-il repris une fois de trop.

Dix minutes plus tard, ils reçurent un appel de l'institut médico-légal les informant que l'estomac des deux cadavres avait été rempli d'eau salée et que leur œsophage était farci de sel. Du sel de cuisine, bien entendu.

« Le sel a évidemment eu un effet certain, mais il n'a en aucune manière agi comme un véritable embaumement. Il n'a pas empêché la putréfaction des organes, de la même manière que le sel dans la tombe n'a pas empêché la pourriture de la peau. Mais pour l'instant, nous estimons que le premier doit avoir séjourné dans la terre pendant à peu près deux ans et l'autre, cinq ans environ. Je tiens à préciser qu'il s'agit plus d'une intuition que d'une réelle estimation.

– Vous pouvez nous dire quelque chose sur les causes des décès ? s'enquit Carl.

– Non, c'est trop tôt, et même quand nous en serons là, nous ne pourrons rien affirmer. Apparemment, les deux individus n'ont été tués ni par balle ni à l'aide d'une arme blanche, mais comme je vous l'ai déjà dit, ils sont très abîmés, alors on verra.

– Des signes distinctifs ?

– Voyons, que pourrais-je vous dire ? Ils avaient tous les deux les poils pubiens rasés, ce qui étrangement, dans certaines tranches d'âge, est devenu une pratique très courante de nos jours, y compris chez les hommes, alors, disons que cela pourrait être le signe d'une activité sexuelle assez intense. Je pense pouvoir dire qu'ils avaient tous les deux entre trente et cinquante ans, mais sur ce point, je propose qu'on attende les conclusions de l'odontologue.

– Ça veut dire que leur dentition est intacte ? demanda Carl.

– Absolument, et impeccable chez les deux sujets. Ça a dû leur coûter bonbon d'ailleurs.

– C'est-à-dire ?

– Je parle d'implants, bien sûr. Et de corrections dues à une pose d'appareil dentaire à un très jeune âge, école primaire, je dirais. J'ai observé aussi une couronne et un bridge. Comme tu vois, il y a de quoi faire. »

L'atmosphère au département V commença à devenir électrique.

30

Mercredi 16 décembre 2020

Louise/Carl

Louise était la fille d'un fabricant de textile qui avait fait faillite, puis elle était devenue l'épouse d'un marchand de tapis en gros qui lui aussi avait déposé le bilan, et ils avaient divorcé. Ensuite, les choses avaient continué d'aller de travers dans sa vie. Elle n'avait pas d'amis, pas de diplômes, elle n'était douée pour rien et elle buvait trop. Mettre le grappin sur Birger von Brandstrup, qui avait amassé une fortune en investissant dans les jeux en ligne, fut donc pour elle une véritable aubaine. Les rêves et la naïveté du Danois moyen, ses espoirs de faire fructifier sans effort ses modestes revenus avaient permis au couple Brandstrup d'engranger soixante millions de couronnes en dix ans, et cela ne les dérangeait nullement que les seuls gagnants à l'arrivée soient eux et leur famille.

Quand, un jour gris de novembre 2018, son mari s'était mystérieusement volatilisé, et que la nouvelle s'était répandue que toute sa fortune était bloquée à son nom, les courtisans, les flatteurs et les fêtes auxquelles Louise s'était si bien habituée fondirent comme neige au soleil. Louise devint *persona non grata* et tout le monde la laissa tomber du jour au lendemain. La première femme de Brandstrup et les enfants qu'il avait eus avec elle réclamèrent leur part de l'héritage. Les créanciers des voitures en leasing, les artisans qui venaient de terminer l'écurie à côté de leur demeure et tous ceux à qui son mari devait de l'argent vinrent quotidiennement frapper à sa porte, la main tendue et la mine sévère.

Les premiers mois, Louise pensait que Birger allait brusquement réapparaître. Qu'une fois son besoin de chair fraîche et ses goûts exotiques assouvis, il reviendrait lui demander pardon et reprendrait sa place dans le lit conjugal. Mais Birger n'était pas revenu, et elle était partie s'installer dans leur résidence secondaire à Hornbæk, l'unique propriété qu'il avait mise à son nom.

Quand on avait annoncé la découverte de deux corps dans une friche industrielle près de Skævinge, Louise était au fond de son lit en train de regarder les infos sur sa tablette. Elle adorait les *Breaking News* et ces bandeaux jaunes qu'on voyait défiler en bas de l'écran avec leurs nouvelles sensationnelles et souvent effroyables, et avant qu'un brusque soupçon s'insinue dans son esprit, pendant quelques secondes, elle avait senti un frisson glacé l'envahir. Ce fut en lisant que l'un des deux cadavres était celui d'un homme de plus d'un mètre quatre-vingt-quinze, enterré là depuis plus d'un an, qu'elle bondit de son lit, le souffle coupé.

Alors qu'elle aurait dû être dévastée à l'idée qu'il puisse s'agir de Birger, elle fut soulagée et pleine d'espoir. Si c'était lui, il serait enfin déclaré mort, et la succession pourrait être réglée. Il y aurait du monde sur le gâteau, mais la part qui lui reviendrait serait amplement suffisante. Plus que suffisante, même.

Contrairement à ce qu'elle avait imaginé, les policiers qui vinrent l'interroger n'étaient pas en uniforme et ils étaient aussi différents que l'ébène et l'ivoire. Le premier était un immigré à la peau brune avec des yeux marron injectés de sang et une chevelure hirsute, et l'autre un type dégingandé et pâle qui lui faisait penser à un boy-scout. Ils se présentèrent poliment et, comme à son habitude, elle oublia leurs noms aussitôt après les avoir entendus.

« Vous avez appelé la police parce que vous pensez que votre mari, Birger Brandstrup, pourrait être l'un des deux individus retrouvés morts à Skævinge. C'est pour ça que nous sommes là, débita le pâlichon.

– Von ! corrigea-t-elle. Birger *von* Brandstrup. Et oui, c'est exact. »

L'immigré baissa les yeux sur le papier qu'il avait entre les mains et marmonna à voix basse : « Von ? Il n'y a pas écrit "von", d'où est-ce que ça sort ?

– Nous sommes venus pour vous informer que l'identification odontologique a confirmé qu'il s'agissait bien de votre mari. Nous sommes désolés », dit le boy-scout.

Yes ! jubila une petite voix dans sa tête, sans que cela transparaisse sur son visage, qu'elle avait pris soin de cacher entre ses mains. Un avenir radieux s'ouvrait devant elle, riche d'innombrables perspectives.

« Voulez-vous boire un verre d'eau ? hasarda le jeune type. Avez-vous besoin d'un peu de temps pour vous remettre ? Aimeriez-vous appeler quelqu'un pour vous tenir compagnie dans cette épreuve ? »

Elle secoua la tête.

« Nous avons fait quelques recherches et avons pu constater que vous avez déclaré la disparition de votre mari le 22 novembre 2018. C'est bien ça ? » s'enquit Ébène.

Elle hocha la tête sans retirer les mains de son visage.

« Votre mari était immensément riche, avez-vous été contactée pour une quelconque demande de rançon ? Avez-vous, d'une manière ou d'une autre, été informée de la raison pour laquelle il avait disparu ? » demanda Ivoire.

Elle poussa un long soupir et affronta leur regard. Pourvu qu'ils ne déduisent rien de son visage sans larmes.

« Ni l'un ni l'autre. Il a simplement disparu du jour au lendemain sans explication.

– Avez-vous une idée de la raison pour laquelle on aurait voulu le tuer ? s'enquit Ébène. Votre mari avait-il des enne- mis ? Des dettes qu'il ne pouvait pas honorer ? Des dettes de jeu, éventuellement ? »

Elle ricana devant l'absurdité de la question. « Birger ne devait de l'argent à personne. S'il avait eu des dettes de jeu, il les aurait payées. Birger gagnait sa vie en faisant jouer LES AUTRES. Jamais il n'aurait joué lui-même. D'après lui, il n'y avait rien de plus stupide que de s'adonner à des jeux d'argent.

– Ce qui ne l'a pas empêché d'investir les douze ou treize dernières années de sa vie dans des sites de jeux en ligne, plus d'une dizaine au Danemark et encore plus dans les paradis fiscaux. Il n'est pas impossible qu'il se soit fait des ennemis dans ce contexte », suggéra le boy-scout.

Avec un air condescendant, Louise répliqua : « Je suppose que vous faites référence aux ludomanes ? Mais je vais vous dire une chose, monsieur, Birger fuyait les joueurs patholo- giques comme la peste, jamais aucun de ces pauvres drogués ne l'a approché. » Elle regarda l'immigré avec un air de souf- france étudié. « Où est-il, en ce moment ?

– À l'institut médico-légal.

– Je suppose que je n'ai pas besoin de venir l'identifier ?

– Pas à moins que vous le souhaitiez. Mais je vous le déconseille », dit l'immigré.

Comme si elle avait pu avoir une envie pareille. Quelle horreur !

« Il se fait appeler Birger VON Brandstrup et il a disparu le 22 novembre 2018, avant d'être assassiné et plus ou moins embaumé à l'aide de sel de cuisine. Assad et moi pensons tous les deux que nous pouvons sans hésiter rajouter une victime au tableau, Carl, dit Gordon.

– Et la femme, elle était comment ?

– Tu connais l'histoire du chameau qui pensait pouvoir voler, chef ! » rétorqua Assad en guise de réponse.

Carl secoua la tête. Gordon ne la connaissait pas non plus.

« Bon. Alors le chameau s'était mis en tête qu'il pouvait voler, alors il a écarté ses bosses comme des ailes, et il a sauté d'une colline élevée dans le désert.

– Et ça ne s'est pas très bien passé, j'imagine ? dit Carl.

– Non, il a dû faire un atterrissage d'urgence.

– Je ne comprends pas où tu veux en venir avec cette parabole, Assad.

– Tout comme le chameau, nos questions sont tombées à plat.

– Je vois, astucieux. Si je comprends bien, l'épouse n'avait aucun commentaire à faire sur la disparition de Birger Brandstrup ?

– Non, aucun, à part ce "von" qu'elle a sorti de je ne sais où. »

Carl pensa qu'on aurait pu remplir le Colisée de Rome avec les gens qui pensaient qu'ajouter la particule "von" ou "de" devant leur nom suffisait à les rendre supérieurs aux autres.

« Bon, je vois qu'on prend du bon temps, ici, lança le patron depuis le seuil. Je suis venu vous apporter un nouvel os à ronger. On vient de m'annoncer que le deuxième cadavre a également été identifié. »

Tous se tournèrent vers Marcus.

« Il s'agit de Frank Arnold Svendsen, un homme notoirement connu qui, en son temps, collectionnait les amendes pour non-respect de la loi relative à la protection de l'environnement.

– Connu ? Tu es sûr ?

– Vous le connaissez sans doute mieux sous son petit nom : Franco Svendsen. Il avait été porté disparu et tout le monde pensait qu'il s'était noyé. »

Un vague souvenir remonta lentement à la surface dans la mémoire de Carl.

« Je suis venu vous dire aussi que l'autopsie des deux corps a conclu à la même cause de décès. Ils sont morts d'une dose massive de chlorure de potassium, vraisemblablement injectée directement dans le cœur. Le chlorure de potassium est l'une des trois substances utilisées dans les exécutions chimiques, mais normalement, il n'est pas administré sans anesthésie. Ce qui est intéressant dans le cas présent, c'est que le meurtrier n'a en aucune manière essayé de dissimuler la méthode employée.

– C'est-à-dire ? demanda Carl.

– Les experts sont retournés sur place pour inspecter les trous. En creusant un peu plus, ils ont trouvé deux seringues identiques, une dans chaque trou. De grosses seringues de deux cents millilitres, du genre qu'on utilise pour les lavements, mais celles-ci avaient une canule à l'extrémité. Et pas le petit modèle, je peux vous le dire. »

Carl frémit. « Il y avait encore du chlorure de potassium dans les seringues ?

– Oui, environ cinq millilitres.

– Combien les seringues en contenaient-elles au départ ? demanda Rose.

– Difficile à dire, mais il y a des chances pour qu'elles aient été pleines. En tout cas, c'est ce que suggère le rapport d'expertise.

– Et la dose létale est de combien ? J'imagine qu'il faut moins de cent cinquante millilitres pour tuer un homme ! dit Rose.

– J'ignore comment ça marche quand on l'injecte directement dans le cœur. En intraveineuse, je pense qu'il en faut plus que ça.

– Que disent les légistes à ce sujet ? demanda Carl.

– Ils sont d'accord avec les conclusions de la police scientifique.

– Donc, ces hommes ont été tués avec du chlorure de potassium et embaumés avec du chlorure de sodium. Tout cela est très chimique, non ? » dit Rose. Elle fut secouée d'un léger frémissement. « Ces hommes ont été enlevés, puis tués comme on exécute les gens un peu partout dans le monde, sauf que leur meurtrier ne leur a pas donné les calmants et les anesthésiants auxquels ont droit les condamnés à mort, conclut-elle d'une voix lugubre.

– En effet. On n'a trouvé aucune autre drogue dans leurs tissus. Ils ont eu une mort rapide, efficace, mais sans doute très douloureuse. » Le chef de la Criminelle se tourna vers le tableau. « Leur mort est très différente de celle des autres victimes, qui avaient toutes au départ été considérées comme des suicides ou des accidents. Vous pensez qu'ils doivent figurer ici ? Il y a des places vides en 2016 et en 2018 justement. »

Carl échangea un regard avec Assad, qui alla aussitôt inscrire les noms de Frank « Franco » Svendsen sur la ligne de 2016 et Birger Brandstrup sur celle de 2018.

Carl leva les yeux sur le tableau et fit le compte des morts suspectes ayant pour dénominateur commun la présence de sel de cuisine.

Il y en avait désormais sept.

31

Mercredi 16 décembre 2020

Assad/Carl

Après un long voyage entre Copenhague et la Fionie, Assad traversa un quartier résidentiel situé aux portes d'Odense, notant le long des trottoirs les voitures de luxe. Arrivé à destination, il s'arrêta et leva les yeux vers un véritable palais, d'une blancheur immaculée, posé sur une hauteur à environ deux cents mètres de la route, et fut frappé par cette vision de grandeur semblant appartenir à un autre temps.

« J'avoue avoir été surprise par votre appel, dit la femme qui lui ouvrit la porte. Il y a près de dix ans que la police est venue m'interroger sur la mort de maman. » Élégante des pieds à la tête et jusqu'au bout des ongles, l'héritière d'un milliard d'euros l'invita à entrer.

« J'habite la maison de ma mère depuis le règlement de la succession en 2012, expliqua Tytte Laugesen. Ma mère avait confié à l'adoption un enfant qu'elle avait eu dans sa jeunesse, ce que j'ignorais. Elle lui avait conservé ses droits à l'héritage, ce qui a évidemment fait traîner quelque peu les formalités. »

Marchant devant lui, la fille de Pia Laugesen foula une opulence de tapis faits main avant de l'inviter à s'asseoir dans un canapé en cuir dont Assad se dit qu'il devait faire la taille de son salon. C'était une femme d'environ quarante ans qui, après avoir divorcé plusieurs fois, avait fini par s'installer dans cette maison avec sa fille de quatorze ans, laquelle partait en pension à la prochaine rentrée scolaire.

Assad souriait à s'en décrocher la mâchoire tout en s'efforçant d'avaler un thé vert fumant, sans sucre, servi dans une délicate tasse en porcelaine.

« Exquis », glissa-t-il poliment avant d'informer son hôtesse que le dossier concernant la mort de sa mère avait été rouvert quelques jours auparavant et qu'il était question de démarrer une nouvelle enquête.

« Si vous voulez bien, j'aimerais d'abord voir la piscine », dit-il quand la dernière gorgée de thé eut fini de martyriser sa gorge affamée de sucre.

La piscine en question était beaucoup plus grande que dans son imagination. Elle devait faire près de vingt mètres de large sur cinquante de long, et avait été installée un peu avant la Première Guerre mondiale par un gros commerçant, père de cinq enfants, qui souhaitait en faire des adultes plus athlétiques qu'il ne l'était lui-même.

« Nous la couvrons l'hiver, enfin, à vrai dire, la bâche reste toute l'année, vu que mes amis, ma fille et moi-même ne sommes pas des adeptes de la baignade. »

Elle montra à Assad l'endroit où sa mère avait prétendument trébuché sur le sac de sel, et Assad n'eut aucun mal à imaginer la scène. Mais les choses s'étaient-elles réellement passées comme ça ? Là était la question.

« Maman détestait nager. Elle ne gardait cette piscine que parce que cela rendait bien sur les photos des réceptions qu'elle donnait régulièrement, et parce que ses rendez-vous d'affaires avaient belle allure dans ce décor. Ce n'était pas pour me faire plaisir en tout cas.

– Qui s'occupait de l'entretien ?

– August, notre jardinier.

– Ah, le jardinier, OK. Est-ce que par hasard il serait encore en vie ?

– Bien sûr. Même si c'est aujourd'hui un vieux monsieur, il se porte encore à merveille.

– Peut-être savez-vous aussi où on peut le trouver ? »

Elle eut un sourire amusé, et de la main elle indiqua le fond du jardin. « Il doit être dans l'orangerie, où il soigne les camélias que nous aimerions bien voir fleurir avant Noël. »

August Nielsen avait plus de soixante-dix ans et l'air d'en avoir quatre-vingt-cinq. Le travail au grand air avait buriné sa peau, et les rides faisaient sur son visage comme une toile d'araignée, du front au menton. Il ne lui restait plus beaucoup de voix, mais sa mémoire était sans faille.

« Ce n'est pas moi qui avais laissé traîner ce sac. Je peux l'affirmer, parce que Mme Laugesen ne supportait pas le désordre. On m'a plusieurs fois demandé si je n'avais pas pu me tromper, mais franchement, est-ce que j'ai l'air de quelqu'un qui perd la tête ? » Il rit avec un coassement silencieux. « J'ai essayé à plusieurs reprises d'expliquer à ceux qui m'interrogeaient que je n'avais jamais compris d'où venait ce sac de sel, et que quelqu'un devait l'avoir déposé là. Mais comme je n'avais aucune idée de qui cela pouvait être, personne ne m'a cru. Et quand on me traite de menteur, je me ferme comme une huître, vous comprenez.

– Pour désinfecter le bassin, il faut juste verser du chlore dedans, n'est-ce pas ?

– Mais non, c'est ce que j'ai dit à la police, à l'époque. C'est beaucoup plus compliqué que ça. » Il désigna une petite remise en bois à côté d'une haie de thuyas. « Dans cette cabane, il y a une pompe et divers produits qui servent à équilibrer les teneurs en pH et en chlore de l'eau. En réalité, il faut pas mal de produits chimiques et de réglages avant que l'eau se stabilise. Il y a aussi un système de chauffage, mais Mme Laugesen ne s'en servait presque jamais, parce qu'elle n'aimait pas se baigner.

– Et le sel, vous vous en serviez pour autre chose ?

– Ah, bah voilà, vous, au moins, vous posez les bonnes questions ! Je peux vous demander pourquoi vous parlez aussi bien danois ?

– Je suis arrivé ici quand j'étais enfant.

– Ah, c'est bien, dit-il en s'éloignant entre les rangées de fleurs, comme ça vous n'avez pas froid chez nous ! » Il rit. « Mais en ce qui concerne le sac de sel, je vais répondre oui et non. Il ressemblait à celui dont on se sert l'hiver pour saler l'allée qui monte jusqu'à la maison, mais le sel qu'il contenait était différent de celui que j'utilise. Plus fin. Et là, je dois dire que je n'ai pas d'explication. »

« Assad, tu as entendu que cette fois, le gouvernement a ordonné un confinement général ? Et ça commence dès demain matin. » La voix de Gordon était aussi tremblante que s'il lui avait annoncé la fin du monde. « Les écoles ferment, les salons de coiffure ferment, les grands magasins et les centres commerciaux vont fermer aussi. Je n'ai pas eu le temps d'acheter mes cadeaux de Noël, et je ne sais pas si j'aurai le temps de le faire avant que tout s'arrête. C'est une catastrophe ! »

Manifestement, Rose et Carl, eux, n'étaient pas inquiets. Quant à Assad, il s'en fichait, puisque de toute façon, chez lui, on ne fêtait pas Noël.

« C'est affreux ce qui arrive, continua Gordon. Ça ne va pas être un vrai Noël si on n'a pas le droit de danser autour de l'arbre en se tenant par la main. Et il paraît qu'il va falloir éviter de chanter, et faire en sorte de ne pas être plus de dix à table. Franchement, je trouve que... » Il alla s'écrouler sur une chaise dans un angle du bureau. On aurait dit qu'il allait se mettre à pleurer.

« Tu as raison, c'est ennuyeux, Gordon. Et je suis sûr que beaucoup vont vivre ça comme un drame. » Carl s'interrompit, et après une pause calculée, il se tourna vers Assad.

« Alors, qu'est-ce que tu as tiré de ta visite à Odense ? On laisse le nom de Pia Laugesen sur le tableau, ou pas ?

– Oui, je persiste à croire que Pia Laugesen a été assassinée, répondit Assad. Sa fille m'a dit qu'elle avait essayé de convaincre la police d'ouvrir une enquête pour meurtre, à l'époque, mais qu'elle n'y était pas parvenue. Ensuite, elle est allée me chercher une pile d'albums qu'elle avait réalisés et qu'elle voulait que je feuillette. Ils contiennent des coupures de presse avec des interviews qu'elle avait données et aussi des articles en relation avec sa mort. Ils sont posés sur mon bureau, je regarderai ça un peu plus tard. »

Carl s'adressa de nouveau à Gordon. « Bah alors, qu'est-ce que tu fabriques ? Tu ne devrais pas aller acheter tes cadeaux de Noël pendant qu'il est encore temps ? Y en a marre de tes jérémiades ! »

Le pâlichon poussa un long soupir et se ressaisit.

« Je crois que j'ai découvert quelque chose, dit-il. Il pourrait s'agir d'un dénominateur commun à tous les meurtres, et qui n'a rien à voir avec le Moyen-Orient. »

Il avait à présent toute leur attention.

« Hier, j'étais à un dîner avec mes parents et un couple d'amis à eux. Ils avaient tous été testés, je vous rassure. Le mari dirige une société d'importation de vins, et il avait apporté trois bouteilles de puligny-montrachet blanc. Divin.

– Arrête, j'ai la gorge sèche, tout à coup, commenta Rose.

– Je comprends, c'était un nectar, et je dois dire que j'en ai bu pas mal, une bouteille à moi tout seul, je crois. Alors, évidemment, je suis devenu bavard, et je me suis mis à parler de l'affaire Pia Laugesen. J'ai raconté qu'on avait rouvert l'enquête, et que c'était compliqué, vu que l'affaire était ancienne puisqu'elle remontait au 20 août 2010. Je suis désolé, Carl, d'habitude, je ne parle jamais du travail en dehors de ces murs. »

Carl haussa les épaules. S'ils savaient ce qu'il était capable de raconter lui-même après avoir bu une bouteille de vin !

« Bref, quand j'ai dit ça, la femme a fait remarquer que c'était une drôle de coïncidence, parce que le 20 août était la date de son anniversaire. »

Carl se força à sourire. Si ce genre de coïncidences devaient aider à résoudre une affaire, il n'avait qu'à aller rendre visite à son ancienne belle-mère pour en entendre à profusion.

« Et elle a ajouté qu'elle en avait toujours voulu à ses parents de l'avoir mise au monde ce jour-là, parce que c'était une Serbe de Bosnie, et que celui qui a déclenché la guerre des Balkans, Slobodan Milošević, était né le même jour.

– Et ? » dit Rose.

Gordon se tourna vers Assad. « Tu te souviens que Marwa nous a dit que le jour de la mort d'Oleg Dudek était également celui de l'anniversaire de Saddam Hussein ? »

Un ange passa.

« Juste avant que notre Première ministre nous inflige ce nouveau choc, j'avais fait une recherche sur le 19 mai, le jour où Palle Rasmussen a été asphyxié dans sa voiture », poursuivit Gordon. Il les regarda tous d'un air finaud. Manifestement, l'espace d'un instant, il avait oublié la catastrophe de son Noël amputé.

« Allez, accouche ! s'énerva Rose.

– Le 19 mai, c'est l'anniversaire de Pol Pot, le dictateur cambodgien qui avec ses Khmers rouges a commis l'un des plus grands génocides de l'Histoire. Vous commencez à voir le fil rouge ? »

Ils acquiescèrent. Saddam Hussein, Pol Pot et Slobodan Milošević, ça commençait à faire beaucoup. L'idée que ces crimes aient été sciemment commis le jour de l'anniversaire de ces assassins et dictateurs était devenue plus que convaincante.

32

Mercredi 16 décembre 2020

Pauline

Le miroir renvoya à Pauline le reflet d'un visage fatigué et résigné. Des sillons marqués commençaient à se creuser sur son front et étiraient ses commissures vers le bas. Pauline n'avait pas souri depuis des jours, et quelles raisons aurait-elle eues de sourire, en effet ? Son réfrigérateur était vide et son compte en banque encore plus. Ses perspectives de remonter sur scène un jour étaient sérieusement compromises à présent que la Première ministre avait ordonné le confinement au moins jusqu'au Nouvel An. Depuis, l'humeur de Pauline alternait entre colère et désespoir.

Demain à midi, la majeure partie des commerces et un tas d'autres établissements allaient fermer. Quelle année de merde ! Quel Noël de merde ! Depuis l'annonce du confinement, partout dans le pays, c'était la cohue dans les galeries commerciales. Les gens étaient devenus dingues. Tant mieux pour eux, cela voulait dire que contrairement à elle, ils avaient de l'argent à dépenser. De sa vie entière, Pauline n'avait jamais été dans une telle panade, avec tous les frais à sa charge et sans le moindre revenu. Depuis des mois, elle sentait la panique monter et l'espoir de voir sa situation s'améliorer dans un avenir pas trop lointain s'amenuiser. Quant au soutien moral de sa meilleure amie, qui avait pour unique mérite d'abonder dans son sens, force était d'avouer qu'il lui faisait une belle jambe.

Où la ministre de la Culture s'imaginait-elle qu'une artiste qui n'avait pas d'autre source de revenus que ses spectacles allait trouver les moyens de survivre ? S'attendait-elle à ce qu'elle aille réciter *Hamlet* debout sur une caisse de bière au milieu de la place de l'Hôtel de Ville ? Ou qu'elle mendie sur le parvis d'une église, peut-être ?

Pauline regarda du coin de l'œil la boîte à chaussures cachée sous son lit. Depuis vingt ans, chaque fois que les déboires de son existence et la dépression avaient eu raison de sa bonne humeur, le contenu de cette boîte avait été sa bouée de sauvetage. Les lettres torrides envoyées par Palle lui remuaient les sens, stimulaient son imagination et lui rappelaient de grands moments d'érotisme et de transgression.

Et maintenant, même ce refuge avait été compromis. Que serait-il arrivé si le policier avait mis la main sur cette boîte ? La soupçonnerait-on ? Y découvriraient-ils certains mots ou la description de certains actes susceptibles de semer le doute sur l'authenticité de l'amour et de l'affection qu'elle avait eus pour son oncle ? Si cela devait arriver, elle aurait vraiment touché le fond.

Bien qu'elle n'ait rien à voir avec la mort de Palle, sa conversation avec la police avait fait remonter tous ces souvenirs, en particulier lorsqu'elle avait entendu parler des marques sur ses poignets. Cette information lui avait fait comprendre que Palle avait réellement eu l'intention de s'éloigner d'elle. Mais qu'avait-il pu se passer ? Palle ne voulait jamais qu'elle l'attache. Une fois, dans le feu de l'action, elle avait proposé de lui mettre des menottes, parce qu'il remuait trop pendant qu'elle le fouettait, mais même ce jour-là il avait refusé.

Depuis plusieurs nuits, Pauline pleurait toutes les larmes de son corps sur l'épouvantable situation dans laquelle elle se trouvait. Jamais elle n'obtiendrait de réponses aux nombreuses questions qu'elle se posait concernant la mort de Palle.

Le policier semblait convaincu qu'il ne s'était pas suicidé, il le lui avait dit à plusieurs reprises, et, bien qu'à l'époque elle ait eu le plus grand mal à croire que Palle ait pu se donner la mort, elle avait fini par se rendre à l'avis général et à accepter que quelqu'un comme Palle, avec toute cette noirceur qu'il avait en lui, était le type de personne qui faisait ce genre de choses.

Mais ces marques sur ses poignets, d'où venaient-elles ? C'était ça qu'elle n'arrivait pas à comprendre.

Cette réflexion la conduisait dans des coins sombres et des impasses où il valait mieux ne pas s'aventurer. En temps normal, ses activités et sa carrière lui auraient changé les idées, mais en ce moment où plus personne ne savait où il en était, elle devenait à moitié folle à force de ressasser tout cela. L'amour de sa vie avait-il été assassiné ? Et si oui, par qui ? S'il ne s'agissait ni d'un crime politique ni d'un cambriolage qui aurait mal tourné, alors le meurtrier ne pouvait être qu'une personne qui lui était proche. Et dans ce cas pourquoi ne serait-ce pas sa rivale, Sisle Park, qui l'aurait tué ?

Plus elle y pensait, plus elle se disait que Sisle aurait eu toutes les chances de la détrôner, en ce temps-là. Elle était plus belle, plus riche, plus intelligente et plus mondaine. Elle jouait dans une tout autre catégorie que Pauline, et en peu de temps, elle était devenue un danger pour elle. Mais l'était-elle également pour Palle ? Étaient-ils allés trop loin, tous les deux ?

Tout à coup, Pauline sourit.

Et si j'allais lui rabattre son caquet, à cette garce, se dit-elle.

Elle prit la boîte à chaussures sous son lit et la posa sur ses genoux. Quelque part dans ces reliques, il devait bien se trouver un mail tourné de telle façon qu'il puisse s'adresser aussi bien à Sisle Park qu'à elle. Un mail qui ferait allusion à une relation à la fois intime et violente. Que Sisle soit coupable ou non, Pauline ferait en sorte de la déstabiliser suffisamment pour obtenir d'elle qu'elle lui achète son silence.

Pauline éclata de rire. Quelle pensée revigorante !

Oui, Sisle Park allait devoir passer à la caisse, et s'il y avait quelqu'un qui en avait les moyens, c'était elle.

Deux heures plus tard, elles étaient assises face à face dans le bureau, entourées de meubles de designer et de toiles de maîtres griffés de signatures qui resteraient à jamais hors de portée de la bourse de Pauline.

Derrière son élégante table de travail en verre et acier, Sisle Park observait sa visiteuse avec une expression difficile à décrypter.

« Bien sûr que je sais qui vous êtes, Pauline Rasmussen. Votre vie n'est pas des plus discrètes, dit-elle avec l'air d'une végétarienne à qui un serveur étourdi vient de servir une andouillette.

– Vous n'avez pas l'air contente de me voir, nota Pauline en regardant autour d'elle toutes ces richesses sur lesquelles elle avait bien l'intention de prélever un pourcentage.

– Pourquoi le serais-je ? Je ne vous connais pas et nous n'avons rien en commun. De plus, je suis pressée, dit son interlocutrice tout en appuyant sur le bouton de l'intercom et en signant un document posé sur le sous-main devant elle. Alors s'il vous plaît, soyez brève. Que voulez-vous ? Vous m'avez dit que vous aviez une affaire à me proposer ?

– Disons que je suis en possession d'une chose que vous allez vouloir m'acheter. » Pauline recula légèrement sa chaise et releva la tête, une attitude de défi qu'elle avait souvent adoptée sur scène. Pourquoi ne fonctionnerait-elle pas dans la vraie vie ? « Vous dites que vous ne me connaissez pas, mais vous savez très bien que c'est faux. »

Sisle Park se tourna vers la porte par laquelle venait d'entrer une secrétaire et lui tendit le document qu'elle venait de signer. « Je voudrais que ça parte tout de suite, appelez un coursier. » Lorsqu'elle ramena son attention sur Pauline, elle avait le regard las. « Eh bien, rafraîchissez-moi la mémoire, si vous voulez bien. À quelle occasion suis-je supposée vous avoir rencontrée, et qu'avez-vous à me proposer ?

– Vous savez pertinemment que je suis la nièce de Palle Rasmussen, et que vous me l'avez volé. C'est comme ça que nous nous sommes connues.

– Palle Rasmussen ! Mais qu'est-ce que vous osez insinuer, ma pauvre ! Et je vous l'aurais volé !!? Jamais je n'ai eu quoi que ce soit à voir avec lui, hormis les services politiques qu'il pouvait me rendre. Dieu du ciel ! Regardez-moi ! Vous imaginez une femme comme moi avec cet homme gras et répugnant ? »

Pauline eut un mouvement de recul, décontenancée par le regard méprisant de la femme d'affaires. Puis elle se ressaisit, sortit son rouge à lèvres de son sac, et maquilla ses lèvres d'un ton de rouge presque aussi éclatant que celui que portait Sisle Park. « Je l'imagine tellement bien que je vous accuse d'avoir assassiné cet homme gras et répugnant que j'aimais. » Elle rangea son tube de rouge à lèvres afin d'éviter le regard de Sisle Park et de désamorcer sa contre-attaque.

« Vous êtes folle à lier, s'écria Sisle. Et maintenant, je vous suggère de ficher le camp d'ici et de retourner à vos futilités coutumières. »

Pauline sourit, narquoise, sans bouger. La salve suivante n'allait pas tarder.

« Si vous avez des informations inédites sur la mort de Palle, je propose que nous appelions tout de suite la police, afin que vous puissiez lui faire part de vos théories fumeuses », dit alors Sisle.

Pauline avait les yeux rivés sur les bottes noires de Sisle Park, un modèle à talons de chez Céline qui devait probablement coûter plus de mille couronnes.

« Vous êtes moins arrogante tout à coup ! Alors, j'appelle la police, oui ou non ? »

Pauline leva lentement les yeux et s'arrêta sur la main de Sisle posée sur le combiné blanc du téléphone.

« C'est une bonne idée, dit-elle. Si vous avez envie d'aller croupir en prison pendant quinze ans avec d'autres assassins dans votre genre. Sinon, vous pourriez aussi reposer gentiment la main sur la table et écouter ma proposition. Elle vous coûtera certes un demi-million de couronnes, mais elle vous permettra aussi de tirer un trait sur le passé. Qu'en pensez-vous ? »

La main manucurée resta lourdement appuyée sur le combiné pendant plusieurs secondes. Puis la femme d'affaires la souleva très lentement et appuya sur le bouton de l'intercom pour appeler sa secrétaire.

Je t'ai eue ! se réjouit intérieurement Pauline.

Pendant une longue heure, elle patienta au sous-sol du bâtiment. La secrétaire qui l'avait conduite dans cet endroit était aimable, et elle lui avait affirmé que Mme Park la rejoindrait aussitôt qu'elle en aurait terminé avec les affaires courantes. La jeune femme lui avait montré le buffet, sur lequel étaient présentés un assortiment de chocolats, du thé et du café maintenus au chaud dans des thermos, ainsi que l'inévitable bouteille d'eau.

« Servez-vous, n'hésitez pas. Et Mme Park m'a priée de vous dire qu'elle avait hâte de régler ce malentendu entre vous. »

À mesure que le temps passait, l'état d'esprit de Pauline changea. Au départ, elle était convaincue d'avoir réussi à pousser Sisle Park dans ses retranchements, mais à présent, elle ne pouvait s'empêcher de se dire que les prochaines personnes à passer cette porte risquaient d'être des policiers en uniforme. Sisle avait-elle enregistré leur conversation ? N'aurait-ce pas été une réaction naturelle de la part d'une femme comme elle, dans une situation comme celle-là ?

Un demi-million de couronnes pour effacer le passé. Oui, voilà ce que Pauline lui avait proposé. Et c'était ce qu'on appelait du chantage. Or le chantage était passible de prison.

Pauline s'en voulait, à présent. Comment avait-elle pu se montrer aussi naïve ? Elle serra les poings. Mais je saurai me défendre, Sisle, tu peux compter sur moi, se dit-elle en se servant une tasse de café.

Elle dirait à la police qu'elle avait seulement essayé de faire tomber Sisle Park dans un piège. Que c'était l'inspecteur Carl Mørck – ils devaient le connaître – qui l'avait informée du fait que l'affaire Palle Rasmussen n'était pas encore classée.

Au bout d'un quart d'heure supplémentaire, elle envisagea de s'en aller. D'une part pour faire comprendre à Sisle qu'on ne la faisait pas danser comme un chien dans un cirque, d'autre part parce qu'elle commençait à se sentir mal. Elle avait la bouche sèche, les yeux irrités et une fatigue dans tout le corps qui allait croissant.

Elle leva les yeux et la lumière venant du plafond lui parut trop blanche. Elle se demanda si, dans cet environnement

hautement technologique, ces spots ultrasophistiqués dissi-
mulaient des caméras de surveillance.

« Il y a quelqu'un ? » cria-t-elle. Ils allaient quand même
bien se manifester à un moment ou à un autre. On ne pouvait pas laisser attendre les gens comme ça, à ne rien faire.

Pauline se leva et se dirigea vers la porte d'un pas chan-
celant. Elle abaissa la poignée.

Puis la secoua plusieurs fois avant d'admettre qu'elle était
fermée à clé.

Elle alla se rasseoir et la fixa jusqu'à ce que sa vue se
brouille.

Quand il vint enfin quelqu'un, Pauline était allongée sur
le sol, et elle avait du mal à respirer.

33

1984

Lisbeth

« Vous vous dites prête à sortir d'ici, Lisbeth. Qu'est-ce qui vous fait penser cela ? »

Lisbeth s'efforça de mettre un peu de chaleur dans son sourire, comme si cela pouvait avoir le moindre effet sur un personnage dans son genre.

L'homme avait-il une seule fois levé les yeux sur elle, tout le temps où il avait été assis là, à gratter les pellicules dans l'un de ses sourcils, tandis que ses lunettes glissaient obstinément vers le bout de son nez ?

Et d'ailleurs qui était-il ? Un professeur ? Un médecin remplaçant ? Un énième stagiaire ? Elle n'en avait aucune idée.

Elle inspira profondément comme si elle cherchait à respirer à travers la fenêtre le parfum du printemps qui arrivait, de l'autre côté de ces murs, où l'attendait la liberté.

Depuis quatorze mois qu'elle passait d'un service à l'autre, une nuée de psychiatres avaient tenté d'explorer les tréfonds de son âme. Certains semblaient disposer d'un temps infini pour poser encore et toujours les mêmes questions, d'autres tremblaient de fatigue et de surmenage, et surtout d'envie de rentrer chez eux. Elle en avait vu des grands et des petits, elle en avait rencontré assez pour couvrir la liste des noms les plus courants au Danemark, mais en réalité, c'étaient tous les mêmes.

Elle lut le nom du nouveau sur l'insigne agrafé à la hauteur de son cœur. Celui-ci s'appelait Thorleif Petersen. Peut-être était-ce lui le grand patron ? Elle avait l'impression d'avoir déjà entendu ce nom, mais elle n'en était pas certaine.

Sur les chaises à côté de lui, autour de la table de conférence, elle ne reconnaissait que l'infirmière en chef. Pour autant qu'elle puisse en juger, les deux autres médecins pouvaient aussi bien être des passants ramassés dans la rue, ils ne portaient même pas de blouse blanche.

« Oui, je pense pouvoir sortir, parce que je vais bien maintenant. Le traitement a fonctionné, et je suis prête à reprendre ma vie et mes études à l'université. »

Le docteur Petersen plongea de nouveau le nez dans son dossier.

« Vous avez vécu un épisode particulièrement traumatisant. Et vous avez beaucoup de chance d'y avoir survécu. Mais la colère que vous exprimez parfois sans le moindre signe avant-coureur montre que vous n'avez pas encore pris assez de recul par rapport à cet évènement. Vous savez sans doute que même si nous décidons de mettre fin à cette hospitalisation, vous serez tenue de continuer votre traitement à l'extérieur ? Je ne peux pas vous dire pendant combien de temps vous aurez besoin de prendre ces médicaments, mais j'ai tendance à croire que vous en serez dépendante toute votre vie. »

Elle acquiesça. Si ce vieux schnock tout ridé croyait l'intimider ! Il était vraiment trop con pour faire ce métier.

« Ça fait quand même un bon moment !

– Un bon moment que quoi ? » Il repoussa ses lunettes et la regarda comme s'il était capable de lire à travers elle, l'imbécile.

« Que je ne me suis pas mise en colère. Je vous assure que je vais bien.

– Dans ce dossier, je lis que la foudre n'a pas été loin de vous tuer. Je lis aussi que votre cerveau et votre système nerveux central ont été sévèrement touchés. En revanche, je vois aussi que le service neurologique de Rigshospitalet à Copenhague estime que vous avez échappé à d'éventuelles séquelles. Ce qui m'inquiète, ce sont les conséquences somatiques et psychologiques du terrible choc que vous avez subi. »

Les deux autres praticiens opinèrent du chef. Pourtant Lisbeth était certaine que jamais personne n'avait abordé avec elle cet aspect des choses.

« Je lis ici que vous pensez que c'est la volonté de Dieu si vos camarades sont morts foudroyés et que vous avez été épargnée.

– Bien sûr que c'était la volonté de Dieu. De qui d'autre, sinon ? »

Le médecin fronça les sourcils.

« Vous ne croyez peut-être pas en Dieu ? »

Il se remit à feuilleter son dossier, ce qui était une réponse en soi.

« Mes confrères et consœurs dans ce service me disent que vous parlez souvent avec Dieu. Est-ce que vous entendez des voix, Lisbeth ?

– Non ! »

Il la regarda avec insistance. Vous en êtes sûre ? disaient ses yeux.

« Vous ne nous avez pas expliqué pourquoi vous estimiez que vos camarades d'études méritaient le châtiment de Dieu.

– Écoutez, docteur, j'ai accepté cet internement de mon plein gré, et parce que ma mère le souhaitait ardemment. Maintenant, elle est morte, et je vais bien, alors...

– Votre mère est décédée ? Ça n'a pas l'air de vous affecter beaucoup ! »

Elle posa les mains sur ses genoux et se pencha vers le médecin. « Ma mère était une menteuse, alors non, en effet. Les sentiments que nous avions l'une pour l'autre n'ont jamais été très profonds et ils se sont effacés avec le temps. »

Ici, l'un des autres médecins crut bon d'intervenir.

« Lisbeth, à un moment de votre hospitalisation vous parliez beaucoup de justice et de punition divines, ainsi que du tort que Satan avait fait à notre terre. Vous sembliez obsédée par cette idée. Où en êtes-vous sur ce point ? »

Heureusement, elle avait cessé d'avoir ouvertement ce genre de discours. De toute façon, qui aurait pu en saisir la profondeur dans cet endroit peuplé de mécréants ?

« Ça, c'est fini depuis longtemps. Je vais bien à présent.

– Et la colère sauvage que vous inspirait votre prochain, vous la ressentez toujours ? »

Elle s'autorisa un petit rire. « Bien sûr que non, plus du tout. »

Maintenant les trois psychiatres opinaient en même temps, avec l'air de trois vieux sages, et une note de scepticisme professionnel, malheureusement.

« Il y a un autre sujet que j'aimerais aborder avec vous, Lisbeth, dit le troisième médecin. Je suis obligé de vous rappeler la folie des grandeurs qui semblait être la vôtre quand vous parliez de l'avenir. Vous avez souvent dit en entretien que vous alliez devenir quelqu'un de très important. Que vous fonderiez une grande entreprise et gagneriez beaucoup d'argent. Nous avons tous le droit, bien sûr, d'avoir des rêves de grandeur et de l'ambition pour l'avenir, mais les vôtres étaient assez démesurés, si je peux me permettre. Vos projets sont-ils devenus plus raisonnables, désormais ? Parce que dans le cas contraire, la vie dehors risque de vous valoir de cruelles déceptions, et vous pourriez en souffrir à un point que vous avez sans doute du mal à appréhender. »

Au prix d'un immense effort, elle sourit à ces individus d'intelligence moyenne qui la contemplaient depuis leur petit monde médiocre et prétendument normal. Eux, en tout cas, n'atteindraient jamais d'autres sommets. Ils resteraient exactement là où ils étaient à présent, fiers et satisfaits de leur existence. Pères de famille, médecins spécialisés de neuf heures à seize heures, semaine après semaine, année après année. Aucune découverte particulière à leur actif dans leur domaine d'expertise. Aucune idée majeure susceptible de révolutionner le monde de la psychiatrie. Et quand, enfin, ils auraient atteint l'âge de la retraite, ils s'installeraient dans un ennui paisible en s'étonnant que leur vie n'ait été que ça.

« Non, je n'ai plus d'ambitions de ce genre, mentit-elle. Je voudrais simplement reprendre mes études de chimie. Vous avez vu mes notes et parlé à mes professeurs, vous savez que c'est ma vocation et que c'est là-dedans que je vais réussir. »

À son tour, l'infirmière prit la parole. « Moi, je suis seulement là pour donner un avis sur la Lisbeth que je côtoie tous les jours. Tu t'es bien comportée, je trouve, et je connais quelques patients, ici, qui seront peinés de ton départ. Mais la vérité, c'est qu'ils ne sont pas nombreux à avoir trouvé grâce à tes yeux, et je sais que tu sais que j'ai raison. Tu as même été très dure envers certains. Si nous devions revenir au tout début de ton séjour parmi nous, je me dois de rappeler que ta présence a souvent été à l'origine de situations extrêmement chaotiques. En particulier une fois. Tu sais à quoi je fais référence, n'est-ce pas ? »

Lisbeth acquiesça. Évidemment, il fallait que cette garce ramène cette histoire sur le tapis.

« Oui, je le sais, mais c'était il y a longtemps. Plus d'un an, il me semble. Et je suis désolée de ce qui s'est passé. Je n'aurais jamais pu deviner que cette femme allait réagir aussi violemment.

– Elle s'est suicidée, Lisbeth. Elle a mis fin à ses jours d'une manière effroyable qui a affecté tout le service pendant plusieurs mois. Certains patients avaient peur de toi, après cet épisode. C'est entre autres pour cette raison que nous avons dû te changer plusieurs fois de service.

– J'en ai conscience, Karen, c'était horrible, mais il faut passer de longs mois dans un endroit comme celui-ci pour savoir à quel point de simples mots peuvent perturber certains malades. Je l'ai compris maintenant, et je regrette sincèrement d'avoir été la cause de ce drame. »

Elle baissa les yeux, l'air contrit, mais intérieurement, elle se rappelait le sentiment de triomphe qui l'avait envahie lorsqu'elle avait réussi à convaincre cette pauvre folle de s'enfoncer plusieurs fois de suite une aiguille à tricoter dans la région du cœur.

J'aurai au moins débarrassé cette planète d'une créature répugnante. Un être qui n'avait rien fait de sa vie jusque-là et qui n'aurait rien fait par la suite. Impure dans son cœur, impure dans ses paroles, impure au regard de Dieu et de Ses commandements. Pas de quoi verser une larme.

« Je suis ravie de l'entendre, Lisbeth, et je te crois », dit l'infirmière.

Les médecins et elle échangèrent quelques regards, puis le premier psychiatre, qui continuait à se gratter le sourcil, reprit la parole.

« Comme vous le savez, nous n'avons pas le droit de vous garder ici de force, mais sachez qu'à mes yeux, vous n'êtes pas prête à quitter cet hôpital ni à vous confronter à la réalité du monde extérieur. » Il lui tendit une feuille de papier en disant : « Je vais vous demander de signer ce document dans lequel vous attestez que vous mettez fin à votre internement contre l'avis des médecins. Vous partirez avec un traitement d'un mois et une prescription de renouvellement. »

Lisbeth prit la feuille et murmura : « Deux comprimés matin et soir, je sais, merci. »

En se refermant derrière elle, la porte fit un bruit différent, lui sembla-t-il. Comme une aspiration qui vidait son corps de tous ces mois passés en internement, suivie d'un clic régénérant.

Sa valise était légère. Elle avait laissé la plupart des vêtements dans le placard de sa chambre. Elle ne voulait garder aucun souvenir de cet horrible endroit qui appartenait déjà au passé.

Elle était forte à présent, et prête à commencer la nouvelle phase de sa vie. La plus importante.

Au milieu de l'allée de l'hôpital, sous la couronne des feuilles bruissant dans le vent, elle plongea la main dans son sac et en sortit une petite pochette en plastique. Quatre fois trente comprimés bleus et blancs destinés à la calmer, à freiner ses pulsions, à éroder les pics de ses variations d'humeur, à atténuer ses pensées destructrices et ses souvenirs perturbants.

Avec un rire sardonique, elle ouvrit le sachet et, un par un, dispersa ces petits cailloux comme pour marquer son chemin et s'assurer que jamais elle ne le reprendrait en sens inverse, contrairement au personnage du conte.

« Jamais plus ! » lança-t-elle, assez fort pour attirer l'attention de deux patients voûtés qui étaient en train de prendre inutilement un peu d'exercice.

Jamais plus elle ne laisserait personne lui dire qui elle était et ce qu'elle devait faire de sa vie.

C'était à elle d'en décider. Même si cela devait la détruire.

34

Mercredi 16 décembre 2020

Carl

Pour être honnête, Carl était assez content. Ce nouveau confinement du Danemark allait lui permettre de travailler tranquille sur tous les fronts. Les différentes brigades de la police criminelle avaient pour consigne de garder leurs distances les unes avec les autres. Mona restait à la maison avec la petite et toute l'excitation autour des fêtes de Noël était retombée du jour au lendemain. Et surtout, tant que cette situation durerait, la visite du Renseignement au domicile d'Assad serait repoussée pour une durée indéterminée. Pour l'instant, personne n'avait envie d'envahir la sphère privée de son voisin, sauf cas de force majeure.

Carl ouvrit une fenêtre et s'alluma une petite clope. S'il y avait une chose à laquelle il croyait dur comme fer, c'était que la nicotine avait pour vertu de donner du fil à retordre à tous ces foutus variants du coronavirus.

Rose et Gordon travaillaient sur les affaires du tableau pour lesquelles on connaissait déjà la date du crime, et Assad épluchait les albums de Tytte Laugesen. Bref, tout roulait.

Carl, lui, se concentrait sur les deux cadavres récemment exhumés et les innombrables questions que soulevait leur découverte. Par exemple, qui se sert de seringues jetables de deux cents millilitres et de longues canules ? D'après ce qu'il pouvait voir sur Internet, il pouvait s'agir aussi bien d'un éleveur que de quelqu'un qui travaille dans le domaine médical : laboratoire, hôpital ou cabinet privé, toutes spécialités confondues. Avec autant d'utilisateurs différents, il serait difficile, voire impossible d'obtenir une quelconque piste auprès du fournisseur. Les numéros de série ou codes-barres ayant jadis figuré sur les seringues étant depuis longtemps effacés, ils n'allaient pas non plus pouvoir remonter jusqu'au fabricant.

Carl ne doutait pas que les nouveaux cadavres aient bien leur place dans le tableau, à cause du sel qui revenait dans chacun des crimes. Ceux-là différaient des autres dans la mesure où on n'en connaissait pas la date exacte, les deux hommes ayant apparemment été enlevés et peut-être tués et enterrés ensuite.

Dans le cas de Birger Brandstrup, une caméra de surveillance montrait qu'il avait été récupéré devant son lieu de travail par une Skoda Superb blanche. On ne l'avait pas revu. Les premiers temps, nombreux furent ceux qui pensaient qu'il s'agissait d'une disparition volontaire, ça s'était déjà vu. Il avait pu mettre de côté une somme confortable, et être parti se la couler douce en Thaïlande ou dans quelque autre destination exotique.

On savait maintenant que ce n'était pas ce qui s'était passé.

Dans le cas de Franco Svendsen, on avait cru à un accident. Le 4 novembre 2016, après une journée de travail aussi chargée que d'habitude, il était descendu à la plage, comme il le faisait régulièrement, pour prendre un bain rafraîchissant dans la mer glacée. Voyant qu'il ne revenait pas pour dîner, sa famille s'était inquiétée, et elle avait découvert ses vêtements, soigneusement pliés, au bord de l'eau. Il se serait baigné nu, ce qu'il ne faisait jamais. Ce détail n'avait pas manqué de surprendre ses proches, qui le savaient pudique. Malgré cela, sa famille n'excluait pas l'hypothèse d'une noyade accidentelle. Il allait régulièrement chez son médecin, qui le décrivait comme un homme en parfaite santé, fort comme un bœuf. Sans chercher à connaître les détails de ce qui s'était passé, l'enquête avait suivi la piste d'un suicide ou d'une mort par noyade en raison d'une crampe due à l'eau particulièrement froide. Les investigations s'étaient arrêtées là. Franco Svendsen n'ayant pas de raison particulière de s'être suicidé, la police avait conclu à un stupide accident. La mer l'avait tout simplement avalé, en ce jour de fort courant de terre. Tout le monde avait accepté plus ou moins cette explication, jusqu'au jour où on l'avait sorti d'un trou à Skævinge.

Deux trous, deux cadavres. Quels crimes avaient-ils commis pour le payer de leur vie ? Et quel rapport ces personnages anonymes avaient-ils avec ceux qui figuraient sur le tableau dans le bureau du département V ?

Leur meurtrier avait-il changé de stratégie ? Était-il devenu prudent ? Il avait déposé du sel à proximité de ses victimes comme une sorte de carte de visite, ce qui révélait une forme d'orgueil. Les gestes symboliques étaient souvent l'unique piste dans les affaires impliquant des tueurs en série. On en avait des tas d'exemples à l'étranger. Dans cette affaire en particulier, il y avait plusieurs gestes de ce genre, comme le fait de tuer à des intervalles réguliers de deux années, à des dates ordonnées au fil du calendrier civil, et puis il y avait la présence récurrente du sel. Bref, ils ne manquaient pas d'indices susceptibles de les conduire au coupable, et malgré cela, ils n'avaient rien.

Gordon déboula brusquement dans le bureau de Carl avec de grandes auréoles de sueur sous les aisselles. Son teint couleur banquise était rehaussé par des rosaces d'excitation, et Rose et Assad marchaient sur ses talons, en surchauffe également.

Gordon ne prit même pas la peine de s'asseoir avant de lâcher sa première salve.

« Le garagiste Wilder a été tué le jour de l'anniversaire de Nicolae Ceauşescu, Oleg Dudek, comme Marwa, la femme d'Assad, nous l'a déjà dit, est mort le jour de l'anniversaire de Saddam Hussein, Pia Laugesen s'est noyée le jour de celui de Slobodan Milošević et nous pouvons désormais ajouter à cette liste le marchand d'armes Carl-Henrik Skov-Jespersen, qui a été assassiné le jour de l'anniversaire d'Idi Amin Dada. »

Cette fois, Carl dut s'incliner. « OK, là, il n'y a plus de hasard possible !

– Ha ! Cinq des plus illustres criminels de l'Histoire rassemblés sur un seul tableau. Nous sommes en face d'une évidence, Carl, il n'y a même plus à en discuter. »

Assad avait un sourire jusqu'aux oreilles. « Maintenant, on ne va pas seulement chercher des affaires survenues les années paires, mais aussi celles survenues aux dates anniversaires des pires monstres de l'Histoire.

– Et si cela ne nous mène à rien, au moins, on se sera distraits en révisant un peu d'histoire », ajouta Rose. S'il existait une école spécialisée dans le sarcasme et le persiflage, Rose serait sortie major de sa promotion.

35

Mercredi 16 décembre 2020

Pauline

Elle sentit du mouvement autour d'elle. Des bruits de pas et la porte qu'on ouvrait et qu'on refermait. Puis ce furent des voix insistantes et des mains sur ses épaules qui la secouaient doucement. Après deux longues respirations, elle ouvrit lentement les yeux. Au-dessus d'elle, deux visages féminins, et derrière les deux femmes, Sisle Park qui la regardait avec une expression que Pauline eut du mal à interpréter.

« Je ne me sens pas bien du tout, dit-elle. Je crois que je vais... » Un spasme s'amorça au creux de son ventre et elle vomit.

Les plus proches s'écartèrent brusquement avec un regard sur leurs vêtements de coupe stricte.

« Pardon, dit Pauline, avant de projeter vers elles une nouvelle gerbe malodorante.

– Tenez, buvez un peu d'eau », lui proposa Sisle Park en s'approchant. Avait-elle eu ce verre à la main tout le temps ?

Elle but goulûment, et cela lui fit un bien fou. Ses paupières hydratées redevinrent fonctionnelles, son estomac s'apaisa, et elle reprit conscience de l'endroit où elle se trouvait.

« Pourquoi suis-je ici ? Pourquoi la porte était-elle fermée ? » demanda-t-elle.

Sisle Park inclina la tête sur le côté. Impossible de savoir ce qu'elle pensait.

« Qu'y avait-il dans ce café, Sisle ? » reprit Pauline en guettant une expression de surprise dans le regard des deux autres femmes. Lui viendraient-elles en aide ?

Mais les trois femmes se contentaient de sourire. Elle ne s'attendait pas à ça.

L'attitude de Sisle Park était maintenant aussi amicale que celle de ses assistantes.

« Je suis terriblement désolée, Pauline. La porte de cette pièce a un système de verrouillage automatique, et aucune d'entre nous n'y a réfléchi en vous installant ici pour patienter. C'est un incident regrettable. En ce qui concerne le café, c'est supposé être le meilleur arabica d'Éthiopie qu'on peut trouver au Danemark. » Elle se rendit au buffet pour s'en servir une tasse. « Bien chaud, doux et épicé comme il doit être. Mais peut-être avez-vous attrapé une petite grippe intestinale, Pauline ? Il y a tellement de virus qui traînent, en ce moment. »

Elle but quelques gorgées puis remercia les deux femmes et les renvoya à leurs autres tâches. « Je vais m'occuper de mon invitée », leur dit-elle.

Quand elles quittèrent la pièce, Pauline sentit la sueur sur son front. Elle essaya de se lever, mais Sisle posa une main sur son épaule en lui disant qu'elle avait besoin de se reposer.

Pauline dégagea son épaule d'un geste vif. « Je sais que vous avez changé le contenu de la cafetière pendant que j'étais inconsciente, vous me croyez stupide, ou quoi ? »

Sisle n'eut aucune réaction, mais c'est d'une voix plus dure qu'elle répondit : « Je vais vous dire une bonne chose, Pauline, et je ne me répéterai pas. J'en ai assez de vos insinuations et de vos accusations. » Elle approcha une chaise et s'assit face à elle. « Et maintenant, vous allez me montrer ce que vous avez dans votre joli sac, et m'expliquer comment vous comptiez l'utiliser contre moi. »

Pauline avait déjà remarqué dans son existence la façon dont, en un seul regard, un seul geste, un seul mot, les rapports entre deux personnes pouvaient s'inverser. L'amour pouvait se muer en haine, la tendresse en indifférence et la joie en peine.

À cet instant, son agressivité se changea en peur. Sisle avait sans conteste l'avantage. Elle était plus grande que Pauline, elles étaient dans une pièce isolée et insonorisée, et la seule issue de Pauline était de se rétracter et de prétendre qu'il s'agissait d'un bluff. Sinon, les choses risquaient de très mal tourner pour elle.

« Pardon, Sisle. Vous avez raison, j'étais venue vous voir dans l'intention de vous faire chanter, mais je n'ai rien contre vous, je vous assure. C'est juste que je suis dans une merde noire et complètement désespérée.

– Je vois. Mais tout de même, vous m'avez accusée de meurtre, c'est grave.

– Je suis vraiment navrée. J'ai dit ça comme ça.

– Qu'est-ce qu'il y a dans ce sac ? Je veux savoir avec quoi vous pensiez pouvoir faire pression sur moi.

– Rien. Juste ça », dit-elle en lui remettant la copie du mail.

Sisle lut attentivement le document. Puis elle leva la tête. « Ce mail n'a rien à voir avec moi, dit-elle. C'est à vous qu'il s'adresse, n'est-ce pas ? »

Pauline haussa les épaules. « Je ne m'en souviens pas. Mais je suppose que oui.

– Vous ne croyez pas que vous feriez mieux de laisser ça ici, pour ne pas être tentée de vous en servir à nouveau à l'avenir ? »

Pauline la regarda plier la feuille en quatre et la glisser dans la poche de sa veste de tailleur. C'était une réaction étrange et un peu inquiétante, mais elle n'avait pas d'autre choix que de la laisser faire.

« La conjoncture est épouvantable, et nous en souffrons tous, poursuivit Sisle Park sur le ton de la conversation. Pour la troisième fois, je vais devoir renvoyer tous mes collaborateurs chez eux. Mais je ne m'inquiète pas, ma société n'en souffrira pas outre mesure. Nous avons la chance de ne rien produire. Nous sommes une sorte de grossiste en connaissances, et nos clients ne peuvent pas se passer de nous. Vous avez un problème bien plus grave, j'en conviens volontiers. Et même si ce que vous avez fait était inadmissible, d'une certaine manière, je vous comprends. »

Et vous allez faire quoi pour m'aider ? hurla Pauline en son for intérieur.

« Vous n'allez pas rentrer toute seule chez vous, dans l'état où vous êtes ? »

Pauline se leva et mit la bandoulière de son sac sur son épaule. « Si, si, ne vous inquiétez pas, je vais bien maintenant. »

Deux rides se creusèrent sur le front parfaitement lisse de Sisle. « C'est tout à fait hors de question, je vous raccompagne, bien sûr ! »

Je ne veux pas être enfermée dans une voiture avec elle, se dit Pauline, et elle refusa poliment de nouveau, mais Sisle ne voulut rien entendre, elle la prit par le coude et l'entraîna fermement.

Elles marchèrent longtemps ainsi, à travers des couloirs en sous-sol et des cages d'escalier, avant d'arriver sur le parking détrempé et faiblement éclairé.

Elle ne me fera pas entrer dans cette voiture, pensa Pauline en regardant partout alentour.

L'immeuble abritant l'entreprise de Sisle Park se dressait dans un espace ouvert, donnant d'un côté sur un parc et de l'autre sur un quartier résidentiel avec de grandes maisons aux fenêtres éclairées.

« Allez, Pauline, montez », l'invita Sisle depuis l'autre côté de la Mercedes rutilante.

Pauline tira sur la poignée et commença lentement à ouvrir la portière vers elle, mais à la seconde où la portière côté conducteur claqua, elle jeta son sac et s'enfuit.

Sisle lui cria de revenir, mais Pauline continua à courir. Si elle montait à bord de cette voiture, elle serait à sa merci.

Elle entendit le véhicule hybride démarrer dans son dos et accélérer à travers le parking. Les pneus faisaient gicler les flaques.

Pauline courut vers la première allée résidentielle, qui déroulait une suite presque ininterrompue de portails automatisés en fer forgé. Dans ce paysage de richesse et d'individualisme, personne n'accueillerait l'inconnue qu'elle était sans invitation préalable.

Cinquante mètres plus loin, un chemin piétonnier passait entre deux luxueuses maisons et Pauline se dit que si elle arrivait jusque-là, elle aurait une chance d'échapper à Sisle. Mais soudain, la Mercedes stoppa dans un crissement de pneus, Pauline entendit la portière s'ouvrir, et le bruit reconnaissable d'une paire d'escarpins à talons crissant sur l'asphalte résonna derrière elle. Sisle Park lui cria que tout cela était absurde, qu'elle n'avait rien à craindre, qu'elle voulait seulement l'aider. Mais Pauline n'avait aucune confiance en elle et elle continua de courir. Au bout d'un moment, le claquement des talons cessa et elle se retourna. Sa poursuivante courait à présent en collants, ses chaussures à la main, malgré la pluie battante.

Après tout, qu'est-ce qu'elle peut me faire ici, dans une rue éclairée ? se dit Pauline en entendant qu'elle se rapprochait. Est-ce que je ne ferais pas mieux de m'arrêter et de me mettre à hurler de toutes mes forces ? Mais ce quartier était si peu accueillant avec ses maisons barricadées derrière de hautes grilles... Qui l'entendrait à travers les doubles vitrages de ces maisons parfaitement isolées ? Qui se donnerait la peine de se lever de son canapé moelleux et confortable ? Qui abandonnerait la quiétude de sa vie d'opulence pour venir en aide à une inconnue ?

Sisle était maintenant si proche que Pauline entendait le bruit de ses pieds clapotant dans les flaques. Elle se retourna un instant et vit qu'elle était passée sur le trottoir de gauche. Cinquante mètres seulement les séparaient, et si elle ne quittait pas cette route rapidement pour aller se perdre dans le lacis des allées entre les maisons du côté opposé, Sisle l'aurait rattrapée avant le carrefour suivant.

Elle s'engagea dans un sentier sombre, pavé de dalles de ciment et bordé de hautes haies de chaque côté. Derrière elle, Sisle commençait à haleter. Le sentier débouchait sur une petite place, également entourée de grands portails en fer forgé. Dans quelle direction aller, à présent ? Fallait-il continuer à courir dans le dédale des ruelles sur sa droite ou retourner sur la route ?

« Attendez-moi, Pauline ! Je ne vais pas vous faire de mal ! » lui cria Sisle, un peu essoufflée. Puis tout à coup, le bruit de ses pieds courant sur les dalles mouillées se tut.

Pauline se retourna vers Sisle Park, debout à vingt ou trente mètres derrière elle sous la pluie battante, les bras ballants, mouillée de la tête aux pieds. Elle semblait avoir besoin de reprendre son souffle. Mais athlétique et entraînée comme elle l'était, n'était-ce pas une comédie qu'elle lui jouait et à laquelle Pauline était en train de se laisser prendre ? Dans une seconde, elle allait certainement se remettre à courir, et l'attraper.

« Allons, ne faites pas l'enfant, retournons à ma voiture, et je vous ramène. Elle est garée à deux rues d'ici, il suffit de reprendre cette allée sur la droite. Soyez raisonnable, Pauline. »

Raisonnable ? Pauline aurait aimé avoir le temps de réfléchir. Il était impossible que la Mercedes soit aussi près qu'elle le prétendait, qu'est-ce qu'elle essayait de faire ? Cherchait-elle à l'entraîner dans un coin sombre où tout pouvait arriver ? Avait-elle appelé de l'aide ? Peut-être quelqu'un attendait-il qu'elles débouchent à un endroit où Sisle avait réussi à la mener à son insu ? Pauline ne savait plus quoi penser. Elle s'était contentée de courir, et elle n'avait pas l'intention de s'arrêter.

En partant subitement dans la direction opposée, elle eut vite la confirmation que l'autre femme avait encore des réserves. En un rien de temps, elle était arrivée pratiquement à sa hauteur. Affolée, Pauline chercha une maison dans laquelle elle pourrait se réfugier.

« Où allez-vous, Pauline ? Ma voiture est de l'autre côté ! »

Pauline venait d'apercevoir au bout de la rue une maison qui n'était pas barricadée derrière ces fichues grilles en guise de rempart contre on ne sait quel danger. Elle était légèrement surélevée par rapport aux autres villas du quartier et avec ses fenêtres illuminées et son bel escalier en marbre, elle lui fit l'effet d'une oasis salvatrice.

Sans hésiter, Pauline gravit les marches jusqu'à la porte d'entrée et elle se mit à hurler, comme si, à l'instar des murs de Jéricho, elle pouvait la faire tomber au son des trompettes.

Miraculeusement, cela fonctionna, car au moment où Sisle la rattrapait, la porte s'ouvrit, et un homme très grand, à l'air gentil, avec un visage étrangement tordu, calma le jeu en un clin d'œil.

Il les regarda d'abord, un peu surpris, puis il s'adressa à Sisle qui avait saisi Pauline par l'épaule de sa veste.

« Sisle ! s'exclama-t-il. Pourquoi êtes-vous si essoufflées toutes les deux ? Vous avez fait la course ? »

Le sang de Pauline se glaça dans ses veines. Ils se connaissaient ?

« Est-ce que je peux entrer ? » demanda-t-elle à l'homme, tandis que derrière lui, une femme descendait l'escalier conduisant au premier étage.

L'homme s'effaça, et d'un geste leur fit comprendre qu'elles étaient les bienvenues.

« Excuse-nous, Adam, d'arriver ainsi à l'improviste, dit Sisle. Pauline a eu une crise de panique. Elle croit, pour une raison que j'ignore, que je lui veux du mal.

– Étrange », dit-il. Il se tourna vers la femme qui venait de les rejoindre. « Sisle est la femme la plus gentille que nous connaissions, ce n'est pas ce que je dis toujours, Debora ? »

Quand, après avoir échangé quelques mots avec celle qui était peut-être son épouse, l'homme que Sisle avait appelé Adam proposa de la raccompagner, Pauline se sentit rassurée. « Viens avec nous, Sisle, si tu veux. Je te raccompagnerai à ta voiture ensuite.

– Bonne idée, répondit-elle. Je voudrais m'assurer que Pauline arrive à bon port. »

Elle s'installa sur la banquette arrière et posa une main sur l'épaule de Pauline, assise à l'avant. « Ça a été une rude journée pour vous », dit-elle.

Tout n'est peut-être pas encore perdu, songea Pauline. Si cette femme était tout à fait mauvaise, Palle n'aurait pas...

Ils approchaient de chez elle et Pauline se jeta à l'eau.

« Je me doute qu'après ce qui s'est passé aujourd'hui, vous ne devez pas avoir envie de m'aider, dit-elle, mais je suis quand même obligée de vous demander si vous pourriez me dépanner en me prêtant un peu d'argent. Juste le temps que les choses s'arrangent pour moi. »

Dans le rétroviseur, Pauline vit que Sisle réfléchissait. Quand ils furent arrivés dans son salon, Sisle annonça sa décision.

« Nous allons tout de même rédiger une reconnaissance de dette, si vous voulez bien. C'est dans l'ordre des choses, n'est-ce pas ? De combien avez-vous besoin ? Cent mille couronnes ? »

Pauline hoqueta. Son pouls s'affola et elle fut prise d'un vertige. C'était comme si l'oxygène n'arrivait plus jusqu'à son cerveau.

« Vous avez un nouveau malaise, Pauline ? Il faut vraiment vous reposer. Je vais vous faire ce papier tout de suite, si cela vous rassure. Mais après, il faudra me promettre de vous mettre au lit.

– Vous n'auriez pas quelque chose ici pour vous aider à vous calmer ? » lui demanda gentiment Adam.

Pauline se tourna vers Sisle qui s'était assise à son bureau pour écrire.

« Si, j'ai un flacon de somnifère dans le placard de la salle de bains, mais je vais plutôt prendre un calmant, je suis très stressée. »

L'homme lui sourit et s'éloigna. Une minute plus tard, il était de retour avec un verre et deux comprimés. « Ce sont des 2 mg, mais dans l'état où vous êtes, je ne suis pas sûr qu'un seul suffise. Tenez ! »

Pauline bascula la tête en arrière et avala les deux anxio-lytiques. Ses terreurs de tout à l'heure lui semblèrent tout à coup bien futiles. Il y avait encore un peu de bonté dans ce monde.

« Buvez encore un peu d'eau, Pauline », lui conseilla-t-il, tandis que Sisle revenait près d'eux, la reconnaissance de dette à la main.

Pauline vida le verre d'une traite et fit une grimace. L'eau avait un goût amer.

36

Jeudi 17 décembre 2020

Carl

À l'hôtel de police, la journée fut décousue.

L'affaire Ragnhild était revenue partiellement entre les mains de Manfred, l'assistant de Bente Hansen, qui était rentré de quarantaine, et l'équipe put à nouveau s'occuper de ses propres affaires. Assad se replongea dans les coupures de presse réunies dans les albums de Tytte Laugesen, et pendant que Gordon et Rose suivaient leur plan de bataille avec les dates, Carl se concentra sur les deux cadavres exhumés à Skævinge. Tandis que le reste du pays s'efforçait d'accepter la perspective d'un Noël pas comme les autres, le département V avait amplement de quoi se changer les idées.

Mona était à la maison avec Lucia et elle essayait de convaincre sa fille Mathilde de venir passer Noël avec eux, ce qui semblait une cause perdue. Quant à Hardy, Morten et Mika, ils étaient coincés dans cette clinique en Suisse, avec un budget qui n'était pas loin d'être épuisé. Certes, Hardy avait fait d'énormes progrès, mais à quoi bon, s'ils n'avaient pas les moyens de mener le traitement à son terme ? Les nouvelles de là-bas étaient assez déprimantes. Bref, c'était une mauvaise période pour tout le monde.

Avec l'énergie qui lui restait, Carl s'immergea dans les rapports d'autopsie, les comparant avec les photographies et les dossiers datant de l'époque de la disparition des deux hommes.

Le premier, Franco Svendsen, n'avait jamais été un enfant de chœur, et son apparence physique en témoignait. Gras, avec un cou de taureau et un sourire satisfait scotché sur la figure, il ne montrait aucun remords quant au malheur qu'il avait contribué à apporter sur cette planète. À sa mort, son entreprise travaillait sur une douzaine de navires d'une conformité douteuse dans un chantier de destruction au Bangladesh, et ce, malgré une mortalité élevée de ses ouvriers due à un travail pénible consistant, entre autres, à éliminer l'amiante et divers déchets chimiques contenus dans les cales. Mais Franco Svendsen se fichait des malédictions et des accusations dont il faisait l'objet, et il engrangeait des fortunes. S'il y avait un produit polluant dont on ne pouvait se débarrasser ni dans les anciens pays de l'Est ni ailleurs en Europe, on pouvait compter sur lui pour trouver des solutions dans le reste du monde. L'endroit où atterrissaient ces déchets était rarement consigné dans un document, mais des mines désaffectées d'Afrique centrale en avaient sans doute récupéré une bonne partie. Jusqu'à la disparition de Franco Svendsen, l'entreprise était florissante, malgré les nombreux délits écologiques pour lesquels il avait été condamné dans les années quatre-vingt.

Franco Svendsen adorait voir sa photo dans les magazines, posant devant ses propriétés viticoles, en France ou en Argentine, exhibant une fortune gagnée sur le malheur et la misère du monde.

Voilà un salopard qui ne manquera à personne, pensa Carl en espérant que nul ne pouvait lire dans ses pensées. Dans une société civilisée, même les ordures ont le droit de vivre, sinon parce qu'ils le méritent, au moins pour sauvegarder cette humanité dont eux-mêmes se foutent avec un cynisme total.

Il regarda ce qui restait du bonhomme étalé sur la table d'autopsie. Dans l'avis de recherche qui avait été lancé au moment de sa disparition, il était décrit comme un homme gros, ce que ses anciennes photos confirmaient par ailleurs, mais devant les photographies de son cadavre, on était en droit de se poser la question. Même si le type était resté sous terre pendant plusieurs années, le sel aurait dû maintenir son corps dans un état de conservation permettant de se faire une idée de sa corpulence au moment où il avait été enterré. Mais était-ce le cas ?

Carl appela l'institut médico-légal.

« Je ne vois pas dans votre rapport à combien vous évaluiez le poids de Franco Svendsen au moment où on l'a enterré. C'est un oubli ? »

Le médecin légiste éclata de rire, ce qui n'arrivait pas souvent. « Comment veux-tu qu'on le sache, Carl ? On n'est pas là pour jouer aux devinettes.

– Non, je sais, mais tu n'as pas une idée ? Sur ta table, il n'a plus que la peau sur les os. Est-il possible qu'il ait été très maigre au moment où on l'a tué ?

– C'est tout à fait possible. Comme on ne connaît pas exactement la date de sa mort, on peut très bien imaginer qu'il ait perdu du poids en attendant d'être assassiné.

– Merci, c'est ce que je pensais », dit Carl en raccrochant, sans oublier au préalable de complimenter le légiste pour l'ensemble de son rapport. La flatterie était un excellent moyen de soigner son réseau.

Carl posa les deux photographies l'une à côté de l'autre. Le cadavre décharné et l'homme ventripotent. Il y avait de quoi donner des sueurs froides.

Nom de Dieu de merde, songea-t-il. Ses bourreaux l'ont littéralement affamé avant de lui faire cette injection létale.

Accoudé à la fenêtre pour laisser la fumée s'échapper dehors, Carl grilla une cigarette. Au loin, la ville semblait morte, grise et figée sous la glace du coronavirus. Les usines rénovées qui se dressaient tout autour des nouveaux locaux de la brigade criminelle ressemblaient aux immeubles abandonnés d'une ville en guerre. La profusion de parkings dans le quartier était encore plus visible lorsque ceux-ci étaient déserts, et seuls quelques rares dealers venaient encore se perdre dans la zone portuaire de Sydhavnen.

Carl retourna s'asseoir à son bureau et ouvrit le second dossier. À en croire les très nombreuses photos qu'il contenait, le défunt Birger Brandstrup était d'un genre très différent de Franco Svendsen. Un beau mec, auraient dit certains et, bien qu'il ait été marié à la même femme pendant des années, il ne s'était pas privé des conquêtes faciles que lui valait ce physique avantageux et semblait consacrer une grande partie de son temps à profiter clandestinement de ses brèves mais nombreuses aventures. Il avait longtemps été le chouchou des revues people, et ne manquait jamais une réception branchée. Les voitures de luxe étaient sa signature, et il avait tellement le vent en poupe que c'était tout juste s'il arrivait à garder les pieds sur terre.

Le cadavre de Birger Brandstrup était nettement plus proche des photos prises de son vivant, mais son corps semblait quand même avoir été soumis à un régime si draconien qu'aucun diététicien n'oserait le recommander.

Birger Brandstrup avait amassé un pactole sur les paris et les jeux en ligne. Carl, pour sa part, ne jouait jamais d'argent sur Internet et même les paris sportifs qui faisaient fureur dans sa jeunesse ne l'avaient jamais tenté. Quand il passait devant une boutique de jeux garantissant aux passants un rapport de 85 %, il haussait les épaules, incrédule. À ses yeux, seuls des gens incroyablement stupides étaient susceptibles de se laisser prendre à ce genre de piège. Comment pouvait-il échapper à ces imbéciles que la seule chose qui était garantie dans cette pratique était la perte sèche de 15 % ? Mais l'argument aurait été moins accrocheur, évidemment.

Pour attirer les benêts assoiffés de jeu et, surtout, voler leurs économies, Brandstrup n'avait pas son pareil.

Carl savait que certains politiques en avaient fait leur cheval de bataille et s'employaient à faire disparaître du paysage médiatique diverses publicités abêtissantes sur les jeux et les paris sous toutes leurs formes. La ludomanie, le manque de sommeil et le temps perdu étaient devenus un véritable problème de société générant beaucoup de souffrance. Les jeux ne bénéficiaient à personne, hormis à Brandstrup lui-même.

Carl soupira. Encore un bel exemple d'individu dont la société pouvait aisément se passer.

Quelqu'un frappa timidement au chambranle de la porte et un visage souriant apparut sur le seuil.

« Qu'est-ce qui te rend aussi joyeuse, Rose, ils ont rouvert la cantine ou quoi ? lança Carl.

– Mais non, t'es bête ! Je venais t'annoncer que Gordon et moi avons trouvé les deux criminels qui sont nés en août et en décembre.

– OK !

– Nous avons commencé par le 20 août, jour où Pia Laugesen a été retrouvée noyée dans sa piscine et où Slobodan Milošević a vu le jour. »

Carl reposa sur son bureau le rapport Brandstrup. « Oui, ça, on le savait déjà. »

Elle sourit, amusée. « Mais nous avons aussi découvert que Franco, le dictateur espagnol, était né le 4 décembre, et nous nous sommes dit que Frank Svendsen, mieux connu sous le petit nom de Franco, devait avoir été tué le 4 décembre 2016, c'est-à-dire près d'un mois après avoir été enlevé. Qu'en penses-tu ? »

Carl tendit la main vers son paquet de cigarettes, mais Rose l'en dissuada d'un regard.

« Je n'ai pas fini. Nous avons aussi découvert que le plus grand criminel de tous les temps, le dictateur soviétique Joseph Staline, était né le 18 décembre. Alors de là à en conclure que Birger Brandstrup est peut-être mort à cette même date, en 2018, près de trois semaines après sa disparition, il n'y a qu'un pas. »

Carl reprit le dossier de Brandstrup. Si cette hypothèse tenait la route, il était resté en captivité moins longtemps que Svendsen avant d'être exécuté. Ce qui expliquait pourquoi le cadavre de Svendsen avait l'air plus décharné.

« Va chercher Gordon et Assad, s'il te plaît, Rose », lui dit-il.

Il réfléchit. Ce qu'ils venaient de découvrir représentait une importante percée dans l'enquête, et quelque chose commençait à se dessiner. Mais où cela les mènerait-il ?

Trois collaborateurs tout sourire entrèrent dans son bureau. Les cheveux d'Assad vibraient littéralement de contentement au sommet de son crâne.

« Tout d'abord, mes amis, je veux vous dire que vous avez accompli un travail de tout premier ordre, et merci n'est pas un mot assez fort pour vous exprimer ma gratitude et mon admiration. Je trouve que nous commençons à avoir un vrai schéma, et même un profil de notre meurtrier. Je suppose que vous êtes d'accord avec moi ?

– En tout cas, on va pouvoir remplir toutes les cases du tableau. On n'a plus qu'à chercher les dates de naissance des pires tyrans de l'Histoire, et on va tomber sur toutes sortes de morts suspectes. Bref, il ne nous manque que les victimes. C'est le monde à l'envers », déclara Gordon, hilare.

Carl sourit. « Dommage pour ce Frank "Franco" Svendsen d'avoir fini son existence le jour de l'anniversaire de son homonyme. Ça peut être un hasard, vous croyez ?

– Peut-être, avança Assad, mais moi, je crois qu'au contraire, il a été sélectionné parmi d'autres victimes potentielles à cause de ce pseudo-nom. »

Gordon lui donna une tape sur l'épaule en éclatant de rire. « Ha ha, tu as encore inventé un mot, Assad. On dit un "pseudonyme" ou un "surnom", pas un "pseudo-nom". »

Assad lui jeta un regard vexé. Voilà que Gordon, lui aussi, se mettait à le corriger !?

« Je ne vois pas le rapport. Un pseudo-nom, c'est quand ce n'est pas le vrai, non ?

– Ça suffit ! les interrompit Carl. Essayons plutôt de comprendre le message que le meurtrier cherche à faire passer.

– Il attire l'attention sur les travers de l'être humain, suggéra Gordon.

– Les victimes n'étaient pas des anges, acquiesça Rose. En tout cas, une chose est sûre, je ne les aurais pas invitées chez moi. »

Carl se demanda s'il arrivait à Rose d'inviter qui que ce soit chez elle. Mais elle avait raison. « Si vous continuez le travail que vous avez commencé en cherchant les dates de naissance d'individus tristement célèbres, il n'est pas impossible que nous trouvions des victimes pour remplir les neuf cases restantes, pour la période qui s'étend de 1988 à 2018.

– Je crois que je vais commencer par l'anniversaire d'Adolf Hitler. C'est une bonne idée, non ? » dit Rose.

Assad et Gordon acquiescèrent.

Carl ne se sentait pas très bien. Il avait le front moite et de la sueur sous les aisselles. Ces temps-ci, ce n'était pas bon signe, mais en réalité, il venait juste d'avoir un très mauvais pressentiment.

« Il y a une chose qui me tracasse, dit-il. Et si cet enfer n'était pas terminé ? Notre dernière victime est morte le 18 décembre 2018, n'est-ce pas ? Nous sommes en 2020... Si quelqu'un doit mourir cette année, il faudrait que ce soit à une date postérieure au 18 décembre, c'est-à-dire bientôt. Est-ce que vous pouvez me dire quel grand criminel est né dans les treize derniers jours de décembre ? »

Ils le regardèrent tous les trois l'air éberlué. Carl leur avait transmis son inquiétude, et simultanément, tous se saisirent de leurs téléphones et se mirent à taper avec fébrilité. Il y avait urgence.

Moins d'une minute plus tard, ils avaient tous arrêté de taper.

Ce fut Rose qui répondit à la question de Carl. « Mao Zedong, président de la République populaire de Chine, coupable de crimes innombrables envers son peuple, un homme qui a des millions de vies sur la conscience, dit-elle froidement. Son anniversaire est le 26 décembre. »

Carl regarda la date sur sa montre. Si leur schéma se vérifiait, il y avait peut-être quelque part une personne enfermée et affamée, pendant qu'ils étaient ici en train de parlementer.

Une personne qui allait mourir assassinée, dans neuf jours exactement.

37

Jeudi 17 décembre 2020

Carl

Qui était celui ou celle qui devait mourir le lendemain de Noël ?

La future victime était-elle chez elle en ce moment, avec ses proches, ignorante du fait que ce serait leur dernier Noël ensemble ? Ou bien s'agissait-il d'un être solitaire qui vaquait à ses occupations sans s'inquiéter de rien ? L'une de ces hypothèses était juste, Carl en était certain, mais qui était celui ou celle qui était destiné à mourir bientôt ? Comment découvrir son identité en si peu de temps ? Ils ne pouvaient tout de même pas crier sur tous les toits qu'ils cherchaient quelqu'un qui avait des choses à se reprocher.

Carl était convaincu que l'assassin avait déjà choisi sa victime. Si la responsabilité d'éviter ce crime reposait entièrement sur lui et sur l'équipe du département V, il y avait de fortes chances que la partie soit perdue d'avance.

« Mais peut-on refuser à une personne le droit de vivre s'il subsiste la moindre chance de le sauver ? » lui avait un jour demandé Mona. Ils allaient tous devoir travailler nuit et jour, y compris pendant les fêtes, et Carl se désolait de savoir qu'elle serait seule à la maison avec Lucia.

Malgré la perspective d'une énorme charge de travail et celle de se passer de Noël cette année, Rose avait tout de suite répondu présent, au nom de tous.

« On est avec toi, Carl ! » avait-elle proclamé, et ces dernières heures, ils avaient travaillé d'arrache-pied pour le lui prouver. Gordon s'était attelé à l'enquête de fond et s'était mis à la recherche de nouveaux éléments dans les dossiers qu'ils connaissaient déjà.

La méthode de Rose consistait à étudier chaque affaire sous des angles différents. S'ils voulaient remplir les cases vides, c'était là-dessus qu'il fallait compter. D'abord, elle devait chercher les dates de naissance d'autres grands criminels collant avec le schéma qu'ils avaient défini. Puis elle devait trouver des morts suspectes correspondantes. En décortiquant ces affaires et les informations sur les victimes, elle mettrait peut-être au jour de nouveaux indices. Si la chance lui souriait, elle finirait par trouver le dénominateur commun et l'assassin.

Assad s'occupait des albums de Pia Laugesen et de l'ordinateur de Palle Rasmussen. Quand il en aurait terminé avec ça, il viendrait donner un coup de main à Carl.

Tous étaient convaincus que si le meurtrier était déterminé à mener son projet à terme, rien ne pourrait l'en empêcher, sauf s'ils parvenaient rapidement à l'identifier. Ils avaient remarqué que les habitudes du tueur avaient changé avec les années, qu'il était devenu plus prudent. Plus attentif aux détails. Il éprouvait moins le désir de se faire remarquer et il n'était pas certain que cette fois-ci, le sel soit un indice déterminant. Dans le cas des deux dernières victimes, le sel avait été dissimulé, les cadavres également, et les meurtres n'avaient pas été déguisés en accidents. L'assassinat de Franco

Svendsen, celui de Birger Brandstrup et probablement ceux de plusieurs autres avaient été consécutifs à un enlèvement. S'ils partaient du postulat que le kidnapping était devenu le *modus operandi* de l'assassin, ils avaient peut-être une chance de trouver la nouvelle victime avant son exécution.

Et c'était la mission que Carl s'était donnée.

Alors qu'il se dirigeait vers le bureau de Marcus, Lis, la fée du bureau, l'intercepta, l'air préoccupé.

« Je ne devrais pas te le dire, Carl, mais on m'a demandé de faire une copie de toutes les pièces de l'affaire du pistolet à clous. » Elle montra l'épaisse liasse de documents posée sur son comptoir. « Ça doit te faire un drôle d'effet de voir ressortir ça, non ? » Elle lui caressa la joue. « Fais attention à toi. »

Lis était comme ça, douce et attentionnée.

Quant au dossier auquel elle faisait allusion, il le connaissait dans ses moindres détails, et il avait cessé de l'empêcher de dormir.

Marcus comprit aussitôt la gravité de la situation. Il y avait des années que l'affaire de l'explosion du garage Ove Wilder, dont le petit garçon de Maja avait été une victime collatérale, pesait sur ses épaules. Il avait longtemps cru que ce crime était un évènement isolé, mais à présent force lui était d'admettre qu'il ne constituait qu'un épisode d'une longue série qui semblait suivre un schéma préétabli.

« Si j'ai bien compris, Carl, tu as étudié toutes les disparitions suspectes survenues au cours des six dernières semaines, mais aucune ne correspond au profil de la victime potentielle.

– C'est ça.

– Est-il possible que la personne en question n'ait pas été signalée comme disparue ? »

Carl posa son menton sur ses mains croisées, les coudes appuyés sur les bras du fauteuil. Si c'était le cas, cette affaire différerait légèrement des deux précédentes.

« Tu veux dire un individu qui ne manquerait à personne ? Ça m'étonnerait beaucoup.

– Bon. Mais imaginons que la famille croie qu'il est déjà mort, comme dans l'affaire Franco Svendsen, ou qu'il ait pu prendre le large, comme le pensait l'épouse de Birger Brandstrup. »

Carl ferma les yeux un instant. « Cette deuxième hypothèse me semble déjà plus plausible. La famille peut aussi avoir reçu de fausses nouvelles du disparu. Elle pourrait s'imaginer qu'elle est en relation avec lui, alors que ce n'est pas vrai.

– Tu veux dire que le meurtrier enverrait des SMS ou des mails en se faisant passer pour lui ?

– Oui. La victime potentielle – on dit toujours "il", mais n'oublions pas qu'il peut s'agir d'une femme – serait partie pour une raison connue, et sa femme ou son mari croirait avoir des échanges avec lui ou elle, alors qu'en réalité, c'est le meurtrier qui écrit à sa place. »

Rose venait d'entrer dans le bureau, et Carl lui fit signe de patienter un instant afin d'aller au bout de son idée. « Ça n'a rien d'improbable, Marcus, et dans cette affaire, tout est possible. Enfin, admettons que tu aies raison, comment allons-nous faire pour obtenir que la famille se manifeste ? Et ce, avant neuf jours, ou moins, ce qui serait encore mieux ? »

Marcus eut l'air désolé. « Malheureusement, comme tu sais, je manque d'effectifs, dit-il. Ils ont tous des enquêtes en cours, j'ai beaucoup de malades ou de personnel en quarantaine, et la majorité de ceux qui restent sont en télétravail.

– Et si on se servait de la télé et des journaux ? On pourrait trouver une formule qui fasse réagir la famille concernée ? »

Carl connaissait déjà la réponse. On ne pouvait pas faire ça. Cela générerait une pluie d'appels inutiles et ce serait une perte de temps et de ressources humaines.

« Il y a des tas de gens qui vivent seuls, au cas où vous l'auriez oublié ! intervint Rose. Moi, je vis seule, Gordon vit seul, et même toi, Marcus. Imaginons que la personne que nous recherchons n'ait ni famille ni amis dignes de ce nom, on n'est pas près de recevoir un appel. »

Marcus poussa un soupir et se leva. « Si vous tombez sur quelque chose de concret, je verrai ce que je peux faire. Mais en attendant, il n'y a plus qu'à prier. Je crains qu'avant la fin de l'année, il ne coule quelques larmes dans un foyer danois. »

« Tu as raison, dit Rose à Carl quand ils eurent quitté le bureau de Marcus. Invitons le journal télévisé, sous prétexte de montrer les conditions de travail d'une équipe de la brigade criminelle en période de pandémie. »

Carl la regarda longuement. Au fond, il se fichait complètement qu'on s'offusque de le voir outrepasser le règlement. Si un commissaire de police ou un autre fonctionnaire haut placé dans l'organigramme n'était pas content, il n'aurait qu'à mettre à la porte toute l'équipe du département V. L'idée de se reconvertir en promeneur de chiens ou de finir comme consultant en sécurité au Parlement en attendant la retraite ne l'effrayait pas outre mesure.

« OK, Rose, je te laisse t'occuper de ça. Ne leur donne rien de concret. On improvisera quand on en sera là. À part ça, tu as du nouveau ? »

Elle sourit. « Je pense que oui. L'anniversaire d'Hitler était le 20 avril, et une dénommée Andrea Thorsen a été trouvée pendue dans l'appartement de son amant à la même date, en 1994, dans des circonstances plutôt louches. L'amant a écopé de quinze années de réclusion pour meurtre. Il est mort en prison dix ans avant d'avoir purgé sa peine.

– Triste histoire, en effet, mais il va m'en falloir un peu plus pour la faire figurer au tableau, Rose. »

Rose souriait toujours. « Je m'en doutais, Monsieur Jamais Content ! Alors, laisse-moi te préciser qu'Andrea Thorsen était à la tête d'une société familiale qui vendait des machines agricoles. Son entreprise a plusieurs fois déposé le bilan, à la suite de divers épisodes des plus malencontreux. La première fois, plusieurs engins hors de prix, moissonneuses-batteuses, énormes tracteurs John Deere, semoirs, pulvérisateurs, ensileuses et je ne sais quoi encore, ont été gravement vandalisés. Puis, c'est un des entrepôts qui a brûlé, ses cuves à mazout qui ont été vidées, ses canalisations qui se sont percées, inondant les sols et décollant le carrelage du magasin. Et enfin, c'est la patronne elle-même qui s'est fait cambrioler à son domicile où on lui a volé meubles précieux et autres objets irremplaçables. Bref, une longue liste de sinistres qui ont donné lieu à d'importantes indemnités versées par ses différentes compagnies d'assurances. Jamais les mêmes, évidemment, ce qui permettait à chacune d'absorber les pertes. Dans une émission d'enquête diffusée en 1994, le chiffre de cinquante millions de couronnes de dédommagement a été avancé, ce qui en ce temps-là représentait une très grosse somme.

– Tu penses à une escroquerie à l'assurance ?

– Ça n'a jamais été prouvé, et la femme avait l'air sincèrement inconsolable. Mais uniquement devant les caméras. Le reste du temps, elle menait grand train avec son amant, qui devait être largement impliqué dans l'affaire, je pense, puisque le monsieur était assureur de son métier.

– Et le suicide ? dit pensivement Carl. Si elle s'était pendue, il n'y avait pas de raison de soupçonner l'amant ?

294   S E L

– Quand elle est intervenue, la police l'a trouvé dans l'appartement, complètement speedé à la coke. D'après l'entourage, le type avait tendance à devenir agressif quand il sniffait de la cocaïne. La police n'a pas retenu la thèse du suicide, sachant qu'Andrea parlait souvent à ses amis de sa peur de la mort. En outre, on a découvert dans l'appartement un coffre-fort contenant sept millions de couronnes danoises en argent liquide, et le code du coffre dans le portefeuille de son compagnon.

– Et il est allé en prison ?

– Oui. Et il y est mort quelques années plus tard comme je te l'ai dit. En 1999, si je ne m'abuse.

– De mort naturelle ?

– Si une péritonite est considérée comme une mort naturelle, alors oui.

– Bon, et maintenant la question à un million d'euros : qu'est-ce que cette affaire a à voir avec les nôtres ?

– Eh bien, pour ça, il faut avoir lu très soigneusement le rapport de police. » Elle fit une pause, le nez en l'air pour marquer son effet, et Carl en conclut que c'était ce qu'elle avait fait.

« L'amant prenait de la cocaïne, cela ne faisait aucun doute, et d'ailleurs, la police a trouvé huit rails qui attendaient sur la table basse pour les prises suivantes. Mais quand on l'a arrêté, il a nié avoir préparé ces rails, et il a refusé de révéler le nom de son dealer. La police a analysé la poudre pour essayer de remonter à son fournisseur. Elle indique dans son rapport que c'était la cocaïne la plus médiocre qu'elle ait jamais vue : elle était coupée avec du sel de table ! »

Carl eut une moue appréciatrice et siffla doucement.

Ils avaient maintenant huit affaires.

38

Vendredi 18 décembre 2020

Maurits

Maurits fut réveillé par un réflexe de déglutition. Un mince filet rafraîchissant faisait se contracter sa langue et se resserrer sa gorge.

Il ouvrit les yeux avec difficulté. Sa cornée était si desséchée que ses paupières refusaient de lâcher les globes oculaires.

Devant lui se dressait une silhouette floue. Une main puissante lui écrasait les joues, et une autre appuyait contre ses dents du bas un objet qui lui fit penser à un biberon, d'où s'écoulait un liquide qui aspergeait les commissures de sa bouche et activait son réflexe de déglutition.

Maurits eut un haut-le-cœur, il sentit qu'il allait tousser, mais il n'était pas encore assez conscient pour se rendre compte s'il avait cédé à cette impulsion. Son mal de tête était revenu, à présent, lui rappelant qu'avant de perdre connaissance, il avait eu l'impression qu'elle allait éclater. La douleur le ramena dans le présent.

L'individu ôta le biberon et s'éloigna vers le mur du fond où il resta, lui tournant le dos.

Maurits voulut dire quelque chose, mais ses cordes vocales étaient comme collées ensemble, lui interdisant d'émettre autre chose qu'un son guttural.

Il était enfermé depuis plusieurs jours sans eau et sans nourriture. Il n'avait pas pissé une seule goutte depuis quarante-huit heures, ou du moins, il ne s'en souvenait pas. Il baissa les yeux et vit une tache sèche formant une auréole sur son caleçon. Ça avait dû arriver pendant qu'il dormait.

Maurits aurait voulu inspecter la pièce dans laquelle il se trouvait, mais il ne parvenait pas à se concentrer. Ni à se souvenir d'où il était. La seule chose qu'il savait, c'est qu'il s'était déjà résigné à mourir de faim et de soif dans cet endroit et qu'il était destiné à une mort lente et sans témoin.

Je m'appelle Maurits van Bierbek, songea-t-il, et quoi que tu sois en train de trafiquer, là-bas, contre ton mur, je suis encore en vie, ordure.

L'individu se tourna vers lui et Maurits cligna des yeux à plusieurs reprises pour les humecter. Il dut cependant attendre que l'homme soit devant lui pour le voir distinctement.

Il avait un certain âge. Grand, enveloppé et souriant, ce qui lui donnait l'air d'un bébé dont le crâne aurait été déformé à la naissance.

« Maintenant, on va essayer de te nourrir un peu », dit le poupon d'une voix caverneuse.

Il tira à lui le bras gauche de Maurits et tapota le dos de sa main, avant d'y enfoncer l'aiguille.

« Voilà, dit-il. Tu vas vivre encore un peu. »

Maurits tourna la tête au prix d'un immense effort, et vit la poche souple suspendue à une potence près de lui.

« Dans une heure, on va voir si on peut te faire avaler un peu de soupe. Ça va te faire du bien, je pense. »

En peu de temps, le mal de tête céda. Maurits ferma les yeux de soulagement, et il se demanda si cette poche ne contenait pas aussi un antalgique. À mesure que son cerveau absorbait des glucides et des minéraux, il reprenait conscience de la réalité.

Même si cette réalité-là, il aurait préféré ne pas la connaître.

Il toussa, s'éclaircit la voix, jusqu'à ce qu'il ait le sentiment de la contrôler à peu près.

« Qui êtes-vous ? » demanda-t-il d'une voix encore très rauque.

L'homme ne lui répondit pas. Il retourna à l'autre bout de la pièce et s'agita un petit moment, on aurait dit qu'il était en train de mélanger une préparation dans un récipient posé sur la table en acier. Puis il se déplaça de quelques mètres en direction d'une échelle que Maurits était sûr de ne pas avoir vue auparavant.

Quand l'homme écarta l'échelle du mur, le grincement métallique sur le sol en béton vrilla les oreilles de Maurits. Il s'arrêta à deux mètres de lui et la déploya entièrement, de manière à pouvoir l'appuyer contre le premier des deux rails fixés au plafond.

Maurits remarqua à cet instant que le pantalon de l'homme avait des poches partout, comme ceux que portent les charpentiers, avec des tas d'outils dedans. Qu'est-ce qu'il allait faire avec tout ça ?

Maurits aurait voulu se lever pour pousser l'échelle d'un coup de pied au moment où l'homme arriverait en haut, mais il était incapable de bouger. Il devait y avoir un produit dans la poche qui le privait de ses forces. Ou alors, il était déjà affaibli au point de ne plus pouvoir bouger.

« Quel jour sommes-nous ? demanda-t-il en levant la tête vers l'homme qui était en train de bricoler quelque chose sur le rail.

– Vendredi 18 décembre », répondit-il.

Maurits inspira profondément, pour faire arriver plus d'oxygène à son cerveau. Le 18 décembre ? Mais depuis combien de temps était-il donc enfermé ici ? Peu à peu, tout lui revint. La façon dont on l'avait piégé, et le moment où il s'était réveillé, entravé sur cette chaise. Cela faisait six jours qu'il était prisonnier, et il n'avait ni bu et ni mangé depuis.

« Vous allez me libérer ? » demanda-t-il, espérant que son geôlier était en train de détacher ses chaînes du chariot. Peut-être allaient-ils le remettre en liberté ? Peut-être jugeaient-ils qu'il avait purgé sa peine pour les fautes qu'il avait commises – fautes qu'il n'était d'ailleurs pas certain d'avoir tout à fait identifiées...

Il faillit s'étrangler en entendant l'autre éclater de rire en haut de son échelle. Un rire si tonitruant, si sardonique, que Maurits sut avec certitude, pour la première fois depuis qu'on l'avait enlevé, que ces murs froids qui l'entouraient seraient la dernière chose qu'il verrait en ce monde. La lueur d'espoir entrevue laissa place à la douloureuse conviction que le restant de sa vie se comptait désormais en heures. Mais pourquoi ne l'avaient-ils pas laissé s'endormir et entrer tranquillement dans la mort lorsque son corps aurait fini de lutter ?

« Finissons-en, dit-il, aussi fort qu'il le put. Tuez-moi maintenant. »

De nouveau, l'homme rit. Maurits l'avait vu à plusieurs reprises extraire un outil d'une des poches de son pantalon pour taper et visser là-haut, sans qu'il puisse voir ce qu'il fabriquait. Rien de bon, assurément.

Une minute plus tard, le type était devant lui. Dans une main, il tenait une clé à molette et dans l'autre, un boulon.

« En fixant un petit truc comme celui-là pile au bon endroit, j'ai fait en sorte que vous ne puissiez pas vous approcher à moins de trois mètres de la table que vous voyez là-bas. Ingénieux, vous ne trouvez pas ? »

Il écarta l'échelle du rail et désigna l'endroit où il bricolait à l'instant. « Quand le chariot viendra buter contre le boulon, il s'arrêtera, et vous ne pourrez pas le libérer sans utiliser ceci. » Il fit osciller la clé à molette devant ses yeux un instant puis alla ranger l'échelle contre le mur du fond.

Salopard, fulminait Maurits.

« Je vois bien ce que vous pensez. Vous vous dites que c'est de la torture. Mais nous ne torturons personne, nous ne sommes pas des bourreaux. Nous sommes des anges qui vont vous envoyer dans un monde meilleur que celui que vous avez contribué à rendre mauvais. Cette échelle et cette clé sont juste là pour vous rappeler que si vous aviez davantage réfléchi à ce que vous étiez en train de faire, vous ne seriez pas assis ici en train de vous demander ce qui va vous arriver. »

Maurits regarda avec mépris son sourire tordu. « Je vais mourir de faim. »

Le type sourit. « Oh non, au contraire, nous allons prendre soin de vous, au moins pendant quelques jours. D'ailleurs, la soupe est bientôt prête. »

Maurits ferma les yeux. Prendre soin de lui encore quelques jours ?

Pourquoi quelques jours ?

39

Vendredi 18 décembre 2020

Carl

« Je suis désolée, Carl, mais je n'ai pas réussi à trouver de journaliste qui ait envie de faire une interview dans un commissariat de police juste comme ça, dit Rose. On ne voit rien d'autre à la télé que le virus. Et s'ils parlent de la police, c'est pour raconter d'anciennes affaires commentées par des inspecteurs à la retraite. Ou bien suivre la police municipale à la poursuite de chauffards, ou encore la police scientifique sur des scènes de crime. Alors si on n'a pas un truc concret...

– Mais putain, Rose, donne-leur du concret, alors !

– Mais quoi ? On ne peut pas leur balancer comme ça, de but en blanc, qu'on pense qu'un type va se faire dézinguer le 26 décembre ? On ne va pas rendre folles d'inquiétude des milliers de familles en suggérant que le condamné pourrait être un de leurs proches récemment disparu ! »

Carl la regarda un long moment, pensif. Elle avait raison. Mais rien ne pousse sans un minimum d'engrais.

Il regarda les cases vides tout en bas du tableau. Allaient-ils vraiment laisser le directeur de la police, qui n'avait jamais accompli un travail d'enquête digne de ce nom de sa vie, empêcher son meilleur département d'éviter un meurtre ? Même pas en rêve !

SEL   301

« Tu sais quoi, Rose, tu vas aller dire aux rédacteurs de TV Avisen et de Nyhederne, et à tous les décideurs au sein des principales chaînes de télévision du Danemark, que le département V est sur une très grosse affaire, et que les médias ont intérêt à se bouger les fesses s'ils veulent en être. Et puis tu leur diras qu'exceptionnellement, nous allons lever le voile sur une enquête en cours, ce qui devrait leur mettre l'eau à la bouche. Et je me fous de savoir qui mord à l'hameçon. Du moment qu'il y en a un qui mord. »

Dès que Rose fut partie, Carl mit les pieds sur son bureau et s'employa à résumer les faits. Tout laissait à penser qu'un serial killer était actif depuis près de trente-cinq ans, et qu'il avait agi selon un schéma parfaitement étudié. Il ne tuait qu'une seule fois tous les deux ans, ce qui était loin d'être idiot. Moins un tueur en série se fait remarquer, plus il a de chances que ses crimes se fondent dans la masse.

L'élément restant à découvrir était le rapport qu'il pouvait y avoir entre ces criminels de l'Histoire et les victimes du meurtrier. Et aussi quelle place jouait le sel dans cette équation. S'agissait-il d'une simple signature permettant de relier les crimes entre eux ? Carl en avait rencontré un paquet, des idiots narcissiques, mais dans le cas qui les intéressait, le moins qu'on puisse dire, c'est qu'il avait fallu à ce mystérieux individu une sacrée dose de témérité, d'arrogance, et même de courage.

Carl extirpa une cigarette de son paquet et la tapota distraitement sur le bureau. Peut-être quelques bouffées l'aideraient-elles à deviner quel rapport tous ces crimes avaient avec la mort de Tabitha et celle de Ragnhild ? Parce qu'il y en avait un, forcément, puisque le cadavre avait été retrouvé à proximité des deux dernières victimes de la série des meurtres à connotation rituelle. Mais pourquoi Ragnhild avait-elle tué

Tabitha ? Pouvait-on imaginer que les deux femmes n'aient pas fait partie du grand projet initial, mais qu'elles aient été, à un moment donné, des cailloux dans la chaussure du meurtrier ?

Carl soupira, la cigarette pas allumée au coin des lèvres et le cerveau en ébullition.

Peut-être devrait-il se concentrer exclusivement sur les deux dernières victimes ? Qui étaient ces deux hommes, en définitive ? Birger von Brandstrup inventait des jeux et fabriquait des maniaques du jeu. Frank Svendsen polluait des carrières, l'air ambiant, les océans, et il envoyait des navires au découpage dans des chantiers au Bangladesh. L'un comme l'autre étaient indéniablement des individus nuisibles.

« Carl, tu as une minute ? dit Assad, le sortant de la bulle de ses pensées. Je t'allume la télé, chef. Il faut que tu voies ce qui vient de passer sur TV2 News ! »

Un petit moment s'écoula tandis qu'Assad se battait avec la télécommande, puis une photo de Pauline Rasmussen remplit l'écran. Sur le bandeau jaune des *Breaking News* défilait le texte suivant : « D'après diverses sources, l'actrice Pauline Rasmussen, dont le corps sans vie a été retrouvé hier à son domicile, se serait suicidée. Pauline Rasmussen avait cinquante-deux ans et elle était l'une des artistes de cabaret et des meneuses de revue les plus populaires de notre pays. »

« C'est son amie qui est interviewée. C'est elle qui l'a trouvée. »

Une femme impressionnante, dont Carl était à peu près sûr qu'il s'agissait d'un travesti, répondait, le visage pétrifié, aux questions de la journaliste.

« Pauline n'allait pas bien du tout depuis quelque temps, disait-elle. L'annonce du dernier confinement l'avait particulièrement affectée. Elle commençait tout juste à croire qu'elle allait enfin pouvoir se produire de nouveau sur une scène, et une fois de plus, le gouvernement a tout foutu en l'air.

– Vous voulez dire qu'elle appréhendait un avenir sans travail ? demanda l'animatrice de plateau.

– Et surtout sans argent. Elle n'avait plus une couronne pour vivre. Ces derniers temps, elle avait utilisé toute son épargne.

– Vous l'avez trouvée chez elle, dans son lit ?

– Oui, mais la première chose que j'ai vue, ce sont les comprimés sur sa table de nuit. »

Le reportage montrait ensuite la table de nuit avec le flacon, les comprimés et un verre d'eau vide. Comme ça ne pouvait pas être la police qui leur avait transmis ces indices, Carl en déduisit que c'était la voisine qui avait pris cette photo.

« J'ai tout de suite su qu'il y avait un gros problème avec toutes ces pilules. Je ne l'ai vue qu'après, allongée dans son lit. J'ai essayé de la joindre toute la matinée, mais elle ne répondait pas au téléphone. J'ai pensé qu'elle avait pris une cuite la veille, et que c'était pour ça qu'elle dormait encore. Malheureusement, elle ne dormait pas.

– Nous vous avons fait venir sur ce plateau parce que nous avons pensé que vous souhaiteriez faire un commentaire sur ce qui est arrivé à Pauline. Vous pouvez mettre des mots sur ce que vous avez ressenti ? »

Carl grogna. « Mettre des mots sur... » Il ne supportait plus d'entendre cette expression débile que les journalistes répétaient à la moindre occasion. Il la trouvait aussi maniérée que l'utilisation qu'ils faisaient à tout bout de champ du verbe « déclarer ».

La femme se pencha vers la journaliste comme si elle voulait lui confier un secret.

« C'est le métier qui veut ça, dit-elle. Avec tout ce qui se passe, les comédiens et les artistes de spectacle vivant sont beaucoup trop nombreux à avoir recours aux somnifères. Toute leur vie est partie à vau-l'eau. La ministre de la Culture et tous ceux qui ont estimé que les artistes qui jouent sur scène n'avaient droit à aucune aide financière devraient réfléchir sérieusement au problème. Ils portent une lourde responsabilité dans cette affaire. »

Carl se tourna vers Assad, le front soucieux.

« Oui, c'est une sacrée bonne femme, commenta Assad. Mais en fait, chef, ce que je voulais te dire, surtout, c'est que la mort de Pauline Rasmussen m'a beaucoup surpris. Pour moi, ce n'était pas du tout le genre de femme à se laisser abattre.

– Surtout ? » dit Carl.

Il vit un sourire ironique plisser la bouche d'Assad derrière sa barbe hirsute.

« On pense tous les deux aux comprimés, c'est ça ? Tu es d'accord avec moi que ce flacon sur la table devait être drôlement bien rempli, s'il y avait assez de pilules pour la tuer alors qu'il en restait autant sur cette table de nuit.

– Oui, chef, c'est louche ! Pourtant, l'équipe de Sigurd Harms n'a trouvé partout que les empreintes de Pauline. Le flacon, la chambre et le couloir ont été inspectés avec soin. Elle était couchée tout habillée, et son sac était posé sur le pouf au pied du lit. Harms a fouillé le sac, et il ne contenait rien d'anormal.

– Ce qui a dû l'agacer, tel que je le connais, dit Carl. Enfin, merci d'être venu me le dire, Assad. Je pense en effet que ce suicide n'est pas tout à fait normal. Il devient urgent de récupérer l'ordinateur qui est toujours entre les mains du département informatique. Tu ne pourrais pas demander à Marcus de faire acte d'autorité et pendant qu'il y est, de demander aux informaticiens de restaurer autant de fichiers écrasés que possible sur cet ordi ? »

Assad leva un pouce en l'air et sortit. C'est comme si c'était fait.

Bon, et si j'allumais cette cigarette, maintenant ? songea Carl en regardant le parking dehors. Il avait juste eu le temps de voir deux gamins armés d'une caméra et d'un micro sortir d'une voiture dans le froid et foncer vers l'entrée principale de l'hôtel de police, quand Rose apparut sur le seuil de son bureau.

« Ils sont là, annonça-t-elle en fusillant du regard la flamme au bout de l'allumette que Carl venait de frotter.

– Qui ça, ils ? L'équipe du journal télé ? »

Carl avait à peine rassemblé les papiers sur son bureau en un tas discret, que les deux types se matérialisaient devant lui.

« Salut, moi c'est Erik ! » dit celui qui tenait le micro. Carl le salua du coude, tandis que l'autre épaulait déjà sa caméra.

« Nous sommes un peu pressés », lança ledit Erik en collant son micro sous le nez de Carl.

Celui-ci loucha sur la lumière rouge et le logo collé au-dessus. « Lorry », lut-il.

« Rose, tu peux venir une seconde ? dit-il en tournant le dos à la caméra. Tu plaisantes, j'espère, murmura-t-il, furieux. Tu as fait venir Lorry ? Une chaîne de télévision locale ? »

Elle regarda les deux types, perplexe.

« Pas à ma connaissance », dit-elle.

Carl se tourna vers eux en s'efforçant de prendre un air désolé. Il sentit lui-même que l'effet était raté.

« Écoutez, merci d'être venus, et merci de repartir immédiatement. Ce que nous avons à dire est d'un intérêt national.

– Nos émissions sont parfois diffusées sur d'autres chaînes régionales, vous savez ? » argua le journaliste, alors que le cameraman, lui, semblait avoir parfaitement compris.

Cinq minutes plus tard, ils retraversaient le parking en sens inverse, avec le message que le département V tiendrait une conférence de presse dans deux heures, sur le parvis devant l'ancien hôtel de police.

« Tu es sûr que c'est une bonne idée, Carl ? demanda Rose.

– Aussi sûr que deux et deux font quatre.

– Qu'est-ce que tu vas leur dire ?

– Je vais leur dire les choses comme elles sont : qu'une personne entreprenante, qui a probablement du succès dans ses affaires, peut-être notoirement connue et que sa famille n'a pas vue depuis un certain temps, pourrait être en grand danger en ce moment même, et que si quelqu'un a quelque inquiétude concernant un mari, un père, une épouse, un frère, il est invité à nous contacter au plus vite à ton numéro. »

Rose n'eut pas l'air enchantée.

40

Vendredi 18 décembre 2020

Sisle

Elle rentrait chez elle dans la nuit noire lorsqu'elle reçut l'appel. Même si les derniers jours avaient été intenses, Sisle s'était endurcie avec les années et aujourd'hui, quoi qu'il se passe, elle restait solide. Au téléphone, Debora lui avait semblé bouleversée, mais elle était loin d'avoir sa résistance. Debora avait été une collaboratrice loyale pendant de nombreuses années. Mais sans la solide emprise que Sisle avait sur sa vie et celle de son mari, tous deux se seraient effondrés depuis longtemps. Personne ne serait sorti indemne du drame qu'ils avaient vécu.

Sisle était forte et n'avait jamais douté, ni d'elle-même ni de sa mission. Le destin lui avait montré la voie, et tant que son instinct et sa volonté la guideraient dans ce sens, cela ne changerait pas.

Elle se trouvait donc une fois de plus devant la maison de Debora, où tant d'incendies auraient pu faire des ravages si elle n'était pas venue les éteindre à temps.

Debora était très pâle quand elle vint lui ouvrir. « Il faut qu'on te montre ce qu'on vient de voir, dit-elle. Ce n'est pas bon, Sisle, ce n'est pas bon du tout. »

Adam attendait dans le salon, la télécommande de la télé à la main. Il avait l'air secoué, et Sisle vit tout de suite qu'il n'osait pas lui dire ce qu'il avait sur le cœur. D'ailleurs, il commença par noyer le poisson.

« Nous voulions te montrer ce qui tourne en boucle sur TV2 News depuis tout à l'heure. »

Sisle sentait les regards d'Adam et de Debora sur elle, guettant sa réaction. Elle resta impassible.

En face de l'ancien hôtel de police, un nuage de buée sortant de sa bouche, les épaules poudrées de neige, Carl Mørck, le patron du département V, l'unité *cold cases* de la police criminelle de Copenhague, parlait devant une grappe de micros tendus vers lui. Son expression était plus grave que dix jours plus tôt, quand il était venu l'interroger dans son bureau de Park Optimizing, et chaque fois que quelqu'un faisait mine de vouloir l'interrompre, il tournait le visage vers un autre reporter. On devinait qu'il transgressait toutes les règles de la police. Mais si c'était une manière d'impliquer tout le pays dans son enquête, elle était pour le moins efficace.

Et, tandis qu'à l'écran la foule des journalistes trépignait, l'animateur de TV2 News prit la parole avec la gourmandise de celui qui sait déjà que le sujet va occuper les médias pendant des jours. Avant d'avoir eu le temps de dire ouf, on allait voir toutes sortes d'experts se succéder sur les plateaux de télévision pour partager leur analyse sur cette mobilisation de la population.

Une publicité dont Sisle et ses deux acolytes se seraient volontiers passés.

« Et si on tuait Bierbek tout de suite ? Quelle importance qu'on le fasse maintenant ou dans quelques jours ? » proposa Adam.

Sans tourner la tête, Sisle posa sur lui un regard glacial. Tu ne sais pas ce que tu dis, imbécile, grinça-t-elle intérieurement.

« Adam a peut-être raison, Sisle, renchérit Debora en se rapprochant de son mari. On en a déjà parlé. On s'est dit que s'ils se rapprochaient trop, on arrêterait tout et qu'on... »

Sisle se figea. Ces derniers jours, les choses étaient allées un peu trop vite, mais c'était uniquement dû à une succession de hasards. Tabitha et Ragnhild étaient devenues folles, chacune de son côté, ce que personne n'aurait pu prévoir. À présent, Tabitha était morte, ce qui réglait le problème qu'elle leur avait posé, mais les avait obligés à éliminer Ragnhild. Ils l'avaient tuée et ils avaient bien fait. Mais qui aurait pu prévoir que son corps serait retrouvé aussi vite ? Adam lui avait juré que l'endroit où il l'avait mise était introuvable, mais manifestement, il s'était trompé. Et puis cette idiote de Pauline était venue la provoquer. Elle n'aurait jamais dû faire ça. Personne ne menaçait Sisle Park. Et même si elle ne disposait d'aucun élément susceptible de mouiller Sisle dans le meurtre de Palle Rasmussen, ses allusions répétées auraient parfaitement pu inciter ce bouledogue de Carl Mørck à revenir lui poser des questions.

Sisle inspira profondément. « Tu es bien sûr, Adam, qu'il ne reste rien de compromettant dans l'appartement de Pauline Rasmussen ?

– Tu étais là, tu as vu toi-même que j'avais tout vérifié. La photocopie du mail qui était dans son sac et la boîte à chaussures remplie de courriels qui se trouvait dans sa chambre sont ici, répondit-il en montrant la table basse. Je n'ai rien vu d'autre. Nous portions tous les deux des gants et nous n'avons rencontré personne.

– Vous n'allez pas commencer à faire des erreurs, hein ? dit Sisle en les fixant l'un après l'autre jusqu'à ce qu'ils baissent les yeux. Écoutez-moi bien, ce Carl Mørck n'a rien du tout. Dans cette conférence de presse, il a simplement dit que lui et son équipe pensaient que quelqu'un devait mourir le lendemain de Noël, mais rien d'autre. Ils ne savent pas qui, et ils savent encore moins où. Je n'ai nullement l'intention de changer mes plans ni de déroger à mes principes. Nous exécuterons Maurits van Bierbek exactement à la date prévue.

– Et si la femme de Bierbek se mettait à avoir des doutes et qu'elle réagissait à l'annonce de cet inspecteur ? demanda Debora.

– Pourquoi aurait-elle des doutes ? Nous avons veillé à ce qu'elle sache qu'ils ne peuvent pas se parler au téléphone tant qu'il est en Floride pour signer ce contrat. Elle semble parfaitement satisfaite de leur supposée correspondance par mail, n'est-ce pas, Debora ?

– Je pense qu'elle a trouvé sa déclaration d'amour très romantique. Dans son dernier mail, elle m'a semblé presque euphorique. Mais qu'est-ce qu'on fait si elle change soudain d'attitude, si elle commence à poser des questions et qu'elle exige qu'il l'appelle ?

– On avisera quand on recevra son prochain mail.

– Le problème, c'est que la police a incité les familles à poser des questions auxquelles seule la personne disparue pouvait répondre. Adam dit que Maurits Bierbek était particulièrement affaibli quand il l'a vu aujourd'hui, alors il ne va peut-être pas pouvoir ni vouloir collaborer avec nous, si on a besoin de ses réponses.

– Debora a raison, dit Adam en regardant Sisle d'un air suppliant. Maurits est dans un sale état maintenant, et je ne pense pas être en mesure d'obtenir des réponses de sa part. On dirait qu'il a déjà baissé les bras.

– Adam, Adam, ressaisis-toi, je te prie, tu ne sais plus ce que tu dis. Après tout, quelle importance s'ils comprennent qui est l'homme qu'ils cherchent ? Ils n'ont aucun moyen de remonter jusqu'à moi, et encore moins jusqu'à vous.

– Tu en es sûre, Sisle ? Le coup de fil que tu as passé à Bierbek avant de l'enlever et l'enlèvement lui-même n'ont laissé aucune trace ? » demanda Debora.

Sisle vit à quel point elle était déstabilisée, même si elle s'efforçait de le cacher. Mais c'était son problème.

« Debora a raison, Sisle, insista Adam. Si sa femme pose des questions et qu'elle n'obtient pas les réponses qu'elle attend, elle ira voir la police et le département V s'intéressera au jour de l'enlèvement et au moment où tu es allée le chercher. »

La voix de Sisle monta d'un ton. « Écoutez-moi, vous deux ! » aboya-t-elle, les faisant sursauter. Il fallait qu'ils se ressaisissent. « Même si la voiture a été filmée par une caméra de surveillance, même si on m'aperçoit derrière le volant avec mon masque – je vous le rappelle – et même si la société de location a un traceur et qu'elle a conservé un fichier vieux de plusieurs semaines – ce qui m'étonnerait beaucoup –, la police ne pourra rien en conclure. J'ai téléphoné à Maurits Bierbek pour organiser un rendez-vous avec Victor Page, représentant la société Global Rea Inc., avec un Nokia ancienne génération qui gît au fond du port de Nordhavnen, à un endroit différent de la carte prépayée utilisée pour l'occasion. Nous n'avons transporté Maurits Bierbek dans cette Lexus que les vingt premières minutes, après quoi nous l'avons transféré dans le fourgon avant de rapporter la voiture à la société de location. C'est toi qui t'en es chargée, Debora, puisque c'est toi qui l'avais louée avec de faux papiers d'identité et une carte de crédit de la Caixa Bank. Vous savez tout cela, qu'est-ce qui vous fait penser maintenant que j'aie pu commettre des erreurs ?

– Parce que ça ne t'est jamais arrivé d'en faire, des erreurs ? »
demanda Adam. En voyant le regard de Sisle, il regretta instantanément cette insolence.

À l'époque, cela faisait déjà un moment que Sisle avait le
garage Ove Wilder dans son collimateur. Quand elle avait
repris ses études à l'université, elle avait choisi Chez Bjarne,
un café proche de chez elle, situé en face d'un atelier de
mécanique auto, pour réviser ses cours. La clientèle était peu
reluisante mais le prix des consommations, raisonnable, et
malgré l'attrait magnétique qu'exerçait l'établissement sur les
représentants des classes sociales les plus basses de Sydhavnen,
on y trouvait un climat de tolérance et un respect mutuel qui
manquaient cruellement à l'université. Se retrouvaient là des
gens qui se levaient à cinq heures du matin et travaillaient
comme des forçats jusqu'au soir, exerçant les métiers les plus
minables pour des salaires de misère. Même l'exécrable relation du Danemark avec les dieux de la météo ne les arrêtait
pas. Elle en avait vu, des nez bleuis et des engelures, mais
jamais elle n'en avait entendu un seul pleurer sur son sort.
Jusqu'au jour où le garage Ove Wilder avait repris l'atelier d'en face. Le patron et ses ouvriers avaient envahi les
lieux. Depuis leur arrivée, Sisle ne pouvait plus se concentrer
sur ses livres, tranquillement assise à sa table au fond de
la salle. Pendant plus de six mois, elle avait dû supporter
leurs conneries et écouter les horreurs qu'ils racontaient de
leurs voix vulgaires, leurs invraisemblables escroqueries, leurs
commentaires sur la naïveté crasse de leurs clients dont ils
vidaient les poches jusqu'à la dernière couronne sans même
qu'ils s'en aperçoivent.
Plus que leur malhonnêteté, c'était leur prétention et leur
mépris qui la faisaient bouillir. Quand elle avait enfin rassemblé

son courage pour exprimer son indignation et leur dire en face combien elle était dégoûtée par leurs activités criminelles, elle avait vu leurs visages changer en une seconde.

« Toi, ma p'tite dame, tu vas fermer ta gueule et surtout tes oreilles, d'accord ? » C'était Ove Wilder lui-même qui avait donné le ton avant de lui prendre son cahier avec sa main répugnante de saleté. « Tu y tiens à ce truc-là, pas vrai ? »

Ce cahier représentait au moins six mois de travail. Malheureusement, le visage de Sisle n'exprimait pas assez la contrition, et ça, c'était une erreur.

« Tu habites au numéro 17 de la première rue à gauche, pas vrai ? Tu sais que ça ne nous prendrait pas plus de trois minutes pour aller chez toi et tout casser ? Tiens, et si je commençais par déchirer ce cahier », dit-il en arrachant la première page et en y mettant le feu avec son briquet.

Elle grimaça en voyant la flamme dévorer ses notes. Ils éclatèrent d'un rire collectif qui, pendant quelques secondes, court-circuita les neurones de Sisle. « C'est vrai que je n'habite pas loin, rétorqua-t-elle enfin, mais la cabine téléphonique est encore plus proche, et ça ne me prendra pas longtemps pour appeler la police. »

Elle n'eut pas le temps de voir lequel d'entre eux l'avait frappée. Personne dans la salle ne se leva pour venir à son secours. Les habitués détournèrent la tête, et pour la deuxième fois de sa vie, Sisle se sentit affreusement trahie. Après cet incident, elle ne remit plus jamais les pieds Chez Bjarne.

Il lui avait fallu plus d'un mois pour se familiariser avec la configuration de l'atelier, préparer les explosifs qui serviraient de détonateurs, se procurer le chloroforme pour endormir les types si cela s'avérait nécessaire. Ensuite elle avait crocheté la serrure de l'atelier à l'aide d'un rossignol, avait caché dans un coin la batte de base-ball et les autres accessoires, relié les bombes entre elles et les avait connectées à l'horloge dissimulée derrière les réservoirs de toluène, puis avait disposé des fragments de métal dans divers endroits stratégiques.

Elle avait repéré dans les deux bâtiments du garage plusieurs zones d'ombre où elle n'aurait aucun mal à se rendre invisible, et elle s'était entraînée à se déplacer sans bruit sur le sol en béton. Pendant plusieurs jours, elle avait travaillé la précision et la force du coup sur des têtes de cochon récupérées aux halles.

Finalement, son plan lui parut si parfait qu'elle renonça à l'emploi du chloroforme. Il s'agissait simplement d'agir vite et sans hésiter, à mesure que le personnel et le patron entreraient dans le vestiaire pour se changer, au moment de la débauche. À moins d'un évènement totalement imprévisible, aucun d'entre eux n'aurait le temps de réagir avant qu'elle les ait assommés par-derrière. Ensuite les bombes exploseraient toutes en même temps, et si elle les avait tous neutralisés, il n'y avait aucune raison que ça se passe mal.

Malheureusement, elle n'avait pas vu que l'un des mécaniciens était resté dehors pour fumer une cigarette, et ce fut par le plus grand des hasards qu'elle sortit de ce côté-là. Il la regarda d'un air soupçonneux mais n'eut pas le temps de comprendre ce qu'elle faisait là. Le coup de batte qu'elle lui assena au milieu du visage le fit pivoter sur lui-même et tomber par terre, inanimé, entre la palissade séparant le garage du terrain voisin et une voiture garée devant le portail.

Sisle réalisa alors qu'elle n'avait plus beaucoup de temps. Elle se mit à courir aussi vite qu'elle pouvait, passa devant le tas de sel qu'elle avait placé devant la grille, et alla se poster une centaine de mètres plus haut dans la rue, pour profiter de sa vengeance depuis les premières loges.

Et c'est alors que l'imprévisible se produisit.

La femme pressée qui se dirigeait vers le garage avec son enfant dans une poussette n'entendit pas son cri paniqué lorsqu'elle tenta de l'arrêter. Elle ne l'entendit pas non plus quand elle se précipita vers elle en criant une deuxième fois, et encore moins la troisième fois, au moment de la première explosion qui fit tout voler en éclats.

Sisle fut projetée à terre par l'onde de choc et pendant quelques instants, elle fut sonnée et n'entendit plus rien. Lorsqu'elle revint à elle, la femme hurlait.

Dans la seconde, ou presque, elle vit approcher les gyrophares bleus de la police et peu de temps après, les ambulances.

Pendant qu'on emportait le brancard sur lequel gisait le corps de son enfant, le cri de sa mère ne cessa pas, et Sisle fut dévastée.

N'avait-elle pas conclu un pacte avec Dieu ? Pourquoi avait-Il voulu lui infliger une telle épreuve ?

En l'absence de réponse du Tout-Puissant, elle se fit à elle-même le serment de payer pour son erreur et de donner à cette mère la compensation qu'elle méritait pour la perte de son enfant. Elle se promit de devenir riche et puissante afin d'avoir toujours les moyens de mettre fin aux agissements d'individus tels qu'Ove Wilder.

Plus tard, par hasard en lisant le journal, elle constata que la date de l'explosion était également celle de la naissance de Nicolae Ceaușescu.

Une idée diabolique naquit dans son esprit. Désormais, elle emploierait toute son énergie à trouver ses proies et à planifier méticuleusement leur mort, afin qu'aucune victime innocente ne doive en souffrir. Et quand elle agirait – pas plus d'une fois tous les deux ans, par mesure de discrétion –, le crime devrait passer pour un accident ou un suicide. Ainsi, elle pourrait œuvrer en paix jusqu'à la fin de ses jours.

Elle décida ce jour-là que sa deuxième action aurait lieu le 16 février, jour de la naissance de Kim Jong-il, l'autocratique tyran de Corée du Nord, la malédiction de son peuple. Et c'est ainsi que Sisle Park commença son ambitieuse croisade pour un monde meilleur.

Adam lui avait demandé s'il ne lui était jamais arrivé de commettre une erreur. Il ignorait à quel point, avec cette phrase, il avait remué le couteau dans une plaie toujours béante.

Est-ce que ce couple avec qui elle avait bâti son œuvre était en train de la lâcher ? Non, ça, elle ne le tolérerait pas.

« Je croyais, Adam, que nous étions d'accord, toi et moi, pour ne jamais remettre en cause nos méthodes ? »

La froideur de la voix de Sisle le fit rétrécir de plusieurs centimètres.

« Mais vas-y, maintenant que tu as commencé. Dis-moi ce que tu as à me reprocher. Je t'écoute !

– Pardon », dit-il simplement.

Les yeux de Sisle allèrent de l'un à l'autre. Était-il temps pour elle de mettre fin à leur partenariat ?

« Tu me dis que Maurits est très affaibli. Sois plus précis. Est-ce qu'il pourrait mourir avant son exécution ? C'est ça que tu essaies de me dire ?

– Je ne sais pas, mais c'est possible ! C'est pour ça que je pense qu'on ferait aussi bien de le tuer tout de suite.

– Adam, ça suffit ! Je n'accepterai pas d'entendre cette phrase une troisième fois ! L'homme mourra le jour où il est supposé mourir, ni avant ni après. Il faut que tu le nourrisses mieux, il a encore huit jours à tenir. »

Elle regarda la boîte à chaussures posée sur la table.

« Vous avez lu les mails de Pauline Rasmussen ? demanda-t-elle.

– Oui, quelques-uns. Elle était complètement envoûtée par Palle Rasmussen.

– Et vous avez mis des gants ?

– Tu nous prends pour des imbéciles ? répliqua Adam, vexé.

– Bien. » Elle consulta sa montre. « J'ai une petite chose à rajouter dans la boîte et ensuite, tu iras faire un tour en voiture. »

41

Samedi 19 décembre 2020

Carl

La veille, Carl avait à peine terminé son speech qu'une nuée de questions avaient fusé dans l'air glacé. Vingt micros recouverts d'épaisses bonnettes s'étaient tendus vers lui.

Comment pouvait-il savoir qu'une personne serait tuée le lendemain de Noël ? Pourquoi précisément ce jour-là ? Et quel était le mobile de l'assassin ? criait-on de toutes parts. Et, quelle que soit la façon dont la question était formulée, Carl n'avait qu'une seule et même réponse : il avait dit ce qu'il avait à dire, et il espérait être rapidement contacté par la famille, afin que lui et son équipe puissent avancer dans leur enquête.

Il se tourna ensuite vers les imposantes colonnes de l'hôtel de police et les yeux très mécontents du commissaire et du commissaire divisionnaire, au-dessus de leurs masques verts.

Ses deux supérieurs lui demandèrent en murmurant s'il était devenu complètement fou et si Marcus Jacobsen avait été prévenu de cette entorse insensée à ce qui était communément accepté au sein de la police en matière d'utilisation des médias.

« Je vous propose d'attendre que nous ayons sauvé la vie de ce type pour me renvoyer », leur dit-il.

Quand ils lui eurent bien fait comprendre qu'il y aurait des sanctions, ils tournèrent les talons et rentrèrent dans le bâtiment, laissant Carl face à une horde de journalistes peu disposés à lâcher l'affaire.

Mais l'inspecteur salua la compagnie, fit signe à Gordon et à Assad de le suivre et s'éloigna vers le parking.

« Ils vont te faire la peau, chef, après ce que tu viens de faire », prédit Assad.

Carl posa une main sur l'épaule de son fidèle complice et dit : « Alors heureusement pour le département V que vous serez là pour reprendre le flambeau. »

La conférence de presse fit la une des journaux et les réactions furent spectaculaires, comme ils purent s'en rendre compte dès le lendemain. D'une part, ils reçurent un nombre incalculable d'appels concernant des personnes disparues récemment, et de l'autre, ils durent essuyer la colère de leurs collègues, furieux de voir l'attention se tourner vers cette enquête bizarre, et à leurs yeux, parfaitement farfelue. Car, bien que Carl n'ait communiqué que le numéro de Rose, il n'y eut pas un seul département, à l'ancien hôtel de police ou au nouveau, qui ne soit assailli de coups de téléphone de familles inquiètes ou de cinglés appelant pour partager d'une voix larmoyante leurs craintes imaginaires.

Bien que Carl ait précisé que la personne disparue était vraisemblablement un homme ou une femme d'affaires, la plupart des appels émanaient de parents inquiets dont l'adolescent n'avait pas donné de ses nouvelles depuis quelques heures. Dans le bureau voisin, Carl entendit toute la journée des appels de cas sociaux à moitié ivres qui ne comprenaient pas pourquoi leur gamin n'était pas rentré après leur dispute de la veille et les malédictions de ses collègues venus travailler ce jour-là malgré les restrictions Covid.

Carl ne doutait pas qu'à un moment donné, il allait se faire taper sur les doigts, et, prudent, il préféra se barricader derrière la porte close de son bureau, où il avait bien l'intention de rester jusqu'à ce que tout le monde soit parti.

Quant au téléphone de Rose, dans le deuxième bureau du département V, il était étrangement silencieux. Au bout de quelques heures, elle avait décidé de brancher le répondeur et au lieu d'attendre les appels, elle alla voir Carl dans son bureau pour lui faire un compte rendu de leurs avancées.

« Nous avons coordonné nos recherches, Carl, commença Rose avant de céder la parole à Assad qui attendait avec une pile d'albums dans les bras.

– Nous nous sommes concentrés sur l'affaire Pia Lauge-sen. Moi, je me suis occupé des albums de coupures de journaux, et Rose des émissions de télé dans lesquelles elle a été interviewée.

– Je suis remontée plusieurs années en arrière. Tiens, je te montre par exemple cet extrait d'un journal télévisé de 2009, l'année avant sa mort. » Elle posa l'ordinateur portable sur le bureau de Carl et démarra la vidéo.

L'animateur était célèbre, de ceux qui ont des cravates avec un nœud américain et un master en économie. « Je me pose une question, madame Laugesen, commençait-il. Quand vous conseillez aux plus riches d'organiser la fuite de leur argent vers des pays connus pour défendre sévèrement le secret ban-caire, quand vous participez à l'exil des entreprises, quand vous aidez vos clients à payer moins d'impôts, quand vous interprétez la loi fiscale à leur avantage, ne contribuez-vous pas, en réalité, à détruire les fondements sur lesquels est bâtie notre société ? Et n'êtes-vous pas indirectement responsable du fait que ce sont les contribuables modestes qui finissent par payer la facture fiscale dont vos clients auraient dû assumer la charge ? »

À aucun moment Pia Laugesen ne se départait de son sourire carnassier. Pendant tout le monologue du journaliste, elle jouait tranquillement avec ses bagues et rajustait son foulard Hermès. Apparemment hermétique aux accusations, elle semblait se placer tellement au-dessus des contingences du monde que rien ne pouvait la toucher.

Le journaliste s'arrêtait de parler et elle affichait un large sourire, montrant à la caméra sa denture récemment détartrée avant de rétorquer avec mansuétude : « Allons, allons, si le monde cessait de se poser toutes ces questions sans intérêt, vous seriez au chômage, mon pauvre ami. Ça fait partie de mon travail de me moquer totalement de ce qu'un employé lambda verse à l'État. Ma tâche consiste à déplacer les capitaux d'un endroit à un autre, c'est tout. En ce qui concerne les lois fiscales, ce serait peut-être aux politiques de veiller à colmater les brèches et les flous juridiques. Je ne comprends pas où est votre problème. Un peu de jalousie, peut-être ? »

Ils regardèrent encore quelques minutes d'interview, pour constater que la femme n'avait pas perdu son aplomb une seule seconde.

« Moi aussi, j'ai trouvé quelque chose, dit Assad en ouvrant un album. Cet article date du 1er juillet 2010, un mois et demi avant qu'elle se noie. » Il leur montra une photo de Pia Laugesen sur son trente et un, le manteau de fourrure déboutonné, son inévitable foulard Hermès noué autour du cou, un tailleur à la coupe impeccable et des bracelets scintillant à ses poignets comme des guirlandes sur un sapin de Noël.

Il attira leur attention sur un passage d'une interview qui s'étalait sur plusieurs pages, précédé de l'intertitre suivant :

« Le chiffre d'affaires du cabinet comptable TaxIcon dépasse celui de toutes les entreprises de Fionie. L'empire de Pia Laugesen s'envole vers de nouveaux sommets. »

Carl lut la phrase que lui montrait Assad, une remarque que n'importe quel conseiller en communication aurait fait effacer sur-le-champ :

« Les gens, riches ou pauvres, qui agissent à la légère avec leur argent ne m'intéressent pas. S'ils ne sont pas capables de gérer intelligemment leurs économies et se retrouvent en liquidation, ils ne peuvent s'en prendre qu'à eux-mêmes s'ils coulent. »

« Elle est un peu dure, non ? » commenta Carl.

Assad et Rose échangèrent un regard.

« C'est assez rigolo qu'elle parle de liquidation et de couler et qu'elle se retrouve noyée dans sa piscine », fit remarquer Rose.

Un peu alambiqué, mais Carl voyait ce qu'elle voulait dire.

« Gordon, tu peux venir, s'il te plaît ?! » cria Rose. Elle voulait voir débouler dans son bureau tous ses collègues déjà fous de rage, ou quoi ?

« Ferme la porte, Gordon, tu serais gentil, dit Carl quand celui-ci rappliqua, au garde-à-vous. Alors qu'est-ce que tu as pour nous ?

– Juste ça », dit-il, tendant à Carl la photocopie d'une publicité pour Ove Wilder Auto, une pleine page dans le journal local. L'illustration montrait une épave de Ford Escort, et à côté la même voiture, flambant neuve.

« Faites plaisir à votre voiture, confiez-la à Ove Wilder Auto ! » suivi de tarifs de vidange/graissage, changement de pneumatiques et tout un tas d'autres travaux mécaniques à des prix défiant toute concurrence.

« Et alors ? Ce n'est pas la même voiture, c'est tout ! »

Gordon sourit et posa le doigt dans le coin inférieur de l'annonce où on pouvait voir une étoile noire, avec à l'intérieur, en lettres dorées, la mention « Prix explosés ! ».

« Ouais, dit Carl.

– Si vous voulez mon avis, notre meurtrier s'est rendu compte de l'escroquerie, ou en a été victime. Comme toute la paperasse du garage a été détruite, on n'en aura pas la preuve. Peut-être que c'est la mention "Prix explosés !" qui a donné à quelqu'un l'idée de faire tout sauter. On peut considérer cela comme une piste et même une indication sur la façon dont le meurtrier pense et agit. Quoi qu'il en soit, on a deux affaires dans lesquelles la victime a d'une certaine façon eu la monnaie de sa pièce.

– Cette enquête devient de plus en plus bizarre, vous ne trouvez pas ? » Carl poussa un long soupir. « C'est à devenir fou, cette façon qu'a le meurtrier de répandre des indices partout autour de lui. Les anniversaires des plus grands criminels de l'Histoire, les victimes dont la façon de mourir est un clin d'œil à la façon dont ils ont vécu, sans compter cette histoire de sel. Et malgré tout cela, nous n'avons toujours rien de tangible. Je plains le type qui est sur le point de mourir, et le lendemain de Noël, en plus.

– Je ne suis pas d'accord avec toi, Carl ! s'exclama Rose. Je trouve que l'on comprend mieux le lien entre les différents crimes.

– Ah oui ?

– En tout cas, les criminels choisis par notre meurtrier et ses victimes ont un point commun, ils ont un sens moral gravement atrophié.

– Bref, nous cherchons un individu qui s'est autoproclamé gardien de la morale, au point de s'arroger le droit de tuer son prochain. » La simplification de Carl généra un blanc dans la pièce qui en disait long sur le caractère désespéré de la tâche.

« Il y a quelque chose de religieux dans sa démarche, vous ne trouvez pas ? » dit Assad. Il est vrai qu'il était le mieux placé pour comprendre ce type de mécanisme mental.

« Reste à savoir ce qui a fait de cet individu un croisé, dit Carl. Et où il faut chercher pour trouver ce genre de profil.

– Dans un hôpital psychiatrique ? suggéra Rose. Ou dans un endroit de ce genre, où les gens vivent en permanence dans leur monde. Je ne sais pas, moi. »

Le téléphone sonna. C'était leur adorable réceptionniste.

« J'ai une dame ici qui voudrait parler à Carl Mørck. Je peux vous l'envoyer ? »

Le front de Carl se plissa. « Qui est-ce, et pourquoi veut-elle me parler ? »

Il entendit Lis s'entretenir avec la visiteuse.

« Elle s'appelle Gertrud Olsen et c'était une amie de Pauline Rasmussen, celle qui s'est suicidée. Elle a quelque chose à vous montrer. »

En la voyant entrer, large d'épaules, outrageusement maquillée et la poitrine bien moulée dans un haut digne d'une serveuse au festival de la bière de Munich, ils n'eurent aucun mal à la reconnaître. La première fois que Carl l'avait vue, il l'avait prise pour un travesti, et il avait toujours un doute.

« J'ai trouvé cette boîte devant ma porte, hier soir, dit-elle d'une voix grave. C'était un peu flippant. Je ne sais pas qui l'a mise là et j'ai hésité à la rentrer dans mon appartement, vu que je n'attendais pas de paquet hier. Sans compter la Covid et tout ça. Mais bref, je l'ai quand même prise et je dois dire que j'ai été assez surprise par ce qu'il y avait à l'intérieur. Pourquoi me l'a-t-on apportée à moi, et qui l'a livrée, mystère. Alors j'ai pensé à vous, vu que vous êtes en première page des journaux, et puis parce que je me suis souvenue que Pauline m'avait raconté que vous étiez venu la voir plusieurs fois pour lui parler de Palle Rasmussen. Alors me voilà. Tenez, c'est pour vous. »

Carl regarda la boîte à chaussures. Une boîte toute tachée de moisissure, avec la photo d'une paire de sandales à un bout.

« J'en conclus que vous l'avez ouverte, Gertrud ? »

Elle eut l'air embarrassée. « Bah oui, j'étais bien obligée, je ne savais pas ce qu'il y avait à l'intérieur, ni si c'était pour moi.

– Et vous avez fouillé dedans, aussi ? »

Elle secoua la tête. « Non, c'était trop bizarre. Mais j'ai vu sur le dessus qu'il y avait des copies de mails envoyés par Palle Rasmussen.

– Ben merde alors ! » s'exclama Carl.

Rose était déjà en train d'enfiler des gants en latex.

Elle souleva prudemment le couvercle.

« Vous aviez déjà vu cette boîte auparavant ? Vous savez si elle appartenait à Pauline ? questionna Carl.

– Oui, je crois. Je me rappelle qu'elle m'a dit, il y a très longtemps, qu'elle avait gardé une sélection de mails dans une boîte en carton. Ce doit être celle-là, non ? Ce que je ne comprends pas, c'est pourquoi elle a versé du sel dessus. »

« Que devons-nous conclure de tout ça, à votre avis ? demanda Carl aux trois autres, quand ils furent à nouveau seuls.

– Ça part dans tous les sens, dit Rose. Si la police avait trouvé cette boîte dans l'appartement de Pauline au moment de la découverte de son cadavre, elle aurait pu faire porter les soupçons sur elle dans la mort de Palle Rasmussen. Elle y exprime clairement sa colère contre son amant, à cause de l'intérêt non dissimulé qu'il porte à d'autres femmes, et chacun sait que la jalousie est championne toutes catégories lorsqu'il s'agit de trouver le mobile d'un meurtre.

– On aurait soupçonné Pauline d'être l'assassin. Mais cette boîte à chaussures ne se trouvait pas dans l'appartement. Alors où était-elle ?

– Exactement. Si nos collègues ne l'ont pas trouvée, c'est qu'elle a été déplacée avant l'arrivée des enquêteurs. Ou qu'elle n'a jamais été là. Peut-être Gertrud en sait-elle plus à ce sujet qu'elle n'a bien voulu nous le dire ?

– Elle pourrait avoir menti et avoir elle-même versé du sel dans la boîte. Mais pourquoi aurait-elle fait ça ? Elle n'a jamais fait partie de nos suspects », dit Carl.

Le regard de Rose devint flou. « PERSONNE n'a jamais fait partie de nos suspects, Carl. Il faut que tu fasses preuve d'un peu plus d'imagination. Elle était peut-être amoureuse de Pauline. Avoue qu'elle est quand même assez masculine. Elle a pu tuer Palle Rasmussen par jalousie.

– Est-ce que nous sommes d'accord sur le fait que le meurtrier de Palle Rasmussen est le même que celui des autres victimes ? »

Ça marmonna un peu ici et là, mais ils étaient d'accord.

« Alors écoutez-moi, les enfants. C'est très bien d'être créatif, mais si Gertrud Olsen avait quelque chose à voir avec les affaires qui sont sur ce tableau, pourquoi serait-elle venue nous voir de son plein gré ? Il faut regarder les choses en face. Rose a raison, nous n'avons pas l'ombre d'un suspect, qu'il s'agisse de la mort de Palle ou de celle de Pauline, et notre meurtrier pourrait être n'importe qui.

– Je ne sais pas, chef, les bras de cette dame me font penser aux jambons d'un porc de cent kilos. Je pense qu'elle aurait pu sans difficulté assommer les mécaniciens du garage Wilder et maîtriser aussi bien Oleg Dudek que Palle Rasmussen, si elle l'avait voulu. Quant à maintenir la tête de Pia Laugesen sous l'eau jusqu'à ce qu'elle clapote, ça aurait été un jeu d'enfant pour elle.

– Je suppose que tu voulais dire "jusqu'à ce qu'elle claque", pas "jusqu'à ce qu'elle clapote", Assad. Mais, oui, tu as raison, il ne faut exclure aucune hypothèse. Moi, ce que je crois, c'est que le coupable est en train de nous faire tourner en bourrique. »

Les sourcils d'Assad se mirent à sautiller.

« Pardon, Assad, c'est une expression. Je crois qu'il se moque de nous.

– Je crois, moi aussi, que cette boîte à chaussures est une manière de nous provoquer », dit Gordon. Il marqua un temps, puis ajouta : « Alors en effet, l'expression "tourner en bourrique" est bien choisie.

– Une provocation dans quel sens ? dit Rose qui commençait à donner des signes de fatigue.

– Il cherche à nous montrer le lien entre les derniers évènements, précisa Gordon. Nous savons que Pauline ne peut pas avoir déposé cette boîte sur le paillasson de Gertrud, puisqu'elle est morte. Nous savons aussi que le sel dans la boîte à chaussures est le dénominateur commun de toutes les affaires qui sont sur ce tableau. Et maintenant, si on additionne deux et deux, on doit arriver à la conclusion qu'il est très improbable que Pauline se soit suicidée. Le meurtrier l'a forcée à avaler les comprimés, il a pris la boîte à chaussures, versé du sel à l'intérieur et il l'a déposée chez quelqu'un dont il était sûr qu'il ou elle allait venir nous l'apporter.

– Hum, tu viens d'imputer à notre serial killer le meurtre de Pauline Rasmussen, vous êtes tous d'accord avec cette hypothèse ? » Carl regarda tour à tour les visages renfrognés de Gordon, de Rose et d'Assad. « Je suis de votre avis. Mais pourquoi le tueur décide-t-il maintenant de nous mettre dans la confidence ? »

Assad se gratta les joues, ce qui fit crisser sa barbe. « Il nous stresse, et il le fait exprès, je crois. En ce moment, nous avons besoin de rester calmes avant que le prochain meurtre soit commis, mais il est difficile de rester concentrés alors que nous devons réfléchir à mille choses à la fois. Pendant ce temps-là, les jours passent. »

Rose enchaîna, la tête inclinée sur son épaule : « Moi je crois que le meurtrier est fou à lier et qu'il adore nous sentir aussi près de lui. C'est un malade mental. »

On frappa à la porte et, avant qu'ils aient eu le temps de réagir, Marcus entra dans le bureau en compagnie d'une députation de collègues au regard accusateur. C'était l'heure du règlement de comptes ?

« Je suis désolé, Carl, de devoir être le porteur de ce message, mais je dois t'informer qu'à l'issue d'une enquête conjointe menée par les brigades des stupéfiants de Rotterdam, de Slagelse et de Copenhague, tu fais l'objet d'une enquête approfondie pour le rôle que tu as joué dans l'affaire du pistolet à clous en 2007. J'ai ici un mandat de perquisition pour fouiller ton domicile d'Allerød. »

Quelques collègues s'avancèrent, Terje Ploug en tête, avec derrière lui le légendaire Leif Lassen, alias le Pif, de la brigade des stups de Copenhague. À eux deux, ils formaient un tandem qu'il ne fallait pas prendre à la légère.

« OK, dit Carl en prenant le mandat des mains de Lassen. Moi qui croyais que j'allais juste me faire engueuler pour ma petite performance médiatique d'hier !

— Ça viendra, Carl, mais on va commencer par cette affaire-là, qui est nettement plus sérieuse. »

Carl lut le papier. « Il y a réellement un juge qui a accepté de délivrer un mandat pour fouiller ma maison d'Allerød ? C'est complètement absurde. Ça va vous avancer à quoi ? La maison est habitée par Morten Holland, son compagnon Mika et notre ancien collègue Hardy Henningsen, vous êtes au courant, non ? »

Terje Ploug s'avança. Il n'avait pas l'air à l'aise. « Oui, et nous savons aussi qu'ils sont en Suisse depuis plusieurs mois. Nous allons devoir te demander de nous suivre à Allerød. »

Carl se tourna vers ses collègues du département V, qui affichaient tous des mines lugubres.

Il ne s'agissait pas d'une plaisanterie.

Le téléphone arabe avait toujours bien fonctionné dans le quartier de Rønneholtparken, et quand Carl arriva sur place en compagnie de Marcus Jacobsen, malgré l'interdiction de se rassembler en vigueur pour l'ensemble du territoire, une véritable foule s'était amassée sur le parking autour des nombreuses voitures de police garées devant le numéro 73 de la rue des Magnolias.

« Que s'est-il passé ? C'est vrai que Morten et Hardy sont morts ? Ça fait longtemps qu'on ne les a pas vus ! » lançaient certains.

Carl secouait la tête et haussait les épaules. Ne vous inquiétez pas, tout va bien, disait son expression, mais à vrai dire, il n'en était plus très sûr.

À l'intérieur, une armée d'hommes en blanc veillaient à ce que rien ne leur échappe.

La maison sentait le renfermé, ce qui était normal. Depuis combien de temps ses locataires étaient-ils partis ? Il l'ignorait. Mais ça devait faire plusieurs mois.

J'ai honte, se dit Carl. Depuis qu'il s'était installé chez Mona il y avait bientôt un an et demi, il devait être venu trois fois. Hardy aurait probablement souhaité qu'il passe plus souvent.

« Ils cherchent de l'argent, de la drogue et des documents numériques, Carl, lui expliqua Marcus.

– OK, alors pense à leur dire que s'ils trouvent un paquet de fric, il est à moi », plaisanta Carl. Plaisanterie déplacée, indiquait le visage de Marcus en lettres de feu.

Nombre d'objets intéressants furent exhumés, mais ils n'étaient pas à Carl. Plusieurs appareils dentaires, une collection de sextoys qui ne correspondaient nullement à ses préférences sexuelles, des comprimés contenant peut-être des stéroïdes, des couches pour adulte appartenant à Hardy et du talc. Bref, un tas de choses qui ne regardaient personne d'autre que leur propriétaire, mais une perquisition ne s'encombre pas de ce genre de considérations.

Quand ils eurent terminé au sous-sol, au rez-de-chaussée et au premier étage, Leif Lassen montra du doigt la trappe du grenier.

« Mon nez me dit qu'il y a quelque chose là-haut », annonça-t-il en gravissant l'échelle en quatre enjambées.

« Eh ben merde alors ! dit-il en passant la tête à travers l'ouverture. Il y a de quoi faire ! »

Carl fronça les sourcils, essayant de se rappeler. Il y avait des années qu'il n'était pas monté dans ce grenier, il ne savait même plus à quelle occasion. En revanche, il se souvenait de l'avoir entièrement vidé à l'époque où il avait exigé de Jesper, le fils de son ex, qu'il vienne récupérer ses affaires, ce qu'il avait fait de mauvaise grâce.

Carl gravit l'échelle escamotable et se trouva nez à nez avec le cul du Pif, qui se tenait debout devant une montagne de cartons.

Ça fait beaucoup de cartons, songea Carl en se demandant s'ils venaient des innombrables fois où Mika avait quitté Morten, pour mieux revenir ensuite.

« Rien de ce qui est dans ce grenier ne m'appartient, Lassen, dit-il. Tu es obligé de tout mettre sens dessus dessous ? Tu ne pourrais pas au moins refermer les cartons une fois que tu les as vérifiés ? »

Le silence est souvent la meilleure réponse, et c'est pour celle-là que le Pif opta. Dix minutes plus tard, trois autres enquêteurs les avaient rejoints. Carl ne les connaissait pas, ils n'appartenaient peut-être même pas à la police danoise.

Après avoir œuvré pendant près d'une heure et demie, ils lui demandèrent d'approcher.

Ils avaient rassemblé tous les cartons sur les côtés, de manière à ménager une sorte de couloir allant jusqu'au pignon de la maison.

« Elle est fermée à clé, dit l'un des types en désignant une valise appuyée contre le mur du fond. Je peux vous demander de l'ouvrir, s'il vous plaît ?

– Je regrette, j'ignore qui a la clé du cadenas. Cette valise est ici depuis des années, je pense qu'elle doit appartenir au fils de mon ex. »

Et puis soudain, il se rappela qui avait laissé cette valise dans son grenier.

Ils la dégagèrent, la descendirent du grenier et la posèrent sur la table de la salle à manger. Elle était particulièrement lourde par rapport à sa taille, et dès ce moment, tout le monde eut l'intuition que ce n'était pas une valise ordinaire.

Terje Ploug fit signe à un technicien de la police scientifique d'approcher et il hocha la tête quand ce dernier demanda s'il devait forcer le cadenas.

Mais ce ne fut pas suffisant pour l'ouvrir. Outre l'épaisse couche de toiles d'araignée enveloppant le bagage, le dessus semblait avoir été collé avec une matière jaune qu'ils identifièrent comme de la colle époxy, du genre qui ne lâche jamais.

« Découpez le fond », ordonna Ploug, mais cela aussi se révéla impossible, parce que la valise était entièrement doublée de plaques métalliques.

Ça ne sentait pas bon du tout, et Carl chercha en vain le regard de Marcus pour lui montrer à quel point lui aussi était perplexe. Mais Marcus suivait, hypnotisé, les efforts de ses collègues.

Ils finirent par dénicher une meuleuse d'angle dans l'une des voitures et quelques secondes plus tard, les étincelles faisaient danser des ombres autour d'eux.

Toute autre activité avait cessé dans la maison. Tout le monde était en attente, et Carl avait déjà compris que cette attente serait récompensée. Car en sondant sa mémoire, il lui était maintenant revenu que son ancien équipier, Anker Høyer, peu de temps avant que Hardy, Carl et lui se fassent canarder à Amager, lui avait demandé s'il pouvait entreposer cette valise chez lui, sous prétexte qu'il était en train de divorcer de sa femme et qu'il n'avait pas de place chez lui. Anker n'était jamais venu récupérer sa valise. Il reposait au cimetière de Vestre Kirke.

« Je me souviens, maintenant, dit-il doucement. Elle appartenait à Anker Høyer. J'avais oublié qu'il l'avait mise là-haut. Il y a treize ans qu'Anker a été tué à Amager, et personne n'y a touché, comme vous pouvez en juger par la quantité de toiles d'araignée ! »

Terje Ploug posa sur lui un regard faussement indulgent sous ses sourcils broussailleux. Comme si Carl ne savait pas que l'argument était mince.

« Et évidemment, tu n'as aucune idée de ce qu'elle contient ? »

Au moins dix regards le fixaient, et dans beaucoup trop d'entre eux Carl lut une sorte de jubilation intérieure.

42

Samedi 19 décembre 2020

Debora

Adam et Debora s'étaient rencontrés dans leur prime jeunesse, à une réunion d'éveil biblique à Hurup, et ils étaient tombés amoureux. L'année suivante naquit leur première fille et un an plus tard, la seconde. Puis vint un garçon qui se révéla être tout ce dont peuvent rêver des parents, et plus encore.

À quinze ans, Isak avait largement dépassé le niveau des autres élèves de son lycée de province, et il parut évident que la famille devait se rapprocher d'une grande ville et embrasser de nouveaux horizons pour que le potentiel intellectuel de l'adolescent ait une chance de se développer.

Isak visait l'université de Copenhague et Adam trouva au nord de la ville un emploi dans lequel il pouvait exercer ses compétences. Quand les deux filles eurent achevé leurs études, Debora fut plus disponible pour aider son mari, et Adam créa sa propre société, qui en quelques années devint une affaire très rentable. À cette époque, Isak vivait toujours chez eux, et il n'avait pas encore montré l'aspect de sa personnalité qui plus tard ferait leur malheur.

Isak avait vingt-cinq ans quand il mit fin à ses jours et brisa le cœur de ses parents.

SEL 335

Ils n'apprirent que leur fils avait été victime de harcèlement que lors de son enterrement, auquel n'assistèrent que deux de ses camarades d'études. Même ceux-là se montrèrent particulièrement discrets quand Debora, en larmes, chercha à savoir ce qui avait pu pousser Isak à se jeter sous un train.

« Il était plutôt solitaire », dit l'un.

Adam ne comprenait pas. Son fils n'avait-il pas toujours été très sociable ?

À cette question, les deux garçons se contentèrent de hausser les épaules.

Debora insista pour en savoir plus et les réponses finirent par arriver. Et elles furent difficiles à accepter, car ils comprirent qu'Isak avait été victime tous les jours, depuis des années, d'un harcèlement systématique et d'actes de cruauté très inventifs. On se moquait de sa religion, de son intelligence, de sa gentillesse et de sa foi aveugle en la bonté de l'homme. À la fin, il pouvait à peine ouvrir la bouche sans en payer les conséquences. Adam et Debora découvrirent que trois de ses camarades d'université en particulier formaient le noyau dur à l'origine de ces agressions répétées, et un désir de vengeance consuma lentement les parents d'Isak.

Adam fabriquait certains produits chimiques qui avaient attiré l'attention de Sisle, et elle lui avait proposé de les commercialiser par le biais de son entreprise. Au bout de quelques réunions fructueuses, ils réalisèrent qu'ils partageaient la même rage envers ceux qui passaient leur existence à nuire à leur prochain, et que cette rage constituait une philosophie de vie commune.

Les trois bourreaux d'Isak étaient morts ensemble dans un accident, un samedi après-midi, sans que personne ne comprenne pourquoi ils avaient foncé dans un arbre à une telle vitesse. L'enquête ne s'intéressa pas suffisamment aux rayures sur les deux portières côté conducteur pour en déduire qu'on les avait aidés à sortir de la route, et c'est pourtant ce qui s'était passé. Les deux premiers moururent sur le coup, mais le troisième lutta pour sa vie pendant vingt minutes, tandis qu'avec un regard terrifié, il suppliait Debora et Adam de l'aider. Ce qu'ils n'avaient nullement l'intention de faire.

Sisle leur raconta sa vie d'étudiante. De fil en aiguille, ils en vinrent à lui parler d'Isak et lui avouèrent ce qu'ils avaient fait. Ils s'attendaient à ce qu'elle soit choquée, mais elle affirma qu'elle comprenait leur geste.

Ces confidences les rapprochèrent.

Un jour de novembre 1992, Sisle leur fit part à son tour de ce qu'elle avait entrepris, et elle leur proposa de s'associer à sa croisade.

Ce couple, qui avait été capable de tuer les jeunes gens qui harcelaient leur fils, lui avait fait comprendre qu'ensemble, ils pouvaient accomplir de grandes choses. Elle leur parla de sa relation avec Dieu, et leur fit entrevoir une humanité et un monde dont Il ne pouvait pas Se montrer satisfait.

Adam et Debora comprirent où elle voulait en venir. Ce fut même Debora qui eut l'idée de la façon dont leur association pourrait fonctionner, et Sisle ne tarda pas à voir les avantages de sa proposition.

Ils vinrent habiter près de chez elle et commencèrent à recruter des femmes qui croyaient au concept de justice et de représailles, et qui étaient prêtes à s'engager à leur côté pour l'appliquer.

Debora se chargerait d'enrôler les jeunes femmes et de leur apprendre comment châtier les citoyens qui dans leur vie de tous les jours manquaient d'égards et d'empathie pour leur prochain. Et quand elles seraient prêtes, quand elles auraient prouvé leur valeur et leur loyauté, Sisle les embaucherait dans son entreprise avant de les lâcher un jour dans la nature avec pour unique mission de combattre le mal.

Deux ans plus tard, leur petite entreprise était sur des rails, et plus elle prenait de l'ampleur, plus Adam et Debora avaient le sentiment que la vie d'Isak n'avait pas été vaine. Grâce à lui, et avec l'aide de Sisle, sur cette terre, quand un être avait un comportement répréhensible, il était puni par où il avait péché.

Adam et Debora mirent toutefois un long moment avant de découvrir de quoi Sisle était capable et dans quoi elle les avait embarqués.

Au début, Debora n'était pas sûre que toutes les victimes de Sisle aient réellement mérité leur sort, mais devant le plaisir qu'Adam avait à s'impliquer dans la croisade de Sisle Park, elle tut ses scrupules.

« Sisle a raison, disait Adam. Par notre mission, nous contribuons à rendre ce monde meilleur. Dieu est de notre côté. Nous savons par les Écritures que Sa punition peut être impitoyable, alors nous devons l'être aussi. »

Ces vingt-six dernières années, ils avaient sélectionné quatorze hommes et femmes qui, par pur égoïsme, avaient ruiné la vie de leurs concitoyens. Ces hommes et ces femmes devaient mourir, mais Sisle s'était imposé un certain nombre de règles dans l'exécution de son œuvre. Outre les aspects symboliques, auxquels elle tenait beaucoup, elle exigeait que les décès passent toujours pour des accidents. La première fois, c'est-à-dire dans l'attaque contre le garage Ove Wilder, elle avait commis des erreurs, et par la suite, elle avait pris des précautions afin d'éviter de les reproduire. Avant l'arrivée d'Adam et Debora, elle avait tué le patron d'une grosse entreprise de recel, un dealer qui fournissait de la drogue à des enfants pendant les heures de classe, et pendu une femme qui escroquait les compagnies d'assurances. Et comme elle l'avait prévu, ces meurtres avaient été classés par la police comme des suicides ou des morts accidentelles.

Quand Adam et Debora l'avaient rejointe, ils s'étaient pliés sans discuter à son schéma, qui consistait à tuer tous les deux ans un individu qui ne méritait pas de vivre, le jour de l'anniversaire d'un individu ayant commis un crime contre l'humanité. Les scènes de crime ne devaient jamais permettre de remonter jusqu'à eux, à l'exception d'une discrète signature, sous forme d'un dépôt de sel à proximité de la victime. En faisant abstraction de l'assassinat d'Oleg Dudek, le patron d'une entreprise d'usinage à qui ils avaient tranché les deux mains, faisant gicler le sang de la victime sur les vêtements d'Adam, ils avaient toujours évité de garder la moindre trace d'ADN de leurs victimes sur eux, et également pris soin de ne pas faire souffrir celles-ci inutilement.

Les méthodes employées variaient d'une victime à l'autre. Les uns étaient vidés de leur sang, les autres empoisonnés au monoxyde de carbone ou noyés, de façon que les meurtres n'entrent jamais dans un *modus operandi* identifiable. Sisle ne dérogea à ses principes que lors de l'exécution de Franco Svendsen. Avec les années, elle semblait tirer plus de plaisir à faire durer le calvaire de ses victimes. Les dernières avaient dû attendre près d'un mois après leur enlèvement pour mourir. Un mois interminable pendant lequel elles avaient été lentement affamées et psychiquement détruites. Debora avait du mal à accepter cette nouvelle méthode, mais Adam l'avait convaincue en lui rappelant le jour où ils avaient froidement regardé un jeune homme mourir à l'intérieur d'une épave de voiture. D'autre part, il lui avait expliqué qu'il était important pour lui de passer du temps avec ses victimes afin de leur faire comprendre la nature de leurs péchés.

Debora poursuivait son recrutement de candidates, de manière à en avoir toujours quatre en formation. Pendant un cursus long et intense, ses élèves devaient montrer leur motivation à trouver les brebis galeuses et à les punir. Plus elles étaient douées, plus vite elles étaient embauchées dans la puissante entreprise de Sisle Park, au sein de laquelle elles accomplissaient pendant plusieurs années un travail normal et bien rémunéré, en attendant d'être lâchées dans le monde tels des anges vengeurs de l'Apocalypse. Si certaines d'entre elles ne répondaient pas aux attentes, la sanction ne tardait pas. Dans le meilleur des cas, elles étaient licenciées et payées pour leur silence, quand elles ne faisaient pas l'objet de sévères menaces, à moins qu'elles ne soient tout simplement réduites au silence.

Debora avait toujours pensé que les anges vengeurs seraient tous dispersés après le dernier meurtre, le 26 décembre 2020.

Mais à présent, elle n'était plus sûre de rien.

« À ton avis, qu'est-ce que Sisle a dans la tête ? demanda-t-elle à son mari. Une fois que Maurits Bierbek sera mort, que se passera-t-il ? Sisle prend trop de risques. Ce flic devant l'hôtel de police avait l'air d'en savoir beaucoup trop. Et le fait que Ragnhild, notre Ruth, n'en ait fait qu'à sa tête et qu'elle n'ait pas hésité à nous exposer, qu'elle soit même allée jusqu'à venir nous voir pour nous demander notre aide, ça ne me rassure pas non plus. Sans parler de Pauline Rasmussen qui débarque à la maison comme ça, et qui ne nous laisse pas d'autre choix que de la tuer ! Tout ça va mal finir, Adam.

– Sisle a l'intention de geler cette mission après la mort de Bierbek, c'est ce qu'elle a dit.

– Exactement. Et tu ne crains pas qu'elle soit obligée de nous éliminer, pour ça ?

– Qu'est-ce que tu veux dire ?

– Elle a des tas d'employées pour nous remplacer. Et à ton avis, combien de personnes a-t-elle réellement tuées ? Tu crois qu'elle nous dit tout ! Quand on y réfléchit, est-ce qu'on connaît le compte exact de ses victimes ? Enfin, est-ce que tu ne penses pas que sa façon de faire ces temps-ci pourrait nous faire tous prendre ? »

Elle n'arrivait pas à croiser le regard de son mari. Est-ce qu'il l'écoutait seulement ?

« Adam ! Je parle sérieusement. Nous sommes de plus en plus exposés dans cette affaire, et je trouve que nous devrions commencer à faire attention. Je n'ai pas envie de finir comme la femme de Loth, moi. »

La comparaison eut pour effet de réveiller son mari. « Écoute, Debora, la femme de Loth avait désobéi. Elle a trahi la confiance de Dieu et Il l'a transformée en statue de sel. Toi, tu es l'inverse de cette femme. Tu portes le nom de l'une des figures les plus fortes de la Bible. Souviens-toi, cette femme magnifique, la plus intelligente de sa génération, était juge. Dieu t'a choisie pour accomplir cette tâche parce que tu étais la bonne personne pour l'accomplir, et Sisle le sait. Tu crois qu'elle nous a choisis par hasard ? Non. Nous n'avons rien à craindre, je te le promets. »

Debora regarda longuement son mari. En fin de compte, il adorait ce qu'il faisait à présent. Tuer des gens, imaginer leur prochain coup avec Sisle, être son homme de main chaque fois qu'elle en avait besoin.

« Je dis juste qu'il faut faire attention. Tu me dis que je suis intelligente, alors fais-moi confiance. Quand Sisle en aura fini avec Maurits, nous devrons être très vigilants, toi et moi. »

43

Samedi 19 décembre 2020

Assad

Trois coups de fil, reçus à un court intervalle l'un de l'autre, avaient mis Assad KO. D'abord, c'était Marwa qui l'avait appelé pour lui dire qu'il travaillait trop, que c'était sa faute si tout allait de travers à la maison et que s'il ne venait pas bientôt assumer ses responsabilités de père de famille et se montrer plus présent, Ronia partirait et leur isolement social aurait définitivement raison de l'équilibre psychique de Nella.

Assad lui avait promis qu'il allait rentrer. Il avait à peine raccroché que le téléphone sonnait de nouveau. Cette fois, c'était Mona qui ne comprenait pas pourquoi Carl ne répondait pas au téléphone depuis une heure. Assad avait dû lui expliquer que la vieille affaire du pistolet à clous avait refait surface et que Carl se trouvait à Allerød, dans son ancienne maison, où la police faisait une perquisition. Mais, s'était-il senti obligé de préciser, Carl semblait calme et posé en partant, et tout cela n'était probablement qu'une tempête dans un verre d'eau.

Une opinion que le troisième coup de téléphone avait malheureusement infirmée, puisque cette fois, l'appel venait de Carl lui-même, qui lui expliqua en quelques mots qu'on avait trouvé dans le grenier de son ancien domicile une valise contenant un kilo et demi de cocaïne et plus de deux cent mille euros. Il dit aussi qu'il ne serait pas arrêté sur-le-champ, parce que la police scientifique devait d'abord analyser le contenu de la valise, ce qui l'avait un instant déstabilisé, parce que si, contre toute attente, ils devaient trouver ses empreintes à l'intérieur, il ne savait pas du tout comment elles seraient arrivées là.

Comment réagit-on à une telle nouvelle ? Assad n'en avait pas la moindre idée.

« Et au fait, Assad, il y a de fortes chances que je sois suspendu jusqu'à nouvel ordre et que je doive rendre mon badge et mon arme de service.

– Mais alors tu ne vas pas pouvoir venir au bureau, chef.

– Non, mais demande aux deux autres s'ils ont une idée. Il faut qu'on continue. Ce n'est pas le moment de lâcher l'affaire. La meilleure solution serait de travailler avec une unité au bureau et une autre chez moi. »

Rose fut celle qui réagit le plus violemment. « Mais qu'est-ce que c'est que ces conneries, putain ?! On ne garde pas ce genre de merde chez soi pendant presque quinze ans si on a la moindre idée de ce qu'il y a à l'intérieur ! Soit on s'en débarrasse, et il y a des tas de manières de le faire, entre autres, l'apporter à la police, soit on écoule le magot et on répartit l'argent sur divers comptes secrets, dans différents endroits dans le monde. Alors vous pouvez me dire pourquoi Carl n'a fait ni l'un ni l'autre ? Parce qu'il n'a strictement rien à voir avec cette histoire, point final.

– Et comment sais-tu que ce n'est pas ce qu'il avait prévu pour sa retraite ? Quand on a de l'argent sale planqué quelque part, surtout s'il y en a beaucoup, il vaut mieux le dépenser très longtemps après que le crime a été commis, dit doucement Gordon.

– Qu'est-ce que tu racontes ? Tu es stupide, ou quoi ? Tu oses, avec tes soixante-dix kilos tout mouillé, venir me dire en face, le plus sérieusement du monde, que tu penses que Carl est un criminel ?

– Non, mais je...

– Alors tu la fermes, Gordon ! Enfin, tu connais Carl, quand même ! » Elle se tourna vers Assad. « Et toi, Assad, qu'est-ce que tu en penses ? Tu as une mine de papier mâché, mon vieux ! »

Assad leva la tête. « C'est vrai que je ne me sens pas très bien, dit-il, si c'est ça que tu veux dire. Mais moi aussi, je connais Carl. Enfin je crois. Il m'a dit qu'il allait appeler Hardy et en parler avec lui. Peut-être qu'ensemble, ils réussiront à se souvenir de ce qui s'est passé à l'époque. »

Assad regarda ce que Carl avait écrit en rouge sur la vitre. À ce stade, il n'y avait que la signification des dates qui était résolue. Mais lequel des autres points fallait-il qu'ils résolvent pour pouvoir parler d'une véritable percée ? Sur quoi devaient-ils se concentrer ? Il aurait bien aimé le savoir.

Il sortit son cartable et y fourra quelques documents. « Je vais voir Carl, d'accord ? Mettez en place une connexion Zoom pour qu'on puisse se parler. Tu vas savoir le faire, Gordon ? »

Il fit signe que oui, encore rouge de honte après l'attaque de Rose.

« Arrête de broyer du noir, Assad. La police ne trouvera rien de compromettant sur moi, tu n'as aucune raison de t'inquiéter. »

Assad haussa les épaules et regarda autour de lui dans le salon de Carl et Mona. Allaient-ils vraiment devoir travailler ici, planqués au domicile de Carl, avec les jouets de Lucia qui traînaient partout sur le sol et Mona qui tournait en rond comme une lionne en cage ?

Bien sûr qu'elle était inquiète, et Assad également, Carl ne pouvait pas savoir à quel point ! Si son chef quittait le département V, Assad n'avait plus rien à y faire. Tout serait tellement plus simple s'il se trouvait un autre job, ailleurs. Il passerait plus de temps chez lui avec sa famille, il échapperait aux questions des agents du Renseignement, lesquels finiraient un jour par exiger des réponses.

Il s'efforça de chasser ces problèmes de sa tête. En ce moment même, quelque part, un homme attendait son exécution, et s'ils n'avançaient pas dans cette enquête, cet homme mourrait. C'est à cela qu'il fallait penser. Le reste devrait attendre.

« Nous avons vu la liste que tu as faite sur la fenêtre de ton bureau, chef. Rose et Gordon ont commencé à travailler sur différents points, mais je trouve que toi et moi, nous devrions nous concentrer sur la question du sel, qu'en penses-tu ? »

Carl acquiesça sans rien dire.

« Pourquoi laisser du sel sur les scènes de crime ? C'est ce que tu as écrit. Qu'est-ce qui peut motiver quelqu'un à faire ça ?

– J'ai pensé à ce que nous étions en train de dire au moment où Marcus, Terje Ploug et le Pif nous ont interrompus. Tu as dit quelque chose qui m'a frappé.

– Quoi donc ?

– Rose venait de faire remarquer que le meurtrier s'attaque uniquement à des gens à la morale plus que douteuse. Des gens qui trichent et trompent les autres et qui ne respectent personne.

– Oui, et toi, tu as dit qu'il se comportait comme un justicier. Tu as même employé le mot de "croisé".

– Exactement, et c'est toi qui m'as inspiré ce mot. Tu as dit que tout cela t'évoquait une démarche religieuse.

– C'est ce que je pense. Tu ne trouves pas, chef, qu'un projet qui consiste à éliminer des gens immoraux exclusivement à la date anniversaire des pires salauds de l'Histoire a quelque chose de religieux ?

– Sodome et Gomorrhe. C'est l'histoire à laquelle j'ai pensé en rentrant d'Allerød. Le monde va mal. Et pas uniquement à cause de ce foutu coronavirus. Aujourd'hui, la plupart des gens ne pensent qu'à eux, comme Anker n'a pensé qu'à lui en me demandant d'entreposer cette putain de valise dans mon grenier. L'égoïsme et le nombrilisme prennent l'ascendant sur tout ce qu'il y a de bon chez l'être humain, tu n'es pas d'accord ? »

Assad eut un air pensif. « Sodome et Gomorrhe, ça a à voir avec la religion ? »

Carl sourit. Ce n'était pas un récit biblique qu'un musulman d'Irak était censé connaître. Cela dit, il ne devait pas non plus y avoir beaucoup de chrétiens au Danemark qui s'en souvenaient.

« C'est une histoire triste et fascinante qui se trouve dans l'Ancien Testament, Assad. Elle parle de deux villes, Sodome et Gomorrhe, dans lesquelles les habitants s'adonnaient à la pire débauche, violaient les femmes et forniquaient entre hommes. Je ne me rappelle pas toute l'histoire, mais en tout cas, il y a un type, Loth, qui est bien vu de Dieu, et Dieu envoie des anges vengeurs sur terre pour le prévenir que les villes de Sodome et de Gomorrhe vont être détruites dans un ouragan de soufre et de feu et qu'il ferait mieux de s'enfuir avec sa femme et ses deux filles avant que cela n'arrive. Comme le voulait la tradition quand on recevait des invités, Loth demande à sa femme de donner du sel aux anges, mais la femme de Loth refuse de leur donner son propre sel et elle va en emprunter chez la voisine. Lorsqu'ils quittent la ville, les anges leur recommandent de ne pas regarder derrière eux. Mais l'histoire veut que la femme de Loth ne les ait pas écoutés. Elle s'est retournée et elle a contemplé l'œuvre de destruction de Dieu, qui l'a aussitôt changée en statue de sel. » Carl soupira. « Bref, dans cette parabole, la punition de Dieu est étroitement liée à ce précieux condiment. »

Le regard d'Assad devint flou.

« Je m'en souviens maintenant, chef. Le Coran aussi mentionne Sodome et Gomorrhe. J'avais juste oublié de quoi il était question. Tu crois que c'est dans cette histoire de punition de Dieu envers les pécheurs et les gens qui se fichent de la morale qu'il faut aller chercher le mobile de notre tueur en série ? Parce que dans ce cas, c'est une sorte de fanatique religieux qu'on cherche. »

Carl posa sur son vieil ami un regard d'une grande tendresse. C'était la première fois depuis longtemps qu'Assad lui rendait visite chez lui, et la première fois depuis encore plus longtemps qu'ils travaillaient ensemble si étroitement sur une enquête.

« Vous ne m'en voulez pas d'avoir un peu écouté ce que vous disiez ? » dit Mona qui venait de rentrer discrètement dans le salon et se tenait au milieu de la pièce, les bras croisés sur la poitrine. Manifestement, elle brûlait de faire un commentaire.

« Assad, tu te doutes que Carl me tient au courant au jour le jour de votre affaire... Je pense donc être en mesure de suivre votre raisonnement. Je crois en l'occurrence qu'une personne vraiment et sincèrement croyante vit avec un tas de limites conscientes ou inconscientes. Un fanatique se crée ses propres règles, bien sûr, mais il reste soumis aux principes fondamentaux de sa religion. Et je n'ai pas le sentiment que votre tueur s'embarrasse beaucoup de ce qui est permis ou pas quand on est au service de Dieu. À mon avis, ce n'est pas la foi, mais un évènement particulier dans sa vie qui a donné naissance à ce projet dément.

– Quel genre d'évènement, Mona ? C'est exactement dans ce sens que va notre réflexion. Quel genre d'évènement pourrait inspirer à quelqu'un ce projet criminel insensé ? »

Elle regarda Carl avec un sourire un peu triste et des yeux fatigués. Elle n'avait pas oublié une seconde dans quelle douloureuse situation ils se trouvaient brusquement.

Elle tendit vers eux son poing fermé et leva d'abord le pouce.

« J'émettrais l'hypothèse qu'une vieille rancune a hanté votre tueur au départ, et que cette rancune s'est renforcée au fur et à mesure de sa "croisade", comme tu l'appelles, Carl. »

Puis l'index jaillit.

« Ensuite, je crois que l'évènement qui a touché le tueur avec tant de force remonte assez loin dans son passé pour que vous puissiez raisonnablement affirmer qu'il s'est produit avant 1988, date à laquelle a eu lieu le premier meurtre. »

Le majeur vint rejoindre les deux premiers doigts.

« Nous savons que le meurtrier tue avec une détermination et une organisation sans faille, et pouvons imaginer avec une quasi-certitude qu'il est tout aussi organisé dans d'autres domaines. Je pense aussi qu'il a une certaine aisance financière, parce que plusieurs de ses crimes ont demandé beaucoup de temps et de préparation. »

Elle leva l'annulaire, et il ne resta plus que le petit doigt.

« En outre, c'est une personne très patiente, qui ne tue pas à tort et à travers. En ne passant à l'acte qu'une fois tous les deux ans, elle joue volontairement la sécurité. Je ne serais pas surprise que ce soit quelqu'un de très intelligent, doué de surcroît d'un grand sens de l'organisation. »

Et ce fut au tour de l'auriculaire.

« Quand on voit la complexité de ces crimes, je me dis que votre meurtrier n'agit pas seul. Je pense à un profil de leader entouré de plusieurs disciples. »

Assad résuma : « Un joueur d'équipe, intelligent, patient, probablement aisé, qui a subi dans son existence un évènement grave ayant altéré son sens moral. Tu penses qu'il a le sentiment d'avoir été victime d'une injustice ?

— Oui, sans aucun doute, dit Mona. Et je crois qu'il pense agir dans son bon droit, c'est ce que m'évoquent les aspects symboliques de ses crimes. Le sel est une sorte de passeport pour pouvoir se considérer comme le bras vengeur de Dieu, et tout le folklore autour des anniversaires des criminels de haut vol, un alibi pour faire croire qu'il agit pour la bonne cause.

— Tu crois vraiment qu'il pense ça ? s'étonna Carl. Enfin quand même, trancher les mains d'Oleg Dudek, noyer Pia Laugesen dans sa propre piscine, injecter du chlorure de potassium dans le corps d'hommes comme Franco Svendsen et Birger Brandstrup, qu'il a pratiquement laissés mourir de faim auparavant... C'est l'œuvre d'un psychopathe, Mona !

— Tout à fait ! Mais sache qu'un authentique psychopathe questionne très rarement ses actes. »

Une sonnerie de téléphone retentit, et la petite Lucia arriva en courant, le mobile dans sa main tendue. Assad ne savait pas à quoi ressemblaient Nella et Ronia quand elles avaient l'âge de la fille de Carl et Mona. Avaient-elles eu un jour autant d'innocence ?

Carl écouta son interlocuteur sans rien dire, les sourcils froncés, et ces deux minutes de silence durèrent une éternité pour Assad et Mona. Puis il raccrocha et dit à Assad :

« Je n'ai pas tout retenu, Assad, mais il semble que Gordon et Rose aient pratiquement terminé de remplir le tableau. Sur les huit affaires qui n'étaient pas encore identifiées, il n'en manque que deux. Les six autres impliquent toutes des individus dont on peut dire sans exagérer qu'ils ont fait, de leur vivant, un passage remarqué dans la société, et pas parce qu'ils étaient des parangons de vertu. Ils sont tous décédés dans des accidents peu ordinaires, aux dates où divers grands criminels ont vu le jour. Rien de nouveau sous le soleil, donc. Cette fois, il s'agit des anniversaires de Lénine, de Kadhafi, de Mussolini et de Ferdinand Marcos, pour n'en citer que quelques-uns. Vous vous rappelez peut-être la spectaculaire affaire Bobo Madsen, il n'y a pas très longtemps, en 2014 pour être exact. »

Assad se tourna vers Mona, qui était en train de creuser dans sa mémoire. Bobo n'était pas un prénom facile à oublier, pourtant.

« Il est mort dans un accident de cheval le 25 novembre 2014, jour de l'anniversaire d'Augusto Pinochet, le dictateur chilien. »

Mona venait de se rappeler le fait divers.

« Ce n'est pas le type qui faisait des prêts à très court terme à des taux astronomiques ? »

Carl confirma. « C'était un usurier professionnel qui, effectivement, ne faisait que des prêts à court terme. Souvent il s'agissait de tout petits prêts, qui s'adressaient à de toutes petites gens, par l'intermédiaire d'annonces très alléchantes, sans aucune mise en garde. C'est en général comme ça que ça se passe avec les prêts à court terme. Mais avec les taux pratiqués, dix mille couronnes empruntées pouvaient vite devenir cent mille couronnes de dettes, si l'emprunteur ne remboursait pas ses mensualités à temps, ce qui était assez fréquent, vu les intérêts que Bobo ajoutait au capital. »

Assad avait raccroché les wagons. « Oui, ça y est, je me souviens de la polémique qu'il y a eu à ce sujet, au moment de sa mort. Mais il n'y avait pas eu de suites, si ? »

Carl ricana. « Tant que les gens vivront à crédit, il y aura toujours des crétins pour en ignorer les conséquences. Non, tu as raison, la loi n'a pas changé dans ce domaine. »

Mona semblait un peu perdue, tout à coup.

« Mais il est bien mort d'un accident de cheval, non ?

– Si, si, incontestablement. Il a été littéralement décapité en fonçant en plein galop sur un câble électrique qui pendait entre des arbres.

– Oui, je me rappelle, dit-elle. L'accident a donné lieu à toutes sortes de plaisanteries morbides. On s'est moqué de son annonce publicitaire qui disait : "Problème d'argent ? On garde la tête sur les épaules et on appelle Bobo la Finance." »

Les regards de Carl et d'Assad se télescopèrent.

Encore un qui était mort par où il avait péché.

44

Dimanche 20 décembre 2020

Maurits

Bien que le local dans lequel il se trouvait soit chauffé, Maurits claquait des dents, il tremblait de froid. Pourtant, alors que son corps était soumis à la torture, il était empli d'une paix intérieure. Mourir d'inanition est une mort bien douce, songeait-il. Comme lorsqu'on meurt de froid, le corps prend son parti de l'inévitable, il se met en hibernation, et le cœur ralentit progressivement jusqu'à s'arrêter complètement.

Jadis, Maurits était le premier à enfiler ses baskets le matin pour aller courir et, avant le confinement, on pouvait le voir quatre fois par semaine au centre de fitness. C'est pourquoi depuis des années il avait un rythme cardiaque au repos avoisinant les cinquante pulsations par minute. Mais ce n'était pas le cas en ce moment.

Les premiers jours sans boire et sans manger, son pouls s'était accéléré, comme si son cœur diffusait le sang dans ses veines avec une puissance accrue pour alimenter ses cellules. Mais, sans carburant, le pouls avait fini par ralentir à nouveau. Ces dernières vingt-quatre heures, Maurits avait senti ses fonctions corporelles lâcher les unes après les autres, et d'heure en heure, les battements de son cœur se faisaient plus rares et plus ténus.

Quand ils seront descendus à vingt-cinq pulsations par minute, je mourrai, se disait-il. Il chercha son pouls à l'intérieur du poignet, et quand enfin il le trouva, il essaya de compter. Au jugé, il devait être à vingt-huit, autant dire rien du tout.

Pour la dixième fois depuis que l'homme avait bloqué le chariot au-dessus de sa tête, il se leva sur ses jambes tremblantes et rassembla ses dernières forces pour se propulser vers le mur du fond et voir si le boulon résistait. La pression sur sa poitrine faillit lui faire perdre connaissance et Maurits se recroquevilla en se tenant le ventre, conscient que cette nouvelle tentative serait la dernière. L'échelle, appuyée au mur là-bas, et la clé à molette sur la table se trouvaient dans un pays de cocagne à jamais inaccessible pour lui.

« Eh, toi, là-haut ! Laisse-moi mourir, murmura-t-il. Laisse-moi partir maintenant. Je suis prêt. »

Allongé par terre en position fœtale, relié au plafond par les chaînes partant en biais de ses épaules, il crut entendre un bruit venant de l'ascenseur. Mais il avait eu d'autres hallucinations depuis qu'il était arrivé ici, et il se dit qu'il devait rêver. Un flot de pensées l'envahit, une sensation humide sur ses lèvres, la pensée d'une étreinte à venir, mais surtout le souvenir des étreintes passées qu'il n'avait pas su apprécier à leur juste valeur. L'espoir infime d'un secours venant d'en haut, d'en bas, de n'importe où.

Maurits ferma les yeux et laissa le bruit être juste du bruit.

« Allez, Maurits, aide-moi un peu. Lève-toi, on va t'aider », dit une voix tandis que des mains le soulevaient par les bras.

« Il est drôlement affaibli, dit une voix plus aiguë. Son pouls est à combien ?

– Vingt-sept.

– Je vais l'attacher sur la chaise pendant que tu prépares la perfusion, Adam. »

Maurits essayait d'ouvrir les yeux, mais en vain. S'il n'avait pas senti un parfum de fleurs émanant de la personne qui le tenait par les épaules, il aurait cru que c'était la mort qui le prenait dans ses bras.

On tripota sa main, et quelques instants plus tard il sentit la douleur de la vie qui revenait en lui. La sensation était si intense qu'il eut un haut-le-cœur.

« Arrêtez, dit-il tout bas. Allez-vous-en, laissez-moi tranquille. » Mais sa supplique ne fut pas entendue.

Alors il ouvrit les yeux et vit deux mains aux ongles rouge sang serrées autour de ses bras.

« Voilà, Maurits, tout est en ordre, dit l'homme à côté de lui. On a bien fait de passer te voir aujourd'hui, pas vrai ? »

C'était le type au visage de travers, et il souriait, ce salaud.

Les mains qui lui tenaient les bras le lâchèrent, et la personne qui était derrière lui vint rejoindre le grand type qu'elle avait appelé Adam tout à l'heure.

Malgré la couleur de cheveux, le style vestimentaire et le maquillage qui étaient différents, Maurits reconnut la femme qui l'avait enlevé. À cause des yeux. Les yeux vous trahissent toujours. Dans les émissions de téléréalité qu'il produisait, il répétait sans cesse aux chefs opérateurs de zoomer sur les yeux des candidats. C'est dans les yeux qu'on peut lire l'amour, la déception et la peur. Dans les yeux que s'expriment les pensées les plus intimes d'un être. Mais dans ceux-là, il ne lut aucun sentiment. Il ne vit qu'un regard fixe, vide et sans pitié.

« Qu'est-ce que vous me voulez ? Si c'est de l'argent, vous feriez mieux de me garder en vie, tenta-t-il. J'en ai plus qu'il n'en faut. Dites une somme, et vous l'aurez. Donnez-moi à

354   S E L

manger, un ordinateur, et je vous ferai un virement. Ensuite,
vous me relâcherez n'importe où, à votre convenance. »

La femme plissa les yeux. « Tu crois que je t'aurais montré
mon visage si j'avais eu l'intention de te libérer ? »

Maurits ne répondit pas.

« Il faut dire qu'il n'y a pas grand-chose sur cette terre
que je déteste plus que les types comme toi, Maurits Bierbek.

– Merci beaucoup, j'en ai autant à votre service, murmura
Maurits.

– Nous t'avons sélectionné parmi un grand nombre de
candidats triés sur le volet ces deux dernières années, mais
tu étais de loin le plus cynique. »

Elle se baissa et ramassa sur le sol un album qu'elle ouvrit.
« Regarde-toi, dit-elle en lui montrant l'article s'étendant sur
deux pages. Regarde ce sourire que tu oses afficher en disant
que dans tes émissions de téléréalité tu peux pousser les gens
à faire n'importe quoi, que ce soit à eux-mêmes ou aux autres
candidats. » Elle feuilleta l'album, lui montrant des articles
illustrés de belles photos, et surtout de commentaires plus
élogieux les uns que les autres à l'égard de l'homme d'affaires
accompli qu'il était. Ou du moins qu'il croyait être, jusqu'à
aujourd'hui.

« Tu te reconnais, avec tes yeux fourbes, en train d'essayer
de faire croire aux journalistes que tu laisses toujours aux
jeunes que tu filmes le choix de dire non ?

– C'est le cas. Tous ceux qui ont participé à mes émissions avaient la possibilité de se désister n'importe quand »,
articula-t-il péniblement.

Le coup qu'il reçut sur l'oreille de la part du gros bonhomme n'était pas violent, mais il le surprit et Maurits le
regarda, les yeux écarquillés.

Attention à ce que tu vas dire, songea-t-il. Tu as peut-être encore une chance d'amadouer la femme.

Elle referma l'album et le coinça sous son bras. « Tu pollues l'âme des Danois et des téléspectateurs dans des tas d'autres pays en transformant en vertus l'humiliation, la trahison, la déloyauté et la bêtise. Tu transformes des gens sans intérêt en icônes monstrueuses que les esprits simples prennent ensuite comme modèles. Aucun média n'échappe à tes idées perverses, c'est pourquoi nous devons t'empêcher de continuer ton œuvre malfaisante, tu comprends ?

– Mais pourquoi moi ? Je ne suis pas le seul à produire ce genre de programmes. »

Par réflexe, sans doute, le géant lui balança une nouvelle gifle, plus forte, celle-là, et un sifflement assourdissant dans l'oreille couvrit son cri.

Lorsque, malgré sa douleur, Maurits voulut reprendre la parole, ils lui avaient déjà tourné le dos et se dirigeaient vers la table, contre le mur du fond.

Ils échangèrent quelques mots, ouvrirent un sac d'où ils sortirent plusieurs objets qui, à cette distance, ressemblaient à des instruments chirurgicaux.

Puis l'homme revint. Maurits le vit lever sa main puissante et recula sur sa chaise en se protégeant le visage.

« Ne t'inquiète pas, dit l'autre. Nous n'allons plus te frapper aujourd'hui. J'ai seulement besoin de ceci. »

Il arracha la canule de la main de Maurits et emporta la potence avec sa poche souple aux trois quarts vide jusqu'à la table.

« Donnez-moi quelque chose à boire, dit Maurits tout doucement. Juste de l'eau. S'il vous plaît. »

Le grand type revint avec un verre d'eau. Quand il le pressa contre ses lèvres engourdies, Maurits ne sentit pas le verre, mais il eut la sensation de l'eau coulant de ses commissures et sur sa poitrine, et l'incomparable sensation de bien-être que lui procura le liquide rafraîchissant sur sa langue et dans sa gorge. Il tendait le cou vers le verre quand l'homme le lui enleva, puis le suivit des yeux lorsqu'il alla le poser sur la table, hors de sa portée.

Puis ce fut la femme qui s'approcha. « Nous viendrons te nourrir une dernière fois, Maurits. Mais en contrepartie, nous voulons que tu fasses quelque chose pour nous. »

Elle écarta les bras comme s'il s'agissait d'une chose évidente, mais il ne se montra pas conciliant. « Je ne ferai rien avant que vous ne m'ayez relâché », rétorqua-t-il d'une voix presque ferme.

Elle lui leva le menton et le regarda dans les yeux avec mépris.

« N'espère pas que quelqu'un vienne te sauver, Maurits. Il faut que tu saches que cela n'arrivera pas. Alors tu as le choix d'obéir et de passer les derniers moments de ton existence sans trop souffrir, ou de ne pas obéir.

– Mon épouse me retrouvera. La police identifiera la voiture avec laquelle vous êtes venue me chercher, et vous passerez le restant de vos jours en prison.

– Pour commencer, ta femme n'a pas déclaré ta disparition, et personne n'est au courant. Ensuite, nous avons pris la précaution de hacker ton ordinateur et d'entretenir une correspondance par mail entre vous, mais ça, bien sûr, tu ne pouvais pas le savoir. Ta femme pense que tu es toujours aux États-Unis en train de signer la plus grosse cession d'entreprise de l'histoire du Danemark. Elle ne veut surtout pas te déranger inutilement, ce que tu lui as expressément demandé, alors vous ne communiquez que par écrit. Tu lui envoies des mails et elle te répond. C'est comme ça que ça se passe. Rassure-toi, nous répondons très gentiment à ses courriels pleins d'espoir, mais nous l'avons aussi prévenue que tu ne rentrerais pas pour Noël. »

La femme avait prononcé ces mots les yeux brillants de méchanceté.

« Vous êtes de grands malades, dit-il courageusement, tandis que la petite flamme d'espoir en lui faiblissait de minute en minute.

– Mais nous en sommes arrivés au stade où ta femme va commencer à nous poser des questions d'un genre un peu différent, alors tu vas devoir nous aider, si tu ne veux pas que nous te fassions souffrir encore.

– Dites-lui ce que vous voulez ! Ce n'est pas déjà ce que vous faites ?

– Malheureusement, elle risque de poser certaines questions dont tu es le seul à connaître la réponse. »

Maurits était perplexe. Qu'est-ce qu'elle était en train de dire ?

« Vous vous foutez de ma gueule ! Je suis sûr que ma femme a compris qu'il y a un problème, et je vous parie qu'elle sait que ce n'est pas moi qui ai écrit ces mails.

– Trêve de bavardage : tu vas répondre ou pas ? »

Cette femme était intraitable, et puis, qu'il soit d'accord ou non, vu ce qu'ils lui avaient déjà fait, cela ne changerait strictement rien.

« Faites-moi ce que vous voulez, ça m'est égal. Je ne vous dirai rien, puisque vous allez me tuer de toute façon. »

Mais il ne le pensait pas vraiment. Maurits n'avait aucune envie qu'ils le torturent. Il n'avait pas envie de souffrir. Il voulait qu'on le laisse tranquille.

« Dites-moi quand et comment vous allez me tuer, et j'accepterai peut-être de coopérer », finit-il par concéder.

La femme eut l'air satisfaite.

« OK, Maurits. Maintenant tu sais que tu ne rentreras pas chez toi pour Noël, mais je te promets que nous ne te gâcherons pas la fête.

– Quand et comment ? DITES-LE-MOI ! Ou tuez-moi tout de suite ! » gueula le prisonnier.

Elle fit un signe à l'homme près de la table.

« Adam va te montrer une seringue. C'est celle que nous allons utiliser. Ça va te faire mal, mais pas longtemps, ensuite tu seras en paix. »

Maurits regarda avec horreur l'énorme seringue que le gros type tenait dans sa main, et il eut l'impression que la sueur perlait sur son front alors que c'était impossible. Son corps complètement déshydraté n'était plus capable de produire la moindre goutte de transpiration.

La femme se pencha vers lui, comme si elle voulait lui confier un secret. « Tu m'as demandé quand, Maurits, et à cette question, je te répondrai que tu vas devoir attendre Mao. »

Maurits inspira aussi profondément que possible. « Je ne comprends pas. Je vous en supplie, dites-moi quand je dois mourir ? insista-t-il.

– Tu le sauras bien assez tôt. J'ai pour principe de ne jamais informer mes victimes de la date de leur exécution. »

Ses victimes ! Il n'était donc pas le premier.

Il se perdit un instant dans la contemplation de la seringue que le monstre brandissait fièrement devant lui, puis il affronta de nouveau le regard imperturbable de la femme.

« Eh bien, qu'il en soit ainsi. Tuez-moi si vous voulez, mais ne me demandez pas de vous aider. Vous êtes des ordures.

– C'est ton choix, mais en attendant, je te propose de demander pardon à Dieu pour tes péchés, répliqua-t-elle.

– MES PÉCHÉS ! Et les vôtres, alors ?

– Maurits, Maurits. Dieu voit toutes les âmes. Mais seules les âmes qui prient Dieu peuvent Le voir et espérer Son pardon. C'est toute la différence entre quelqu'un comme toi et quelqu'un comme moi. »

45

Lundi 21 décembre 2020

Carl

Un poids sur le ventre, puis sur la poitrine, un souffle tiède au parfum de vanille sur son visage. Une main sur sa joue et un doux gloussement, et enfin il fut arraché au manège de pensées sur lequel son rêve le tenait prisonnier.

Carl ouvrit lentement les yeux et vit deux billes bleues le fixer avec malice et un amour infini.

« Allez, Lucia, laisse papa tranquille, il n'est pas encore réveillé, dit Mona en soulevant leur fille du lit. Il est sept heures et demie. J'emmène la petite à la crèche. Gordon a appelé il y a une demi-heure. Il voudrait que tu passes au bureau malgré ta mise à pied. Ça ne me paraît pas être une très bonne idée, mais c'est à toi de voir. Il propose que tu attendes dehors, et ils viendront te voir dès que la réception- niste s'éloignera du guichet. Apparemment, il y a une chose qu'ils tiennent absolument à te montrer. »

Carl avait du mal à retrouver ses esprits. Cette affaire n'était vraiment pas comme les autres et elle l'obsédait.

« Tu n'as pas arrêté de bouger, cette nuit. J'ai dû reprendre un comprimé de mélatonine à trois heures pour dormir un peu.

— C'est cette enquête, dit-il d'une voix qui lui parut loin- taine, avant de refermer les yeux.

– C'est vrai qu'elle n'est pas comme les autres. Elle est d'ailleurs en première page de toute la presse à scandale en ligne. Il y a un journal qui titre : "Votre voisin est-il un assassin ?" Et un autre qui dit : "Un inspecteur de police propage une onde de choc". Les journalistes te décrivent comme une icône dans la police, alors prépare-toi à une zone de turbulences. Pour l'instant, essaye de faire surface et de bien réfléchir à la manière dont tu vas gérer tout ça, pour ne pas être pris de court. »

Après lui avoir dit au revoir, elle ajouta :

« Tu envoies un bisou volant à papa, Lucia ? »

Carl ne savait pas de quelle manière réagir à l'évolution de la situation. Sa démarche avait été fructueuse, certes, mais il se demandait si elle n'était pas en train de lui échapper.

Et en même temps, n'était-ce pas exactement ce qu'il voulait ?

Lorsque Carl arriva devant la façade en verre du nouvel hôtel de police, il faisait encore nuit noire et un froid glacial. Il s'appuya au mur, remonta son col et ajusta son masque pour pouvoir mieux ignorer ses collègues qui, d'ailleurs, entraient dans le bâtiment sans lui accorder un regard.

Puis Assad sortit avec une expression dans laquelle se mêlaient défi, volonté et colère sourde. Était-ce pour marquer sa désapprobation quant au nouveau statut de paria de son patron, ou parce que l'enquête avait pris un nouveau tournant ? Carl espéra que c'était pour la deuxième raison.

« Il y a une couille dans le potage ? demanda-t-il quand ils furent à l'intérieur.

– Pourquoi tu me parles de potage au réveil, chef ? rétorqua Assad avec un sourire en coin. Mais, blague à part, on va tout te dire sur la composition du potage dans une minute. »

Rose et Gordon étaient là tous les deux, et il y avait long-temps que Carl ne les avait pas vus aussi motivés.

« Regarde », dit Assad en montrant le tableau.

Carl obtempéra.

Le grand tableau était maintenant entièrement rempli, à l'exception de deux cases, et il vit que plusieurs dictateurs et criminels de guerre tels que Kim Jong-il, Jean-Bedel Bokassa, Vladimir Ilitch Lénine, Mouammar Kadhafi, Jean-Claude Duvalier alias Baby Doc et Benito Mussolini étaient venus tenir compagnie à quelques nouveaux salauds, les décès des derniers correspondant aux dates de naissance des premiers.

Rose, Gordon et Assad se tenaient face à lui, côte à côte, fiers comme trois vieux mathématiciens venant de résoudre une équation mystérieuse et réputée insoluble, attendant mani-festement la reconnaissance infinie et les louanges sans réserve de leur maître.

« Voilà à quoi ça ressemble, dit Gordon au bout d'un moment, devant l'absence de réaction de Carl. Qu'est-ce que vous en pensez ? »

Carl prit son temps. Quand les médias auraient connais-sance de cette affaire, elle ferait la une de toute la presse et les déclarations du ministre d'État concernant la pandémie seraient reléguées au second plan.

Ce qu'il venait de lire sur ce tableau n'était rien de moins que démentiel. Depuis la fin du XIXᵉ siècle, le pays n'avait connu que trois tueurs en série, mais jamais, dans toute son histoire, il n'avait enregistré une démarche de cette ampleur, aussi systématique, suivant un calendrier aussi précis et réa-lisée avec une telle rigueur. Ici, il n'était pas question de tuer de pauvres nourrissons sans défense ni de misérables prostituées, cibles faciles assassinées par un sadique misogyne. Ici, les victimes avaient été choisies avec soin, et elles étaient pour la plupart des personnes actives qui toutes, sans exception, avaient été des personnalités en vue. La plupart de ces décès étaient passés pour des suicides ou des accidents. Si on avait découvert que certains d'entre eux étaient en réalité des meurtres avec préméditation, ça n'avait été que le fruit du hasard, car dans toutes ces affaires, le meurtrier avait fait preuve d'une telle intelligence dans l'exécution de son crime qu'il s'était mis à l'abri de toute poursuite. Sauf erreur, celui qu'ils cherchaient avait perpétré seize meurtres impunément, un constat d'autant plus terrible qu'un dix-septième allait vraisemblablement être commis dans seulement cinq jours. Comment faire pour empêcher cela ?

Le regard de Carl survola les dates de naissance et cela le fit frémir.

« Ça fait une sacrée bande de salopards, quand même », murmura-t-il en lisant des noms comme Ceauşescu, Hitler ou Mao.

Il étudia les dates au tableau et elles collaient à la perfection, sachant que l'intervalle de deux ans entre deux meurtres avait été à chaque fois respecté.

Si le visage de Rose était radieux, son teint en revanche était blême, ce qui n'avait rien d'étonnant vu le manque de sommeil qu'elle avait accumulé ces derniers jours. « Si les méfaits des victimes peuvent à première vue sembler anodins, en fouillant un peu dans leur passé et les réseaux auxquels elles ont appartenu, nous avons découvert, Gordon et moi, que d'une manière ou d'une autre, toutes avaient transgressé les lois morales les plus élémentaires et nui gravement au bien public. »

Elle désigna la colonne intitulée « Mobile » et se mit à en énumérer quelques-uns.

« La victime de 1990 vivait de ce qu'on appelle communément l'usure, mais en l'occurrence, les biens mis au clou étaient toujours de très grande valeur. Elle avait un chiffre d'affaires de plusieurs centaines de millions de couronnes par an, c'est-à-dire que son bénéfice dépassait celui d'une société cotée en Bourse. Mais personne n'a pu prouver qui se cachait réellement derrière cette activité florissante, et son responsable n'a jamais été inquiété. Du moins, pas avant que notre assassin en fasse une cause personnelle. »

Carl n'était pas certain d'aimer beaucoup l'emploi du possessif « notre » dans ce contexte.

« Autre exemple, poursuivit-elle, le couple Helen et Georg Bernados, qui dans le milieu des années quatre-vingt avait fondé et dirigé pendant une décennie une organisation criminelle violente et totalement dépourvue de scrupules, qui pillait des personnes âgées sans défense et des handicapés. Ils le payèrent de leur vie en 1996, le 22 avril, jour de la naissance de Lénine. Et puis, il y a le gars qui s'est fait buter le 29 juillet 2008, le jour de l'anniversaire de Mussolini. Celui-là possédait une entreprise de transport routier qui emmenait, avec la régularité d'un métronome, des porcs et des vaches dans des abattoirs au sud de l'Europe, où les bêtes étaient tuées dans des conditions révoltantes. »

Carl vit que Gordon voulait faire un commentaire, mais Rose poursuivit.

« Toutes ces victimes étaient des personnages particulièrement antipathiques et déplaisants, et nous n'avons pas eu besoin de creuser beaucoup pour découvrir à quel point ils étaient cyniques et égocentriques. Franchement, Carl, parfois, il y avait de quoi vomir », dit-elle avec force.

Étrangement, Assad haussa les épaules. « Personnellement, j'ai une opinion aussi mitigée envers ce tueur qu'envers le chameau qui avec ses pets a empesté et épaissi l'air sous moi toute la journée, mais qui m'a quand même bercé à travers le désert dans des conditions extraordinaires. »

Carl regarda son ami d'un air effaré. Qu'avait-il voulu dire par cette étrange comparaison, dans un moment aussi grave ?

« Ce que je veux dire, marmonna Assad comme s'il avait lu dans ses pensées, c'est que tout bien pesé, comme pour le chameau, on ne peut pas s'empêcher d'avoir une certaine affection pour le tueur.

– Qu'est-ce que tu racontes ?

– Vous vous rendez compte du nombre d'ordures dont il a débarrassé la planète ? Ça lui donne des circonstances atténuantes, non ? »

Carl et les deux autres regardèrent Assad sans rien dire. Cette idée les avait tous effleurés.

« Mais qui fait ce genre de choses ? C'est quand même dingue ! dit Carl. Et comment on avance, à partir de là ? Gordon, tu as quelque chose pour nous sur les pages manquantes dans le dossier Rasmussen ? Et pour les fichiers écrasés, on a du nouveau ? Le service informatique a répondu ? »

Gordon hasarda un sourire. Dans le contexte, et sur son visage pâle et émacié, c'était plutôt un rictus, mais il avait visiblement quelque chose sur le cœur.

« Justement, c'était de ça que je voulais vous parler. Même s'ils ne nous apprennent pas grand-chose, les informaticiens ont récupéré presque tous les fichiers effacés. Je les ai reçus hier soir et j'ai passé toute la nuit à les lire. » Voilà qui expliquait les cernes noirs sous ses yeux. « Il ne reste qu'une partie de la correspondance mail de Palle Rasmussen, et nous en avions déjà beaucoup en format papier. Je dois dire que malgré le peu qu'il y avait, je ne peux pas m'empêcher d'être impressionné par la totale décontraction avec laquelle il parle de ses tendances sadomasochistes dans ces courriers. En tout cas, j'en ai trouvé au moins quatre ou cinq dans lesquels il décrit en détail ce qui l'excite. Et dans un cas précis, combien celle à qui il écrivait était dégoûtée par ses propos. De nos jours, le mouvement #MeToo l'aurait pendu par les couilles. Il faudrait chercher longtemps pour trouver des descriptions de viol aussi crues et explicites. Je n'entrerai pas dans les détails de ce qu'il estime que deux personnes peuvent faire aux organes génitaux de leur partenaire, mais j'ai sélectionné un passage d'un courrier datant de la veille de sa mort qui, je pense, pourrait nous conduire quelque part. Écoutez ça :

Tu peux oublier les tête-à-tête dans les lieux publics, et je ne veux plus jamais que tu me lèches à l'endroit où le soleil ne brille jamais. Tu me prends pour qui, allumeuse ? Tu es vraiment bête à manger du foin. Et puis, je veux que tu arrêtes de me suivre partout, sale truie bardée de cicatrices. Si je t'intéresse, il va falloir que tu acceptes d'aller jusqu'au bout et...

Gordon leva la tête avec un air désolé. « Voilà, c'est tout ce qu'on a pu récupérer de ce mail, dit-il.
— *Haqana*[1] ! s'exclama Assad. C'est une bombe tombée d'un ciel bleu ! »
Un coup de tonnerre dans un ciel serein, corrigea mentalement Carl. Parfois, il avait le sentiment qu'Assad savait parfaitement quelle était la véritable expression et qu'il la modifiait pour s'amuser. Quoi qu'il en soit, Gordon et lui avaient raison, tout cela était extrêmement intéressant. Était-ce autour

---

1. « Vraiment ! »

d'une idée de ce genre que tournait son inconscient, pendant cette nuit agitée ?

« Est-ce que, comme moi, vous avez tous pensé à un moment donné que c'était une possibilité ? leur demanda Rose.

– Oui, je crois que oui. Moi, ça m'a effleuré la première fois que j'ai parlé avec Sisle Park. Il n'y a pas plus fuyant que cette femme-là. Une véritable anguille. » Carl hocha la tête, pensif. « Je pense que ce message fait le lien entre les mails du 16 et du 17 mai 2002. Tu peux essayer de nous les retrouver, Gordon ? »

Ils attendirent en silence pendant qu'il tournait les pages du dossier.

Gordon s'arrêta, leva la tête et prit un temps avant de commencer sa lecture.

« Le premier mail, datant du 16 mai 2002, disait ceci :

Mon cher Palle, vous allez peut-être me trouver envahissante, mais je pense que nous avons encore des choses à nous dire. Je propose que nous nous retrouvions au café Sommersko, après-demain, samedi, vers 16 h. Je suis de passage à Copenhague. Ça vous irait ? Sisle.

Et voici celui du 17 mai 2002 :

Palle, votre meeting de l'autre jour à Nørrebrohallen m'a fait forte impression. Je ne sais pas comment vous l'exprimer, mais comme vous l'avez déjà compris, j'aimerais vous revoir. Vous avez peut-être remarqué que je m'étais assise au troisième rang, face à vous, et que j'ai demandé à la personne devant moi de se pousser parce que je voulais croiser votre regard. Je vous donnerai bientôt de mes nouvelles.

– Très intéressant, dit Carl. Palle Rasmussen dit dans son mail qu'il refuse de rencontrer la personne à qui il écrit, mais j'imagine que c'était le cas pour toutes ses partenaires sexuelles. Mais, non content de cela, il se moque de l'expéditrice et la provoque délibérément. Et quand, le lendemain du mail du 17 mai, elle tente de manière très directe de solliciter une rencontre, il lui répond carrément que si elle veut avoir une histoire avec lui, elle va devoir "aller jusqu'au bout". On sent que lui, à ce stade, il est très excité, vous êtes d'accord ?

– Déjà, est-ce que nous sommes d'accord sur le fait que Sisle Park est l'auteure de ces deux mails ? demanda Rose.

– Je pense, oui. Et aussi qu'elle a su comment mener Palle Rasmussen par le bout du nez. Il devait être fou de désir pour elle à l'idée de ce qu'il allait lui faire. Bref, il s'est lui-même mis dans la position de la victime consentante. Il a dû adorer le moment où elle lui a mis les colliers de serrage.

– Je n'y comprends plus rien, marmonna Assad. Pourquoi une femme aussi intelligente signe-t-elle de son vrai nom ? Vous ne croyez pas que quelqu'un se sert d'elle comme d'un bouquet émissaire ? »

Carl sourit, cette faute-là ne manquait pas de poésie, mais Assad avait raison. Qu'est-ce qui avait pu la pousser à autant d'imprudence ?

« Il la traite de truie et parle de cicatrices, vous pensez qu'il dit cela au sens figuré, ou bien qu'elle a véritablement des cicatrices ? Il doit y avoir un moyen de le savoir, ça, dit Rose.

– Tu proposes qu'on l'arrête et qu'on lui demande de nous faire un striptease ? demanda Carl.

– Je dis juste que si elle a subi une chirurgie réparatrice pour se débarrasser d'anciennes cicatrices, il doit y avoir moyen de le vérifier. »

Gordon secoua la tête. « Aucune chance. Pas avec les lois qu'on a au Danemark aujourd'hui. Il n'y a rien de plus difficile que d'obtenir des informations médicales.

– Sisle Park est à la tête d'une grosse entreprise. Elle est l'une des rares femmes de ce pays qui, par la seule force de sa volonté, ait réussi à se hisser au plus haut niveau. Essayez par le biais de *Media Info*, je parie qu'il y a des tas d'articles sur elle dans la presse féminine, suggéra Carl.

– J'ai déjà vérifié, rétorqua Gordon. Il n'y a rien.

– C'est étrange. Que dit son CV ?

– Elle est née à Nørresundby le 30 mai 1964 sous le nom de Lisbeth Park, d'une mère célibataire qui s'appelle Dagny Park Iversen. Sur Facebook, elle révèle que c'est sa mère qui lui a donné le surnom de Sisle. Elle a passé son baccalauréat à Ålborg à l'âge de dix-huit ans puis elle est entrée à la fac de chimie de Copenhague en 1982 et en est ressortie avec son diplôme en 1989, major de sa promotion.

– Elle est diplômée de chimie ?

– Elle a même un MBA de l'université du Cap, où elle a vécu et travaillé par intermittence pendant un peu moins de trois ans.

– Ça alors ! Mais si elle était si brillante, pourquoi est-ce qu'il lui a fallu sept ans pour achever ses études ?

– Aucune idée, répondit Gordon.

– Et ses relations amoureuses, tu as des informations à ce sujet ?

– Elle n'en a pas eu, enfin rien d'officiel. »

Rose dénicha sur Internet une photo d'une conférence à laquelle Sisle Park avait participé. « C'est bizarre. Normalement, riche, mince et belle comme elle est, elle ne doit pourtant pas avoir besoin, comme moi, de faire un croche-pied aux mecs qui passent pour les faire tomber dans son lit. »

Carl jeta un regard furtif à Gordon, qui effectivement l'avait plutôt mal pris. Finirait-il un jour par se remettre du béguin qu'il avait pour Rose ?

« Je pense à ces études de chimie, dit doucement Assad. Parce que s'il y a une chose qui peut donner des cicatrices, c'est de recevoir des éclaboussures de produits chimiques, ou d'être victime d'une explosion dans un laboratoire. »

Carl sourit. « Je ne pense pas qu'une fille capable de décrocher un MBA de chimie soit du genre à manipuler des produits chimiques sans faire attention, Assad. »

Un coup bref à la porte et Marcus apparut sur le seuil avec au-dessus de la tête le nuage qui semblait ne plus vouloir se dissiper. Carl sut tout de suite de quoi il retournait.

« Qu'est-ce que tu fais là, Carl ? » Il avait vraiment l'air malheureux. « Mais puisque tu as fait la bêtise de venir, suis-moi. J'ai deux mots à te dire. »

Deux mots à lui dire ! Voilà qui n'était pas de bon augure. Le premier devait être « brigade des stups », ce qui faisait déjà trois mots, puis il y avait « Terje Ploug » et « police des polices ». Bref deux mots, c'était une façon de parler.

Marcus passa sans s'arrêter devant son propre bureau et fit entrer Carl dans ce qui servait habituellement de salle d'interrogatoire pour les gardes à vue. Décidément, c'était de mieux en mieux !

Les cinq personnes qui attendaient dans la pièce faisaient toutes une tête d'enterrement. S'il avait été à leur place, il aurait immédiatement pensé que le type qu'il avait sous les yeux était cuit, une idée dérangeante quand le type en question, c'est vous.

La réunion fut brève et formelle. Son issue, attendue : il était désormais mis en examen dans l'affaire maintenant appelée l'affaire Høyer.

« Tant que l'enquête est en cours, vous êtes prié de ne pas quitter le territoire danois, lui dit le représentant de la police des polices qui l'avait interrogé. Et à part ça, je vous souhaite un joyeux Noël. » À cet instant précis, le Pif aurait peut-être pu s'abstenir de se fendre d'un large sourire.

« Ne t'approche pas des locaux de la brigade criminelle ni du département V, Carl. Si je te vois ici encore une fois, je te fais écrouer.

– Mais enfin, Marcus, tu ne peux pas me faire ça ! On est à deux doigts d'une percée dans l'enquête, je ne peux pas m'arrêter maintenant, putain !

– Je suis sincèrement impressionné par tout ce que vous avez découvert jusqu'ici, mais je suis désolé, il va falloir que tes collègues se débrouillent sans toi jusqu'à nouvel ordre. »

Carl était sidéré. « Une dernière question, Marcus. Est-ce que je peux compter sur ton soutien, le cas échéant ?

– Ça dépend à quoi tu fais référence.

– Un homme va être assassiné dans cinq jours. Nous avons un suspect. Nous avons besoin d'avoir les coudées franches.

– Écoute, Carl, dit Marcus en posant la main sur son épaule. Pour l'instant, tu vas avoir besoin de toute ton énergie pour prouver ton innocence. On est en train de relever les empreintes digitales présentes sur tous les billets contenus dans cette valise. Si on en trouve un seul avec les tiennes dessus, tu risques plusieurs années de prison. Je pense que tu ferais mieux de rentrer chez Mona, et de la préparer à la perspective d'une période extrêmement pénible pour vous deux. »

46

Mardi 22 décembre 2020, matin

Sisle

Depuis 1988, elle était venue ici chaque année au moment de Noël pour se recueillir devant la petite sépulture, et à présent il y en avait une deuxième. Deux pierres s'appuyant l'une contre l'autre, unissant à jamais deux tristes destinées dont Sisle portait à elle seule l'entière responsabilité.

« Je suis tellement désolée, Maja », murmura-t-elle, se penchant sur les tombes.

Elle caressa le grès rugueux du bout des doigts. Le petit Max qui reposait dessous était la seule personne qui parvenait encore à la faire pleurer depuis la fac. Et maintenant que Maja était venue le rejoindre sous la pierre voisine, une main puissante lui broyait le cœur.

Maintes fois, elle s'était posé la même question. Si, avec l'aide de Dieu, elle avait pu épargner la vie de ce petit garçon, est-ce qu'elle aurait agi différemment, est-ce qu'elle aurait laissé la vie sauve à toutes ces ordures ? Elle l'ignorait. Mais depuis la mort de ce petit être innocent, elle s'était fait le serment de ne plus faire éclater de bombes dans des endroits où elles pourraient tuer des hommes, des femmes ou des enfants qui ne l'avaient pas mérité.

Après ce tragique jour de janvier 1988, ses victimes avaient toutes su pourquoi elles devaient mourir.

Elle tourna la tête vers la tombe nue qui se trouvait à côté des deux premières. Cela faisait plus de trente ans qu'elle payait cette concession afin de pouvoir reposer, son heure venue, près du petit garçon à qui son imprudence avait coûté la vie. Aujourd'hui, Max aurait été un adulte de trente-cinq ans. Elle lui avait déjà volé douze mille jours. Douze mille jours pendant lesquels sa mère avait porté son insoutenable douleur et ses rêves brisés.

Il n'y avait pas de mots pour décrire à quel point cette pensée la faisait souffrir.

Après le suicide de Maja, Debora avait demandé à Sisle si la peine causée aux familles de ses autres victimes la taraudait de la même manière. Sisle avait vu cette question comme le premier signe qu'elle était en train de perdre son emprise sur Debora, et vraisemblablement aussi sur Adam. Car c'était très précisément le genre de question qu'il ne fallait jamais poser. Debora savait pourtant que leurs victimes s'étaient elles-mêmes condamnées, à partir du moment où elles avaient, en toute conscience, pris le chemin de l'immoralité. Debora aurait dû comprendre que leurs conjoints commettaient une faute tout aussi grande en ne cherchant pas à les arrêter dans leurs cyniques et répugnantes entreprises. « Celui qui accepte de son plein gré de vivre aux côtés d'une personne qui fait son beurre sur le dos d'autrui, maltraite les animaux ou provoque la ruine d'individus trop crédules ne mérite pas notre compassion », avait-elle prêché à de nombreuses occasions. Leurs victimes et les conjoints de celles-ci n'avaient-ils pas, à égale mesure, confortablement vécu de ces coupables industries ? Pourquoi auraient-ils droit à sa pitié maintenant que le bal était terminé ? Quant aux enfants, ils ne seraient pas contraints de grandir dans un milieu toxique, et on leur rendait service en éliminant leur néfaste parent. Vraiment, non, elle ne tolérait pas que Debora puisse lui poser cette question.

Et puis, il y avait le fait que Debora et Adam essayent de la faire dévier de ses principes et de tuer la victime avant l'heure. Ce qui était en contradiction absolue avec le fondement de son œuvre. Et puis quoi encore ?

Sisle savait qu'elle était en train de perdre le contrôle sur ses deux associés, et que c'était en partie à cause de ce policier qui essayait de mettre fin à leur croisade.

Elle s'agenouilla et posa un bouquet discret sur la tombe de Max. Il y avait très longtemps qu'elle avait envie de le faire, mais quand sa mère était encore en vie, elle craignait qu'elle s'en étonne et que cela la compromette.

Elle se releva lentement et marcha un long moment dans le cimetière, jusqu'à ce qu'elle ait trouvé ce qu'elle cherchait.

« Lars K. Pedersen », disait l'inscription sur la tombe. Le temps et les mousses avaient rendu la date du décès presque illisible, mais Sisle la connaissait mieux que quiconque. C'était le jour où Dieu l'avait élue et épargnée. Elle, la seule Juste parmi les sept qui avaient été frappés par la foudre. La seule parmi eux à savoir distinguer le bien du mal.

Les premières années, elle était venue cracher sur la tombe de Lars K. Pedersen et celles des cinq autres, et puis un jour, Debora l'avait mise sur ce qu'elle appelait un meilleur chemin, celui de la justice : « Sans eux, tu n'aurais pas rencontré Dieu, Sisle. Tu devrais être reconnaissante qu'Il t'ait confié cette mission, alors qu'eux payaient de leur vie. »

« Merci, Lars », dit-elle, la tête inclinée au-dessus de la tombe mal entretenue.

Ses hauts talons résonnaient dans le hall de réception tandis qu'elle marchait vers l'ascenseur. Elle avait renvoyé chez elles la plupart de ses collaboratrices et seules les plus compétentes et les plus initiées l'attendaient dans la salle de conférences, au troisième étage.

Elle se réjouissait depuis longtemps à la perspective de cette réunion.

Elle salua d'un bref mouvement de tête les trois femmes de son département Bien-Être. Elles semblaient impatientes, elles aussi. Tant mieux.

« Bonjour, et merci d'avoir répondu présentes en ce grand jour. Vous pouvez retirer vos masques, du moment que vous restez à votre place. »

Elle les regarda avec gratitude. Quelle équipe d'élite, quel plaisir pour les yeux !

« Quand ma mission sera terminée le lendemain de Noël, je disparaîtrai. Vous ne me verrez plus, mais chacune d'entre vous connaît sa tâche, et de quelle façon cette entreprise devra continuer à fonctionner à l'avenir. Comme vous le savez, votre mission consiste à éliminer une personne selon un *modus operandi* que vous respecterez à la lettre. Je sais que déjà, vous réfléchissez, individuellement, à la meilleure technique pour tuer quelqu'un sans risque d'être découverte. Je ne doute pas que vous la trouverez. Désormais, je serai votre agent coordinateur à distance, et à ce titre, je devrai valider chacune de vos propositions. Celle d'entre vous qui m'aura présenté le meilleur projet sera également celle qui exécutera la première victime. Je ne peux donc pas vous dire aujourd'hui quand votre tour viendra. »

Elle donna la parole à la jeune femme qui venait de lever le doigt. Une femme à cent pour cent engagée et à deux cents pour cent qualifiée, de loin sa meilleure recrue à ce jour.

« Nora, tu as une question ?

– Oui, merci. À quel moment aurons-nous connaissance de la cible ? »

Sisle sourit. Qui d'autre que Nora aurait pu poser une question une seconde avant qu'elle s'apprête justement à en donner la réponse ? Elle avait décidément le profil du parfait leader.

« Eh bien, c'est précisément pour cela que nous sommes réunies aujourd'hui. »

Les épaules se détendirent. Elles allaient enfin savoir.

« Trois fois par an, nous choisirons ensemble un personnage politique éminent qui aura, d'une façon ou d'une autre, manqué aux règles morales les plus élémentaires et trahi la confiance de ceux qui l'ont élu démocratiquement, ainsi qu'à la lourde responsabilité que cela entraîne. Abus de pouvoir, cupidité, fraude, trahison, violation des lois, mensonge, déloyauté, bref, nous n'avons que l'embarras du choix. »

Nora s'apprêtait à se démarquer à nouveau. Comme les deux autres, elle souriait, de soulagement sans doute, parce que ce moment était pour elles l'aboutissement d'une longue formation, d'abord comme élèves chez Debora, puis comme stagiaires de haut niveau dans l'entreprise de Sisle.

« Que ferons-nous quand notre mission sera accomplie ? » demanda-t-elle.

Une fois de plus, elle lui avait enlevé les mots de la bouche.

« Chacune d'entre vous se verra attribuer une élève, qu'elle devra former, afin qu'elle soit prête à son tour à abattre une cible, l'année qui suivra celle où vous aurez toutes les trois rempli votre mission. Quant à vous, vous disparaîtrez dans la nature avec une généreuse récompense qui vous permettra de vous installer à l'étranger, de fonder une famille, en admettant que ce soit là votre désir. Comme vous vous en doutez, au bout d'un certain nombre de décès dans les rangs de ces individus véreux, il faudra s'attendre à ce que le Danemark accroisse sa vigilance de manière drastique. Car, quel que soit le talent avec lequel vous réussirez à camoufler les meurtres, on n'assassine pas un tel nombre d'élus sans que cela entraîne une surveillance accrue des personnalités publiques et des enquêtes sérieuses...

– Du genre de celle que mène actuellement ce Carl Mørck, du département V ?

– Carl Mørck ! ricana Sisle. Vous n'avez rien à craindre de lui. Car, comme ceux d'une certaine personne, ses jours sont comptés. »

Lundi 21 et mardi 22 décembre 2020

Laura van Bierbek

L'esprit de Noël était complètement absent du foyer Bierbek. Toute la journée, l'aînée âgée de quinze ans avait montré les traits les plus odieux de sa personnalité, se plaignant que les plus belles boutiques de la capitale étaient fermées, et qu'elle n'aurait pas sous le sapin les cadeaux qu'elle avait commandés.

Laura Bierbek pouvait être ainsi, quand l'envie lui prenait. Elle avait toujours été une chipie gâtée, qui savait jouer de ses jolis yeux bleus pour que son père lui passe tous ses caprices. Mais maintenant qu'il n'était pas là, qu'elle était confinée chez elle toute la journée, qu'elle ne pouvait pas aller au collège pour flirter avec les garçons de troisième, qu'elle pouvait faire une croix sur ses cadeaux et sur la fête de Nouvel An qu'elle et son amie Søsser projetaient depuis des mois, la coupe était pleine, et elle était en pleine crise d'hystérie.

« Arrête, Laura », lui dit sa mère, essayant timidement de mettre fin à son cirque. Mais depuis quand était-elle supposée écouter sa mère ? Elle qui ne se donnait même pas la peine de se changer quand il y avait du monde et qui passait ses journées en pyjama transparent, la clope au bec et un verre à la main. Il y avait franchement de quoi gerber.

« Si on demandait à Roxan de nous préparer un petit gueu-
leton, chérie ! De quoi as-tu envie ? » tenta de nouveau sa
mère, en pure perte. Laura partit s'enfermer dans sa chambre
en claquant la porte, et s'affala devant l'ordi comme une
poupée de chiffon. Sans Zoom, elle serait devenue dingue.

Sa copine Søs était celle avec laquelle elle se marrait le plus.
Elle connaissait plein d'histoires de cul, et elle lui racontait
dans le détail ce qu'il fallait faire aux garçons quand on était
seule avec eux dans une chambre.

« Salut ! Toi aussi, tu es en train de péter les plombs ? »
lui demanda Laura.

Le regard éteint de son amie était une réponse en soi.
« Tu as vu qu'on est en confinement total jusqu'en janvier ? »
dit-elle.

Laura acquiesça.

« Qu'est-ce qu'il en pense, ton père, de toutes ces conneries ? demanda Søsser.

– J'en sais rien, il n'est pas encore rentré.

– Et il est où, au fait ? Ça fait vachement longtemps qu'il
est parti. Il sera rentré pour Noël, quand même ?

– Non, et j'ai la haine. Ma mère dit qu'il ne sera pas là
avant le 25 ou le 26. Il paraît que c'est à cause des tests et
des histoires de quarantaine.

– Enfin, au moins, il te rapportera des cadeaux.

– Il a intérêt !

– Tu sais où il est, exactement ?

– Il paraît qu'il est en Californie, mais ma mère n'est pas
sûre. »

Søsser fronça les sourcils. Laura ne l'avait pas souvent vue
avec un air sérieux.

« Qu'est-ce qui se passe, Søs ? Tu fais une drôle de tête.

– Je ne sais pas trop si je dois te le dire... Enfin voilà, hier, pour emmerder mon père, je lui ai dit qu'il n'était pas près de retourner jouer au golf avec le tien, vu qu'il n'était toujours pas revenu de voyage. Et tu sais ce qu'il a dit à ma mère, le soir, quand ils croyaient que je ne les entendais pas ? »

Laura n'était pas très sûre d'avoir envie de le savoir. Elle aussi avait surpris une conversation entre son père et celui de Søs, un jour qu'ils discutaient sur la terrasse. Et elle s'était sentie mal, après.

« Il a dit que ton père devait encore avoir une aventure, que c'était pas cool pour ta mère, et qu'il ferait mieux de lui dire.

– C'est pas vrai. En plus, ma mère m'a dit qu'il était parti signer un contrat qui allait nous rendre encore plus riches.

– Enfin, en tout cas, la mienne lui a répondu que c'était quand même un peu inquiétant, parce qu'à la télé, il y avait un flic qui avait lancé un avis de recherche sur une personne disparue dont il ne connaissait même pas le nom. Et ce flic a aussi dit que sa famille ne savait peut-être même pas que cette personne avait disparu. Ensuite, ma mère est venue dans ma chambre et elle m'a dit que je devrais peut-être t'en parler.

– Je comprends rien à ce que tu me racontes.

– Vous lisez pas les journaux chez vous, ou quoi ? »

Laura pouffa. Question idiote, elle savait bien qu'ils ne lisaient jamais un journal.

« Et vous regardez pas la télé non plus ?

– Si, tout le temps. Netflix, HBO, Amazon Prime et tout ça.

– Je te parle de la télé normale.

– Ça va pas la tête ? Ma mère est bien trop flemmarde. Elle passe ses journées à fumer devant des séries.

– Essaye de lui en parler, quand même. »

Malgré les efforts de la jeune fille au pair, le séjour était comme toujours dans un désordre indescriptible. C'était d'ailleurs pour ça que Laura et sa petite sœur y allaient le moins possible. Ça puait la fumée de cigarette et quand Roxan n'était pas assez rapide pour les débarrasser, il y avait des verres d'alcool à moitié pleins partout sur les tables basses.

Laura n'arrivait pas à comprendre sa mère, mais à vrai dire, le sujet ne l'intéressait pas beaucoup. Des garçons de sa classe lui avaient raconté qu'ils l'avaient vue à moitié à poil dans d'anciennes émissions de téléréalité, et Laura avait eu honte. C'étaient des émissions tournées dans des endroits exotiques, où elle s'exhibait avec plusieurs hommes, et quand Victoria en parlait, on aurait dit qu'elle était fière d'y avoir participé, ce qui n'aidait pas Laura à la respecter et à l'aimer, au contraire.

D'ailleurs, ce que Søs venait de lui raconter sur son père, elle avait décidé de le lui envoyer à la figure, juste histoire de la réveiller un peu. Et ça fonctionna plutôt bien. Elle sortit un instant de sa torpeur et resserra son kimono autour d'elle.

« Est-ce que Søsser t'a dit sur quelle chaîne sa mère a vu ce policier, Laura ? » marmonna-t-elle en plissant le front, ce qui fit se craqueler son épaisse couche de fond de teint de la veille.

Laura ouvrit la baie vitrée pour faire entrer dans la pièce le froid glacial qui depuis vingt-quatre heures balayait le pays. En général cela avait pour effet de la ranimer un peu.

« Tu lui demanderas, j'en sais rien », dit-elle en sortant de la pièce, sans refermer la porte de la terrasse.

À partir de ce moment, l'ambiance changea radicalement, comme si l'hiver était entré dans la maison. Laura entendit sa mère chuchoter dans son portable, et ses longs ongles tapotant des SMS sur le clavier de son téléphone résonnèrent jusqu'au premier étage toute la soirée.

« Qu'est-ce qu'elle fabrique ? demanda sa petite sœur à Laura.

– Je crois qu'elle essaye de convaincre papa de rentrer à la maison. »

Le lendemain matin, Victoria avait le visage bouffi, des cernes sous les yeux et les pommettes luisantes, comme du temps où elle prenait de l'hydrocortisone après une augmentation du volume mammaire ratée.

En revanche, elle était sobre et elle avait les idées à peu près claires.

Elle avait installé sur son téléphone plusieurs applications d'info en ligne et elle restait scotchée à son écran comme une mouche attirée par la lumière.

« Laisse-moi tranquille, Laura », dit-elle quand sa fille vint la rejoindre dans le séjour pour regarder la conférence de presse avec elle.

Ce flic ne ressemblait à rien ou plutôt si, il ressemblait au clodo qui était toujours en train de parler tout seul, assis sur le banc devant le supermarché du centre commercial. Fripé et mal rasé. Pas très beau à voir.

Victoria tâtonna pour trouver ses cigarettes, sans quitter des yeux le type avec sa barbe de trois jours.

Elle composa le numéro de téléphone que le flic avait donné au moment où il disparut de l'écran.

Pendant une petite minute, elle dit « oui » et « non » et de nouveau « oui » et « non », tandis que ses yeux vides se mouillaient peu à peu. Puis les larmes qui coulaient entraînèrent son mascara charbonneux.

48

Mardi 22 décembre 2020

Carl

« Excuse-moi, Carl, mais je suis obligée de te le demander : es-tu, d'une manière ou d'une autre, impliqué dans cette histoire ? Et y a-t-il quelque chose que je doive savoir ? »

Normalement les questions de ce genre glissaient sur Carl comme l'eau sur les plumes d'un canard. Mais quand c'était Mona qui les posait, c'était autre chose, et elles faisaient très mal. À vrai dire, il avait passé la nuit à s'interroger, mais un voile sombre recouvrait ces évènements au fond de son cerveau.

« Franchement, Mona, tout cela remonte à tellement loin, et tu sais dans quel état j'étais après la fusillade. J'ai des trous de mémoire concernant cette époque mais une chose est sûre, je n'ai aucun souvenir de cette valise. Certes, Hardy et moi savions qu'Anker avait sa propre vision de ce qui est légal, et nous avons souvent été obligés de le tempérer lorsqu'il passait les bornes. Quand il tapait un peu trop fort sur la nuque d'un prévenu lors d'un interrogatoire par exemple, ou qu'il mentait au patron, ou lorsqu'il lui arrivait de réécrire l'histoire dans ses rapports pour enjoliver les choses. Mais je n'aurais jamais cru que c'était un vrai ripou, comme le contenu de cette valise semble le prouver. »

Contrairement à ce que Carl espérait, elle n'eut pas l'air particulièrement soulagée par ce qu'il venait de lui dire.

Pendant que Mona accompagnait Lucia à la crèche à vélo, Rose appela, dans tous ses états.

« Le type qu'on cherche s'appelle Maurits van Bierbek, c'est sûr et certain, Carl. Tout colle à la perfection, y compris la date de sa disparition. Et aussi la manière dont il a disparu. Tout, en fait. C'est incroyable. Alors, écoute-moi. Assad et moi allons venir te chercher et on va repartir aussitôt chez Bierbek. On a rendez-vous avec sa femme dans vingt-cinq minutes. » Elle raccrocha sans qu'il ait eu le temps de lui opposer le moindre argument. Pendant le trajet en voiture jusqu'à la résidence de la famille Bierbek, elle n'arrêta pas de parler une seule seconde. On aurait dit que pour elle, Noël était déjà là, et que le coup de fil de l'épouse de Maurits Bierbek était son plus beau cadeau, en cette année maudite.

« Ils n'avaient pas regardé la télé depuis très longtemps, réussit à glisser Assad. C'est la fille de Bierbek et la mère de sa meilleure copine qui ont percuté. La femme de Bierbek semble bouleversée par la nouvelle. »

Elle l'était, en effet.

Déjà à distance, ils eurent l'impression de sentir l'état de choc qui flottait comme un brouillard sur la pompeuse erreur architecturale d'inspiration néoclassique qui leur apparut dans le quartier le plus huppé de cette commune de banlieue aux portes de Copenhague.

La femme reconnut Carl et fonça sur lui les bras ouverts, comme si une accolade virile de sa part allait suffire à effacer sa douleur. Carl esquiva d'un pas de côté, pour lui faire comprendre que la distanciation n'était pas un vain mot.

« Même si vous avez déjà tout raconté à mes collègues au téléphone, je vais vous demander de recommencer, s'il vous plaît », lui dit-il, quand ils furent tous installés devant une baie vitrée donnant sur un parc parfaitement paysagé qui aurait coupé le souffle à n'importe quel citadin.

Il ne fut pas facile de tirer un récit cohérent de cette femme en pleine confusion mentale, mais heureusement, elle était secondée par une préadolescente qui, contrairement à sa mère, n'éprouvait pas le besoin de tourner cent fois autour du pot pour donner une réponse claire à leurs questions.

« Quelqu'un est venu le chercher avec une limousine le 12 décembre. Je me souviens de la date, parce qu'elle était exactement à mi-chemin de ce Noël de merde, expliqua la jeune fille avec un sérieux dont sa mère était bien incapable. C'était une voiture noire, et vous pourrez la voir sur la vidéo de notre caméra de surveillance. On la voit même descendre la côte. J'ai enregistré le fichier sur cette clé USB. »

Elle tendit la clé à Rose, et Carl envisagea d'adopter la gamine sur-le-champ.

« Vous y trouverez aussi tous les mails que mes parents ont échangés.

– Tu as lu mes mails, Laura ? » s'offusqua sa mère.

La fille haussa les épaules. Il est vrai que la remarque ne méritait pas mieux.

« T'as qu'à pas laisser tes mots de passe traîner partout.

– Et pour quelle raison ton père est-il parti ? lui demanda Rose.

– Il a d'abord été contacté par un type qui travaillait pour un groupe américain et voulait lui acheter son entreprise. On croyait qu'il était parti aux États-Unis pour discuter avec eux.

– Je comprends que vous l'ayez pensé, Laura. Mais ton père n'est pas à l'étranger. Nous avons vérifié. Connais-tu le nom de la personne qu'il était supposé rencontrer ce jour-là ?

– Alors il n'a jamais quitté le Danemark ? » Elle baissa les yeux, pensive, puis répondit à la question : « Non, mais ça devait être quelqu'un qui travaillait pour cette entreprise, dit-elle en tendant un bout de papier à Rose.

– Global Rea Inc., Wisconsin, USA, lut Rose à haute voix. Est-ce que ce n'est pas cette énorme compagnie qui produit des émissions de téléréalité dans le monde entier ?

– C'est ça, mais la société de mon père est assez importante aussi. Il a produit des émissions de téléréalité partout, en Europe, en Asie, en Australie, en Amérique du Sud... » Elle se tut en voyant Carl, Rose et Assad échanger des regards.

Merde alors, songea Carl. L'homme faisait de la télé-poubelle et il correspondait parfaitement au profil d'individus que le tueur affectionnait.

« Comment s'appelle la société de votre mari ? demanda Carl à la femme assise les yeux dans le vague.

– Unbelievable Corporation. Elle a produit entre autres "Paradise or Hell", "Reality Prison" et un tas d'autres émissions que vous connaissez sûrement, répondit-elle avec une sorte de fierté. Et aussi "Cougars and Youngsters", à laquelle ma mère participait, au cas où vous auriez envie de la voir à poil », ajouta Laura en regardant sa mère d'un air dégoûté.

À ce moment, une Philippine miniature vint annoncer : « *Your attorney Claes Erfurt is here, may I show him in*[1] ? »

Mais l'avocat n'avait pas attendu d'y être invité. Il entra en trombe et se précipita vers la maîtresse de maison.

---

1. « Votre avocat Claes Erfurt est là, je peux le faire entrer ? »

« Victoria ! Qu'est-ce que j'apprends ??? C'est ÉPOUVAN-TABLE ! »

Leur étreinte dura quelques secondes de trop, et Laura leva les yeux au ciel.

« Je vous prie de m'excuser, mais je tenais à ce que Claes soit présent. J'ai besoin de savoir quelle est ma position juridique dans la situation présente », dit la femme, comme si son mari était déjà mort et enterré et que ce n'était pas la pire chose qui pouvait arriver.

Si cette horrible bonne femme continue, je vais appeler Mona et lui annoncer que je suis obligé de ramener une deuxième fille à la maison, pensa Carl.

L'entretien n'alla pas beaucoup plus loin. L'avocat tenait la femme de Bierbek par la main et lui donnait des petites tapes d'encouragement toutes les dix secondes. Intérieurement, il était peut-être déjà en train de régler la succession. Dans son cerveau tapissé de Téflon, Victoria n'était de toute façon pas capable de leur décrire la personne qui était venue chercher son mari ce matin-là, ni de leur dire avec qui Maurits Bierbek avait rendez-vous.

« Vous n'auriez pas une pièce dans laquelle nous pourrions faire le point entre nous ? s'enquit Assad. Nous aimerions bien établir notre camp de base ici, si vous n'y voyez pas d'inconvénient. C'est un peu tendu à l'hôtel de police en ce moment, vous voyez ce que je veux dire. Et il est important que nous soyons présents au cas où le kidnappeur chercherait à entrer en contact avec vous. Nous avons malheureusement peu de temps. »

Seule Laura parut enthousiasmée par cette proposition.

« Le bureau de mon père est immense, et personne ne s'en sert quand il n'est pas là, je vais vous montrer où il est. Ils peuvent rester autant qu'ils veulent, hein, maman ? »

Elle tourna les talons avant que sa mère ait eu le temps de répondre.

« Bien joué, Assad, dit Carl en regardant la débauche de photocopieuses, d'ordinateurs et de diodes clignotantes sur divers routeurs capables sans doute de gérer la circulation d'un nombre incalculable de téraoctets.

– Comme ça, Marcus ne saura ni où tu es, ni ce que tu fais, chef. Et pendant ce temps-là, Gordon peut tenir le fort, au cas où on aurait besoin de quelque chose. Je vais lui demander de scanner le tableau et de nous l'envoyer. On n'aura qu'à l'imprimer sur ce truc, là-bas. » Assad désignait une photocopieuse assez volumineuse pour imprimer des documents jusqu'à un format A2. Si la brigade criminelle avait réclamé un matériel pareil, les deux derniers ministres de la Justice auraient été obligés de s'asseoir sur leur salaire annuel.

Rose quitta l'écran des yeux et secoua la tête, incrédule. « Je ne sais pas si je vais surprendre quelqu'un en vous révélant que la société de production de Maurits van Bierbek ne fabrique que des programmes de merde, consistant principalement à repousser les limites des participants et du public. Une grande partie de ce qu'elle produit frise le porno soft. Maurits Bierbek a réussi à inciter un nombre incalculable de chaînes de télévision et de plateformes de streaming à lui acheter ses formats, au mépris de tout sens moral. Je vois ici sur Google que l'une de ses émissions, intitulée "Did She Really Say That ?" a été vendue à plus de cinquante pays dans le monde et que dans plusieurs d'entre eux, le concept a été adapté à la culture et à la langue locales, entre autres au Japon. » En un sens, Carl était content de ne jamais avoir plongé lui-même dans cette fange, même si, en l'occurrence, il aurait été utile d'en savoir un peu plus sur le sujet.

« Et toi, Assad, tu en as déjà vu ? » demanda Carl en poussant vers lui la liste que venait d'imprimer Rose.

Assad déchiffra leurs titres avec tant d'attention qu'on aurait dit qu'il était en train de visionner chacune d'entre elles dans sa tête.

« Non, je ne crois pas que ma parabole capte ce genre de choses, répondit-il finalement.

– Et toi, Rose ?

– J'en ai vu quelques-unes, pour me documenter. Rien qui soit susceptible d'intéresser un public ayant fait plus de sept ans d'études. C'est à peu près ce qu'on fait de pire en matière de télé-poubelle. Mais je sais que certaines d'entre elles sont incroyablement populaires, et qu'elles ont dépassé en audimat un grand nombre d'émissions de téléréalité plus traditionnelles qu'on trouve sur les chaînes satellites.

– Ce qui signifie ? demanda Assad.

– Que ce genre de truc existera aussi longtemps que la plupart des gens auront des goûts de chiottes. »

Les sourcils d'Assad allèrent flirter avec sa ligne frontale. Manifestement l'explication de Rose ne l'avait pas beaucoup avancé.

« J'ai sous les yeux les comptes professionnels de Bierbek, dit Carl. Ses capitaux propres ont tant de zéros que je suis incapable de lire le nombre. Si le type avait réellement trouvé un acheteur pour sa boîte, je crois qu'il serait aujourd'hui l'homme le plus riche de toute la Scandinavie. Qui d'entre vous se charge d'appeler cette société aux USA qui était censée le racheter ?

– Je vais demander à Gordon de le faire, pendant qu'Assad et moi épluchons la correspondance entre Bierbek et sa femme. Et toi, Carl, tu pourrais regarder la vidéo de surveillance. »

Un coup discret sur le chambranle leur fit tourner la tête vers la porte. Claes Erfurt apparut, son corps rondouillet boudiné dans un costume bleu marine trop ajusté. Il avança vers eux, la main tendue et les lèvres largement écartées sur un râtelier d'un blanc qui aurait fait ressembler un tapis de neige fraîchement tombée aux eaux boueuses du Limpopo.

« Je suis désolé, commença l'avocat sans penser le moins du monde ce qu'il disait. J'ai quelques réserves quant à votre décision de vous installer dans la maison de Victoria. N'auriez-vous pas dû demander un mandat de perquisition pour vous permettre de fouiller dans les affaires privées de Maurits ? » Il n'attendit pas leur réponse. « Je crois que si, et je vais donc vous demander de ficher le camp. Est-ce que j'ai été assez clair ? »

Du tac au tac, sans émotion, Assad lui répondit : « Toi, le baveux, si tu attendais que le mari soit vraiment mort pour sauter sa femme ? Je te signale que nous, on est là pour essayer de lui sauver la peau. On ne voudrait pas que tu déformes tes poches de costume avec tous les millions que tu te vois déjà en train d'y fourrer, ce qui fait un paquet, je te l'accorde. Mais tu n'envisages peut-être même pas de garder ce costume ? Dis-nous plutôt ce que tu espères tirer de la situation, et si tu n'as pas envie de nous le dire, alors je te propose de... »

Assad se tut en voyant l'expression de Carl.

« Ce que mon collègue veut dire, c'est que vous disposez, ici et maintenant, d'une chance de donner un grand coup de pouce à votre carrière en passant pour celui qui fait tout ce qui est en son pouvoir pour sauver la vie de son client, enchaîna Carl. Et figurez-vous que j'ai justement une proposition à vous faire, que vous ne pourrez pas refuser. Ensuite, vous allez nous laisser travailler. En effet, comme mon collègue l'a dit tout à l'heure à Victoria, le temps nous est compté. »

« Tu crois que c'est une bonne idée, Carl ? lui demanda Rose après que l'avocat eut battu en retraite. Tu vas vraiment le laisser annoncer publiquement que Maurits van Bierbek est l'individu pour lequel tu as lancé un avis de recherche et qu'il y a de fortes présomptions que le pauvre homme soit exécuté le 26 décembre ?

– Tu verras. Du moment qu'il ne cite pas le département V, Marcus pourra toujours faire semblant de croire que ces renseignements ne viennent pas de nous, ce qui lui permet de se couvrir. L'important, c'est que le Danemark soit en état de vigilance accrue, ce qui sera le cas aussitôt que l'avocat aura promis une récompense de dix millions de couronnes à toute personne capable de nous fournir une information susceptible de nous conduire à l'endroit où Maurits Bierbek est retenu prisonnier, à condition évidemment que cette information arrive à temps pour lui sauver la vie. Tu ne crois pas qu'en cette période de pandémie, où les fêtes de Noël sont passées à la trappe et où les gens ne savent plus que faire de leurs journées, M. et Mme Danemark vont se mettre en quatre pour décrocher la timbale ?

– Dix millions, s'étrangla Assad. Marcus va péter un tuyau !

– Une durite, Assad, mais tu n'étais pas loin. » Carl sourit, se demandant une fois de plus si Assad ne les menait pas en bateau. « En revanche, tu as raison, c'est une somme d'argent astronomique et tout à fait inédite dans ce contexte, mais Marcus est assez malin pour ne pas faire de commentaire, du moment que nos noms ne sont pas cités. Et pendant que les Danois joueront les détectives, nous on sera tranquilles pour poursuivre notre enquête.

– Et si le meurtrier décide de balayer ses principes et de tuer le type avant l'heure ? s'inquiéta Rose.

– On est bien d'accord qu'on parle toujours de Sisle Park comme d'un suspect possible ? » Les deux autres acquiescèrent. « Alors moi je te fous mon billet qu'elle n'est pas du genre à transiger lorsqu'il s'agit de sa mission. Mais évidemment, elle va comprendre qu'on la marque à la culotte et dès l'instant où l'avocat aura diffusé l'information, il faudra la surveiller de près. À partir de maintenant et jusqu'au lendemain de Noël, on ne la quitte pas d'une semelle, OK ? Partagez-vous les planques. Toi, Assad, tu as une famille, et je te propose de prendre les gardes entre huit heures du matin et quatre heures de l'après-midi. Rose, celles entre seize heures et minuit et Gordon les gardes de nuit.

– Je préfère échanger avec Gordon, dit Rose. S'il prenait la première planque cet après-midi et ce soir, ça nous laisserait le temps, à Assad et à moi, de terminer le travail qu'on a commencé sur les échanges de mails entre Maurits et Victoria. Il n'aura qu'à laisser sa voiture garée devant la maison, avec la clé sur la roue avant, pour qu'on puisse filer Sisle Park si elle quitte son domicile. On fera les allers-retours en taxi. Je suis sûre qu'il n'y verra pas d'inconvénient, tant qu'on lui rembourse les courses. »

Ça, c'était du Rose tout craché. Non seulement elle avait déjà pensé à la question du transport, mais elle acceptait de planquer de nuit. Cette fille n'avait vraiment peur de rien.

Carl pensait que Laura van Bierbek n'avait copié sur la clé USB que le passage où la limousine était partie avec son père à bord, mais malheureusement, cela faisait maintenant une demi-heure qu'il était en train de visionner l'image neigeuse d'une allée résidentielle sur laquelle le seul mouvement avait été celui d'un promeneur de chien qui avait manifestement oublié ses sacs à crottes.

« Allez, petite voiture, montre-toi, ne sois pas timide », répétait-il à l'envi. Il se dit qu'ils auraient dû commencer par demander un relevé des appels téléphoniques de Bierbek, pour savoir combien de fois il avait été contacté par le faux émissaire de Global Rea Inc., ce qui aurait permis à Carl de déterminer à partir de quel moment la bande de vidéo-surveillance présentait un intérêt. Mais comment obtenir un journal d'appels aussi rapidement ? L'expérience avait montré que les opérateurs mettaient un temps fou à répondre, y compris quand la demande émanait de la police. Bref, il ne lui restait plus qu'à prendre son mal en patience, et à tâcher de ne pas s'endormir d'ennui.

Il jeta un bref coup d'œil à travers la baie vitrée donnant sur une autre partie du jardin aux allures de parc. La nuit était en train de tomber, et en temps normal, sa journée de travail serait bientôt terminée.

En temps normal ! Carl répéta la formule dans sa tête. Ce temps-là reviendrait-il un jour ?

Il tendit l'oreille pour écouter les bruits de la maison. Quelques marches plus bas, l'épouse de Maurits Bierbek commençait à réaliser la gravité de la situation, et elle passait des sanglots aux lamentations.

Peut-être fut-ce la monotonie de sa voix cassée qui l'amena à s'assoupir un instant et Carl fit un bond quand son portable sonna tout à coup, le ramenant à la réalité.

« Bon, écoute, Carl, commença Mona doucement. La police vient de passer avec un mandat d'arrêt. Elle m'a demandé si je savais où toi et ton équipe vous trouviez en ce moment. Ils m'ont fermement recommandé de les contacter aussitôt que tu me donnerais des nouvelles. Je suis sûre que nos portables sont sur écoute, alors je te conseille de l'éteindre ou de t'en débarrasser, pour qu'ils ne puissent pas te localiser. Enfin, je veux que tu saches que je crois à ton innocence et que je continuerai à y croire jusqu'à la fin des temps. »

Il allait lui répondre, mais elle interrompit le vague grognement qui sortait de sa gorge.

« Je sais PARFAITEMENT à quel point cela compte pour toi. Je te connais. Tu n'as rien à voir avec cette histoire, alors je te demande de te cacher jusqu'à ce que vous ayez retrouvé ce pauvre type qui sans vous mourra à coup sûr. Dis à Assad, à Gordon et à Rose de veiller sur toi et d'éteindre leurs portables. Au revoir, mon amour. On se retrouve de l'autre côté de cet enfer. Lucia et moi t'embrassons de toutes nos forces. »

Puis il y eut un bip, et elle disparut.

Carl inspira profondément. Il avait toujours su que ses collègues, dont l'efficacité et l'acharnement n'étaient plus à prouver, ne tarderaient pas à lui mettre le grappin dessus. Mais il ne pensait pas que cela irait aussi vite. Il soupira. C'était comme ça et il n'y avait rien à faire. Mais il ne pouvait pas nier que le coup était dur. En revanche, le soutien inconditionnel de sa femme lui avait fait un bien fou. C'était exactement ce dont il avait besoin.

Son regard se déplaça vers le bout du grand bureau où Rose et Assad étaient en train de chercher un indice utilisable dans les très nombreux mails échangés par le couple Bierbek. Mais si infatigables soient-ils, ils savaient comme lui que cela ne les mènerait à rien. Pourquoi le ou les kidnappeurs auraient-ils commis la moindre erreur ?

« Hé, écoutez-moi ! Arrêtez une seconde ! Il faut que je vous répète ce que Mona vient de me dire au téléphone. » Carl les mit au courant et ils éteignirent aussitôt leurs portables.

« Je suis désolé de vous avoir entraînés dans cette galère, mais, à moins que vous choisissiez ici et maintenant de ne plus rien avoir à faire avec moi, cela signifie que vous ne pourrez pas rentrer chez vous avant que tout ceci soit terminé. C'est sans doute particulièrement un problème pour toi, Assad, avec Marwa et les enfants à la maison. Alors, dis-moi ce que tu veux faire. »

On aurait dit que le dilemme provoquait de petites décharges électriques dans le cerveau d'Assad. Il avait l'air réellement malheureux. Enfin, son regard se fixa sur Carl.

« Excuse-moi, chef, je ne sais pas ce que veut dire le mot "galère". »

Il se leva de sa chaise et une seconde plus tard, son visage se fendit en un immense sourire.

Quand il vint serrer Carl dans ses bras et qu'il lui chuchota à l'oreille qu'il n'abandonnerait ni Carl ni cette enquête, l'inspecteur Mørck dut prendre sur lui pour ne pas se mettre à chialer comme un gosse.

« Je reste aussi, Carl, déclara Rose. On est avec toi. Il ne nous reste plus qu'à convaincre la famille Bierbek de nous garder ici. »

Carl essaya de les remercier, mais la boule qu'il avait dans la gorge l'en empêcha.

« Au fait, Rose a eu Gordon au téléphone, pendant que tu parlais avec Mona, dit Assad pour rompre le silence.

– Il dit que personne à la direction de Global Rea Inc. ne se souvient d'avoir été en contact avec Maurits van Bierbek à propos d'un éventuel rachat d'Unbelievable Corporation. Au contraire, ils lui ont affirmé qu'après avoir eu connaissance de la dernière idée de Bierbek, qui porte un titre du genre : "Qui mourra le premier ?", une telle fusion est à peu près la dernière chose au monde dans laquelle ils voudraient se lancer.

– Je vois. C'est vrai que le titre est horrible. Mais au moins, on en sait un peu plus, commenta Carl. Comme on le pressentait, ce rachat était un piège. Il faudrait dire à Gordon d'éteindre son portable lui aussi.

– Je m'en occupe et on pourra rester en contact avec lui quand même parce que je sais qu'il a aussi un téléphone à carte. »

Carl poussa un soupir de soulagement. « Il est parti filer Sisle Park ?

– Il a quitté le bureau il y a vingt minutes et il est conscient que la police va lui coller aux basques. Il pense réussir à les semer. »

Merde ! Ça veut dire que j'ai dormi pendant au moins une demi-heure, songea Carl. Il soupira et se tourna vers l'écran où la vidéo de surveillance montrait toujours la maison des Bierbek en gris et blanc.

Il était sur le point de noter l'heure apparaissant en haut, à droite de l'écran et à rembobiner la vidéo, quand cela se produisit. Une Lexus noire rutilante glissa lentement dans l'image et s'arrêta devant la porte des Bierbek. La caméra filmant depuis la porte d'entrée, on ne voyait pas le siège conducteur, ni la personne assise au volant, et apparemment, il n'y avait personne d'autre dans la voiture. Carl nota l'heure. Il était exactement dix heures, et à présent, on voyait à l'image Maurits Bierbek de dos, un dossier sous le bras, descendant d'un pas alerte les marches du perron et montant dans la voiture.

Carl refit défiler la bande seconde par seconde.

« Alleeez, donne-moi une image nette de la plaque. »

Il réussit à lire « FB5 » et ensuite quatre chiffres indistincts.

« Vous pouvez venir, tous les deux ? lança-t-il. On a la plaque minéralogique. »

Rose sourit en découvrant la Lexus noire et le début du numéro. Il ne lui faudrait pas plus de deux minutes pour trouver le nom du propriétaire.

Carl s'étira, les bras levés au-dessus de sa tête. Victoire était le seul mot qui lui vienne à l'esprit, et il était encore en train de se réjouir devant le premier réel succès qu'avait apporté cette journée, quand Rose revint.

« Je suis navrée, Carl, mais la voiture a été louée pour quelques heures seulement avec une fausse carte de crédit sur une banque espagnole au nom d'une personne qui n'existe pas. La société de location ne s'est pas méfiée de la femme parce que le passeport qu'elle a présenté semblait OK. Ce n'est que le lendemain qu'ils se sont rendu compte qu'ils s'étaient fait avoir. Mais finalement, ils étaient plutôt contents que la voiture n'ait pas atterri en Pologne ou dans quelque autre endroit mystérieux. La personne qui a reçu la cliente m'a décrit une femme blonde, d'une quarantaine d'années, sans signes distinctifs notables.

Les bras de Carl retombèrent. « Ça ne ressemble pas à Sisle Park, si ? »

Les deux autres secouèrent la tête.

« Bon. Alors on ne peut rien faire d'autre qu'attendre le résultat de la prestation de l'avocat aux infos, et de voir ce que Gordon aura à nous dire sur les mouvements de Sisle Park. Je l'appellerai dans une heure. D'ici là, dites-moi si vous avez trouvé quelque chose d'intéressant dans les mails.

– Pour l'instant, rien qui s'en approche, répliqua Assad. J'ai seulement l'impression que Victoria Bierbek est la femme la plus naïve du monde. Elle gobe toutes les histoires à dormir debout que Maurits invente pour expliquer qu'ils ne puissent tout simplement pas se parler au téléphone.

– Elle s'en fout, c'est tout, commenta Rose. En revanche, elle demande dix fois à son jules combien cette affaire va leur rapporter. Quand, au bout de la onzième, il finit par lui répondre qu'il pense à un montant d'environ trois cents millions de dollars, elle arrête de lui poser la question. Je l'imagine en train de courir autour de la table, les bras levés, en poussant des cris de joie. »

Carl grogna. « OK, alors on fait quoi maintenant ? Vous pouvez voir avec Victoria si elle veut bien nous héberger pendant quelques jours ? Appâtez-la en lui disant qu'on la fera passer au vingt heures quand tout sera terminé, et dites-lui, pendant que ses enfants écoutent, que nous allons tout faire pour lui ramener son mari. »

Rose eut l'air sceptique. « Je ne pense pas que ce soit une bonne idée de leur donner trop d'espoir sur ce point. Quant à ton propre problème, est-ce que tu ne crois pas qu'il serait temps que tu commences à t'en occuper ? Tu as appelé Hardy, au moins ? Tu peux te servir de la ligne fixe des Bierbek. Le téléphone est juste là. » Elle désigna une monstruosité qui n'avait pas seulement la couleur de l'or, mais qui en était réellement.

Oui, l'appel à un ami était son prochain mouvement sur cet échiquier qui n'avait plus rien d'un jeu.

49

Mardi 22 décembre 2020

Sisle

Depuis une heure, elle était en dévotion, chez elle, parlant doucement à Dieu, comme elle le faisait toujours avant de faire payer à ses victimes le prix de leur corruption morale, en prenant leur vie. Cette ultime prière était le plus important de ses rituels. C'était le moment où elle expliquait à Dieu les crimes de sa victime et de quel grand pécheur de l'Histoire elle avait choisi la date anniversaire pour l'exécuter.

« Cher Dieu, Mao ne fut-il pas la plus infâme de Tes créatures sur cette terre ? Lui qui se prévalait d'une sainteté aussi imaginaire que blasphématoire, lui qui n'épargnait que ceux qui n'avaient d'autre choix que de se soumettre à son pouvoir, lui qui Te provoquait sans cesse en chantant par ses actes les louanges du mal. Lui qui a laissé son peuple être exterminé par la famine. Lui qui tuait tous ceux qui osaient contester sa loi et sa divinité autoproclamée. Lui qui, avec ses mensonges, ne se contenta pas de convaincre son peuple débile de le suivre inconditionnellement, mais qui pervertit aussi la jeunesse occidentale. Le jour anniversaire de ce monstre, une autre vile créature viendra se présenter devant Toi, son créateur divin, pour entendre Ton jugement. Oui, je Te le dis. »

Pendant quelques instants, elle se projeta avec délice quelques jours dans l'avenir, puis, comme à l'accoutumée, elle rendit grâce à Dieu.

« Merci, mon Dieu, de m'avoir laissé la vie sauve alors que tu faisais tomber Ton châtiment. Merci de me permettre d'être à la fois Ta disciple et Ton glaive. Merci pour la mission que Tu m'as confiée, et merci enfin de me laisser choisir à ma guise. »

Elle inclina la tête et dit : « Amen. »

Elle était prête, à présent.

Maurits van Bierbek n'avait plus que trois jours à vivre. Un peu plus de quatre mille trois cents minutes d'une vie bien trop longue. Désormais, le condamné pouvait choisir d'employer ses dernières heures à demander pardon, s'il était conscient de ce qu'il était et de ce qu'il avait fait, de façon à rencontrer son créateur avec une âme repentie, ou nier sa faute et s'exposer à d'éternelles souffrances en enfer.

Sisle se fichait de savoir ce qu'il allait choisir. Sa mission était uniquement de lui rappeler que tous nos actes ont des conséquences. Œil pour œil, dent pour dent, la Bible était claire sur ce point.

Elle se signa et se releva de sa position agenouillée. La réunion qu'elle avait eue avec les trois anges de la mort qu'elle avait recrutés avait dépassé ses espérances. Déjà, Sisle sentait combien elle allait aimer suivre leurs actions d'épuration depuis le banc de touche et le sentiment qui l'animait en ce moment était un mélange de reconnaissance et de fierté.

Elle alluma la télévision. À l'écran, elle aperçut un homme corpulent en costume croisé bleu marine au-dessus du bandeau d'informations en continu quand son portable sonna. Elle décrocha et entendit la voix de Debora, proche de l'hystérie.

« L'avocat de la famille Bierbek était aux infos à l'instant !
Tu l'as vu ? s'écria-t-elle. La famille a promis une récompense de dix millions de couronnes pour toute information
permettant de retrouver Maurits, à condition qu'il soit en
vie. Dans le cas contraire, la récompense ne sera pas versée.
Tu te rends compte combien de personnes dans ce pays se
sont déjà mises à sa recherche ? Le journaliste de Nyhederne
estime leur nombre à plusieurs milliers, et toutes savent qu'il
y a urgence. »

Sisle pinça les lèvres. Et alors ? Ça changeait quoi ?

« Est-ce que tu es sûre, Sisle, qu'aucune de tes élèves, je
devrais dire disciples, ne sait ce que tu as fait ? Parce que
sinon, tu as du souci à te faire. Une récompense pareille !
continua Debora. Presque six millions de Danois se disent en
ce moment qu'ils ont une chance de gagner le gros lot en se
lançant à notre poursuite. J'imagine la meute et je t'avoue que
ça me préoccupe. Des gamins en tenue de scout, des voisins
curieux, des jeunes et des vieux qui ont des problèmes de fins
de mois, et tous les bourgeois bien-pensants qui s'emmerdent
dans les maisons voisines de la tienne !

– Arrête, Debora !

– Mais c'est beaucoup trop tentant, Sisle ! Les gens vont
forcément prendre la balle au bond ! Dix millions de couronnes, c'est vraiment beaucoup d'argent.

– Il n'y a qu'Adam et moi qui sachions quoi que ce soit.
Mais peut-être que toi, tu as besoin de dix millions de couronnes, Debora ? »

Un silence de mort tomba sur la ligne et Sisle n'aima pas
cela du tout.

« Je veux que tu te calmes, Debora. Et je veux pouvoir
compter sur Adam jusqu'au bout. Tu entends ce que je te

dis ? Ce que je ne veux pas, c'est que vous commenciez à douter. Mais si c'est le cas, je veux que tu me le dises. »

Malgré la communication qui n'était pas très bonne, Sisle entendait la respiration difficile de Debora.

« Tu peux me passer Adam, s'il te plaît ? »

Presque une minute s'écoula avant qu'il y ait de nouveau quelqu'un au bout du fil.

« Debora semble très bouleversée, Adam. Tu es sûr que je peux toujours compter sur vous ?

– Oui, dit-il simplement.

– Y compris si je te dis que c'est toi qui feras son injection à Bierbek ?

– Moi ?

– Oui, toi. Et je veux qu'à partir de maintenant, tu surveilles ta femme comme le lait sur le feu. Restez chez vous, et surtout, fêtez Noël le plus normalement possible.

– OK, mais qui va s'occuper de Maurits pendant ce temps-là ? Tu vas lui...

– Ne pense pas à lui, coupa Sisle. Faites profil bas jusqu'au lendemain de Noël, je t'appellerai le moment venu. »

Sisle raccrocha et se mit à réfléchir à la situation.

La police avait promis une récompense de dix millions de couronnes... Comment imaginer meilleure publicité ? Elle rit d'avance à l'idée de tous ces abrutis en train de courir dans tous les sens pour découvrir toutes sortes de cachettes suspectes. Ce serait une véritable course à l'échalote, car Dieu sait sur quoi les gens allaient tomber. Des repaires de drogués, des hangars remplis de marchandises volées, des distilleries clandestines, des immeubles insalubres et des relations familiales qui ne devaient pas être exposées au grand jour. La police allait avoir du travail ! À mesure que les soupçons s'accumuleraient et que les témoignages afflueraient, elle allait même avoir beaucoup, beaucoup de travail. Elle plaignit les enquêteurs qui avaient peut-être imaginé avoir droit à la trêve des confiseurs.

Dix millions ! Le vice-commissaire Mørck aurait sûrement préféré un scénario moins dramatique et plus facile à maîtriser.

Qu'est-ce qu'il va faire maintenant ? se demanda-t-elle en prenant l'escalier conduisant au sous-sol. La cave de sa maison avait été récemment rénovée et comportait plusieurs pièces bien éclairées et parfaitement équipées dans lesquelles son aide-ménagère s'occupait des lessives et du repassage. C'était là aussi que pendant la saison d'hiver, le jardinier entreposait les bulbes à fleurs jusqu'au printemps. Le local prévu à cet effet était maintenu à un degré d'hygrométrie constant et pratiquement plongé dans le noir, de sorte que la porte dissimulée derrière les étagères était totalement invisible. Sisle l'ouvrit et actionna l'interrupteur pour faire la lumière dans ce qui était en réalité un laboratoire de chimie parfaitement équipé. C'est là qu'elle pouvait, en toute discrétion, mélanger de l'hydroxyde de potassium, connu également sous le nom de potasse caustique, à de l'acide chlorhydrique, ou mettre en combustion du potassium en présence de chlore, ce qui, dans les deux cas, lui donnait le chlorure de potassium avec lequel elle avait tué deux de ses victimes et s'apprêtait à en éliminer une troisième.

Elle leva le flacon en verre à la hauteur de ses yeux et contempla le liquide létal. En injectant ce produit en quantité suffisante directement dans le cœur, l'organe s'arrêtait aussitôt. Les mises à mort dites « respectueuses de l'individu » qui étaient pratiquées ici et là dans le monde se déroulaient en général sous forme d'injections successives de plusieurs produits, afin que le condamné soit d'abord tranquillisé, puis anesthésié avant que lui soit injectée une dose létale de chlorure de potassium. Mais ce n'était pas ainsi que Sisle procédait. Elle voulait que ses victimes meurent en sachant précisément ce qui leur arrivait, ce qui ne signifiait pas que cela devait prendre plus de temps.

Ses victimes se tordaient dans tous les sens quand la dose leur était injectée en plein cœur. Elles luttaient pour retrouver leur souffle puis elles étaient prises de convulsions et se débattaient furieusement. Quand elles commençaient à suffoquer, juste avant de passer de vie à trépas, Sisle plongeait son regard dans leurs yeux éteints et jetait sur elles une ultime malédiction.

50

Mardi 22 décembre 2020

Carl

« Tu as parlé à Gordon, Rose ?

– Oui, il est en planque avec vue sur la maison de Sisle Park et il paraît qu'il fait un froid de gueux.

– Heureusement qu'il ne pleut pas. Elle est chez elle ?

– Les fenêtres sont éclairées, alors il pense que oui. »

Carl se tourna vers Assad. « Tu as réussi à avoir le plan ? »

Assad secoua la tête. « Non, mais je sais que c'est une maison de six cents mètres carrés, sur une cave équivalant à la surface du rez-de-chaussée. C'est donc une sacrée baraque, à l'intérieur de laquelle on peut faire un tas de trucs sans que personne ne le sache. Cela dit, je ne crois pas qu'elle serait assez bête pour tuer ses victimes chez elle. En outre, elle possède un tas de biens immobiliers un peu partout.

– Et plus précisément ?

– Des entrepôts, des immeubles de rapport, des maisons privées, des appartements individuels et des maisons de campagne. Alors, à moins qu'elle ne décide de sortir de chez elle, de prendre sa voiture et de se rendre directement à l'endroit où se trouve Maurits Bierbek, ça ne va pas être facile. Il y a tout simplement trop de possibilités. »

Carl supputait une chose de ce genre, sans vouloir se l'avouer. Eh merde ! De manière générale, ces deux dernières heures n'avaient pas donné grand-chose. Le principal problème pour l'instant était qu'il n'y avait que deux places pour dormir dans le bureau de Maurits Bierbek, ce qui les obligeait à utiliser les canapés en alternance. Ou plutôt, Rose prenait ses aises dans l'un, tandis que Carl et Assad s'affalaient à tour de rôle dans la transpiration et la bave de l'autre.

À cela, il fallait ajouter que sa conversation téléphonique avec Hardy, en Suisse, n'avait pas été réjouissante. Hardy n'allait pas bien du tout. Toutes les expérimentations auxquelles son corps avait été soumis, les douleurs que lui causait l'exosquelette qu'il essayait pour la première fois et les antalgiques qu'on lui administrait le rendaient distant, agressif et l'empêchaient de se concentrer. Il n'avait commencé à comprendre la situation dans laquelle se trouvait Carl qu'au milieu de la communication.

« Tu me dis que cette valise est dans ton grenier depuis 2007 ? Tu te rends compte que ça fait treize ans, Carl ! Tu ne crois pas que nous aurions pu aborder le sujet avant ? Par exemple au cours de toutes les années où ton brave équipier tétraplégique est resté chez toi à contempler le plafond de ton séjour. Ce ne sont pourtant pas les occasions qui nous ont manqué ! Mais en ce temps-là, tu te disais peut-être que ce n'était pas important...

– Je ne savais pas ce qu'elle contenait, Hardy. Tu dois me croire.

– Ce que je ne comprends pas, c'est pour quelle raison Anker a eu besoin de toi pour entreposer une foutue valise !

– Parce que sa femme l'avait mis à la porte. Et c'est à cause de ça que je ne me suis pas demandé ce qu'il y avait dedans. Pourquoi l'aurais-je fait ? Qu'est-ce qu'on met dans une valise quand on est viré de chez soi, à ton avis ?

– La question est plutôt : qu'est-ce qu'on planque dans un grenier ? Pas ses slips et ses chaussettes, en tout cas. »

Hardy cherchait le conflit, ce qui n'était pas dans ses habitudes.

« Tu souffres beaucoup, Hardy ?

– Ne t'inquiète pas pour ça, Carl. Dis-moi comment un investigateur de génie comme toi, qui est capable en une fraction de seconde de nourrir un soupçon sur Pierre, Paul ou Jacques, ne s'est pas demandé une seule fois ce que cette valise pouvait bien contenir ? Et pourquoi tu ne l'as pas ouverte après la mort d'Anker, ou tout simplement rendue à sa femme ?

– Peut-être que je ne l'ai pas rendue à sa femme parce qu'elle avait fichu Anker à la porte, peut-être que je l'ai oubliée. Je ne m'en souviens plus, Hardy. »

Hardy poussa un soupir très expressif. Manifestement, il ne le croyait pas.

« S'il te plaît, Hardy. Tu veux bien essayer de réfléchir à ce qu'Anker pouvait faire avec tout cet argent et cette drogue ? Parce que dans quelques heures, on va venir m'arrêter, et j'aimerais beaucoup être en mesure de répondre quelque chose qui les oriente vers un autre suspect. »

Le silence qui suivit était fracassant. Seule la respiration difficile et légèrement sifflante de Hardy témoignait encore de sa présence au bout du fil.

« Hardy ? »

Il se racla la gorge. « Oui, je vais y réfléchir, Carl. Puisqu'il le faut. » Et il raccrocha brusquement. Carl détestait cette nouvelle habitude. À vrai dire, depuis l'époque où, quand il était en CE2, son chien s'était fait écraser sur la route, Carl ne s'était jamais senti aussi abandonné qu'en ce moment même.

Il savait qu'il devait se trouver une ou deux personnes dans la police qui l'appréciaient encore un petit peu. Une simple parole de soutien lui aurait suffi, une main sur l'épaule, un geste d'amitié, un mot gentil sans poser de question. Qu'était-il arrivé pour que Hardy soit si froid avec lui, tout à coup ?

Un bruit à la porte lui fit tourner la tête, Assad s'assit en face de lui et le regarda quelques instants avant de parler.

« Je voulais te dire, chef, que Marwa et moi correspondons, même si nous sommes tous les deux isolés du monde pour des raisons différentes. Nous avons plusieurs adresses électroniques arabes, dont nous nous servons rarement et que nous sommes les seuls à connaître. C'est très utile dans la situation où nous sommes. Elle vient de m'envoyer un mail, et il te concerne.

– Qu'est-ce qu'elle écrit ?

– La police est venue chez nous et elle me cherche. Elle a donné à Marwa des instructions sévères, lui disant que si je la contactais, elle devait me dire que si je ne me rendais pas et si je refusais de révéler où tu te caches, cela pourrait avoir des conséquences graves pour moi et ma famille. »

Carl ricana. « Des conséquences graves pour toi et ta famille, mon œil. Tu sais ce qu'ils font, là, Assad ? Ils emploient des méthodes d'intimidation dignes d'un État policier qui n'ont normalement pas cours au Danemark. On ne peut pas t'accuser de quoi que ce soit dans cette affaire, et ta famille n'a pas à souffrir du fait que tu travailles pour moi et pour le département V.

– Mais ça nous affecte quand même, Carl. Ils ont dit qu'ils allaient revenir et que si Marwa n'avait aucune information à leur donner te concernant, ils jetteraient un coup d'œil supplémentaire sur les permis de séjour de toute la famille. Ils ont vraiment dit ça.

– Non, mais tu plaisantes, là ! » Carl réfléchit quelques secondes, puis dit : « OK, alors tu vas écrire à Marwa que je suis parti me planquer chez mes parents au nord du Jutland. Je voudrais être là pour voir leurs têtes quand ma mère les obligera à entrer dans son salon pour prendre un café avant d'aborder la raison de leur visite. Ensuite, elle va vouloir leur faire goûter ses petits gâteaux et leur raconter l'histoire de son périple de vingt-cinq kilomètres, seule sur un tandem, jusqu'à Løkken. Ils seront cuits avant d'avoir pu lui poser la moindre question.

– D'accord, chef, je vais demander à Marwa de leur dire ça.

– Je lis sur ton visage qu'il y a autre chose. Je t'écoute, Assad. »

L'un des sourcils d'Assad tressautait. Ça devait faire un moment qu'il ruminait.

« Nous avons établi qu'il y avait un lien entre Sisle Park et Pauline Rasmussen, n'est-ce pas ?

– À cause du sel dans la boîte à chaussures, oui.

– Et aussi parce qu'on a trouvé du sel dans les tombes voisines de celle de Ragnhild Bengtsen, ce qui nous ramène également à Sisle Park.

– Oui. Il est plus que probable que les deux cadavres aient un lien direct avec les autres crimes. »

Assad se gratta une barbe qui avait dû pousser de près d'un demi-centimètre depuis qu'ils s'étaient vus vingt minutes auparavant.

« Et nous sommes également d'accord qu'il y a un lien entre Ragnhild Bengtsen et cette Tabitha Engstrøm, puisqu'elle l'a tuée. »

Carl sourit. « Oui, je pense qu'on ne risque pas de se tromper beaucoup en prétendant qu'on ne tue pas une parfaite étrangère de cette manière-là. Où veux-tu en venir, Assad ?

– Nous pensons aussi que le carnet de notes de Tabitha Engstrøm indique qu'elle faisait partie d'une sorte de confrérie ou de sororie, ou je ne sais pas comment on doit l'appeler, dont elle cite plusieurs membres par leurs prénoms.

– Oui.

– Est-ce que tu penses que Manfred ou quelqu'un d'autre de l'équipe de Bente Hansen a interrogé les personnes que Tabitha mentionne dans son journal ?

– Je pense, oui.

– Donc, tu n'es pas sûr qu'ils l'aient fait, tu le penses, c'est tout.

– Non, enfin oui.

– Tabitha dit dans son carnet que les prénoms sont des alias, mais est-ce que tu penses que c'est vrai pour tous ?

– Oui, sans doute.

– Je cherche celle que Tabitha appelle Debora, chef. C'est un prénom assez particulier, et je trouve que nous devrions contacter des femmes qui le portent. Peut-être que l'une d'elles aura elle aussi un lien avec Sisle Park.

– C'est possible, Assad. Mais il y a peu de chances qu'elle sache où se trouve Maurits van Bierbek, ou qu'elle ait quoi que ce soit à voir avec les crimes de Sisle.

– Je trouve que le mobile derrière les actes de Tabitha rappelle beaucoup la croisade de Sisle, pas toi ?

– Ce n'est pas faux. Donc, tu cherches Debora, je comprends. Tu as essayé l'état civil ?

– À Copenhague et dans sa banlieue, il n'y en a pas tant que ça. Apparemment c'est un prénom assez rare.

– Et tu as appelé les femmes qui le portent ?

– Oui, toutes. Trois d'entre elles ne s'appellent pas réellement Debora et deux sont trop jeunes. C'est peut-être un prénom qui revient à la mode.

– Donc, il peut s'agir d'un pseudo, comme c'est le cas pour les autres membres du groupe dont parle Tabitha.

– Ou alors, elle préfère rester discrète. Peut-être qu'elle utilise un autre prénom dans la vie courante et le D. de Debora comme deuxième prénom.

– J'ai appelé ma voisine avec le fixe de Maurits, annonça Rose. Il paraît que les flics ont débarqué chez moi et qu'ils sont allés interroger mes voisins pour leur demander s'ils savaient où j'étais. Ils leur ont fait promettre, s'ils me voyaient, de les appeler aussitôt. À mon avis, ils vont attendre un moment, conclut-elle en rigolant.

– Tu vas faire quoi après le 26 décembre, chef ? demanda Assad.

– Si nous trouvons Maurits Bierbek à temps, j'irai danser le fandango dans le bureau de Marcus Jacobsen.

– Et sinon ?

– Et sinon, j'irai quand même me présenter à son bureau, mais je ne danserai pas.

– J'y vais ! » dit Rose en enfilant son manteau avant d'enrouler une écharpe de plusieurs mètres autour de son cou.

Ah oui, c'est vrai. Elle partait remplacer Gordon. Carl avait complètement oublié ça.

Il regarda Assad et sentit qu'ils avaient pensé à la même chose. L'un d'eux allait pouvoir profiter de son lit pendant qu'elle surveillait la maison de Sisle Park jusqu'à demain matin. Yesss !

Rose s'arrêta un instant sur le seuil, puis fit volte-face.

« Et au fait, vous deux, pas question de dormir dans mon lit ! » Elle se tapota le nez et ajouta : « J'ai l'odorat sensible et je le saurai, alors à moins que vous n'ayez envie de subir ma mauvaise humeur... À bon entendeur, salut ! »

Message reçu. En ce qui le concernait, Carl préférait encore dormir par terre.

51

Mardi 22 décembre 2020

Maurits

Pendant une courte période de sa vie, quand il était très jeune et qu'il manquait encore de confiance en lui, Maurits avait commencé à compter, à compter tout et n'importe quoi. S'il était envoyé dans le bureau du proviseur pour avoir mal parlé à son professeur, il comptait les livres alignés sur la bibliothèque du directeur de l'établissement pendant que les remontrances pleuvaient. S'il plongeait son regard dans celui d'une jolie fille, il comptait le nombre de fois où elle clignait des yeux pour cacher sa timidité. Pendant un certain nombre d'années, ce toc lui avait rendu plus faciles les situations les plus diverses. Puis il avait appris à s'en passer. Jusqu'à aujourd'hui. Loin du monde et impuissant à lutter contre la déchéance inéluctable de son organisme, il entendit à nouveau une petite voix se mettre à compter. Il secoua la tête pour la chasser et essaya de lever ses paupières. Mais elles refusaient de se décoller de ses globes oculaires.

Était-ce lui qui s'était mis à compter ? Et si oui, que comptait-il ?

« Qu'est-ce que tu comptes, Maurits ? » s'entendit-il demander.

Étaient-ce les dernières secondes de sa vie qui s'écoulaient sans qu'il ait la force de les retenir ? Étaient-ce les battements de son cœur, toujours plus faibles, ou bien le souvenir de l'horloge comtoise de sa grand-mère égrenant la fin d'une époque ?

Pendant quelques heures, ces derniers jours, il avait essayé de retrouver la notion du temps. Le condamné à mort n'a rien d'autre à attendre que la chute dans l'éternité, et les secondes qui passent ne le rapprochent que de son trépas. Malgré l'engourdissement croissant de son cerveau, quelques fragments de pensées refusaient de le laisser tranquille. Peut-être était-ce pour cela qu'il s'était mis à compter. Pour atténuer le vacarme de ses pensées. Pour essayer de comprendre pourquoi il devait mourir maintenant.

Bien sûr, il aurait pu être plus attentif aux autres. Bien sûr, il aurait pu faire passer leur bien-être avant le sien. Bien sûr, il aurait pu juguler ce besoin qu'il avait de faire du sensationnel à tout prix.

Mais les candidats qui participaient à ses émissions l'avaient fait de leur plein gré. En quoi était-il coupable et pourquoi le punissait-on aujourd'hui ?

Maurits changea de position sur la chaise. L'acide gastrique incendiait ses intestins complètement vides. Son œsophage était une plaie ouverte.

Pourquoi ne pas le laisser mourir en paix ? Combien de temps son calvaire allait-il durer ?

Soudain il eut un spasme et ouvrit grand la bouche. Tout ce que cette horrible bonne femme lui racontait était peut-être un tissu de mensonges. Ce dont elle l'accusait, ce pour quoi elle le méprisait n'était peut-être pas la véritable raison de sa captivité. Il n'y avait aucun doute sur le fait que cette femme le haïssait, mais soudain, il comprit que cette haine était accessoire. Il y avait probablement plusieurs explications à sa présence ici, mais en fin de compte, n'était-ce pas tout simplement à sa fortune qu'elle en voulait ? Et il était en train d'attendre ici, dans d'atroces souffrances, pendant qu'elle négociait sa rançon. Mais oui, évidemment. Quant au montant de la rançon, il devait dépasser ses actifs et c'était pour ça que c'était aussi long.

Il essaya de sourire mais s'en empêcha, de peur que ses lèvres éclatent. Elle devait avoir exigé cent millions de couronnes. Comme si c'était un problème pour lui de payer une telle somme ! C'était probablement Victoria, qui avait donné du fil à retordre aux négociateurs. Quand il s'agissait de lâcher quelque chose qui lui appartenait, elle était comme ça, Victoria.

Maurits commença à respirer plus librement et plus profondément. L'espace d'un instant, il eut l'impression que ses crampes et ses douleurs étaient plus supportables.

Il bascula la nuque en arrière et essaya encore d'ouvrir les yeux, mais en vain.

Il avait passé un long moment ainsi, la bouche ouverte et la tête en arrière quand, à nouveau, il s'entendit compter.

Cela l'étonna. Quels étaient ces signaux que lui envoyait son inconscient, assez alarmants pour qu'il éprouve le besoin de les faire disparaître ?

Pendant quelques secondes, il s'arrêta de respirer, et puis tout devint clair.

Pourquoi lui demanderaient-ils de les aider à rédiger un mail pour répondre aux questions de Victoria, sinon pour lui prouver qu'il était leur prisonnier ?

N'importe quoi ! songea-t-il. Il leur aurait suffi de prendre une photo de lui avec la une d'un journal devant le visage.

Est-ce que ce n'était pas ce qu'on faisait dans une prise d'otage ?

Maurits ferma la bouche et laissa retomber son menton sur sa poitrine.

Puis il se remit à compter, cependant que des bruits venant de la cage d'ascenseur perturbaient le silence.

Un, deux, trois, quatre...

52

Mercredi 23 décembre 2020

Carl

« Réveille-toi, Carl, il faut que j'aille remplacer Rose. Il est sept heures. »

Carl souleva légèrement la tête du coussin et sentit que la housse restait collée au coin de sa bouche. Il essaya de se tourner, et la sensation fut tout sauf agréable, après une nuit passée sur le carrelage.

« Merde ! » fut le premier mot qu'il prononça ce jour-là.

« Vu la façon dont vous ronfliez, je pensais que vous aviez passé une bonne nuit », lui dit une petite voix.

Venant d'un état où il échappait à tout, aux restrictions Covid, au froid, aux accusations, la réalité lui fit l'effet d'un clou de charpentier enfoncé dans son crâne. Jamais il ne s'était senti aussi fatigué, meurtri et déprimé.

« Si j'ai passé une bonne nuit ? demanda-t-il désorienté en essayant d'identifier ce que Laura faisait osciller devant son visage.

– C'est Assad qui l'a fait, dit-elle avec un sourire dans la voix tandis que le parfum du café faisait réagir les narines de Carl.

– Il n'est pas très fort, chef. Tu peux le boire sans problème », lança Assad depuis le seuil du bureau, où il était en train de mettre ses chaussures.

Carl hocha la tête, se releva sur ses coudes et accepta la tasse que lui tendait l'adolescente.

« Il y a du sucre ? s'enquit-il, prudent.

– Très peu », mentit Assad avec conviction.

Rassuré, Carl avala une gorgée qui, une milliseconde plus tard, lui frappa la glotte tel un coup de marteau, avec pour effet immédiat de lui obstruer la gorge et de déclencher une quinte de toux requérant une ceinture abdominale qu'il n'avait plus depuis longtemps.

« Il est bon, hein ? » demanda Assad.

Carl essaya de reprendre son souffle. Jamais encore il n'avait goûté un café aussi fort ni aussi sucré que la substance brune qu'on venait de lui faire ingurgiter par surprise.

« Ça réveille, pas vrai ? poursuivit Assad en enfilant son blouson, avant de claquer la porte derrière lui.

– Voilà, il n'y a plus que nous, annonça Laura. Maman est partie voir l'avocat, et ma sœur est avec elle. »

L'adolescente lui tendit un bol dont Carl ne parvint pas d'emblée à identifier le contenu.

« Un bon fromage blanc de nos campagnes », dit-elle, quasiment prête à lui donner la becquée.

En lançant une recherche de vidéos sur Sisle Park, on obtenait peu de résultats. La femme d'affaires apparaissait très rarement en public, et le plus souvent, c'était pour se prononcer sur des sujets si banals qu'ils ne leur fournissaient que peu d'informations. Elle portait toujours un tailleur noir impeccable, avec un chemisier blanc. Sa coupe courte lui évitait toute mèche folle. Son apparence était aussi neutre et policée que son attitude et ses paroles. Bref, à voir son image publique, personne au monde ne l'aurait crue capable de faire du mal à une mouche, ni *a fortiori* d'avoir commis une longue série de crimes plus effroyables les uns que les autres.

Alors où était son talon d'Achille ? Où dans cette armure se trouvait la faille secrète qui laisserait deviner sa vraie nature ?

« Je l'ai déjà vue, cette femme ! » entendit Carl derrière lui.

Il se retourna brusquement. Il n'avait pas entendu Laura Bierbek se faufiler dans son dos.

« Tu l'as déjà vue ? Où ça, Laura ?

– Elle est venue ici un jour où papa était au travail. Elle m'a dit qu'il avait oublié un document important, et qu'il l'avait envoyée pour le récupérer et le rapporter à la production. »

Carl fronça les sourcils. Qu'est-ce que c'était que cette histoire ?

« Et ça s'est passé quand ?

– Juste après les vacances d'été, je crois.

– Et tu l'as laissée entrer ?

– Vous plaisantez ! Vous croyez que j'aurais laissé entrer quelqu'un que je ne connais pas ?! Jamais de la vie ! J'ai dit que j'allais appeler mon père d'abord, pour savoir si c'était OK.

– Bravo, Laura. Et alors, qu'est-ce qu'elle a fait ?

– Elle a reculé d'un pas et elle a fait mine de lire le nom sur la porte. Puis elle s'est excusée et elle m'a dit qu'elle s'était trompée d'adresse. Qu'en fait, elle allait chez le voisin.

– Et elle y est allée ?

– Je l'ai surveillée par la fenêtre et j'ai bien vu que non. Elle est remontée dans sa voiture et elle est partie. J'ai appelé mon père, et il n'avait aucune idée de ce dont je voulais parler. Enfin, en tout cas, il n'avait demandé à personne d'aller chercher un papier.

– Qu'est-ce qu'elle voulait, tu crois ?

– J'ai pensé que c'était une voleuse, et mon père pareil. Pendant qu'elle attendait à la porte, elle n'arrêtait pas de regarder partout autour, comme si elle voulait voir s'il y avait des caméras de surveillance. Ce genre de trucs.

– Et c'est le cas. On ne peut pas dire qu'elles soient très discrètes, chez vous.

– C'est vrai. Le soir, papa et moi avons regardé les bandes, parce qu'il voulait savoir à quoi elle ressemblait, mais on n'a pas réussi à voir son visage. En plus, sa voiture était garée à un endroit où elle n'était pas dans l'axe de la caméra. Ce jour-là, elle avait les cheveux plus longs et plus foncés que sur ces vidéos, là. »

Carl hocha la tête. Sisle Park était évidemment venue en repérage pour savoir où étaient placées les caméras de surveillance à l'intérieur et à l'extérieur de la propriété.

« Vous pensiez qu'elle reviendrait pour vous cambrioler ?

– Oui, c'est ce qu'on a pensé, mais mon père a dit qu'elle pouvait toujours essayer, qu'elle n'allait pas s'en tirer comme ça. » Elle montra l'image figée à l'écran. « C'est qui cette femme, en fait ?

– Nous ne le savons pas encore, Laura, mais nous allons le découvrir. Tu peux me montrer la bande de surveillance du jour où elle est venue ? Je suppose que vous avez gardé le fichier ? »

Elle sourit et répondit qu'elle voulait bien chercher, mais qu'elle n'était pas sûre que les images restent archivées aussi longtemps.

L'adolescente lui avait demandé qui était cette femme. N'était-ce pas la question qu'ils se posaient tous ? À qui fallait-il la poser pour espérer obtenir une réponse ? À ses employées ? Carl tremblait à l'idée de devoir tirer les vers du nez au genre de créatures qu'il avait croisées dans les bureaux de Sisle Park. Ces femmes auraient sans doute préféré lui couper la tête que de le laisser fouiner dans les affaires de leur patronne. Alors il avait appelé le département de chimie de l'université de Copenhague, où elle avait fait ses études, et comme personne ne répondait, il avait contacté quelques personnes portant le patronyme très inhabituel de Park, mais aucune d'elles ne connaissait une Sisle ni une Lisbeth ayant le même nom de famille qu'elles.

Carl se dit pour la dixième fois de la journée que, quoi qu'ils fassent, ils aboutissaient à une impasse, et qu'une issue fatale semblait malheureusement inéluctable. Plus que trois jours avant le 26 décembre. Le seul moyen d'empêcher le meurtre de Maurits Bierbek était désormais de neutraliser Sisle Park. Mais quels moyens légaux avaient-ils pour le faire ? Ils ne pouvaient pas débarquer chez elle et l'arrêter sans preuve tangible. La kidnapper et attendre ne paraissait pas être une option non plus, car rien ne prouvait qu'elle avait l'intention d'être sur place lors de l'exécution. Si on prenait par exemple l'assassinat de Pia Laugesen, à qui on avait maintenu de force la tête dans sa piscine jusqu'à ce qu'elle se noie, il ne voyait pas la grande femme toute mince qu'il avait rencontrée venir à bout d'une personne aussi imposante.

Et s'il y avait un autre individu dans l'histoire, comment l'identifier et comment était-il devenu le complice de Sisle Park ?

Carl se souvint de la description que Palle Rasmussen faisait de Sisle. Il l'avait traitée d'allumeuse, et de truie bardée de cicatrices. Il l'avait également qualifiée de bête et sur ce point il faisait probablement erreur. Mais pour le reste… Cette description ne contenait-elle pas un élément susceptible de les aider ?

Il y avait vingt ans que l'homme politique avait écrit ce mail, et elle avait évidemment changé entre-temps, mais n'était-ce pas justement avant qu'elle devienne celle qu'elle était aujourd'hui qu'il fallait chercher l'origine de sa folie meurtrière ?

Carl lut son bref CV. Sisle avait été baptisée Lisbeth Park. Ils avaient effectué des recherches avec ce prénom, avec et sans *h* à la fin, mais ils avaient fait chou blanc. Malgré son patronyme si particulier, personne ne correspondait à la Sisle qu'ils connaissaient.

Pourquoi cette jeune femme est-elle partie en Afrique du Sud après avoir commencé ses études, et pourquoi y est-elle restée aussi longtemps ? se demanda-t-il. Quel lien avait-elle avec ce pays ? Les Sud-Africains étaient-ils particulièrement avancés dans le domaine d'expertise de Sisle Park ? Ou bien y était-elle allée pour fuir quelque chose ?

Carl avait aussi du mal à comprendre pourquoi elle était venue se jeter directement dans la gueule du loup en allant repérer les emplacements des caméras de surveillance de la famille Bierbek. Certes, elle n'était pas habillée comme d'habitude, et elle portait probablement une perruque, mais une adolescente de quinze ans n'a pas les yeux dans sa poche et son déguisement n'avait pas suffi.

À vrai dire, cela venait de donner une idée à Carl. Peut-être lui aussi devait-il se déguiser afin de pouvoir sortir dans la rue et aller vérifier certaines choses par lui-même.

Il se leva et alla se regarder dans le miroir de l'entrée. Il ne s'attendait pas à voir des merveilles, mais cet homme vieillissant, négligé, au cheveu rare et en bataille, auquel le temps avait donné une couleur de gris très éloignée de celle de George Clooney, le découragea quand même un peu.

« Laura ! » appela-t-il trois fois avant qu'elle n'apparaisse, brandissant triomphalement une feuille de papier. « Qu'est-ce que c'est ? » demanda-t-il, alors qu'il le savait parfaitement.

29 août 2020, 13 h 32, était-il inscrit en chiffres digitaux dans l'angle de l'image. Le tirage semblait un peu flou, mais c'était ce que les caméras avaient immortalisé de la visite imprévue de Sisle Park.

« Je regrette, mais on ne voit que le toit de sa voiture, et un petit bout de la femme. Et c'est le plan le plus net de tout l'enregistrement. Vous avez vu, j'avais raison, elle avait les cheveux longs et bruns, mais c'est sûrement une perruque. »

Carl grogna. La voiture n'avait pas l'air d'être un modèle récent. Et, hormis sa couleur jaune, son unique particularité était une galerie, du genre qu'on trouve pour presque rien dans n'importe quel magasin d'outillage.

« Merci Laura, c'est du bon boulot. » Il marqua un temps en se grattant la joue puis lui décocha un regard aussi chaleureux que si elle avait été sa propre fille. « Dis-moi, tu n'aurais pas, par hasard, un téléphone portable que je pourrais t'emprunter un jour ou deux ?

– Euh… bah… je n'ai que le mien.

– Et tu ne veux pas me le prêter ? »

Elle recula comme si elle venait de se brûler. « Vous êtes fou ? Je ne peux pas me passer de mon mobile, surtout en ce moment !

– Tu ne peux pas utiliser le fixe pour parler avec tes copines ?

– C'est pas ça… » Elle le regarda d'un air désespéré. Ce type n'avait jamais entendu parler des SMS, des mails, de Twitter, d'Instagram, de Facebook, de YouTube, de TikTok et de Snapchat ?

424   S E L

« Je peux te le louer, si tu veux, proposa Carl. Jusqu'au lendemain de Noël inclus, pas plus. »

Elle se mordit l'intérieur de la joue. « OK, mais alors c'est cinq cents couronnes par jour ! »

Carl avala la couleuvre. « Je pensais plutôt à cinq cents couronnes en tout. »

De nouveau, elle le regarda comme s'il était à moitié demeuré.

« Bon, c'est d'accord, et autre chose, est-ce que tu sais s'il y a quelque chose ici pour se teindre les cheveux ? Et est-ce que tu crois que je rentre dans les vêtements de ton père ? J'ai besoin d'aller faire un tour, et je voudrais pouvoir circuler dans la jungle sans qu'on me reconnaisse. »

Une heure plus tard, une Rose aux yeux cernés et à l'air éprouvé revint dans le bureau de Bierbek après sa garde de nuit. Elle avait juste eu le temps de jeter son manteau par terre, et de s'écrouler sur le canapé quand elle aperçut Carl.

« Qu'est-ce que c'est que cette horreur ! » s'écria-t-elle. Il s'attendait à cette réaction. Pour être honnête, lui aussi avait eu un choc après avoir rincé l'excédent de teinture empruntée à Victoria. Il s'était retrouvé nez à nez avec un rouquin, dont les cheveux, scandalisés sans doute par le traitement qui leur avait été infligé, se dressaient sur sa tête dans toutes les directions. Il avait lui-même failli tourner de l'œil en se voyant dans la glace.

« J'avoue que ce n'est pas la couleur dont ma mère se sert ces temps-ci », avait commenté Laura, un poil trop tard.

Pour compléter ce déguisement, l'adolescente avait déniché pour le vice-commissaire Mørck un costume démodé, une cravate, une chemise blanche, et la paire de chaussures que son père appelait ses « godasses prout-prout pour sortir en ville ».

« Vous êtes magnifique », avait dit la gamine pour le consoler, ce qui était nettement mieux que le commentaire de Rose.

« Magnifique ? Ce n'est pas l'adjectif que j'utiliserais, mais c'est très réussi, dit Rose. Tu ne te ressembles plus du tout. D'ailleurs, tu ne ressembles plus à rien. C'est quoi ce délire ?

– D'abord, merci pour tes compliments, répondit Carl. J'ai besoin de sortir d'ici pour régler quelques bricoles. Comment s'est passée la garde de Gordon ? Il n'est pas mort de froid ?

– Peut-être, répondit-elle dans un bâillement. En tout cas, il était déjà parti quand je suis arrivée.

– Le pauvre. Vous avez pu creuser un peu dans le parcours universitaire de Sisle Park ?

– Euh... Pourquoi ? On est censés s'en occuper ? Il aurait peut-être fallu nous le demander ? C'est pas toi qui répartis les tâches, ici ?

– Bref, ça veut dire non. »

Elle poussa un soupir et tira la couverture sur sa tête. Carl se dit qu'il aurait aussi bien pu dormir sur ce canapé au lieu de se taper une nuit inconfortable à même le sol. Elle n'aurait rien senti du tout.

Laura emmena Carl dans le gigantesque garage où elle lui désigna une Alfa Romeo beaucoup moins anonyme qu'il l'aurait souhaité.

« Celle-là ne manquera à personne, dit-elle. Papa l'a offerte à maman il y a cinq ans, et son garagiste vérifie régulièrement que le moteur tourne, mais je ne l'ai pas vue au volant de cette voiture, ni d'aucune autre depuis des lustres. À quoi ça sert d'avoir un permis de conduire quand on peut appeler un taxi ? C'est ce qu'elle dit toujours. De toute façon, ce n'est pas plus mal, vu qu'elle est bourrée du matin au soir. »

Carl s'installa au volant, une gageure pour sa hanche douloureuse d'être assis à quelques centimètres du bitume, et une demi-heure plus tard, il se garait devant le département de chimie de l'université de Copenhague. Sisle Park avait fréquenté cet établissement à peu près trente-cinq ans auparavant, et Carl avait peu d'espoir de trouver quelqu'un qui y travaillait déjà à l'époque et qui l'ait connue de surcroît, mais avec un peu de chance, il tomberait sur une personne dégourdie qui l'aiderait à compulser les archives de l'établissement.

La porte d'entrée était ouverte, les couloirs déserts lui parurent pourtant peu prometteurs. Outre le confinement, on était en pleines vacances scolaires, et aucun élève, ni qui que ce soit d'autre d'ailleurs, ne devait traîner par ici depuis un long moment. Comment une société peut-elle continuer à fonctionner quand tout s'arrête de manière aussi radicale ? songea-t-il en passant la tête dans différents laboratoires pleins de burettes, d'éprouvettes et d'éviers en inox aussi rutilants que s'ils n'avaient jamais été utilisés. Une odeur indéfinissable de métal et de produits chimiques flottait dans l'air, lui faisant penser à l'époque où, quand il rentrait le soir, il trouvait Hardy sur son lit médicalisé au milieu de son salon.

« Il y a quelqu'un ? » cria-t-il plusieurs fois, sans autre réponse que l'écho de sa propre voix. Il tenta en vain d'ouvrir quelques portes fermées, et ne s'étonna plus que personne ne réponde à ses appels.

« Merde ! » jura-t-il à voix haute. Le portable de Laura sonna. C'était Assad.

« Oui, qu'est-ce qui se passe ?

– Sisle vient de partir. Je suis désolé, mais je n'ai pas été assez rapide pour la suivre. La clé de la voiture de Gordon était tombée sous la voiture et le temps que je la retrouve, elle était loin.

– Merde ! » dit Carl de nouveau. Ils n'avaient décidément pas de chance.

« Tu veux que j'essaye d'entrer chez elle ?

– Tu veux dire par effraction ?

– Oui, ou quelque chose dans ce genre.

– Je te le déconseille. Il doit y avoir des alarmes partout. Tu vas te retrouver avec deux types d'une société de surveillance très en rogne. Sans parler de Marcus. Contente-toi de faire le tour de la maison, et voyons ce que ça donne, mais je n'y crois pas trop.

– D'accord. Alors je vais attendre ici qu'elle revienne. Je vais rester dans la voiture, et avec l'aide d'Allah, je réussirai peut-être à faire tomber les stalactites que j'ai dans la barbe. » Il rit. « L'exagération aide à la compréhension », dit-il. Une théorie qui devait lui avoir été inculquée par Rose.

Après avoir raccroché, Carl s'appuya au mur du corridor. À cet instant précis, il avait principalement envie de se rendre et d'en finir. De toute façon, c'était trop tard. Autant confier cette enquête à Marcus et à ses collègues, puisqu'il n'y avait plus rien à faire. Carl regarda son reflet dans la vitre en face de lui. Ses cheveux carotte étaient affreux, mais le visage morose qui se trouvait en dessous ne faisait rien pour arranger les choses.

Si tu baisses les bras et que tu te rends, tu condamnes Bierbek à mort, c'est ce que tu veux ? se reprocha-t-il. Laura serait privée de son papa et cette femme monstrueuse aurait une fois de plus accompli son noir dessein. S'il se rendait maintenant et qu'il abandonnait cette affaire, le département V aurait essuyé un échec dont il risquait de ne jamais se relever. Enfin, il ne devait pas non plus sous-estimer son problème personnel. Car il ignorait quelles cartes le Pif et ses collègues avaient encore dans leur manche contre lui.

Il fit l'effort de sourire à l'inconnu qui se reflétait dans la vitre. La couleur finirait par partir. Une bonne nuit de sommeil sur le canapé de Rose et les poches sous ses yeux auraient disparu. Maintenant, il fallait simplement qu'il se ressaisisse et qu'il leur montre à tous qu'un natif de Brønderslev dans le Jutland septentrional ne se laissait pas abattre aussi facilement, ne serait-ce qu'à cause de la terre qui colle si bien aux bottes dans cette région. Il rit tout seul en pensant au chauvinisme invétéré de son père.

Puis il décolla le dos du mur et cria à pleine voix : « IL Y A QUELQU'UN !? », avant de siffler dans ses doigts comme on le lui avait appris à l'école de police.

Le bruit métallique d'une porte résonna enfin dans un autre couloir, et il entendit quelqu'un approcher d'un pas précipité. Quatre secondes plus tard apparaissait une grande femme brune à l'allure autoritaire, dont le visage exprimait un mélange de dégoût et de colère.

« Comment diable êtes-vous entré ici ? demanda-t-elle, les doigts serrés autour de son téléphone, comme si elle s'apprêtait à appeler un service d'ordre musclé pour la secourir.

– Je suis entré par une porte qui n'était pas fermée, répondit-il en pointant du doigt une direction au hasard, sans savoir au juste si c'était par là qu'il était arrivé.

– Alors je vais vous demander de repartir immédiatement par où vous êtes venu, rétorqua-t-elle en jetant un regard méprisant à sa tenue et à sa couleur ratée. Car une chose est sûre, vous n'avez rien à faire ici. »

Super ! se réjouit Carl. Il n'y a qu'un agent administratif pour monter aussi vite sur ses grands chevaux. On lisait sur son visage qu'elle se croyait propriétaire de tout l'établissement. Maintenant, il n'avait plus qu'à la jouer fine.

« Dans un sens, vous avez raison. Je ne suis ni élève ni professeur. Je ne fais pas partie du ministère de l'Enseignement supérieur et de la Recherche, ni d'aucun service de consultation externe ayant pour mission d'analyser le fonctionnement et l'efficacité de cet établissement. La seule chose dont je dispose pour justifier ma présence ici est ceci. »

Il sortit de sa poche sa vieille carte de police et la colla si près du visage de la femme qu'elle devait en distinguer le plus petit pixel.

Elle détourna légèrement la tête sans quitter des yeux le document. Le mot « police » avait toujours pour effet de tétaniser les gens.

« Rassurez-vous, tout va bien, mais il se trouve que j'ai besoin de toute urgence d'un certain nombre d'informations, poursuivit-il. Je suis confus de vous déranger en cette période de fêtes, mais comme vous le savez sans doute, quand une affaire est grave, notre corporation ne connaît ni vacances ni jours fériés. C'est notre croix et nous l'acceptons. »

Il veilla à prendre un air désolé, comme s'il avait chez lui une ribambelle d'enfants en larmes attendant le retour de leur papa.

Puis il tendit le coude pour la saluer. « Vice-commissaire Carl Mørck, pardon, je ne me suis pas présenté. »

Après une seconde d'hésitation, elle lui tendit également le coude.

« Tatjana Kuzlovski Kristensen, dit-elle en s'efforçant d'avoir l'air aimable. De quoi s'agit-il ?

– C'est là que réside le problème. J'aurais besoin de renseignements sur une étudiante qui a passé son diplôme ici en 1989, et avec les honneurs, de surcroît. »

Là, son sourire devint presque exagéré.

« Oui, je sais, c'est loin. Trop loin, peut-être ? »

Elle fit une sorte de grimace. « Vous êtes conscient que cela fait trente et un ans, n'est-ce pas ?

– Oui, la soustraction n'est pas trop difficile. Alors, que me proposez-vous ?

– Pas d'entrer sans autorisation dans un établissement désert, en tout cas.

– Existe-t-il des archives ?

– Certainement, répliqua-t-elle. Mais je n'y ai pas accès. Vous pourriez éventuellement vous adresser à quelqu'un qui était déjà là à l'époque. Un vieux professeur se souviendra peut-être d'une élève sortie major de sa promotion.

– Et vous avez cet article en magasin ? »

L'adresse n'avait rien de reluisant, mais le nonagénaire qui avait passé les dix dernières années dans cette maison de retraite semblait s'en contenter. Toute la vie de Torben Clausen se résumait désormais à ces douze mètres carrés. Il avait un lit, une bibliothèque sur laquelle Carl vit exclusivement de la littérature spécialisée, un fauteuil tapissé de velours mauve et quelques autres horreurs datant d'une époque antérieure à l'avènement du design scandinave. L'endroit n'était pas très différent de celui où vivait Karla Alsing, son ancienne belle-mère, quatre-vingt-dix printemps également.

Le vieux médecin dont les rides dénonçaient une existence qui n'avait pas dû être facile fixa sur lui un regard rendu si opaque par la cataracte qu'il ne voyait probablement plus rien.

« Alors comme ça, vous êtes vice-commissaire. Voyez-vous ça ! répéta-t-il trois ou quatre fois, le temps pour lui d'absorber l'information, sans doute. Ce n'est pas souvent qu'on reçoit ce genre de visite, dit-il ensuite avec un rire qui fit claquer son dentier. Pas souvent qu'on reçoit des visites, tout court. »

Carl alla droit au but. « Vous souvenez-vous d'une étudiante du nom de Lisbeth Park ? Elle a terminé ses études à la faculté de chimie de l'université de Copenhague en 1989 avec les honneurs. Vous enseigniez à l'institut de chimie en ce temps-là, alors je me suis dit... »

Les yeux presque aveugles se mirent à bouger de gauche à droite dans les orbites du vieil homme, comme s'ils cherchaient un point sur lequel se poser.

« Je pensais que peut-être... », fit encore Carl.

Le vieillard tourna la tête vers la fenêtre, et la lumière grise du mois de décembre éclaira son visage. « Oui, dit-il, elle était douée. Très douée, même, et un mystère pour tout le monde, à tout point de vue. Je ne m'en souviens que trop bien.

– Trop bien ? Que voulez-vous dire ?

– Elle est la seule à avoir survécu à la foudre qui est tombée en 1982 sur ce que j'appelais mon groupe d'élite.

– Pardon ? La foudre ? Et elle seule... ? Expliquez-moi.

– Il n'y a rien d'autre à expliquer, jeune homme, que ce que je viens de vous dire. Sept étudiants ont été frappés par la foudre dans la partie des jardins de Fælledparken qui se trouve devant l'université. » Sa lèvre inférieure commença soudain à trembler. « Ooh », gémit-il, puis il renifla nerveusement à plusieurs reprises, comme s'il n'arrivait plus à respirer. « Il y a si longtemps que je n'ai pas repensé à cet épisode. Je n'imaginais pas que cela pouvait encore me faire autant d'effet. » Il essuya ses yeux morts.

Carl réfléchit un instant. Il aurait normalement dû se rappeler un fait divers aussi spectaculaire. Mais c'est vrai qu'il n'avait que dix-sept ans et qu'à l'époque, il avait d'autres chats à fouetter.

Ils restèrent sans rien dire pendant une minute ou deux, jusqu'à ce que le vieil homme respire à nouveau normalement.

« C'était ma faute, vous comprenez ? C'est moi qui ai proposé de leur donner ce cours en plein air, Dieu me pardonne. » Et il se mit à pleurer doucement.

« Soudain, le ciel s'est obscurci, et je n'avais même pas eu le temps de lever la tête que le premier éclair est arrivé. Je ne pensais pas que l'orage serait aussi violent et puis j'ai été distrait par mes étudiants qui s'étaient mis à crier parce qu'une dispute avait éclaté entre eux. Enfin, ce n'est pas tout à fait exact. En réalité, c'était justement Lisbeth Park qui était en colère et qui hurlait sur les autres. C'était incontestablement la meilleure de tout le groupe et elle les accusait de lui avoir volé ses notes et de la harceler en classe. Il me semble aussi l'avoir entendue dire à l'un d'entre eux qu'il l'avait trompée, mais je n'en suis pas tout à fait sûr. Ce que je sais, c'est qu'elle était folle de rage et que les autres se sont moqués d'elle. J'étais un peu à distance et j'allais les rejoindre pour intervenir quand soudain un éclair a illuminé le ciel, accompagné d'un coup de tonnerre qui a failli me faire éclater les tympans. La pluie s'est mise à tomber au même moment et quand j'ai repris mes esprits, j'avais déjà de l'eau jusqu'aux genoux. Devant moi, à quelques pas, mes étudiants gisaient en cercle, morts et entièrement carbonisés, dans un cratère que la foudre avait creusé dans le sol. Ça m'a fait un choc terrible. Pendant presque toute ma vie, cette vision a continué à hanter mes nuits.

– Et Lisbeth Park ?

– Lisbeth Park a survécu. J'ignore comment, mais elle a survécu. D'après ce qu'on m'a dit ensuite, l'impact de la foudre l'avait projetée en arrière.

– Mais que lui est-il arrivé ?

– Je ne sais pas vraiment, parce qu'elle a disparu pendant plusieurs années, avant de revenir soutenir sa thèse et d'obtenir son doctorat avec brio. Je crois qu'elle est partie étudier en Afrique du Sud. Quoi qu'il en soit, à son retour elle savait beaucoup de choses qu'elle n'avait pas apprises chez nous.

– Vous pensez que les autres étudiants du groupe lui avaient réellement volé ses notes et qu'ils la harcelaient ?

– Maintenant qu'on en parle, je me souviens qu'elle les accusait régulièrement de lui voler ses analyses et ses travaux. Ses accusations lui attiraient beaucoup d'animosité, sans doute parce qu'elles n'étaient pas justifiées. Elle s'en était plainte au directeur de l'université, c'est comme ça que je l'ai su. Je pense que les autres lui en voulaient à cause de ça. Et puis il y a eu l'histoire de la tromperie. Oui, je m'en souviens, maintenant.

– Et vous, vous n'avez pas été blessé quand la foudre est tombée ?

– Non, mais j'étais en état de choc. Quand les secouristes ont fait monter Lisbeth dans l'ambulance, moi j'étais en train de faire une crise cardiaque. Je suis désolé, je ne vous raconte pas les choses dans le bon ordre, mais le pompier qui s'appelait Martin et qui l'a mise dans l'ambulance est également celui qui m'a sauvé la vie ce jour-là. Maintenant, je suis un vieil homme, et je vais mourir de toute façon, mais j'ai toujours été très reconnaissant à ce secouriste. Tous les ans, pour Noël, je leur envoie des cadeaux, à lui et à sa famille. » Il montra du doigt une petite table en mosaïque dans un coin de la pièce. « Le cadeau est sur cette table, là-bas, mais en ce moment, on ne peut rien envoyer, à cause de la pandémie. »

Il secoua la tête.

« Il y a environ deux ans, reprit-il, nous avons reparlé du drame avec ce Martin et il m'a rappelé quelques détails. Il pourrait sans doute vous en raconter d'autres.

– Vous dites que c'est lui qui vous a sauvé la vie ?

– Oui, et lui aussi qui est arrivé le premier sur le lieu de la catastrophe, et Dieu soit loué pour ça. Il a pris sa retraite, à présent, mais je crois qu'il avait l'intention d'écrire ses

Mémoires et de raconter cette histoire. Lui aussi, elle l'a beaucoup marqué.

– Vous avez son adresse, si j'ai bien compris. »

Clausen resta un moment sans rien dire, le temps peut-être de chasser les images qui étaient remontées à la surface. « Oui, il s'appelle Martin, répéta le vieil homme en montrant un petit carnet rouge, l'unique objet posé sur son bureau. Son numéro est inscrit à la première page. Vous allez devoir le lire vous-même. Moi, je n'en suis plus capable.

– Je pourrais peut-être lui apporter votre cadeau en main propre ? »

Pour la première fois depuis que Carl était arrivé, le vieil homme sourit.

53

Mardi 22 soir,
et mercredi 23 décembre 2020

Sisle

De quel droit la surveillaient-ils ? Ils auraient pu deviner que les abords de sa propriété étaient équipés de détecteurs de présence, tout comme l'était la maison, depuis le toit de laquelle des caméras thermiques, non seulement enregistraient le moindre mouvement mais révélaient aussi assez précisément la silhouette d'un éventuel intrus.

Une VW gris métallisé, d'un modèle récent, était restée stationnée devant chez elle tout l'après-midi, ce qui en soi n'avait rien d'étonnant, mais avec le numéro que ce flic avait fait à la télévision et le montant de la récompense qu'avait promise cet avocat, elle ne pouvait pas prendre le risque d'ignorer le moindre évènement inhabituel à proximité de chez elle.

En fin d'après-midi, elle avait remarqué cet homme au visage très pâle à demi caché derrière un arbre et avait pris quelques photos de lui. Apparemment, il avait du temps à perdre et malgré le froid, il n'avait pas bougé de son poste, sauf pendant les quelques minutes où il était allé s'asseoir dans la fameuse voiture grise.

« Tu fais quoi, tu manges ? » demanda-t-elle tout haut en regardant sa montre pour vérifier le nombre de minutes qu'il passait dans la Volkswagen. Dix exactement, puis il retourna derrière son arbre et reprit le guet. Elle ne s'était donc pas trompée.

Qui es-tu, toi ? pensait-elle, quand soudain elle eut la nette impression qu'à son tour, il braquait l'objectif de son téléphone sur elle. Sisle s'éloigna brusquement de la fenêtre et réfléchit. Qui pouvait bien être à l'origine de cette surveillance ? Aucune de ses employées n'avait dans ses relations un homme de ce genre. Elle pouvait le dire avec certitude parce qu'elle avait rassemblé tous les renseignements personnels pouvant éventuellement lui être utiles par la suite sur tout le personnel de Park Optimizing. Elle avait également lu les rapports de stage remis par Debora quand elles étaient en formation chez elle, elle connaissait leurs hobbies, leur situation familiale et financière, elle avait des photos de leurs amis et des membres de leur famille, un bilan psychologique faisant état de leurs forces et de leurs faiblesses, et beaucoup d'autres détails.

Mais ce type maigre et pâle qui ressemblait à une version masculine de la Grande Faucheuse, elle l'aurait forcément remarqué. Alors d'où venait-il ?

Elle appela Adam, qui répondit aussitôt.

« Tu vas recevoir dans un instant la photo d'un homme qui surveille mon domicile en ce moment même. Dis-moi si tu l'as déjà vu quelque part.

– Non, jamais, dit-il au bout de quelques secondes. Tu veux que j'essaye de lancer une reconnaissance faciale ? Je peux utiliser un réseau virtuel privé, et faire croire que je me trouve aux États-Unis.

– Je sais, mais laisse tomber. L'oiseau se sera envolé avant. Non, je veux que tu viennes ici tout de suite. »

Ils le surprirent par-derrière et quand Adam passa les bras sous ses aisselles et lui saisit violemment la nuque pour lui pousser la tête vers l'avant, il poussa un cri.

« Qu'est-ce que vous faites ? gémit-il tandis que Sisle venait se planter devant lui. Lâchez-moi !

– Ici, c'est moi qui pose les questions, siffla-t-elle. Je voudrais savoir pourquoi vous êtes en train d'espionner ma maison ? Qui êtes-vous ? »

Sisle fit un signe de tête imperceptible à l'intention d'Adam, qui relâcha légèrement sa prise.

« J'en ai rien à foutre de ta baraque, dit Gordon. Je surveille la maison de ma copine. Je suis sûr qu'elle me trompe, cette salope. Foutez-moi la paix. »

Sisle fit un nouveau signe et Adam libéra Gordon.

« Je vois, et elle s'appelle comment, votre copine ? »

Il hésita une seconde de trop. « Qu'est-ce que ça peut te foutre ? Et TOI, tu es qui d'abord ? »

Elle l'observa attentivement. Elle l'avait déjà vu, mais où ?

« Vous auriez une pièce d'identité à me montrer, peut-être ?

– Plutôt crever, de quel droit tu me demandes ça ? répondit-il avec un sourire narquois.

– Hum, ça, ça peut s'arranger. Qu'en penses-tu, Adam ? »

Le coup de poing qu'il reçut dans la nuque le prit de court. Ses yeux bleus virèrent au gris tandis qu'ils essayaient en vain de faire le point sur Sisle.

« Qu'est-ce que vous faites ? bredouilla-t-il en sentant la main d'Adam se glisser dans la poche intérieure de sa parka.

– Rien ici, dit Adam avant de poursuivre sa fouille.

– Dites-nous qui vous êtes, et peut-être que nous vous ficherons la paix. »

Le jeune homme semblait réellement surpris de ce qui lui arrivait. La tête baissée, il s'obstinait à ne pas répondre, mais il ne parvenait pas à dissimuler sa peur qu'ils le frappent de nouveau.

« Si vous refusez de répondre à nos questions, vous risquez de le regretter, jeune homme, parce qu'on va vous faire très mal. Vous comprenez, je ne peux pas accepter qu'un parfait inconnu m'espionne. Vous voulez goûter au poing de mon ami encore une fois ? »

Il secoua la tête.

« Je ne sais pas où tu es allée chercher que je te surveille, vieille pie, je t'ai dit que... »

Alors Adam frappa de nouveau. Beaucoup plus fort, cette fois.

Adam déposa le corps inerte sur une banquette dans le bureau de Sisle. Il lui attacha les poignets derrière le dos, à l'aide d'un lien en plastique également fixé à sa ceinture.

Ils trouvèrent sa carte grise dans la boîte à gants de la voiture et sous le siège, ils découvrirent son portefeuille, contenant bien plus de renseignements qu'ils n'auraient aimé en avoir.

« Merde, Sisle, c'est un flic, dit Adam en entrant dans la maison, les papiers de Gordon à la main. Tu ne peux pas le garder chez toi. Il faut le faire sortir d'ici discrètement. »

Sisle lut sa carte d'identité. Gordon Taylor, juriste et lieutenant de police.

Elle tapa son nom dans la barre de recherche de son téléphone, et ses doutes se confirmèrent. Sur plusieurs images, elle vit son prisonnier en compagnie de son supérieur, Carl Mørck, ainsi que des photos du département V au complet, qui ne comptait que quatre personnes. Elle aurait pourtant cru qu'ils étaient plus nombreux, vu l'efficacité qu'on leur prêtait dans les médias et le nombre d'affaires qu'ils avaient résolues.

Elle imprima quelques-unes des photos qu'elle posa sur son bureau.

« Je ne suis pas tranquille, dit Adam. Carl Mørck t'a clairement identifiée comme celle qui a enlevé Maurits Bierbek, Sisle, tu en as conscience, j'espère. Ils peuvent nous tomber dessus du jour au lendemain. Alors, est-ce qu'on ne ferait pas mieux d'en finir tout de suite ? On élimine Maurits Bierbek et ce blanc-bec en même temps, et ensuite on fait une très longue pause, qu'en penses-tu ? »

Sisle le regarda avec dureté. « Il me semble vous avoir dit très récemment à toi et à Debora qu'il était hors de question que je modifie mes plans. En ce qui concerne ce Gordon Taylor, je vais d'abord voir s'il peut nous être utile. À terme, nous en ferons ce que nous voudrons, mais en ce qui concerne Maurits Bierbek, il mourra le jour de l'anniversaire de Mao, le lendemain de Noël, est-ce que c'est bien compris ?

– Et lui, là ? Comment crois-tu que Carl Mørck va réagir quand il verra qu'il ne revient pas faire son rapport ? S'il disparaît sans explication, Mørck trouvera un moyen de rentrer dans cette maison. Ce qui n'est pas très souhaitable, n'est-ce pas ?

– Qu'il vienne. Gordon Taylor sera parti demain matin.

– Pour aller où ?

– Il pourrait aller tenir compagnie à Bierbek pendant quelques jours, non ? »

Adam fit une telle grimace que son visage tordu redevint presque droit.

Sisle administra au lieutenant de police une dose de tranquillisants suffisante pour qu'il ne reprenne pas ses esprits avant de nombreuses heures. Enfin, le calme était revenu, surtout maintenant qu'Adam était rentré chez lui en râlant, très mécontent de ne pas avoir eu son mot à dire.

Encore quelques fausses notes de ce genre et Sisle arrêterait sa collaboration avec Adam et Debora. Après le Nouvel An, quand elle mettrait en place son nouveau schéma de fonctionnement, ses alter ego et leurs bras armés seraient d'un tout autre calibre que les recrues livrées par Debora ces dernières années. À vrai dire, elle n'avait même pas besoin que Debora en forme de nouvelles, car au sein de sa propre organisation, elle avait déjà sous la main au moins quarante femmes compétentes qu'elle pourrait lâcher au compte-gouttes pendant les décennies à venir. En résumé, quand Maurits van Bierbek serait mort, Debora et Adam auraient fait leur temps.

Sisle s'installa à son bureau sous le halo de sa lampe d'architecte.

Tout était maintenant prêt pour l'exécution de Maurits Bierbek. Dans cette dernière phase où chaque détail comptait pour la mise à mort, il ne lui restait plus qu'à énoncer le réquisitoire et à prononcer le verdict. Elle n'avait éprouvé le besoin de cette verbalisation qu'en 2016, quand il avait fallu débarrasser le monde de l'odieux Franco Svendsen, mais alors qu'elle s'apprêtait à lui vider la seringue dans le corps, elle n'avait pas trouvé les mots. Ses yeux terrifiés la suppliant de l'épargner, ses sanglots de terreur avaient instillé en elle un court instant de doute qui avait suffi à lui couper la parole.

Au moment de la mort de Birger von Brandstrup, elle avait couché sa harangue par écrit et elle voulait que la mise à mort de Maurits Bierbek se passe exactement de la même façon. Avec une maîtrise absolue et un détachement total.

Sisle sourit. L'antipathie qu'elle ressentait à l'égard de ce Maurits Bierbek lui soufflait les mots, et ils semblaient couler d'eux-mêmes sur le papier.

Un peu avant minuit, un faisceau de lumière glissa sur sa bibliothèque et, en levant la tête, elle aperçut par la fenêtre un taxi qui tournait à l'angle de sa rue. Elle regarda la Golf grise qui était toujours garée là et se dit qu'ils auraient dû la déplacer. Demain, se promit-elle. Mais au même instant, elle remarqua quelqu'un à côté de la voiture qui regardait dans sa direction.

La silhouette sortit un court moment de l'ombre et eut l'air d'inspecter les alentours. Il s'agissait cette fois d'une jeune femme, et à la lumière du réverbère, Sisle vit qu'elle avait l'air intriguée. Était-ce parce qu'elle était venue remplacer Gordon Taylor et qu'elle s'attendait à le trouver à son poste ?

Sisle alla chercher ses jumelles et eut le temps d'apercevoir brièvement le visage de la jeune femme avant que l'obscurité ne l'absorbe à nouveau.

Ensuite, elle n'eut besoin que d'un bref coup d'œil sur la photo des quatre mousquetaires du département V pour l'identifier.

Indéniablement, Carl Mørck et ses comparses se rapprochaient dangereusement.

Le lendemain, Sisle se leva à six heures et constata que la femme était toujours là. Dommage pour toi, ma belle. Cette nuit, il n'y avait rien à voir, et tu vas rentrer bredouille. N'allait-elle pas à son tour être remplacée par un de ses collègues ?

La relève eut lieu à huit heures précises. Comme elle s'y attendait, ce fut le troisième cheval de l'attelage à quatre qui

se présenta. Un homme trapu, pas très grand, qu'elle iden-
tifia comme étant Hafez el-Assad, discutait à présent avec la
femme, derrière la Volkswagen. Peut-être se demandaient-ils
où était passé Gordon Taylor, sachant qu'il aurait dû être là
la veille, quand la jeune femme était venue le relayer.

Sisle sourit. Plusieurs fois dans la nuit, elle était allée jeter
un coup d'œil à l'homme profondément sédaté qui gisait sur
la banquette de son dressing comme un marsouin échoué sur
une plage. Hormis quelques faibles soupirs dans son sommeil,
il n'avait donné aucun signe de vie.

La prochaine relève dans la rue, près de la Golf, aurait
vraisemblablement lieu à dix-huit heures. Et quand on se
rendrait compte que Gordon Taylor n'arrivait pas, d'une façon
ou d'une autre, elle pouvait s'attendre à ce qu'il y ait du
mouvement.

L'accès à son garage se faisait par le cellier attenant à la
cuisine. Depuis le dressing de Sisle situé à l'autre extrémité de
la maison, il fallait traverser quatre salons, un couloir, la cuisine et le cellier, et bien que l'homme inconscient soit maigre
comme un clou, Sisle ne parviendrait jamais à le porter seule.

Elle eut l'idée de le faire rouler de la banquette sur une
large couverture qu'elle avait étalée au sol. Il atterrit sur une
épaule avec un bruit sourd, et poussa un soupir légèrement
plus audible que sa respiration, mais toujours sans se réveiller.

Sisle replia les tapis persans dans les salons pour se frayer
un passage et elle tira le jeune homme de pièce en pièce, la
sueur dégoulinant de ses aisselles. Lorsqu'elle fut arrivée au
cellier, elle était épuisée. Elle fit franchir à son fardeau inerte
les cinq marches en béton permettant d'accéder au garage en
tirant sur la couverture d'un grand coup sec. Elle entendit

l'arrière du crâne de Gordon cogner contre les arêtes tranchantes, mais quelle autre solution avait-elle ?

Il était dix heures quand elle remarqua que l'homme du département V s'était rapproché de la maison. Maintenant, se dit-elle une fois assise au volant en ouvrant la porte du garage automatique et en passant, pied au plancher, à côté du petit homme brun. Il était penché, les fesses en l'air, sur la roue avant de la Golf.

Elle avait une toute petite distance à parcourir pour arriver à destination.

Mais ça, ils ne pouvaient pas le savoir.

54

Mercredi 23 décembre 2020

Carl

Martin, le pompier secouriste à la retraite, avait trois noms de famille inscrits sur sa porte d'entrée et vraisemblablement autant de nichées d'enfants issus de familles recomposées. En tout cas, pas moins de six vélos en parfait état de fonctionnement encombraient la porte de service de sa maison de ville à Albertslund. Carl entendit un chahut de tous les diables à l'intérieur, et quand il alla sonner, personne ne réagit, faute de pouvoir l'entendre.

Alors il entra sans y avoir été invité et resta planté au milieu du séjour, visiteur inconnu que nul n'attendait. Son cadeau à la main, il observa les huit individus de toutes les tailles et de tous les âges qui se tournèrent vers lui et s'immobilisèrent, surpris, des décorations de Noël plein les bras.

« Je suis désolé, dit-il. M. Torben Clausen m'a demandé d'apporter ceci à un certain Martin. Est-ce que c'est l'un d'entre vous ? »

Le seul candidat plausible, un adulte de soixante et quelques années, descendit d'un escabeau, laissant l'étoile de Noël un peu penchée au sommet du sapin.

« C'est moi, dit-il en contemplant d'un air étonné le visage sans masque de Carl. Je peux vous demander de le poser sur la table, là-bas, je crois que nous sommes supposés éviter les contacts. »

Carl porta sa main libre à son visage. « Oh pardon, j'oublie tout le temps », dit-il en sortant de sa poche un masque bleu à peu près acceptable qu'il gardait dans sa poche depuis plusieurs mois. « Vous avez cinq minutes à m'accorder, Martin ? » Il tira sa vieille carte de police de sa poche, et la montra de manière que tous puissent la voir. Là encore, le résultat fut spectaculaire. Les plus grands parmi les enfants se bousculèrent pour la regarder de plus près, quant aux adultes, ils avaient les yeux rivés sur Martin comme s'ils s'attendaient à le voir sortir de la maison menottes aux poignets d'une minute à l'autre.

« Je réalise que nous sommes un peu plus nombreux qu'il n'est autorisé, mais en fait, nous habitons tous ici, alors je crois que dans ce cas-là on a le droit, non ? »

Carl sourit derrière son masque, espérant que son interlocuteur s'en rendait compte.

« Ne vous inquiétez pas. Je ne suis pas là pour faire appliquer le protocole sur les rassemblements. Je suis venu vous parler de Lisbeth Park. Torben Clausen m'a dit aujourd'hui que vous étiez le premier sur les lieux quand la foudre est tombée. J'aurais quelques questions à vous poser à ce sujet. »

« J'ai vu beaucoup de choses dans ma carrière de secouriste, mais ce jour de 1982 était quand même très particulier. Je vous laisse imaginer... Six corps encore fumants, dégageant une odeur de barbecue, six personnes qui, quelques secondes auparavant, étaient encore vivantes et en pleine forme, et une septième qui l'était encore.

– Lisbeth Park. »

Il raconta dans les détails l'épisode qu'il avait vécu.

« Vous êtes en train de me dire qu'elle était contente qu'ils soient morts ? » La connaissant, Carl n'était pas vraiment surpris, mais Martin avait malgré tout éveillé sa curiosité.

« Oui, c'est ce qu'elle a dit. Ses mots exacts ont été : "Si j'ai survécu à ça, avec l'aide de Dieu, je pourrai survivre à n'importe quoi." »

Carl pensa qu'en effet, c'était ce qu'elle avait fait depuis lors, mais il espérait sincèrement que bientôt, ce serait à la vie en prison qu'elle aurait à survivre.

« Torben Clausen m'a dit que vous aviez commencé à écrire vos Mémoires et que cet accident, et en particulier la destinée de Sisle Park, revêtait une importance particulière à vos yeux. Qu'avez-vous appris sur elle entre-temps ? Pouvez-vous me le dire ? »

L'homme, qui en avait vu d'autres, rétorqua, amusé : « Du moment que vous ne me volez pas mon histoire pour l'écrire vous-même…

– Je vous le promets. Qu'est-il arrivé à la jeune Lisbeth Park après ce que vous venez de me raconter ?

– Je l'ai conduite directement à l'hôpital, juste en face. Elle a été soignée en traumatologie, puis a ensuite été transférée dans un service de neurologie. Elle y est restée quelques jours, puis elle a été admise à l'hôpital de Glostrup, qui l'a rapidement envoyée en psychiatrie. Je n'ai pas pu avoir beaucoup de renseignements sur son séjour en hôpital psychiatrique, mais j'ai quand même réussi à savoir qu'en raison de comportements violents et irrationnels, elle avait elle-même demandé son internement et qu'elle y était restée pendant près de deux ans. Apparemment, son cerveau avait été endommagé par l'important choc électrique auquel il avait été soumis.

– Un genre d'électrochoc, en somme !

– Vous plaisantez ! Non. Un éclair contient à la fois des rayons gamma et des rayons X et il a une puissance de plusieurs centaines de millions de volts et une intensité d'environ dix mille ampères, un simple électrochoc est très loin de ça.

– C'est-à-dire ?

– Eh bien, ça n'a rien à voir. Un électrochoc normal, c'est un courant continu de quatre cent soixante volts et de zéro virgule huit ampères.

– Je vois, mais pourquoi la foudre ne l'a-t-elle pas tuée, alors ? »

Martin haussa les épaules. « Elle devait être juste assez loin du point d'impact de la foudre. Un ECT, le sigle utilisé pour parler d'un électrochoc, dure entre quinze secondes et une minute, alors qu'un coup de foudre ne dure qu'un quart de seconde, à ma connaissance. Si la foudre avait duré aussi longtemps qu'un électrochoc, je pense qu'il ne serait resté d'elle qu'un petit tas de cendre.

– Avez-vous parlé avec Lisbeth Park, récemment ? Vous savez, je suppose, qu'elle se fait maintenant appeler Sisle Park, et qu'elle est devenue une femme d'affaires accomplie et très en vue.

– Oui, je sais beaucoup de choses sur elle, mais je n'ai jamais eu l'occasion de la rencontrer. J'ai plusieurs fois essayé d'obtenir une interview, mais chaque fois que j'ai appelé son entreprise, j'ai été fermement débouté par la personne qui m'a répondu. Je le regrette, parce que son ascension dans la société et sa prodigieuse réussite professionnelle, après ce qui lui est arrivé dans sa jeunesse, seraient une histoire passionnante à raconter. »

Mon pauvre Martin, si vous saviez ! songea Carl.

Lorsque Carl appela pour prendre rendez-vous, on le prévint que l'hôpital psychiatrique de Glostrup avait radicalement changé depuis 1982. À l'époque où Lisbeth Park y était internée, il s'appelait le Centre hospitalier de Copenhague Nordvang et l'établissement et la façon dont il était géré avaient autant évolué que les principes fondamentaux de la psychiatrie.

« Si vous avez des questions concernant un patient traité ici, il va vous falloir passer par un certain nombre de procédures avant d'avoir accès à un quelconque dossier médical », lui expliqua la secrétaire et il eut beau lui répéter qu'il enquêtait sur une affaire qui pouvait extrêmement mal tourner si on ne lui donnait pas un sérieux coup de main et ce, le plus vite possible, rien n'y fit.

« Écoutez, inspecteur, pour le moment, une partie du personnel est en congé à cause des fêtes de Noël, et nous manquons de bras en raison de la pandémie, alors je vous invite à revenir en janvier où vous aurez une meilleure chance d'obtenir des réponses à vos questions. »

Carl chercha en lui l'étincelle pour exploser, mais la mèche avait pris l'humidité, sans doute. De toute façon, tout cela ne servait à rien.

« Bon, merci, mais j'ai une dernière faveur à vous demander. Auriez-vous la gentillesse de me communiquer les noms des médecins qui travaillaient chez vous en 1982 ? mendia-t-il.

– Vous trouverez ça sur Internet, lui répondit la standardiste.

– Super ! Merci beaucoup. »

Avant de commencer à surfer sur le portable un peu trop sophistiqué de Laura, il s'arrêta dans une station-service en bordure du périphérique pour y acheter une paire de lunettes de lecture force 2, un hot-dog et dix Carlsberg Nordic sans alcool.

J'aurais mieux fait de prendre une correction 2,50, pensa-t-il en plissant les yeux pour mieux voir. Retrouver des psychiatres à la retraite n'allait pas être une tâche facile. Évidemment, il y avait ceux qui publiaient, ceux-là étaient nombreux. Parmi eux, il en repéra quelques-uns qui avaient traîné leurs basques à Nordvang dans les années quatre-vingt. Malheureusement, quand ils n'étaient pas décédés, ils étaient sur liste rouge ou pas abonnés au téléphone.

Je ne vais pas réveiller Rose pour lui demander son aide, mais peut-être Gordon, se dit-il en tapant son numéro de carte mobile.

Il laissa sonner jusqu'à ce que le répondeur se mette en marche, puis rappela, sans plus de succès.

Quitter son poste sans prévenir et dormir si profondément au milieu de la journée au point de ne pas entendre son téléphone ne ressemblait pas à Gordon.

Carl poussa un soupir et ferma les yeux. Parmi les psychiatres qui avaient travaillé à Nordvang dans cette période, peu y étaient restés très longtemps. Ce qui semblait assez courant dans la profession. Ils avançaient dans leurs recherches, avaient de nouveaux centres d'intérêt, se voyaient offrir de meilleurs postes et changeaient de crèmerie. Contrairement à ce qu'on pouvait observer dans la police.

Carl lança une deuxième recherche, descendant d'un cran dans la hiérarchie hospitalière. Au bout d'une demi-heure, il tomba sur une Karen Jochumsen qui avait travaillé plusieurs années comme infirmière psychiatrique à Nordvang et, alléluia, justement dans la période qui l'intéressait. Après avoir fait des remplacements ici et là pendant quelques années, elle avait maintenant pris sa retraite et quand il l'eut au bout du fil, elle sembla enchantée d'être dérangée dans son oisiveté.

« Lisbeth Park ! » s'exclama-t-elle. Puis il y eut un long silence, comme si elle avait besoin de se ressaisir avant de continuer.

« S'il y a bien une patiente dont je me souviens, c'est elle. Mais je me dois de vous rappeler qu'à l'instar des médecins, je suis soumise au secret médical. Je ne pourrai me prononcer ni sur sa maladie ni sur son traitement sans son accord. »

Carl réfléchit. De toutes les utopies de l'univers, l'accord de Sisle Park là-dessus était sans aucun doute ce qu'il y avait de plus improbable.

« Cela va sans dire. Mais peut-être pourriez-vous me communiquer les coordonnées d'un psychiatre qui se serait occupé d'elle ? Il s'agit d'une enquête de police et j'espérais obtenir un peu d'aide de la Faculté.

– Ah ! Alors là, je vous avoue que vous avez piqué ma curiosité. Et si quelqu'un vous donnait accès à son dossier, je serais ravie de répondre à vos questions ensuite.

– Pourquoi ? Il vous est arrivé de vous demander ce qu'elle était devenue ?

– Je sais exactement ce qu'elle est devenue. J'ai eu plusieurs fois l'occasion de voir des reportages sur sa carrière et sur l'empire qu'elle est parvenue à construire. J'ai été impressionnée. Mais il faut dire que c'était une fille vraiment TRÈS spéciale. »

Le timbre de sa voix était légèrement altéré quand elle avait utilisé l'adverbe « très », et Carl se dit qu'elle lui tendait une perche et espérait qu'il allait lui demander pourquoi elle avait employé ce superlatif.

« Vous aviez de mauvais pressentiments la concernant, Karen ? »

Un silence un peu trop long indiqua à Carl qu'elle avait failli tomber dans le piège.

« Je ne suis pas habilitée à révéler quoi que ce soit sur son séjour à Nordvang, mais pour être honnête, je n'étais pas la seule dans le service à avoir du mal à la comprendre. Nous savions qu'elle avait été confrontée à un évènement extrêmement traumatisant, et aussi que la foudre avait laissé chez elle des séquelles plus graves qu'on ne le pensait de prime abord, mais encore une fois, je vous invite à trouver quelqu'un d'autre pour vous éclairer sur ce sujet. »

Carl se résigna. Cette femme était trop professionnelle pour se laisser manipuler.

« D'accord. Alors je veux bien que vous me donniez le nom d'un médecin compétent en la matière. Je verrai avec lui pour ce qui est de l'accès aux dossiers.

– J'en ai plusieurs en tête. Mais il n'y en a qu'un avec qui je sois encore en contact. Et maintenant que j'y pense, c'est aussi le plus important. Il s'appelle Thorleif Petersen, et il était chef de service, à l'époque. Les dernières années de sa carrière, il a eu un cabinet privé et donné des cours magistraux de psychiatrie légale à l'université. »

Carl nota les coordonnées du praticien, et comme il habitait à Gammel Holte, tout près de chez Maurits van Bierbek, il décida d'aller lui rendre visite plutôt que de l'appeler.

J'aurais dû faire toubib, comme métier, pensa-t-il en comparant sa petite maison dans le lotissement de Rønneholtparken aux trois corps de bâtiment chaulés de blanc entourés d'une prairie à l'herbe rase en cette période hivernale.

« Vous trouverez mon mari dehors, avec les chevaux islandais, lui expliqua une femme aux cheveux blancs qui flottait dans ce qui devait être une taille 36. Prenez la troisième allée à droite, entre les enclos. Parlez fort, il devient un peu sourd avec l'âge. » Carl pensa à sa propre mère et à la différence flagrante entre l'indice de masse corporelle d'une habitante du Seeland septentrional et celui d'une femme d'un âge équivalent dans le Jutland. Question d'alimentation sans doute.

Carl pataugeait dans la gadoue en surveillant ses pieds. Deux jours de pluie étaient une bénédiction pour la terre mais une malédiction pour les souliers, conclut-il quand la boue entra dedans, lui rappelant à quel point le Danemark pouvait être inhospitalier, parfois.

« Hé, ho ! » lança-t-il quand il s'estima à portée de voix d'un homme dont la tête dépassait au-dessus d'un troupeau de chevaux massés autour de lui.

L'homme arborait une paire de sourcils si fournis qu'il était impossible de se concentrer sur un autre détail de sa personne. Il se redressa, et bien campé sur ses deux pieds, chaussé des plus hautes bottes de caoutchouc que Carl ait jamais vues, il le regarda comme il aurait sans doute regardé l'un des cas dont il parlait dans ses cours magistraux du temps où il était encore en activité.

Carl se présenta à plusieurs reprises, élevant la voix chaque fois un peu plus, exhiba sa carte de police et fut enfin récompensé par un sourire. L'homme avait probablement toujours eu d'excellentes relations avec les porteurs de ce genre de carte.

Carl lui donna le nom de l'infirmière qui l'avait envoyé et il eut droit à un deuxième sourire, témoignant celui-là d'une collaboration heureuse avec Karen Jochumsen.

Mais quand Carl mentionna le nom de Lisbeth Park, le sourire disparut aussitôt.

« Pourquoi est-ce que vous venez me parler de Lisbeth Park ? demanda le vieil homme, sur la défensive, se baissant précipitamment pour inspecter le sabot d'un cheval. Je crains qu'il ait une fourbure, vous savez ce que c'est ? »

Carl acquiesça. Toute personne ayant grandi à la campagne sait cela. « Je suis désolé. C'est dommage, il avait l'air en forme. »

Le psychiatre à la retraite se releva et caressa les naseaux du cheval. « Oui, c'était un bon cheval, le vétérinaire vient demain pour l'euthanasier. Ça va être une sale journée. » Il passa doucement la main sur le chanfrein de l'animal, le sépara des autres et le fit entrer dans l'enclos qui se trouvait de l'autre côté du chemin.

« Les autres vont bien ?

– J'espère, parce que s'ils sont fourbus également, ce sera entièrement ma faute.

– Herbe trop riche ou excès de glucides dans leurs rations ? » s'enquit Carl.

Thorleif Petersen fronça les sourcils, et une lueur de respect s'alluma dans son regard.

« J'ai grandi à la campagne, le devança Carl.

– Je peux vous offrir quelque chose à l'intérieur ? Il fait un peu froid aujourd'hui. » Il baissa les yeux vers les chaussures de Carl et haussa les épaules.

« Je ne suis pas autorisé à vous parler de la patiente ou de son traitement, à moins que la vie de quelqu'un soit en danger parce que j'aurais retenu des informations cruciales. »

Carl huma le whisky que le psychiatre venait de lui verser et se dit que l'entretien allait être constructif. Puis il exposa dans le détail ce que le département V avait découvert jusqu'à maintenant, ainsi que la situation de l'otage Maurits van Bierbek.

Le masque professionnel de Thorleif Petersen se désintégra.

« J'en tremble, c'est terrible, dit-il. Il faut que je vous avoue que Lisbeth Park est probablement le pire cas que j'ai rencontré dans toute ma carrière. Quel drame que nous n'ayons pas neutralisé cette patiente avant de la lâcher dans la nature !

– Neutralisé ? » Carl n'était pas sûr d'avoir envie de savoir ce qu'il avait voulu dire par là. « Parlez-moi d'elle. Pourquoi est-elle devenue comme ça ? A-t-elle un point faible ? Nous n'avons plus que deux jours devant nous pour éviter un nouveau meurtre.

– Pardon ? dit le vieil homme, une main derrière le pavillon de son oreille.

– Je dis que nous n'avons plus que quarante-huit heures pour l'empêcher de tuer quelqu'un d'autre.

– Est-ce qu'on ne peut pas demander un mandat d'arrêt contre elle à un juge ?

– Tout notre dossier repose sur des présomptions et des supputations. Je sais que nous avons raison, mais ce n'est pas suffisant pour la faire arrêter.

– Vous voulez savoir qui elle est. Je vais vous le dire. Elle est arrivée chez nous après un séjour à l'hôpital de Glostrup. Avant cela, elle avait été en observation au service neurologique de Rigshospitalet, à Copenhague, où on a essayé d'évaluer les dommages causés par la foudre sur son cerveau et son système nerveux. Ils n'avaient rien découvert de probant. Les tissus les plus fragiles avaient été atteints, mais après un accident de ce genre, il arrive souvent que les séquelles neurologiques et neuropsychologiques n'apparaissent que plus tard. On n'a donc pas pu déterminer tout de suite si ses traits émotionnels et cognitifs avaient été altérés par le choc. Une chose est sûre, elle n'était pas une patiente comme les autres. À l'hôpital de Glostrup où elle avait été transférée pour soigner ses brûlures, on s'est aperçu qu'elle portait un fœtus mort dans son utérus. »

Carl essaya de faire coller au puzzle les nouvelles pièces que l'homme venait de lui apporter.

« Vous pensez qu'elle était folle avant l'épisode de la foudre ? » lui demanda-t-il, et le psychiatre acquiesça.

« L'extraction du fœtus mort l'a affectée un long moment. Elle disait que Dieu les avait punis, elle et son enfant, parce qu'elle avait copulé avec le diable, qui l'avait engrossée pour la tromper ensuite avec une autre jeune femme de leur groupe d'étudiants. Elle se vantait d'avoir souhaité que lui et plusieurs autres étudiants de son groupe meurent de mort violente. Elle répétait inlassablement que la foudre avait été la réponse à ses prières. Elle disait que le garçon qui l'avait trompée était responsable de la mort de son enfant.

– C'était un enfant désiré ?

– Elle ne savait même pas qu'elle était enceinte ! Mais le mal allait au-delà de la simple fausse couche, car son utérus était si infecté et abîmé qu'il a fallu le lui enlever. Elle est devenue stérile et c'est dans cet état que nous l'avons récupérée. Très en colère et assoiffée de vengeance. Parlant en boucle du mal et de Dieu et de vengeance. On m'a appelé à la rescousse parce que le service de traumatologie pensait qu'elle devenait dangereuse pour son entourage. Ils n'avaient pas tort puisque chez nous aussi, elle a mis les autres patients en danger. L'une d'entre elles s'est peut-être même suicidée par sa faute.

– Ne me dites pas que déjà en ce temps-là, elle avait commis un acte qu'on pourrait qualifier de criminel ! »

Le médecin poussa un soupir et se versa un deuxième whisky. Il le but d'une traite puis se mâchouilla la lèvre inférieure tandis qu'il cherchait une réponse adéquate à la question de Carl.

« Lisbeth Park n'était pas internée d'office, ni à la demande d'un tiers. Elle était libre de faire ce qu'elle voulait. J'en ai déduit qu'elle avait elle-même pris la décision de rester chez nous pendant un an et demi parce qu'elle souhaitait guérir et être à nouveau capable de vivre normalement.

– Et c'est elle-même qui a décidé de mettre fin à son hospitalisation ?

– Oui, dit Thorleif Petersen. Combien de personnes dites-vous qu'elle a tuées ?

– Avec préméditation ? Au moins vingt-trois personnes, probablement plus. Sans compter les victimes collatérales. »

Petersen enfouit son visage dans ses mains. « C'est terrible. Tout simplement épouvantable. Nous aurions dû empêcher cela. Nous aurions dû comprendre. Mais comment ?

– Sisle Park est sans doute une personne très différente de la Lisbeth Park que vous avez connue. Elle a développé avec le temps des aspects de sa personnalité qui ne s'expriment que dans le cadre de rituels très particuliers. Sinon, Maurits Bierbek serait déjà mort. Le fait que les meurtres ne puissent être exécutés qu'aux dates anniversaires de grands criminels le prouve, ainsi que la présence de sel sur les scènes de crime, une allusion limpide au fléau envoyé par Dieu sur les villes de Sodome et Gomorrhe. Tout le caractère pseudo-religieux de sa croisade et sa manière de tuer ses victimes ont une dimension quasi mystique. Est-il possible qu'elle souffre également de troubles obsessionnels compulsifs ? Tous ses actes semblent guidés par des idées fixes, non ? »

L'ancien psychiatre se redressa sur sa chaise. Il était très pâle. « Ce diagnostic a souvent été évoqué lors de nos réunions de spécialistes. On s'est aussi demandé si elle était schizophrène. Mais à chaque fois, elle nous roulait dans la farine en nous rappelant les traumatismes qu'elle avait subis, la foudre, l'enfant mort, et elle nous emmenait exactement où elle voulait. Nous finissions toujours par mettre ses débordements sur le compte de la dépression. Mais maintenant que vous me le dites, je suis certain qu'elle souffrait de troubles obsessionnels et que c'est encore le cas à présent. Au regard de ce que vous m'avez raconté, je dirais aujourd'hui que nous avons affaire à une schizophrène avec un syndrome compulsif sévère accompagné de plusieurs autres symptômes. Bref, cette femme est folle à lier, et c'est une déclaration que personne ne peut se vanter d'avoir souvent entendue sortir de ma bouche. Mais tout ça, ces idées délirantes auxquelles elle donne libre cours et qu'elle justifie par un combat farouche contre toute transgression à l'éthique ou à la morale ont manifestement créé le terreau idéal pour faire grandir ce cocktail fatal.

– Et avec ce que vous savez d'elle, seriez-vous capable de me dire quel est son plus gros point faible ? »

Thorleif Petersen passa un long moment à réfléchir, le regard flou. Il se servit un nouveau verre, l'air absent.

« Pensez-vous qu'elle prenne des médicaments pour réguler son état mental ? » lui demanda Carl.

Il vit dans ses yeux que Petersen était sorti de sa transe. Il était toujours choqué et infiniment triste, mais à nouveau présent.

« D'après tout ce que vous me dites, répondit le vieil homme, je peux vous affirmer avec une quasi-certitude qu'elle n'en prend pas. Rien ne laisse penser que la violence de ses pulsions meurtrières soit atténuée le moins du monde. Il est possible qu'elle vive des périodes de calme relatif, puisqu'elle peut laisser s'écouler deux ans entre deux passages à l'acte, mais je reste convaincu qu'elle est incapable de se contrôler quand le crime est imminent, c'est-à-dire maintenant, si j'ai bien compris. »

Il se pencha vers Carl. « Vous m'avez parlé de cet enfant qu'elle a tué par mégarde. Et si l'on pense à l'argent qu'elle a vraisemblablement envoyé à la mère, au fait qu'elle-même ait perdu un enfant et qu'elle ne puisse plus jamais en avoir, je dirais que c'est de ce côté-là qu'il faut chercher son talon d'Achille. Si vous voulez la déstabiliser, c'est là qu'il faut frapper. »

Le portable de Carl sonna. Il ne reconnaissait pas le numéro, mais son instinct lui dit qu'il fallait répondre.

« Carl Mørck à l'appareil.

– Gordon n'est pas rentré chez lui hier soir ! » C'était Rose au bout du fil et elle semblait proche de la crise de panique. « Il a disparu pendant sa planque, Carl ! Et Assad m'a dit que Sisle Park a quitté son domicile ce matin en voiture, à toute berzingue... Elle l'a enlevé, Carl, j'en suis sûre et certaine ! »

55

Jeudi 24 décembre 2020, veille de Noël

Gordon

Gordon revint à lui morceau par morceau. D'abord ce fut un martèlement insupportable à l'arrière de son crâne, puis l'impression que quelqu'un serrait un étau autour de ses poignets et de ses chevilles alors qu'il ne sentait plus ni ses mains ni ses pieds. Il eut ensuite une brusque nausée et son estomac lui réclama à boire et une position plus confortable.

Il ouvrit les yeux, conscient qu'il se trouvait dans une situation désespérée. Pourtant, ce n'était pas de la peur qu'il ressentait, mais de la colère. Il était en colère contre lui-même parce qu'il avait été assez naïf pour se laisser surprendre. Il aurait dû partir en courant à l'instant où il les avait entendus arriver. Il avait de longues jambes et une foulée souple et courait le cent mètres en quatorze secondes. Alors pourquoi ne l'avait-il pas fait ?

Il leva la tête et regarda les murs nus qui l'entouraient, jusqu'à une table au fond, et à côté une porte d'ascenseur. Un ascenseur assez large, apparemment. Du genre monte-charge. Il remarqua les rails fixés au plafond d'un mur à l'autre dans le sens de la longueur. Il devait se trouver dans un local professionnel. La hauteur sous plafond laissait penser qu'il avait servi d'entrepôt, ou qu'il était destiné à le devenir. Il imaginait parfaitement le chariot élévateur se déplaçant parmi des rayonnages, chargeant des palettes entreposées à quatre ou cinq mètres du sol et allant les déposer dans le monte-charge.

Il tira sur les colliers de serrage en plastique avec lesquels on lui avait attaché les poignets et les chevilles aux pieds et au dossier de la chaise sur laquelle il était assis. Mais les liens étaient serrés et cela lui faisait trop mal.

Soudain il entendit un bruit derrière lui. Un soupir ou une série de syllabes inarticulées prononcées d'une voix presque éteinte. Il essaya de se retourner, mais son dos était plus raide qu'une planche à repasser.

« Il y a quelqu'un ? » demanda-t-il. Un nouveau soupir lui répondit.

« Putain, ça fait mal ! » se plaignit-il tandis qu'il éprouvait la souplesse de son dos. Chaque fois qu'il gagnait un millimètre sur la droite, il avait l'impression qu'on lui enfonçait un couteau entre les omoplates. Qu'est-ce qu'on lui avait fait ?

Il se força à quelques rotations du buste, de gauche à droite, gagnant à chaque fois un peu d'amplitude.

« Je vous entends dans mon dos. C'est vous, madame Park ? »

Pas de réponse. Enfin, il parvint à se tourner suffisamment pour apercevoir le corps d'un homme basculé vers l'avant, sur une chaise boulonnée au sol comme la sienne. L'effet était surprenant, mais apparemment, le pauvre bougre était maintenu dans cette position par deux chaînes qui semblaient sortir directement de son dos pour rejoindre le plafond.

« Maurits Bierbek ? » demanda-t-il à tout hasard. C'était un homme, la barbe ne trompe pas. Pas plus que les auréoles d'urine sur son caleçon. Rien chez ce personnage en armure métallique n'évoquait la puissance ou la prospérité. Avec sa peau blanche et déshydratée, ses cheveux qui tombaient sur ses tempes en mèches collantes, on aurait plutôt dit un prisonnier de camp de concentration, maigre et impuissant. Ses lèvres étaient gercées, ses jambes et ses bras, livides, sa poitrine, quasiment immobile. La trotteuse de sa Rolex s'était arrêtée. Il devait être assis comme ça, sans bouger, depuis très longtemps.

Mais il était en vie.

Deux heures plus tard, Gordon pissa dans son pantalon. Il avait résisté un long moment, même quand sa vessie était déjà tellement pleine qu'il avait envie de hurler, mais à quoi bon, puisque personne ne pouvait l'entendre ?

Depuis le lycée, il se targuait d'être capable de se retenir plus longtemps que n'importe qui, et quand il urinait enfin, il suscitait l'admiration de ses copains en pissant pendant plusieurs minutes d'affilée.

Il faut vraiment que je sois ici depuis longtemps pour en être arrivé à me pisser dessus, se dit-il en voyant la flaque d'urine à ses pieds.

Il calcula qu'ils l'avaient assommé la nuit du 23 décembre, peu avant l'heure de la relève. En temps normal, il avait vingt-quatre heures d'autonomie, ce qui devait vouloir dire qu'il était inconscient depuis plus de vingt-quatre heures. À moins qu'on lui ait injecté quelque chose pour stopper ses fonctions naturelles, son calcul devait être bon. Quel triste réveillon !

Gordon se tourna vers Maurits Bierbek. D'après les déductions du département V, il ne lui restait que quarante-huit heures à vivre, et c'était une tragédie. Mais lui ? Était-il destiné à subir le même sort ?

Quand il eut admis que c'était en effet une issue possible, Gordon se mit à pleurer. C'était gênant, inattendu et soudain, mais il savait ce qui avait déclenché ses larmes. Bien sûr, comme tout le monde, il avait peur de la mort. Mais mourir maintenant, alors qu'en matière d'amour il n'avait connu que déceptions et trahisons, ça, c'était infiniment triste. N'avoir jamais pu dire à une femme qu'elle était à lui, et à lui seul, ni entendu l'élue de son cœur lui dire qu'elle le choisissait pour la vie et qu'elle lui serait fidèle pour l'éternité, ça, c'était d'une grande cruauté.

Gordon était souvent tombé amoureux. À distance, et sans jamais oser l'avouer aux femmes qui lui avaient inspiré ce sentiment, et à trente-deux ans, il savait que l'époque où il pouvait encore espérer trouver une fiancée était révolue. En se regardant dans le miroir, il en comprenait la raison. Combien de fois avait-il exposé sa peau aux ultraviolets d'un solarium pour constater en sortant que la couleur ne voulait tout simplement pas se fixer sur son épiderme ? Combien de fois avait-il transpiré devant son miroir, un haltère dans chaque main, pour se rendre compte que malgré ses efforts, ses biceps et ses triceps ne gonfleraient pas d'un millimètre ? Gordon Taylor était beau garçon, de l'avis de certains, mais force lui était d'admettre qu'il n'avait pas le genre de beauté qui fait naître la passion et le désir.

Et à présent, il pouvait probablement faire une croix dessus pour toujours.

« Maurits ! » cria-t-il de toutes ses forces, fatigué de se sentir si seul dans cet endroit maudit.

Mais Maurits n'était pas d'humeur conviviale.

Soudain, un bruit sourd résonna dans la cage d'ascenseur. En tendant l'oreille, Gordon percevait un cliquetis chaque fois qu'un relais d'étage était activé.

Il en compta cinq avant que la cabine s'arrête. Cela signifiait-il qu'ils étaient enfermés cinq étages en dessous du sol ? Ou que quelqu'un avait pris l'ascenseur au cinquième étage pour descendre jusqu'ici ? Non, dans ce cas, il l'aurait d'abord entendu monter.

Cinq étages sous terre, donc. Et à présent, la porte s'ouvrait.

Il reconnut la femme mince : Sisle Park. Derrière elle apparut un individu d'une taille impressionnante. Il faisait au moins vingt centimètres de plus qu'elle, alors qu'elle n'était pas petite. Son visage était tordu et ses yeux pas alignés. Une déformation de naissance, sans doute, pensa Gordon. Était-ce cet homme qui l'avait assommé dans le noir ? Plus il approchait, plus Gordon en était convaincu. Oui, c'était bien lui.

« Ah, vous êtes réveillé, Gordon Taylor, quelle bonne surprise ! » dit la femme en contournant habilement la flaque d'urine.

Elle se posta devant lui et sourit, moqueuse, en remarquant la tache sombre à son entrejambe.

« Vous vous y habituerez, dit-elle. Vous avez dit bonjour à votre voisin ? Ça a dû lui faire plaisir. Et vous, vous devez être content de savoir enfin ce qu'il est devenu, après vous être donné autant de mal pour le retrouver ! C'est pour cela que nous avons fixé votre chaise au sol. Nous voulions que vous soyez obligé de fournir encore un petit effort pour le voir. »

Gordon brûlait d'envie de lui cracher à la figure, mais il se retint en voyant le géant approcher par le côté.

« Vous allez recommencer à me frapper ? lui lança-t-il. Quel lâche êtes-vous pour attaquer par-derrière un homme sans défense ? Vous, vous ne feriez jamais ça, Sisle Park, je me trompe ? »

Elle ne réagit pas au sarcasme. « Depuis que nous vous avons conduit ici hier matin, nous avons eu le temps de vérifier votre identité. J'ai vu que vous aviez rejoint l'équipe du département V il y a dix ans et je suppose que Carl Mørck est satisfait de vos services, puisque vous êtes encore là. Vous avez passé une licence en droit avec des notes remarquables et pourtant, vous avez choisi de travailler comme enquêteur pour la brigade criminelle. Drôle de plan de carrière, si je peux me permettre, mais qui révèle un homme capable de s'investir dans sa tâche, ce que je respecte. Pour cette raison, vous aurez le privilège de suivre l'affaire Maurits Bierbek jusqu'à son dénouement. »

Elle s'était peut-être attendue à une réaction de sa part, mais Gordon ne lui donnerait pas cette satisfaction. Cette sorcière pouvait toujours attendre. Il ne s'abaisserait pas à lui montrer ce qu'il pensait d'elle et de ses idées de malade mentale.

« Nous le tuerons après-demain à midi, et quand il sera mort, nous emporterons son cadavre et vous laisserons ici. Vous n'aurez plus qu'à espérer que vos collègues du département V vous retrouvent à temps. Je crains que cela ne soit pas très probable, mais vous verrez bien. Je veux au moins vous laisser cette chance. »

Elle fit un signe de tête au grand type qui alla chercher une potence près du mur du fond et y accrocha une poche souple.

« Donne-lui tout ce qu'il peut absorber, Adam », ordonna-t-elle. Le géant s'appelait donc Adam. Ça devait être lui qui l'avait aidée, entre autres, à noyer Pia Laugesen. Assad avait raison, il fallait un homme de sa corpulence pour maintenir sous l'eau la tête d'une femme aussi robuste pendant le temps nécessaire.

Ils plantèrent l'aiguille de la perfusion dans le poignet de Maurits Bierbek et attendirent. Au bout d'un certain temps, Bierbek respira plus profondément. Alors ses bourreaux le giflèrent en lui ordonnant de se réveiller. Et sous les coups redoublés d'Adam, il finit par refaire surface.

56

Jeudi 24 et vendredi 25 décembre 2020, veille et matin de Noël

Carl

La veille de Noël n'était pas un jour de fête dans le bureau provisoire du département V établi au domicile de Maurits van Bierbek. Il y avait un bon moment qu'ils n'avaient eu aucun contact avec Gordon, et les scénarios catastrophe défilaient dans leur tête. Rose était épouvantée et se faisait des reproches à n'en plus finir. Pourquoi n'avait-elle pas aussitôt donné l'alarme quand elle n'avait pas trouvé Gordon à son poste hier soir ? Ils auraient probablement pu obtenir un mandat pour perquisitionner chez Sisle Park, voire la faire arrêter pour l'empêcher de nuire. Ils auraient peut-être même réussi à lui faire dire où elle gardait Bierbek prisonnier. Tout le monde les aurait soutenus et aidés, car en cas d'enlèvement d'un policier dans l'exercice de ses fonctions, la police se serre les coudes.

Dans les regards que lui envoyait Rose, Carl sentait qu'elle voulait lui faire porter une partie de la responsabilité. Mais s'ils avaient alerté la police, cela aurait provoqué une avalanche de conséquences dont ils auraient tous souffert, Gordon le premier. Carl aurait été arrêté, quant aux autres, ils n'auraient pas échappé à des réprimandes sévères, qui auraient pu aller jusqu'au licenciement.

Le dilemme était terrible.

« Je vais aller chez elle, vraiment, maintenant, dit Assad.

– Je crois qu'à la minute où Sisle Park s'en rendrait compte, Gordon serait en danger, Assad. Et si une fois à l'intérieur, tu ne trouves ni Gordon, ni l'adresse où elle tient Bierbek prisonnier, cela n'aura servi à rien ! »

Assad baissa les yeux. Il avait manifestement brûlé sa dernière cartouche. Comme eux tous.

« Vous avez envoyé vos cartes de vœux ? » voulut plaisanter Carl, recevant deux sourires timides en retour. Personnellement, il n'avait eu aucun contact avec Mona depuis qu'elle avait coupé toute communication avec lui. C'était elle qui le lui avait interdit. Elle lui manquait terriblement.

« J'ai appelé les parents de Gordon, annonça Rose. Il a l'habitude de leur parler très régulièrement, surtout pendant la période qui précède Noël, alors je me suis dit qu'ils devaient s'inquiéter qu'il n'appelle pas. Ils sont du genre à ameuter la police, et j'ai préféré anticiper. Je leur ai raconté qu'il était tombé amoureux d'une fille, et qu'ils ne devaient surtout pas s'inquiéter s'il ne les appelait pas pour leur souhaiter un bon Noël, comme il le fait d'habitude. » Elle poussa un gros soupir. « C'est à peu près la dernière nouvelle à laquelle sa mère s'attendait, alors elle était presque heureuse de l'entendre. C'était terrible, et je me sens honteuse de ce mensonge, mais qu'est-ce que j'aurais pu faire d'autre ? »

Des cris retentirent au rez-de-chaussée. Les deux filles de Bierbek. La plus jeune pleurait, et Laura engueulait sa mère. Mais c'était inévitable. Elles se préparaient à une veillée de Noël sans tout ce qui en fait un moment hors du commun, les cadeaux, la famille réunie. Elles allaient passer Noël sans leur papa, il fallait bien que ce soit la faute de quelqu'un.

« Trouvez quelque chose, dit Carl. Il doit bien y avoir un moyen de sortir de cette ornière. Assad, tu cherchais une Debora, tu en es où ?

– Je crois qu'on est bloqués, Carl.

– J'ai le cerveau complètement vide. Je n'arrête pas de me dire que Gordon ne doit plus avoir de moyens de communiquer et que sinon, il l'aurait fait depuis longtemps, et cette idée m'empêche de réfléchir, dit Rose à voix basse. Vous croyez qu'elle l'a déjà tué ? »

Carl ne se souvenait pas d'avoir déjà vu Rose avec les larmes aux yeux.

« Non, je ne crois pas. Ça ne lui ressemblerait pas, Rose. Sisle Park ne tue pas les gens au hasard. Elle a un plan. Et vu le nombre de pathologies mentales qui l'affectent, nous pouvons être pratiquement sûrs qu'elle ne s'écartera pas de ce plan. Et puis, il n'y avait pas de sel près de la voiture de Gordon, si ? »

Elle fit semblant d'être rassurée. « Il n'y avait pas non plus de sel dans l'allée de Bierbek quand on l'a enlevé. Et dans les derniers meurtres, on n'a découvert le sel que dans les trous et le corps des cadavres. » Elle porta la main à sa bouche et respira profondément dans sa paume. Carl se demanda si elle était sur le point de faire une crise de panique.

Il n'aurait pas dû mentionner le sel, Rose avait raison. « Mais je pense à une chose, tout à coup, dit-il. Il n'est pas impossible que Sisle Park nous donne spontanément des nouvelles de Gordon. C'est une femme arrogante, et si c'est elle qui l'a enlevé, je pense qu'elle va...

– Bien sûr que c'est elle, le coupa Rose.

– Alors, en partant de ce principe, je suis à peu près certain qu'elle nous donnera un indice sur ce qui s'est passé.

– Comment ? demanda Assad en ouvrant de grands yeux. Tous nos portables sont coupés, elle ne sait pas où nous sommes, et elle ne peut pas nous envoyer un télégramme ?! » Il n'avait pas tort, malheureusement.

Carl chercha à tâtons son manteau, qu'il avait jeté sur le dossier du canapé. « Je fais vite », promit-il en sortant son propre portable de sa poche.

« Tu l'allumes ? Tu es dingue ! » Rose secoua la tête. « Tu as au maximum une minute, une minute et demie, avant qu'ils trouvent d'où tu appelles. Tu peux être sûr qu'ils n'attendent que ça. La brigade des stups a des ressources illimitées quand il s'agit d'une affaire importante. Si tu as une recherche à faire, sers-toi d'un des ordinateurs de Bierbek, plutôt.

– Je voudrais juste savoir si elle m'a envoyé un mail ou un texto. J'en ai pour une seconde. »

Il alluma son téléphone. Rose et Assad retinrent leur souffle.

« Et ils t'ont sûrement aussi envoyé des courriels pièges qui leur permettent de savoir *si* et, le cas échéant, *où* tu les lis. Alors s'il te plaît, raccroche ! » supplia Rose. Mais rien n'y fit. Carl voulait savoir.

Le portable mit trente précieuses secondes à s'ouvrir, puis Carl ouvrit d'abord sa boîte mail, sur laquelle un flot continu de courriels atterrirent. Ils avaient été envoyés par Marcus Jacobsen, le Pif et son équipe, ses parents pour lui souhaiter un joyeux Noël et au moins dix autres membres bienveillants de sa famille. Il trouva un mail de Hardy et un de Morten. Ensuite il y avait des flopées de mails de personnes qui avaient envie de gagner dix millions, et qui prétendaient détenir l'information permettant de retrouver l'endroit où Maurits van Bierbek était détenu.

Carl commença à transpirer.

« Il faut que tu arrêtes, Carl, MAINTENANT ! » cria Rose, mais Carl ne l'écouta pas.

« Je consulte juste ma messagerie, j'en ai pour quelques secondes. »

Mais bien sûr, ce n'était pas vrai. Il y avait beaucoup trop de gens qui lui voulaient quelque chose. Beaucoup trop de messages liés à la période de Noël. Contre toute attente, ils étaient nombreux à exprimer de l'inquiétude pour lui. C'en était presque émouvant.

« Ça suffit, Carl ! » Cette fois, c'était Assad qui, joignant le geste à la parole, attrapa le mobile dans sa grosse pogne et l'éteignit d'une brève pression.

« Il s'est passé presque trois minutes, Carl, aboya Rose. Tu es dingue ou quoi ? Vous êtes tellement nuls dans votre génération, pour tout ce qui a trait à Internet. Qu'est-ce qui t'a pris d'ouvrir tes mails avec ton téléphone perso alors qu'on aurait pu le faire depuis l'ordinateur qui est là ! Et on va dormir où cette nuit, maintenant que tu as sonné la cavalerie ? Parce que tu peux être sûr qu'ils t'ont déjà repéré et qu'ils savent exactement où venir nous chercher, tous autant que nous sommes. »

Carl se leva sans un mot et descendit le demi-étage conduisant au salon, où Victoria avait commencé à prendre des forces pour jouer les mères Noël ce soir. Pendant ce temps-là, la pauvre Roxan courait dans tous les sens avec les décorations, accrochant des boules et des lutins un peu partout, sans que cela parvienne à rendre l'immense salon plus chaleureux. Un sapin en plastique avec des guirlandes électriques trônait déjà au centre d'un grand tapis persan. Carl aurait presque été tenté de tourner autour en chantant, main dans la main avec sa merveilleuse équipe, mais l'ambiance n'était pas à la fête pour eux non plus.

« Désolé de vous déranger, Victoria. Nous avons un problème. Il est possible qu'il arrive chez vous, d'ici quelques minutes, un certain nombre de représentants des forces de l'ordre qui vont vouloir s'entretenir avec moi. Je voulais éviter de vous en parler avant d'être sûr, mais mes collaborateurs et moi-même soupçonnons la police d'être impliquée dans l'enlèvement de votre mari. Avez-vous une idée d'un endroit où nous pourrions aller pour qu'ils ne nous trouvent pas ? »

L'air profondément choquée et un peu hébétée, elle tira sur son chemisier plusieurs fois avant de lui répondre. « La police ?! » dit-elle enfin, tandis qu'un tas d'extraits de mauvais films américains défilaient dans sa tête.

Carl était peut-être allé un peu trop loin.

« N'ayez pas peur, ce n'est pas après vous qu'ils en ont, dit-il pour faire passer la pilule.

— Mais pourquoi la police voudrait-elle s'en prendre à Maurits ? Je ne comprends pas.

— Ne pensez pas à cela pour l'instant, je vous expliquerai plus tard. Où pourrions-nous nous cacher ? Ils viendront sans doute avec des chiens. »

Elle ouvrit de grands yeux étonnés. Comment échapper au flair d'un chien policier !?

De nouveau, ce fut Laura qui vint à leur secours. Elle avait écouté la conversation et elle n'était pas dupe des explications fournies par Carl, mais bien qu'elle affiche un sourire ironique, il comprit que pour elle ce qui était en train de se passer était la chose la plus cool qu'elle puisse imaginer en ce Noël complètement raté.

« Il y a un quad Hunter dehors sous le hangar. Papa s'en sert pour faire le con sur les pelouses. Aucune chance que les chiens en reniflent la trace. On dira que vous êtes juste passés nous poser des questions et que vous êtes repartis tout de suite. »

Les ordres de Carl ne souffraient pas de discussion. En moins de quatre minutes, ils avaient rassemblé toutes leurs affaires et ils sortaient de la maison. Quand ils se retrouvèrent dans le jardin, à l'arrière, les gyrophares faisaient déjà danser la cime des arbres au bout du parc.

« Cette veillée de Noël ne nous laissera pas le meilleur souvenir de notre vie, dit Carl en démarrant la monstrueuse moto à quatre roues, avec Rose et Assad accrochés derrière lui tant bien que mal et encombrés de leurs affaires.

– Mais nous ne sommes pas près de l'oublier non plus », le consola Assad gentiment.

Après avoir roulé quelques minutes sur les chemins de terre, ils dénichèrent un endroit tranquille dans un petit bois et Carl s'arrêta pour sortir la carte SIM de son Samsung et lire ses SMS, laissant les deux autres regarder par-dessus son épaule.

« À mon avis, tu ne trouveras rien dans les textos, dit Rose. Je pense que si elle t'a écrit, il y a plus de chances qu'elle l'ait fait par mail, ne serait-ce que parce qu'il n'y a rien de plus simple que de se procurer une adresse électronique pratiquement intraçable. »

Carl soupira. Le nombre de ses courriels non lus s'élevait à plusieurs centaines. « Est-ce que je peux les lire après avoir sorti la carte SIM ? »

Rose acquiesça. Elle connaissait la configuration de son téléphone.

Carl soupira encore. La plupart des mails n'avaient pas d'objet, et il n'y avait aucun moyen de savoir, sans les ouvrir, de quoi il retournait. C'était extrêmement agaçant.

« Stop ! » Rose attrapa le poignet de Carl qui avait recommencé à faire défiler ses courriers électroniques. « Celui-là ! Ouvre-le », dit-elle en posant le doigt sur la barre d'objet qui disait : « En réponse à votre demande ».

Carl cliqua et un court message accompagné de deux photos apparut.

Soudain, ce fut comme si le froid et la nuit hivernale prenaient possession de leurs corps tout entiers. La buée blanche qu'exhalait la bouche d'Assad disparut. La main de Rose serra plus fort le poignet de Carl, et Carl rapprocha le portable de ses yeux pour mieux comprendre ce qu'il voyait.

Le texte était sans ambiguïté :

Si vous voulez retrouver votre collègue vivant, tenez-vous à distance !

Tous leurs regards s'étaient fixés sur les deux photos qui accompagnaient cette menace.

« Oh mon Dieu, non ! » s'écria Rose.

Sur la première photo, on voyait deux hommes de dos, chacun assis sur une chaise métallique. La qualité du cliché était parfaite, et ils reconnurent Gordon, les mains attachées aux barreaux de la chaise par des liens en plastique. Le deuxième homme, dont le haut du corps était basculé vers l'avant, portait une sorte d'armure, à laquelle étaient fixées deux chaînes, elles-mêmes reliées au plafond.

Sur la deuxième photo, on voyait les deux prisonniers de face. Le regard de Gordon était dirigé vers l'objectif, avec une expression de haine et de défi qui ne lui ressemblait pas. Il avait les yeux fatigués et injectés de sang, mais personne n'aurait eu envie de voir libérer l'animal sauvage tapi derrière ce regard.

« Dieu soit loué, il n'a pas baissé les bras », dit Rose, soulagée.

Mais Carl ne voyait pas les choses de la même façon. Quel que soit son degré de combativité, à l'heure qu'il était, Gordon n'était plus maître de son destin. Si Carl et les autres obéissaient à Sisle Park, Maurits van Bierbek serait mort dans moins de quarante-huit heures. Et si Gordon était témoin de ce meurtre, elle n'aurait aucune raison de lui laisser la vie sauve.

Carl étudia longuement les deux fichiers. Ces photos pouvaient-elles les aider d'une manière ou d'une autre ? Il en doutait, sachant que Sisle Park n'apparaissait sur aucune. Ce qui voulait dire qu'elles n'apportaient pas non plus la preuve irréfutable de sa culpabilité. Et, bien qu'ils connaissent la nature de ses projets, et même si elle tuait le témoin gênant que représentait Gordon, une seule chose pouvait l'arrêter dans sa folle croisade : sa propre mort. Carl n'en doutait pas un seul instant.

« On ne voit rien sur ce vieil écran pourri, Carl ! Il faut qu'on retourne chez Bierbek pour agrandir ces photos autant que possible.

– Parce que tu imagines qu'il y a quelque chose sur ces clichés qui va nous permettre d'identifier l'endroit où ils sont enfermés ? Tu rêves, Sisle Park est plus maligne que ça. »

Ils attendirent une partie de la nuit avant de remonter sur le quad et de rentrer discrètement, à une allure raisonnable produisant un volume équivalent de décibels.

À travers la baie vitrée, ils virent le sapin encore allumé, ainsi qu'un petit tas de papiers cadeaux froissés, et se dirent qu'on avait malgré tout fêté Noël chez les Bierbek.

« Je vous ai entendus arriver, lança Laura en chuchotant depuis une fenêtre du premier étage. Vous pouvez entrer. La police est repartie depuis longtemps. »

Elle courut à leur rencontre et se mit à raconter, sans qu'on le lui demande, tout ce qui s'était passé quand la police était venue.

« Maman n'a pas arrêté de pleurer en disant qu'elle ne vous avait jamais demandé de venir, que vous étiez entrés sans son autorisation et que vous vous étiez enfuis avec le quad de papa. Elle a vraiment assuré, en fait. J'étais super-fière d'elle. Elle mentait et elle chialait et si je n'avais pas été mieux renseignée, j'y aurais presque cru. » Elle rigola. « Au moins, maintenant, je sais qu'elle dit la vérité quand elle prétend être comédienne.

– Et la police, elle a fait quoi ?

– Elle a mis toute la maison sens dessus dessous, et elle a fini par trouver quelques trucs. La teinture dans la salle de bains, entre autres. Donc ils savent que vous avez les cheveux roux, mais je leur ai dit que c'était déjà parti au shampoing. »

Carl hocha la tête. Si seulement ç'avait été possible, il serait allé de ce pas se laver les cheveux.

« Les chiens ont suivi votre piste, mais ils l'ont perdue juste après le hangar où était garé le quad. Tout collait tellement bien avec l'explication de maman qu'ils l'ont crue, et qu'ils lui ont juste demandé de les prévenir si vous reveniez.

– Et elle va le faire ?

– Pas après ce que vous lui avez fait croire. Quand elle est allée se coucher, elle m'a dit que s'ils revenaient, elle leur démonterait la tête. »

Laura rit à en avoir les larmes aux yeux. Elle aurait pro-bablement donné n'importe quoi pour assister à cette scène.

« Qu'est-ce qu'ils ont dit sur moi ? lui demanda Carl.

– Ils ont dit que vous étiez un dangereux criminel, un tra-
fiquant de drogue, et qu'à cause de vous, plusieurs personnes
avaient été tuées, au Danemark et à l'étranger. Ils ont dit
aussi qu'il fallait vous arrêter avant que vous fassiez plus de
mal autour de vous. »

Carl prit une longue inspiration. Sur quelles preuves
bâtissaient-ils toutes ces conneries ?

Les grands écrans montrèrent en effet de nombreux détails
invisibles sur le portable de Carl.

La pièce dans laquelle Bierbek et Gordon se trouvaient
semblait avoir été aménagée depuis peu. Les rails au plafond
étaient brillants, les murs d'un blanc uni. On ne distinguait
aucune rayure ni aucune trace sur le sol en béton, et le
mur du fond était également impeccable. L'acier des portes
d'ascenseur était comme neuf.

« Ça doit être une construction récente, dit Rose.

– Oui, ou un bâtiment plus ancien qui n'a jamais été utilisé.
À quoi pensez-vous que les rails au plafond soient destinés ?

– Difficile à dire, mais je ne crois pas qu'ils étaient là au
départ. » Rose montra les chaînes qui pendaient des rails.
« C'est typiquement le genre d'invention diabolique dont elle
est capable. Ses victimes peuvent se déplacer, mais pas autant
qu'elles le voudraient. Regardez le boulon fixé au rail, il limite
leurs mouvements à quelques pas seulement. Je pense qu'à
l'origine, il s'agissait d'un système qui permettait de déplacer
des caisses de marchandises à l'aide d'une télécommande.

– Je ne suis pas d'accord avec toi, parce que dans ce cas,
il y en aurait plus. Là, il n'y en a que deux », fit remarquer
Assad.

Ils passèrent un long moment à examiner minutieuse-
ment chaque photo dans ses moindres détails, et rien ne

leur échappa. Ni la lèvre pendante de Bierbek, ni les veines sombres et gonflées affleurant sous la peau de ses mains, ni son corps amaigri et ses épaules qui exprimaient l'impuissance et le renoncement. La chaise sur laquelle il était assis était identique à celle à laquelle était attaché Gordon. Des meubles industriels en métal, capables de résister à tout.

« Où se sert-on de ce genre de chaises ? demanda Carl. Dans un atelier ?

– Regardez leurs pieds. Il y a une petite plaque métallique soudée en dessous, qui permet de les boulonner au sol. Si l'on en croit les points de rouille, elles sont conçues comme ça.

– Où a-t-on besoin de chaises solides et boulonnées au sol ?

– Dans un atelier d'usinage comme celui d'Oleg Dudek ? proposa Assad. Je vais appeler son ancien chef d'atelier pour lui demander s'il les reconnaît. »

Pendant que Carl et Rose continuaient d'étudier la photo sur laquelle les deux prisonniers étaient de dos, Assad alla téléphoner.

« Qu'est-ce qu'on voit d'autre, Rose ? dit Carl.

– L'ascenseur est un monte-charge. Je vais agrandir la zone. » Elle zooma sur la double porte et le logo, à peine visible.

Carl plissa les yeux. À cet instant, il aurait donné n'importe quoi pour une paire de lunettes de lecture puissantes. « La porte n'est pas complètement neuve, si ? »

Rose confirma en opinant du chef et retourna sur la photo de face qu'elle agrandit autant qu'elle pouvait sans qu'elle devienne floue.

« Découpe la photo au ras du sol avec la souris et élargis jusqu'au mur du fond, ensuite, reviens en longeant le plafond », lui demanda Carl.

Elle s'exécuta. Hormis les taches d'urine autour de la chaise de Bierbek, qui indiquaient le nombre de fois où il avait pissé, les flaques se rapprochant progressivement de lui et devenant de plus en plus foncées, ils ne remarquèrent rien de particulier.

« On voit que son urine est de plus en plus concentrée, dit Carl. Ce qui signifie qu'il est assez sévèrement déshydraté pour en mourir. Mais connaissant Sisle Park, elle doit faire en sorte de le garder en vie jusqu'au jour de son exécution. Enfin, en tout cas, il ne va pas bien du tout. »

Ils poursuivirent leur inspection en examinant le mur du fond. Aucun signe distinctif. Il n'y avait ni prise, ni clou, ni vis, ni meuble, bref rien qui leur donne le moindre indice sur la nature de l'endroit.

« Au tour du plafond, maintenant. Effectivement, les rails ne se prolongent pas jusqu'au bout et tu as peut-être raison de penser qu'ils ont été posés dans le but d'attacher les prisonniers. En tout cas, ils ne semblent pas être destinés à la manutention de marchandises.

– Si les meurtres de 2016 et de 2018, c'est-à-dire ceux de Franco Svendsen et de Birger von Brandstrup, ont été perpétrés ici alors que les précédents ont été commis ailleurs, cela signifie peut-être que Sisle Park a fait l'acquisition de cet endroit en 2016 ou peu de temps auparavant. Bobo Madsen, qui a perdu la tête dans un accident de cheval en 2014, n'est pas mort là, ni les autres avant lui, dit Carl.

– Donc tu penses que Sisle Park a acheté ce bien entre la mort de Bobo Madsen et celle de Birger Brandstrup ?

– Oui, quelque part entre 2014 et 2016. »

Elle réfléchit quelques instants et regarda Carl avec gravité. « Tu sais que ça risque d'être une information très difficile à obtenir, surtout sans l'aide de Marcus Jacobsen et de ses troupes.

On est le matin de Noël, Carl. Nous n'avons que vingt-quatre heures devant nous. »

Carl avait l'air horriblement malheureux, pourtant il FAL-LAIT y arriver. « Reviens sur le plafond, Rose. »

Ils fixèrent l'écran sans ciller, faisant défiler, centimètre par centimètre, les rails brillants. Ils étaient retenus par des pattes en inox de part et d'autre, vissées au plafond à l'aide de tirefonds.

« Je crois qu'ils contiennent des roulements à billes pour permettre aux chariots de mieux glisser.

— Peut-être que Bierbek s'est promené dans la pièce avant d'être trop faible pour se lever.

— Je ne sais pas. Mais si c'est le cas, il n'a pas pu aller plus loin que jusqu'à cet écrou. » Carl secoua la tête. Cette femme n'était pas seulement folle à lier, c'était également une authentique sadique, cela devenait de plus en plus évident.

Rose revint en arrière de quelques centimètres. Puis elle stoppa le déplacement de la souris. « Attends, Carl, tu as vu ça ? J'ai l'impression que l'un des rails est légèrement déformé, regarde ! Qu'est-ce qui a pu se passer ? »

Carl n'en avait pas la moindre idée. « On dirait qu'on a essayé de le tordre, dit-il. Pour faire tomber le chariot ?

— Bierbek a peut-être tenté de décrocher l'une de ses chaînes.

— C'est un acrobate de cirque, ou quoi ?

— Regarde ! » Rose se pencha, presque à toucher l'écran avec le bout de son nez. « Là, à côté des marques de torsion, on voit le nom du fabricant gravé dans l'acier.

— Je suis désolé, Rose, je ne vois pas.

— C'est normal, c'est très discret. Mais je crois que le deuxième mot est "Steelware". »

Elle agrandit l'image, puis la rapetissa de nouveau en voyant que cela ne rendait pas l'inscription plus lisible.

« Le premier mot commence par "Mex", "Mexita", peut-être ? »

Carl tapa le nom dans le moteur de recherche. Cinq secondes plus tard, la sueur ruisselait dans son dos. Il montra la page du site qu'il venait d'ouvrir.

Rose vint voir et prit une longue inspiration. « Tu crois qu'on tient quelque chose ?

– Je ne sais pas, répondit-il, osant à peine y croire.

– Vous trouvez quelque chose ? demanda Assad qui revenait au même moment. Parce que moi, oui. J'ai réveillé le chef d'atelier de Dudek, et je peux vous dire qu'il avait une sacrée tête de bois.

– Gueule de bois », corrigea Rose machinalement.

Assad fronça les sourcils. « Si tu veux ! En tout cas, il en tenait une belle. Mais quand je lui ai envoyé un gros plan de la chaise sur laquelle est assis Bierbek, il m'a tout de suite dit qu'elle était identique à celles qui étaient fixées au sol devant les machines d'usinage d'Oleg Dudek. Il paraît que tout le matériel et tous les outils de l'usine ont été vendus aux enchères quand Dudek est mort et que son entreprise a été liquidée. »

Rose et Carl se regardèrent d'un air entendu.

Sisle Park avait beau ne pas figurer en personne sur ces deux photos, ce qu'ils venaient de découvrir reliait la scène qu'ils avaient sous les yeux à une autre scène de crime de la meurtrière en série.

Marcus Jacobsen ne pourrait pas fermer les yeux sur une telle évidence.

57

Jeudi 24 et vendredi 25 décembre 2020,
veille et matin de Noël

Gordon

Sisle Park et son homme de main étaient restés auprès de Maurits Bierbek jusqu'à ce qu'il recommence à respirer à peu près normalement. Puis ils avaient souhaité un joyeux Noël à leurs deux prisonniers et leur avaient promis de revenir les voir le lendemain. Ils partaient passer le réveillon chez Adam, puisque c'était son nom, et Sisle s'installerait là-bas jusqu'à ce que tout soit terminé.

« Tes collègues du département V risquent de s'ennuyer, dit Sisle, mais je vais les distraire un peu en jouant avec cette appli de commande à distance de l'éclairage de ma maison. » Elle tapota sur son téléphone. « Voilà, dit-elle. Maintenant, il y a de la lumière au premier étage. Ils doivent se demander qui se promène là-haut et surtout où tu as disparu, tu ne crois pas ? Et si on leur donnait un petit indice ? »

Gordon n'avait pas répondu et s'était contenté de lui jeter un regard haineux quand elle s'était postée devant ses deux prisonniers et les avait photographiés d'abord de face, puis de dos.

Elle joue avec le feu, avait-il pensé. Peut-être ignora-t-elle à quel point on peut agrandir une photo prise avec un téléphone nouvelle génération. Je parie qu'ils vont découvrir un détail qui les mettra sur la voie, s'était-il dit ensuite pour se rassurer.

Il était beaucoup moins confiant lorsque Sisle Park et le type étaient revenus le lendemain matin. Au cours de la nuit, il avait été contraint de vider ses intestins, et ces dernières heures, la brûlure était devenue insupportable. Van Bierbek avait grogné une fois ou deux, quelques heures auparavant, mais ils n'avaient pas communiqué à proprement parler.

Les deux criminels contournèrent Gordon, à cause de l'odeur, pour aller rebrancher la perfusion de son camarade d'infortune. Cette fois, ils avaient mis autre chose qu'un soluté sucré-salé dans la poche souple, car à peine une minute plus tard, il se mit à tousser doucement et à essayer de se redresser.

Gordon se tourna vers lui et vit que son visage avait déjà repris un peu de couleurs. Il vit ses yeux bouger sous ses paupières, et sa respiration s'accélérer. Une fois ou deux, il poussa un geignement dans lequel Gordon crut comprendre « Non, oh non », tandis qu'il essayait de trouver un équilibre sur sa chaise.

Il ouvrit les yeux, très lentement, et cligna un peu dans la lumière violente du plafonnier. « Oh non ! » s'exclama-t-il, cette fois de manière parfaitement audible, comme s'il venait de se rappeler la situation désespérée dans laquelle il se trouvait.

Puis il aperçut Gordon qui se tordait devant lui pour arriver à croiser son regard. Dans un premier temps, Bierbek sembla sans réaction, comme s'il ne comprenait pas ce qu'il voyait, puis il baissa les yeux sur les mains de Gordon attachées au dossier de la chaise. Un voile passa sur son visage, une onde de douleur tendit les ligaments de son cou, les commissures de ses lèvres s'affaissèrent brusquement, et il se mit à sangloter. Aucune larme ne coula de ses yeux, ce qui rendait le spectacle encore plus douloureux. Il venait de réaliser que la présence de cet homme à ses côtés n'allait pas contribuer à le sauver.

Que s'était-il passé ? Qu'allait-il leur arriver, à présent ? disait son regard.

Il leva des yeux inquiets vers la poche souple suspendue à la potence au-dessus de sa tête. Peut-être s'attendait-il à ce que d'une minute à l'autre, le poison pénètre dans ses veines. Peut-être se disait-il que sa dernière heure était arrivée.

Ou bien avait-il appris ce que Gordon savait déjà, c'est-à-dire qu'il ne devait mourir que le lendemain ?

On voyait qu'il tentait de contrôler ses sanglots et sa respiration saccadée. Il ne devait pas être le genre d'homme à montrer sa peur et son impuissance. Brusquement, il détourna les yeux et se concentra sur les deux individus qui se tenaient devant la table à l'extrémité du local. Gordon suivit son regard et tenta de comprendre ce qu'ils étaient en train de faire. Ils posèrent deux bouteilles de verre sur la table, les installant soigneusement, comme s'il s'agissait d'une œuvre d'art. Puis ils ouvrirent deux sachets en plastique et en sortirent deux grandes seringues.

Pas une, deux !

Gordon se mit à transpirer. Les deux précédentes victimes de Sisle Park avaient été tuées par injection de chlorure de potassium. Devaient-ils s'attendre à subir le même sort ? Leurs bourreaux allaient-ils leur injecter le composé chimique fatal dans le cœur ? Sisle Park avait pourtant promis qu'après avoir tué Bierbek, elle partirait en lui laissant la vie sauve, devait-il la croire ? Cet être sadique et dépourvu de la moindre empathie serait-il assez diabolique pour tuer Gordon en premier, afin de montrer à Maurits van Bierbek ce qui l'attendait ? Et maintenant, qu'est-ce qu'ils fabriquaient ? Gordon les vit sortir d'un carton qu'ils venaient d'ouvrir plusieurs poches souples.

L'homme déversa leur contenu dans un grand bidon. Quand il eut terminé, il y ajouta plusieurs litres de liquide, peut-être de l'eau, puis agita le bidon, pendant que Sisle posait sur la table un gros entonnoir.

Oh mon Dieu, pensa Gordon. Ils sont en train de préparer une solution saline. Avaient-ils embaumé les corps de Franco Svendsen et de Birger von Brandstrup en employant une méthode aussi primitive ? En enfonçant le bout d'un entonnoir dans la bouche du condamné et en versant le liquide jusqu'à ce que son corps ne puisse plus en contenir une goutte de plus ?

Gordon ne sentait plus la brûlure de ses fesses, mais il avait de nouveau pissé dans son pantalon.

« Oups », commenta l'homme quand, un instant plus tard, il passa devant lui pour aller vérifier la perfusion de Bierbek.

Gordon gesticula sur sa chaise, avec pour seul résultat que ses liens s'enfoncèrent plus profondément dans ses poignets.

Ces colliers vont-ils laisser les mêmes marques sur mes poignets que celles qui ont creusé ceux de Palle Rasmussen alors qu'il mourait, impuissant, attaché au volant de sa voiture ? songea-t-il.

Un frisson lui parcourut l'échine. Jamais il n'aurait cru se trouver un jour dans une situation où il s'identifierait à cet horrible personnage.

« On va t'en remettre une petite dose, Maurits, dit l'homme derrière eux. Nous voulons que tu sois en forme pour entendre ton jugement, tu comprends ?

– Vous allez vous en sortir, Maurits », promit Gordon. Sisle Park éclata de rire de l'autre côté du local.

« Qui vivra verra, Gordon Taylor ! lança-t-elle. Vous devez comprendre que Maurits van Bierbek est une belle prise et que je n'ai nullement l'intention de le laisser filer. Cet homme mérite plus que n'importe qui de disparaître.

– C'est vous qui devriez disparaître », s'entendit-il rétorquer.

Elle s'approcha. « Ah oui, vous trouvez ? Mais vous ne savez pas de quoi vous parlez, évidemment ! Maurits van Bierbek est un porc amoral, égoïste, autocentré et cupide, qui contamine les autres avec la médiocrité de son mode de pensée. Il rend les gens stupides en chassant de leurs têtes la minuscule parcelle d'intelligence dont ils devaient déjà se contenter. Il n'y a rien de bon chez lui. Il est une nuisance pour l'humanité, mais grâce à moi, il cessera de l'être, et il n'y a aucune raison de ne pas s'en féliciter. Comme je suppose que vous savez comment je vais procéder, je vous charge d'en informer cette ordure lorsque vous serez de nouveau seuls. »

Gordon eut un instant de soulagement. Au moins, ils n'allaient pas le tuer pour l'exemple, ici et maintenant. Mais l'espoir fut de courte durée.

À quoi devait-il s'attendre, demain à midi ?

« Te voilà prêt, Maurits ! déclara l'homme. Dans une demi-heure, tu vas te sentir beaucoup mieux. Je t'ai administré un tas de remontants. Ton cœur battra plus vite et plus fort. Je t'ai aussi mis une solution composée d'eau et de sels minéraux afin de stimuler ta circulation. Enfin je te dis ça, mais tu ne dois pas comprendre un mot de ce que je suis en train de te raconter.

– Est-ce que je pourrais parler à mes enfants, s'il vous plaît ? » supplia Bierbek d'une voix faible.

Un monstre avait-il ce genre de requête ? Gordon savait bien quel être vain et cynique était assis sur cette chaise derrière lui. Mais n'y avait-il rien d'autre à dire à son sujet ? Était-ce seulement la situation dans laquelle il se trouvait qui contribuait à le rendre un peu humain et digne de pitié ?

« Je ne comprends pas ce que tu me demandes, Maurits, intervint Sisle Park. Tu voudrais qu'on aille chercher tes filles et qu'on te les amène ici ? Ou leur parler par Skype ? Ou sur WhatsApp, ou par Zoom peut-être ? C'est ça ? Ah voilà, je sais, tu voudrais leur passer un coup de fil, n'est-ce pas ?

– Oui, s'il vous plaît », gémit-il.

Elle éclata de rire. « Eh bien, non, Maurits. Ça n'arrivera pas. Tu vas quitter cette existence seul, sans personne pour venir te consoler, et là où tu vas, même les collègues de ton nouveau colocataire ne te retrouveront pas.

– Tu brûleras en enfer, sorcière, dit Maurits d'une voix rauque.

– Je ne crois pas, non. Dieu et moi sommes en excellents termes, figure-toi. Il n'est pas infaillible, bien sûr, et c'est pourquoi il Lui arrive de créer des erreurs de la nature dans ton genre, mais Il corrige ses erreurs et tend le glaive de la vengeance à ceux qui savent les reconnaître. Détrompe-toi, Maurits van Bierbek, je n'irai pas en enfer, car le Royaume des ténèbres est réservé à des gens comme toi. »

Gordon ne put s'empêcher de ricaner. « Ne l'écoutez pas, Maurits ! Elle est folle. Vous trouvez vraiment qu'elle ressemble à une messagère de Dieu ? Regardez-la. Regardez la folie qui brille dans ses yeux. »

Sisle fut sur lui en un instant. Elle lui donna un coup et lui cracha au visage. « Tu ne sais rien de moi, Gordon Taylor, RIEN DU TOUT, tu m'entends ?

– Vous détesteriez entendre tout ce que je sais de vous. Une serial killer qui tue ses victimes tous les deux ans à la date anniversaire des grands criminels dont l'humanité garde le souvenir. Vous vous prenez pour une vengeresse au service de Dieu, une gardienne de la morale qui, à l'instar des anges dans le récit biblique de Sodome et Gomorrhe, laisse sous forme de sel la trace de son pouvoir meurtrier et de ses actes rédempteurs. »

Lorsqu'elle frappa à nouveau, ce fut toutes griffes dehors. Gordon tenta d'esquiver l'attaque, mais sentit malgré tout une rigole de sang tiède couler sur sa joue.

Il se redressa et dit d'une voix plus douce : « Mais vous êtes aussi la femme qui a tué un petit enfant au début de sa croisade. Vous vous rappelez le garage Ove Wilder ? Et la mère de l'enfant, qui a fini par mourir à cause de vous, de la peine insupportable que vous lui avez infligée et qu'elle a portée chaque jour jusqu'à la fin de sa triste existence.

– TA GUEULE ! » hurla-t-elle en le frappant, cette fois avec le poing fermé.

Gordon se secoua un peu pour reprendre ses esprits, puis il concentra son attention sur l'expression totalement fanatique de sa geôlière. La raison lui souffla qu'il ferait mieux d'obéir, mais il n'en fut pas capable et éprouva le besoin de retourner le couteau dans la plaie une dernière fois.

« Peut-être Dieu commit-Il sa plus grande erreur en vous laissant la vie sauve le jour où la foudre est tombée, mais Il n'est pas infaillible, comme vous l'avez dit vous-même. Il avait déjà commis la même erreur avec Satan, l'ange déchu. Lui aussi était passé entre les mailles du filet. Comme vous voyez, Sisle, je sais de vous tout ce qu'il est utile de savoir. Acceptez votre défaite et mettez fin à ce cauchemar ici et maintenant. Le monde s'en portera mieux et je suis convaincu que Dieu Lui-même s'en rendra compte ! »

Il avait déjà senti l'effet du coup de poing du géant sur sa nuque, mais cette fois il ne perdit pas connaissance. Il fit seulement semblant.

58

Vendredi 25 décembre 2020,
jour de Noël

Carl

« Je me fous complètement que ce soit Noël ! Vous allez y aller tout de suite, c'est la police qui vous l'ordonne, compris ? »

Carl était vraiment hors de lui. Il faudrait chercher long-temps pour trouver une pire tête à claques que ce type. Un quadragénaire obtus et sûr de son bon droit. Le genre à ne jamais s'adapter aux circonstances, quoi qu'il arrive.

« Je ne peux pas aller à l'usine maintenant parce que je ne suis pas chez moi mais dans ma maison de campagne, répondit froidement le mauvais coucheur. Åbenrå est à cin-quante kilomètres d'ici, et je ne peux même pas affirmer que ce soit nous qui ayons posé ces rails. Mexita Steelware est une société allemande, vous comprenez, et...

– Si vous ne levez pas le cul de votre fauteuil immédia-tement et que vous n'êtes pas parti dans les cinq minutes pour trouver la réponse à la question que je vous ai posée, je vous assure que je vous poursuivrai pour entrave à la justice, mais aussi pour non-assistance à personne en danger. Je peux vous envoyer deux policiers pour vous escorter, si c'est ce que vous souhaitez, mais c'est vous qui payerez leurs heures supplémentaires. »

Il allait chercher de nouvelles excuses, mais Carl ne céda pas.

« Si vous n'arrêtez pas bientôt de ne penser qu'à vous, j'appelle les propriétaires de votre boîte, et je leur conseille de se trouver un nouveau P-DG à moins de vouloir s'exposer à être traînés dans la boue devant tous les médias dans les jours à venir.

– OK ! » dit enfin le type avant d'annoncer à sa famille qu'il était obligé de partir travailler. Il y eut quelques pro-testations. Sa femme était probablement aussi égoïste que lui. Qui se ressemble s'assemble.

« Tu as réussi à le faire décoller ? » demanda Rose depuis le poste de travail qu'elle partageait avec Assad. Carl acquiesça et alla les rejoindre.

« Il n'est malheureusement pas certain que les rails aient été posés par eux, ni de mettre la main sur le bon de commande avec la date approximative que nous lui avons donnée. Mais quel connard ! »

Carl s'efforça de se calmer et s'adressa à Assad.

« Et toi, tu y vois un peu plus clair dans les propriétés et les immeubles en location de Sisle Park ?

– Les propriétés, oui. J'avais déjà fait la liste l'autre jour, la voilà. » Carl la survola pour constater qu'il y en avait un sacré nombre.

« J'ai plus de mal avec les acquisitions grevées de condi-tions suspensives, parce que les actes authentiques ne sont pas enregistrés. Regardez celui-ci, par exemple, chef. »

Assad lui tendit un document concernant un droit de pré-emption de Park Optimizing sur un terrain, sous condition suspensive de démolition.

« Qu'est-ce que ça veut dire ? demanda Rose. Qu'il y a déjà quelque chose sur le terrain qui doit être démoli avant que la vente soit conclue ?

– Nous avons besoin de plus de précisions, Assad. Cherche de vieilles bandes de surveillance aux différentes adresses pour voir à quoi ces immeubles ressemblent. Sers-toi de Street View, de Google Earth, de ce que tu veux. Et franchement, ce contrat n'a rien d'un acte de vente. On dirait plutôt une sorte d'arrangement entre voyous. Tu as une idée de combien elle en a passé du même genre ?

– Je ne sais pas, vingt-cinq, à peu près. Bref, comme dit le chameau en apercevant un troupeau de chamelles sauvages, on n'est pas sortis de l'auberge.

– Merci pour l'image, c'est on ne peut plus clair. Que pensez-vous qu'elle ait l'intention de faire de tous ces terrains ? »

Assad haussa les épaules. « Qui sait ? Ce sont peut-être de simples investissements. Park Optimizing dégage plusieurs millions de bénéfices par an, alors au lieu de perdre de l'argent en le laissant à la banque ou de prendre des risques sur les marchés boursiers, elle préfère les placer dans l'immobilier. »

Carl soupira. « Je vois. Sans compter les locaux dont elle est peut-être seulement locataire... »

Les deux autres abondèrent dans son sens.

Carl n'arrivait pas à comprendre. « Si elle a tous ces terrains, pourquoi aller enterrer ses victimes sur un terrain communal ? Elle n'avait qu'à les mettre chez elle !

– Si un jour on déterrait par hasard un cadavre momifié sur sa propriété, cela attirerait l'attention sur elle, fit remarquer Rose.

– C'est ce qui pourrait lui arriver si nous parvenons à retrouver l'endroit où elle détient Maurits Bierbek et Gordon. Mais comment y parvenir en si peu de temps ?

– Nous pensons qu'il s'agit d'un bâtiment relativement grand, Carl. Un monte-charge de cette taille a été conçu pour déplacer une importante quantité de marchandises et de palettes. Il doit s'agir d'un immeuble de plusieurs étages, en hauteur ou en sous-sol.

– Et alors, elle en a, des immeubles de cette taille ?

– Il y a celui qui abrite son entreprise, mais dans celui-là, il n'y a pas de transport de marchandises ou très peu. Il y a bien une cave, mais nous n'avons vu aucun quai de chargement logistique ni de portes assez larges pour y faire entrer un transpalette. En plus, pour rendre les choses encore plus compliquées, le registre du commerce montre qu'elle est à la tête d'une autre société, qui s'appelle Iversen Optimizing et a été inscrite au nom de jeune fille de sa mère.

– Et cette société possède également un patrimoine immobilier ?

– Non, c'est une holding avec plusieurs actionnaires, répondit Assad. C'est pour ça que je ne me suis pas attardé là-dessus, l'autre jour. Mais c'est là que ça devient intéressant, parce que dans cette fameuse holding, on trouve une société appelée simplement ISAK, dont les coactionnaires s'appellent Adam et Kirsten D. Holme. Au départ, ça ne m'a pas interpellé, mais ensuite Rose a effectué quelques recherches sur le couple Holme pour découvrir que le mari avait auparavant une autre société, dans laquelle lui et sa femme ont encore quelques parts. Et en tapant le nom de la femme dans le registre des entreprises, on découvre que son deuxième prénom est Debora. »

Cette information laissa Carl muet.

« Bref, nous avons enfin réussi à faire le lien entre Sisle Park, Tabitha, Ragnhild et le mystérieux club dirigé par Debora, dit Assad. Et nous avons également une adresse, et comme par hasard, elle n'est pas très éloignée de celle du domicile de Sisle Park. »

Carl serra le poing. Ils allaient enfin pouvoir avancer.

« Nous n'avons pas trouvé de bien immobilier au nom d'ISAK, dit Rose, mais la société a plusieurs filiales. »

Carl avait des fourmis dans les pieds. « Et si on allait rendre une petite visite à cette Debora ?

– On va y aller, mais d'abord il faut qu'on réfléchisse un peu, dit Assad avec gravité. Que se passera-t-il si nous déboulons chez ce couple ? Est-ce que nous ne mettons pas la vie de Gordon et de Bierbek en danger ? »

Rose réagit vivement. « Si nous y allons, il faudra être très, très prudents. »

59

Vendredi 25 décembre 2020,
jour de Noël

Adam/Sisle

Normalement, les journées précédant l'exécution de Maurits auraient dû être une période d'attente heureuse, comme cela avait été le cas pour tous les autres. Sisle avait toujours eu un sentiment de bonheur et d'exaltation devant la parfaite préparation des meurtres et leur réalisation sans anicroche, malgré la complexité de certains d'entre eux.

Mais cette fois, elle n'était pas dans le même état d'esprit. Gordon l'avait mise en colère et cette colère prenait le dessus sur toutes ses autres émotions.

Leur réveillon, la veille, s'était pourtant déroulé normalement. Ils avaient fait un repas très simple, honoré la mémoire d'Isak – le défunt fils d'Adam et Debora – par une prière muette, et ils s'étaient serré la main pour se féliciter mutuellement que tout soit bientôt terminé. Enfin, ils avaient rendu grâce à Dieu de les avoir accompagnés tout au long de leur mission. Une soirée parfaite.

Mais il n'échappait pas à Adam que Sisle était déstabilisée par sa rencontre avec Gordon et la façon dont il l'avait attaquée verbalement. Ses gestes étaient devenus plus brusques et plus raides, ses réponses plus évasives. Elle n'arrêtait pas de répéter que personne n'avait osé lui parler ainsi depuis le jour où elle avait été frappée par la foudre.

« Tu l'as entendu, Adam ? se plaignait-elle en faisant les cent pas devant la cheminée du salon où Debora et lui l'écoutaient parler. Tu l'as entendu proférer ces paroles diaboliques, tu as vu cet air méprisant et moqueur qu'il avait !

– Dieu t'a envoyé cette épreuve, répliqua Adam. Gordon Taylor a cherché à te faire croire que tu étais en danger, mais ce n'était que de la provocation ! Quelle preuve avait-il ? Aucune ! Et que veux-tu qu'il arrive ? Personne ne sait où se trouvent Bierbek et ce policier en ce moment. Il a simplement essayé de te le faire croire. Je te promets que c'était l'œuvre du diable.

– Es-tu bien sûr que personne ne le sait, Adam ? intervint Debora. Carl Mørck et son équipe se rapprochent de jour en jour, et ils savent que Sisle est derrière tout cela. Et maintenant, Gordon t'a vu et il sait comment tu t'appelles. La situation peut très vite devenir dangereuse, je t'assure. »

Adam n'avait pas l'air d'accord.

« N'oublie pas que Sisle n'est pas la seule à être en danger, continua Debora, nous le sommes aussi, Adam. S'ils nous mettent en prison tous les deux, nous ne le supporterons pas ! Tu nous imagines passer des années enfermés sans nous voir ? Dis-le-lui, Adam ! »

Il ne savait pas ce qu'elle voulait qu'il lui dise. Et il détestait se retrouver coincé entre ces deux femmes.

Debora parut agacée par son silence, et elle s'adressa à Sisle. « Au fond de toi, tu n'as pas déjà compris que c'est fini, Sisle ? Dans ce cas, je comprends que tu t'en veuilles de ne pas avoir arrêté les choses à temps. Avoue que c'est ça, le vrai problème. »

Adam avait les yeux rivés sur Sisle tandis qu'elle se tournait lentement vers Debora. Son visage n'exprimait plus aucune colère. Les rides qui plissaient son front avaient disparu, elle avait un sourire doux et innocent. Elle secoua la tête, lentement, et regarda Debora avec des yeux de chat.

« Tu as probablement raison, Debora, lui dit-elle. C'est souvent le cas. J'aime te voir aussi sûre de toi, cela nous a souvent été utile par le passé d'avoir, grâce à toi, une vision claire des choses. Regarde jusqu'où nous ont menés ton assurance et ta volonté. » Elle écarta les bras, comme si elle voulait englober la pièce tout entière et les chambres autour. « Tu as fait de cette maison l'école parfaite pour former mes recrues. Je ne sais pas ce que j'aurais fait sans elles, et sans toi. »

Puis elle s'approcha de Debora et lui caressa la joue. Visiblement, la caresse mit Debora mal à l'aise, mais elle ne dit rien.

Sisle se tourna ensuite vers la cheminée, elle prit le tisonnier et fourragea quelques instants dans les braises, pensive.

Adam sourit, soulagé. Debora avait réussi à désarmer Sisle de façon magistrale, et à restaurer l'excellente ambiance de la veille. Mais qu'allait décider Sisle, à présent ? Là était la question. Allait-elle agir en conséquence, et ne pas attendre le lendemain pour tuer les deux hommes, comme Debora et lui-même le lui avaient plusieurs fois suggéré, ou bien avait-elle une autre idée ?

Il n'eut pas le temps d'aller plus loin dans sa réflexion qu'elle effectuait une rotation à cent quatre-vingts degrés, le tisonnier à la main, et l'abattait violemment sur sa tempe.

C'était bizarre de les voir ainsi. Muets, hébétés, avec, en ce qui concernait Debora, une expression profondément choquée sur le visage.

Un peu de sang s'écoulait de la tête de Debora, alors que la grosse caboche d'Adam avait tenu le coup. En revanche, la mort n'avait épargné aucun des deux.

Sisle s'approcha. La tête d'Adam, inclinée sur son épaule, avait l'air moins tordue que d'habitude. C'était presque triste de se dire que cet homme loyal n'était plus. Si Debora n'avait pas tant insisté pour qu'ils en finissent avant l'heure, le pauvre bougre aurait encore été de ce monde.

« C'était stupide de ta part, dit-elle à Debora en fermant ses yeux bleus sans vie. Stupide, stupide, stupide. Demain soir, nous aurions pu trinquer ensemble à la réussite de notre dernière mission commune, mais j'ai bien senti que ce n'était pas comme ça que tu voyais les choses ! »

Sisle essuya le tisonnier dans un pli de sa robe, poussa un petit soupir et alla le raccrocher sur le serviteur devant la cheminée.

À présent, elle était libre. Ces deux-là ne pourraient plus lui mettre des bâtons dans les roues et, tout bien pesé, elle n'avait nullement besoin d'eux dans ce qui serait sa nouvelle vie. Les indices qu'ils avaient pu laisser dans cette maison seraient bientôt effacés. Le feu détruirait tout. On penserait que le sapin avait été installé trop près des rideaux, certains diraient que les propriétaires s'étaient montrés imprudents, d'autres s'étonneraient peut-être qu'ils aient eu l'idée d'allumer l'arbre alors que le réveillon était passé.

Elle emporta une bouteille de détachant, de l'alcool et de l'acétone qui étaient dans le placard sous l'évier et en aspergea généreusement les meubles et les tapis, avant de remettre les contenants où elle les avait pris. Dans le garage, elle trouva deux jerricans d'essence et quelques bidons de mélange deux-temps pour outils de jardinage. Elle les vida aux trois quarts ici et là, et les remit en place. Peut-être ces précautions suffiraient-elles à compliquer la tâche de la police scientifique.

« Mon beau sapin, roi des forêts », chantonnait-elle en rapprochant l'arbre de la fenêtre. Elle avait rallumé près de la moitié des bougies à demi consumées de l'arbre de Noël, quand elle remarqua par la fenêtre un reflet de gyrophare au-dessus des toits du quartier.

Police, pompiers ou ambulance, on ne savait jamais vraiment, alors pourquoi s'en soucier ?

Elle entrouvrit deux fenêtres pour que le feu prenne plus rapidement et se figea un instant en entendant une sirène au loin.

Ils n'étaient tout de même pas là pour elle ?!

Elle secoua la tête. Quelle idée absurde ! Comment cela serait-il possible ? Personne ne savait qu'elle se trouvait dans cette maison ni qu'il existait un lien entre Adam, Debora et elle. Et même si c'était le cas, comment auraient-ils eu leur adresse ? Elle secoua de nouveau la tête et se moqua d'elle-même et de sa soudaine inquiétude.

Elle continua à allumer les bougies tandis que les clignotements bleus se rapprochaient.

C'est bizarre, tout de même, songea-t-elle, peut-être quelqu'un a-t-il fait un malaise dans une maison voisine ? Ou alors c'est un incendie trop peu important pour que je le voie d'ici ?

Elle rit. Si c'était ça qu'ils voulaient, elle allait leur en offrir un, et bien visible, celui-là. Quand le feu prenait dans une vieille baraque comme celle-ci, avec tous ces meubles en bois massif, ces tapis, ces moulures et ces boiseries, on pouvait être sûr d'avoir du spectacle.

La lumière des gyrophares était vraiment proche à présent, et l'instinct de conservation de Sisle prit le dessus.

On ne sait jamais, se dit-elle en renversant le sapin contre les épais rideaux en brocart de polyester qui ne manqueraient pas de nourrir généreusement les flammes.

Elle jeta un regard à ses défunts amis et complices, chuchota un dernier au revoir, quitta les lieux, monta dans sa voiture et disparut.

60

Vendredi 25 décembre 2020,
jour de Noël

Carl

Ils roulaient depuis plusieurs minutes derrière une ambulance qui avait manifestement une urgence dans le même quartier. Elle s'arrêta devant une maison sur le seuil de laquelle une femme attendait impatiemment, agitant les bras, criant que son mari était tombé et qu'il ne respirait plus.

Au même moment, ils remarquèrent la lueur rouge, mouvante et de mauvais augure qui, un peu plus loin, teintait le ciel au-dessus des cheminées.

Alors qu'ils s'engageaient dans la rue, ils surent que c'étaient leurs espoirs qui partaient en fumée sous leurs yeux. Carl avait été témoin de nombreux incendies dans sa carrière, mais jamais il n'avait vu brûler une maison aussi grande, aussi majestueuse, et dont l'architecture témoignait à ce point d'un autre temps. C'était un triste spectacle et, malheureusement, les pompiers n'arriveraient pas à sauver grand-chose.

Dans la lumière des flammes, il vit la déception et la colère de Rose.

« On arrive trop tard », constata-t-elle avant de lâcher un juron. Plusieurs vitres explosèrent, les débris de verre se dispersant en pluie sur le jardin bien soigné et les plates-bandes garnies d'écorces de pin.

« J'espère que Gordon et Maurits ne sont pas là-dedans ! cria Assad qui s'était élancé pour voir si le feu avait pris partout.

« Il y a une voiture jaune sous l'auvent, identique à celle que conduisait Sisle Park quand elle est venue en repérage chez les Bierbek », dit-il en revenant.

La chaleur à proximité de la maison était devenue insoutenable, et les voisins venus profiter du spectacle durent s'écarter un peu.

Carl alla présenter sa carte de police à ceux qui se tenaient le plus près. « Est-ce que vous savez s'il y avait une cave sous cette maison ?

– Pas de cave, non », répondirent plusieurs d'entre eux, unanimement.

« Dieu soit loué », souffla Rose.

Où étaient-ils ?

« Est-ce que quelqu'un connaît les gens qui habitent là ? demanda Carl à la cantonade.

– Pas très bien, répondit une dame âgée avant de lui expliquer que c'était elle qui avait appelé les pompiers et qu'elle était leur voisine. C'étaient des gens discrets qui restaient dans leur coin.

– Je ne suis pas d'accord, dit un homme aux cheveux gris à côté d'elle sans quitter les flammes des yeux. Ils avaient souvent de la visite, au contraire.

– Mais encore ? l'interrogea Carl.

– Ils recevaient principalement des jeunes femmes. Elles venaient une fois par semaine, et toujours à la même heure.

– Je vois. Et vous seriez capable de les reconnaître, si je vous montrais des photos ? »

Il dit que oui et baissa instinctivement la tête quand une nouvelle vitre éclata en morceaux.

Carl fit signe à Rose, qui vint montrer au voisin les photos de Tabitha et de Ragnhild.

Elle dut agiter son portable devant les yeux du type pour obtenir de lui qu'il se concentre sur l'écran. Enfin, sans détourner les yeux du spectacle, il pêcha une paire de lunettes dans sa poche, les chaussa et consentit à approcher son visage de l'écran, presque à coller son nez dessus. « Oui, dit-il simplement avant de retirer ses lunettes.

– Oui, quoi ? Vous les reconnaissez ? »

Il reporta son attention sur la scène d'apocalypse et ajouta qu'il y avait un certain temps qu'il ne les avait pas vues.

« OK, donc les habitants de cette maison pourraient être ceux que nous cherchons, dit Carl, s'adressant à Rose et à Assad.

– Vous parlez de Debora et Adam ? s'enquit le monsieur, curieux. C'est affreux, mais je crois qu'ils sont encore à l'intérieur. Peut-on imaginer une mort plus atroce ? Les pauvres ! » Il se tut quelques instants et, pour la première fois, il regarda Carl en face. « En revanche, quand je suis rentré de balade avec mon chien il y a quelques minutes, j'ai vu partir la femme qui était venue passer le réveillon avec eux. Et elle avait l'air drôlement pressée. Vous ne trouvez pas ça étrange, vous ? » Et avant que quelqu'un lui ait répondu, il ajouta : « Moi, je serais vous, j'essaierais de lui mettre la main dessus pour lui demander ce qui s'est passé. »

Il fit cette suggestion avec un tel détachement que c'en était glaçant.

Ancien fonctionnaire, songea Carl.

« Tu me trouves une photo de Sisle, s'il te plaît », demanda-t-il à Rose, à voix basse.

Sisle Park était magnifique sur le cliché qu'elle trouva en un clin d'œil, l'image même de la businesswoman qui, chez les gens fascinés par la réussite, suscite un mélange d'envie et d'admiration.

Rose colla son portable sous le nez du voisin, il chaussa de nouveau ses lunettes et dit après un instant :

« Aujourd'hui, elle n'était pas habillée comme ça, mais j'avais déjà remarqué qu'elle était le genre de femme à se mettre sur son trente et un.

– Vous me confirmez que c'est elle que vous venez de voir partir précipitamment ?

– On ne peut jamais affirmer une chose à 100 %, mais disons qu'à 99,9 %, je dirais que c'était elle.

– C'est maintenant qu'on appelle Marcus, dit Rose à Carl. On SAIT que c'est elle qui est derrière tout ça et qu'il faut l'arrêter au plus vite. Il faut qu'il envoie un avis de recherche, nous sommes d'accord ?

– Je te laisse l'appeler, Rose, dit Carl. Notre ami ici présent devrait pouvoir te donner un signalement précis. »

De nouveaux véhicules de secours venaient d'arriver, et les pompiers se mirent aussitôt au travail.

« Je crois qu'il va falloir qu'on y aille, fit remarquer Assad en apercevant une voiture de police qui approchait.

– Il faut d'abord qu'on sache s'il y a quelqu'un à l'intérieur », dit Carl en suivant des yeux Rose qui s'était écartée un peu pour passer un coup de fil alors que deux pompiers en combinaison ignifugée sortaient de l'enfer, devant les badauds épouvantés, deux cadavres calcinés qu'ils déposaient à même l'asphalte.

Carl montra au pompier sa carte de police et s'accroupit devant les victimes. Il fut frappé par leur odeur puissante qui lui fit penser à du cochon grillé laissé trop longtemps sur le barbecue. C'était affreux.

« À votre avis, que s'est-il passé ? » demanda-t-il, les yeux fixés sur les deux têtes qui se touchaient presque, dans la position étrange dans laquelle les cadavres étaient couchés. Il y a moins d'une heure, il aurait peut-être pu arracher à ces deux personnes les renseignements qui leur auraient permis de sauver Gordon et Maurits Bierbek. Ironie du sort. Souvent, bien trop souvent, Carl avait rêvé de pouvoir aller se promener à l'intérieur de têtes dont la mémoire était éteinte pour toujours. D'y glaner des réponses que la mort était venue précipiter dans le néant, des explications à jamais hors de sa portée.

Où était Sisle Park, en ce moment ? Pas chez elle, c'était certain. La renarde était allée se terrer dans d'autres tanières.

La police avait déjà placé un cordon de sécurité pour tenir les curieux à l'écart et Rose et Assad lançaient des regards insistants vers Carl. Il était grand temps de s'en aller.

Ils s'écartèrent de la foule et s'arrêtèrent à distance raisonnable pour faire le point.

« Une heure plus tôt et on l'avait », dit Rose.

Le directeur de la société Mexita Steelware, ce râleur qui leur avait fait perdre un temps fou, était peut-être le seul à pouvoir les aider, à présent.

Carl prit son portable pour le rappeler.

« Vous êtes à l'usine ? lui demanda-t-il.

– Non, j'ai demandé à mon assistant, qui habite Åbenrå, d'y aller et de chercher dans les archives, rétorqua-t-il sans aucune honte.

– Donc, vous n'y êtes pas ?

– Non, je suis chez moi. Il fera cela beaucoup mieux que moi. »

Carl sentit sa température corporelle monter dangereusement. « Vous êtes vraiment demeuré, ma parole ! Si vous saviez ça depuis le début, pourquoi ne pas me l'avoir dit tout de suite, putain de bordel de merde ?! Deux personnes sont déjà mortes, et si vous aviez été un tant soit peu réactif, vous auriez sans doute pu empêcher cela. Alors maintenant, vous allez vous débrouiller avec votre conscience ! »

Assad tira Carl par la manche. « Calme-toi, chef, on serait arrivés trop tard de toute façon, chuchota-t-il. Essaye de le caresser un peu sur le bout du nez, ça marche bien, quelquefois. » Il fit la démonstration avec une caresse dans le vide, en levant la main très haut. Cet homme avait constamment des chameaux dans la tête.

« Enfin, de toute manière, c'est trop tard, dit Carl à son interlocuteur en faisant un effort surhumain pour se calmer. Donnez-moi le nom et le numéro de téléphone de ce monsieur. Je prends le relais. »

« Comment a réagi Marcus ? Tu as l'air contrariée, dit Carl à Rose tandis qu'ils roulaient vers leur camp de base.

– Il m'a dit qu'il allait tout de suite lancer un avis de recherche. En même temps que l'avis de recherche contre toi. »

Carl fronça les sourcils. Qu'est-ce qu'elle voulait dire par là ?

« Il a dit que vous auriez tout juste le temps de passer aux infos dans une demi-heure. »

Pour dire les choses simplement, Carl était sous le choc. « Tu ne lui as pas dit que je comptais me rendre, aussitôt que tout ceci serait terminé ?

– Il n'en avait rien à foutre. Je pense qu'il subit d'importantes pressions, Carl. Il paraît que les Hollandais sont là et qu'ils suivent l'affaire heure par heure.

– Les Hollandais ?

– La police de Rotterdam et les meurtres de Schiedam, ça te dit quelque chose ? Tu te souviens qu'ils sont en lien direct avec ceux de Slagelse et avec ce qui s'est passé à Amager, quand vous vous êtes fait canarder avec tes collègues.

– Mais je n'ai rien à voir avec cette vieille affaire, bordel ! Comment Marcus peut-il le croire ? Honnêtement, ça me dépasse. » La déception se répandit dans tout son organisme comme un poison et lui donna littéralement la nausée. Carl n'avait-il pas été là pour Marcus chaque fois qu'il avait un problème ? Est-ce qu'il ne l'avait pas soutenu quand sa femme était tombée malade et lors de son décès ? Lorsqu'il avait quitté la police et quand il avait décidé de revenir ? Est-ce qu'il avait tout oublié ?

« Il a dit aussi qu'on avait relevé tes empreintes digitales sur plusieurs des billets trouvés dans la fameuse valise entreposée dans ton grenier. Il n'est plus de ton côté, Carl. »

Aïe.

Carl régla le GPS et le laissa décider du restant du trajet. Il ne savait plus quoi faire. Ses collègues des autres brigades pensaient-ils réellement qu'il était complice dans une affaire de meurtres et de trafic de drogues dures ?

« La police s'est occupée du rapatriement de Hardy, de Mika et de Morten depuis la Suisse parce qu'ils veulent interroger ton ancien équipier. »

Carl faillit avaler de travers. « Ils le soupçonnent également ?

– Non, ils pensent que lui te croit coupable, je suis désolée, Carl. »

Carl sentit un immense vide intérieur. Il se concentra sur sa conduite.

« Tu en es où avec le type des rails, chef ? » demanda prudemment Assad.

Carl soupira. Cela faisait vraiment beaucoup d'un seul coup.

« Hum… J'ai eu l'assistant du directeur de l'usine, un vieux Jutlandais du Sud avec un accent que j'arrivais à peine à comprendre. Heureusement, il était d'une autre trempe que son patron. » Carl se ressaisit. De toute façon, il n'avait que deux solutions. Soit il arrêtait tout maintenant, soit il se reprenait.

Il essuya la sueur sur son front et s'efforça de respirer normalement. Au bout de trente secondes, il avait à peu près retrouvé son calme.

« Le gars savait pas mal de choses, en fait. Mais en ce qui concernait ces rails, il n'a pas pu me renseigner comme ça, de but en blanc. D'abord parce que le montage remontait à plusieurs années et puis surtout parce que je n'avais pas l'adresse du client. En tout cas, il était pratiquement certain que le travail avait été effectué par des personnes extérieures à la société, parce qu'il ne se souvenait pas d'avoir réquisitionné leurs propres équipes d'installateurs. Il était à peu près sûr également que le client ne se trouvait pas au Jutland, parce que c'est son secteur et qu'il s'en serait occupé lui-même. Il m'a promis de continuer à chercher.

– Merde », commenta Rose.

Oui, c'était la merde, il n'y avait pas d'autre mot, parce que, à présent, le destin de Gordon et de Bierbek dépendait intégralement d'un vieux bonhomme plongé dans de vieux livres de comptes et des commandes bien plus anciennes que celles qu'il supervisait au quotidien.

L'obscurité était tombée sur la maison des Bierbek, et ses habitants n'avaient rien fait pour la chasser. Carl n'en fut pas surpris. Pourquoi allumer dans des salons de réception dans lesquels on n'irait plus ? Comment écouter de la musique ou regarder des séries en streaming quand on pouvait compter sur ses doigts le nombre d'heures qui vous séparaient de la mort de votre père et de votre mari ?

Rose toqua doucement sur l'encadrement de la porte du séjour où les deux filles, figées, entouraient leur mère sur le canapé. La plus petite avait les yeux baignés de larmes, et la grande regardait dans le vide, les lèvres serrées.

Toutes les trois tournèrent la tête, mais l'espoir s'éteignit aussitôt quand Rose secoua la tête. Alors Laura se mit à pleurer, elle aussi. Carl fit un pas dans la pièce et il s'apprêtait à leur affirmer que tout espoir n'était pas perdu, mais le regard glacial de Victoria l'en dissuada.

« Nous venons de regarder les informations, Carl, et nous avons entendu les avis de recherche. » Elle tourna les yeux vers la porte de la cuisine avant de poursuivre. « Alors vous comprendrez que nous ne voulons plus vous voir ici.

– Attendez, Victoria, je ne sais pas de quoi vous parlez, je n'ai pas vu les nouvelles.

– Vous aussi, vous êtes un assassin, Carl ! cria Laura. Foutez le camp, je vous déteste !

– Elle a raison, il faut que vous partiez, Carl. Les autres, vous pouvez rester, mais pas lui, dit Victoria.

– Vous ne valez pas mieux que cette Sisle Park qui retient papa prisonnier », dit encore Laura.

À ce moment-là, Assad parut à côté de Rose et de Carl.

« Je vais vous dire une chose, bande d'ingrates... » Puis il ajouta quelques mots en arabe que personne n'aurait aimé entendre traduire. « Cet avis de recherche contre Carl n'a été lancé que parce que, au lieu de se présenter à la police pour se défendre, il s'est démené pour essayer de retrouver votre mari et votre père. Il a fait passer cette enquête avant tout le reste, y compris ses propres intérêts.

– C'est possible, dit Claes Erfurt, l'arrogant avocat de Mme Bierbek, depuis le seuil de la cuisine. Toujours est-il que notre accord est caduc, Carl Mørck. La police a offert une récompense à celui qui vous retrouvera. Elle n'est pas aussi élevée que celle proposée pour Sisle Park, mais largement suffisante pour donner du poids aux accusations contre vous. Vous devez bien comprendre que nous ne pouvons pas nous permettre de cacher un meurtrier recherché par la police. Nous vous donnons un quart d'heure pour rassembler vos affaires, et ensuite il faudra vous en aller. »

Cet idiot s'était déjà installé dans les pantoufles du maître de maison !

Carl s'adressa aux deux filles et à leur mère. « Votre père, votre mari n'est pas encore mort, et mes deux collègues et moi sommes les seuls à pouvoir...

– Sortez immédiatement de cette maison ! » ordonna Claes Erfurt, le portable à la main, prêt à composer le numéro de la police.

Cette fois, Assad avait atteint les limites de sa patience. Il se jeta sur lui et le saisit à la gorge.

« Donnez-moi ce téléphone », dit-il. Le visage bouffi du type devint blême. Assad se retourna vers Carl. « Dis-leur, chef, ce qui se passe en ce moment. »

Carl s'accroupit devant les filles.

« Votre père est vivant, nous en sommes convaincus et là où il est en ce moment, un de nos amis est également prisonnier, nous avons reçu des photos qui le prouvent. Nous voulons les retrouver tous les deux par n'importe quel moyen. Pour ça, il nous faut de l'aide, mais personne n'est de notre côté. C'est mon patron qui a lancé l'avis de recherche. Lui aussi, il aimerait bien élucider cette affaire, et il sait le danger que court votre père, mais il ne sait pas que Gordon,

son employé, notre ami et collègue, est dans la même situation. Nous voudrions le mettre au courant et qu'il envoie
d'autres équipes sauver votre papa, mais nous n'avons pas
encore assez d'éléments. En ce moment, nous attendons un
appel de quelqu'un au sud du Jutland. Alors, s'il vous plaît,
laissez-nous un peu respirer. Et, non, Laura, je ne suis pas
coupable de ce dont on m'accuse, et je le leur prouverai dès
que tout ceci sera terminé. »

Ici, Rose intervint. « Victoria, si je peux me permettre,
votre avocat n'a aucune envie que votre mari revienne. Vous
ne voyez pas qu'il n'attend que l'annonce de sa mort pour
prendre sa place ?

– Alors ça, jamais ! s'écria Laura. Je déteste ce connard,
maman !

– Nous sommes d'accord. Assad, je crois qu'il va falloir
que tu l'endormes. Si possible très profondément. Disons
jusqu'à demain après-midi. »

61

Vendredi 25 décembre 2020, jour de Noël

Gordon

« Vous êtes réveillé, Maurits ? »

Gordon avait la gorge sèche et les lèvres collées. Il n'était même pas sûr d'avoir posé la question ailleurs que dans sa tête.

« Maurits ! Vous êtes réveillé ? » tenta-t-il de nouveau. La lumière restée allumée depuis le départ de leurs geôliers était une torture, et Gordon n'avait pas dormi une seconde depuis qu'on l'avait emmené ici. Son compagnon, derrière lui, était dans un tel état d'épuisement qu'il était inconscient la majeure partie du temps, et Gordon l'enviait pour cela.

« Si seulement je pouvais sombrer dans le néant comme vous, Maurits », murmura-t-il. La salive dans sa bouche était comme de la colle, et quand parfois il réussissait à l'avaler, il avait l'impression que la masse gluante allait lui obstruer la gorge et l'étouffer. Il poussa un soupir et sentit l'odeur pestilentielle de son haleine. Était-ce l'odeur que dégageait un être humain juste avant de mourir ? Était-ce la pourriture qu'il avait à l'intérieur qui essayait de s'échapper ?

« Maurits, vous m'entendez ? » demanda-t-il pour la dixième fois ce jour-là. Mais peut-être était-ce la nuit ? Le lendemain de Noël était-il arrivé ? Était-il minuit passé, ou pas encore ? Combien de minutes leur restait-il à vivre ?

Gordon était désespéré. Lui qui avait bâti toute son existence sur le fait de savoir. Lui que ses parents encensaient et célébraient lorsque, petit garçon, à table, il délivrait une information qui ne venait ni d'eux ni de l'école. Ces compliments avaient été un moteur pour lui, et tout le temps où il avait vécu avec eux, il s'était efforcé d'engranger toutes les connaissances susceptibles de lui valoir éloges et admiration. Au département V, cette caractéristique de sa personnalité lui avait également permis de trouver sa place. Aucun nid-de-poule ne pouvait faire trébucher Gordon sur le chemin qui conduit d'une question à sa réponse.

Dans la situation actuelle, il était incapable de répondre à la moindre de ses questions. Plus que tout, il aurait aimé connaître le jour et l'heure. Il aurait suffi qu'il puisse voir son poignet dans son dos et le problème aurait été résolu en une seconde. Cette simple montre-bracelet était devenue l'outil le plus précieux du monde, elle détenait la réponse à cette question fondamentale : dans combien de temps devaient-ils mourir ? Elle était si proche, cette montre, et en même temps, elle était l'objet le plus lointain de l'univers.

« Maurits, réveillez-vous, il faut qu'on parle », dit-il plus fort, malgré le martyre qu'il faisait subir à sa gorge sèche et à ses cordes vocales. Son camarade d'infortune réagirait-il, cette fois ?

Il retint son souffle et tendit l'oreille.

« Mmmmm », entendit-il enfin.

Gordon se tourna vers Maurits Bierbek et plongea son regard dans ses yeux grands ouverts et injectés de sang.

Ils se saluèrent d'un signe de tête. Le sentiment de ne pas être entièrement seul au monde fit monter les larmes aux yeux de Gordon.

« C'est pour maintenant ? demanda Bierbek d'une voix si
ténue que les mots sortaient de sa bouche comme des notes
sifflées.

– Nous sommes seuls, répondit Gordon. Ce n'est pas pour
maintenant.

– Ils ont dit que je devais attendre Mao. Vous savez ce
qu'ils entendaient par là ? »

Il se rendormit quelques secondes, tandis que sa question
résonnait dans la tête de Gordon. Que pouvait-il répondre à
cela ? Qu'est-ce qui était le plus cruel ? Ne pas lui répondre
ou bien lui dire la vérité ?

« Alors, vous ne savez rien, Maurits ? »

Maurits Bierbek mit un certain temps à réagir, par un
mouvement de dénégation infiniment lent.

« Et vous voulez savoir ?

– Oui », répondit-il d'abord. Puis il ajouta un prudent
« merci », qui convainquit Gordon.

« Mao est né le 26 décembre, Maurits. C'est ce jour-là
qu'ils vont le faire. »

Gordon eut honte. Ce jour-là qu'ils vont le faire ? Est-ce
qu'il croyait vraiment que par cet euphémisme il allait éviter
d'avoir à développer ?

« Me tuer ? » dit doucement Maurits.

Gordon le regarda avec franchise et cligna des paupières
pour dire oui. Alors Maurits ferma les yeux puis dit seulement :

« C'est bientôt ? »

Gordon comprit à cet instant que Maurits n'avait plus du
tout peur. Il était résigné, il avait renoncé à vivre, peut-être
souhaitait-il même en finir au plus vite.

Mais ce n'était pas le cas de Gordon. Il repensait à ce qu'il
avait dit à Sisle Park et à sa réaction.

J'ai eu tort de la provoquer ainsi. J'aurais mieux fait de fermer ma gueule, se reprochait-il à présent. Elle ne me laissera pas la vie sauve, j'en suis sûr.

« Nous allons mourir tous les deux, Maurits », déclara-t-il en s'efforçant de contrôler le tremblement de sa voix.

Gordon était au désespoir et fit une rapide prière muette.

Pendant quelques instants, il se sentit un peu mieux, mais ce sentiment d'apaisement ne dura pas.

« L'anniversaire de Mao, dit Maurits d'une voix frêle derrière lui. Je ne comprends pas. Vous savez autre chose ? »

Gordon répondit sans se retourner.

« Je crois que c'est demain, Maurits. Ou peut-être aujourd'hui. J'ai perdu la notion du temps. Je ne sais pas si c'est la nuit ou le matin, vraiment je n'en sais plus rien. »

Soudain il entendit un cliquetis dans la cage d'ascenseur qui le fit sursauter, puis un deuxième, un troisième, et à chacun d'entre eux, une décharge d'adrénaline le traversa.

Puis la porte du monte-charge s'ouvrit.

Sisle Park était là.

Gordon baissa ses paupières et laissa son menton tomber sur sa poitrine, puis suivit ses mouvements à travers ses cils.

Elle resta silencieuse, se contenta de les regarder sans bouger.

Gordon remarqua la couverture qu'elle tenait entre les bras. Elle l'étala sur le sol.

Puis elle se coucha par terre, s'emmitoufla comme elle put dans son manteau, et s'installa pour dormir.

62

Samedi 26 décembre 2020,
lendemain de Noël

Carl

Les minutes semblaient raccourcir à mesure que le temps passait et que le découragement s'installait. Cette nuit, si quelqu'un avait dormi dans la maison, Carl ne l'avait pas remarqué.

Rose tournait en rond dans le bureau de Bierbek, se torturant heure après heure, examinant sans relâche les photos envoyées par Sisle Park.

« Tout ce que nous avons, ce sont ces rails et ce monte-charge, Carl. Il n'y a rien d'autre sur ces photos qui soit susceptible de nous donner la moindre indication. À quel moment cette enquête nous a-t-elle échappé ? Est-ce que les choses auraient été différentes sans le coronavirus ?

– Elles auraient été différentes si on n'avait pas été en pleine période de fêtes de fin d'année, et s'il n'y avait pas eu cette histoire de valise. »

Le regard de Carl se perdit dans l'aube naissante et grise. Bientôt le soleil allait se lever, avec sa pâle luminosité d'hiver, annonçant la journée où l'innommable allait peut-être se produire. Deux otages, dont l'un était un ami cher à leur cœur, ne seraient sans doute plus en vie lorsque le soleil aurait perdu du terrain, vers le milieu de l'après-midi.

Pour la cinquantième fois, Carl consulta l'heure qui avançait implacablement. Il était huit heures et quart, et le type de l'usine n'avait pas encore rappelé.

Alors Carl composa le numéro privé de Marcus Jacobsen sur son propre téléphone.

Marcus répondit d'une voix endormie, mais se réveilla d'un seul coup en comprenant qui était au bout du fil.

« Je ne m'attendais pas à ça de ta part, Marcus, dit Carl en guise d'entrée en matière.

– Moi non plus », répliqua Marcus.

Les épaules de Carl tombèrent. « Tu as oublié qu'il y a quelque chose qui s'appelle la présomption d'innocence ? Ce n'est pas ce qu'on nous a ressassé à l'école de police et ce qu'on nous répète jour après jour dans notre métier ?

– Si, bien sûr, mais des preuves, il y en a. On a trouvé tes empreintes digitales sur plusieurs des billets, Carl.

– Oui, c'est ce que Rose m'a dit. Et toi qui étais jadis notre meilleur enquêteur, tu ne t'es même pas dit qu'Anker avait pu les y mettre volontairement ?

– Pourquoi aurait-il fait ça ?

– Ça, tu devrais être capable de l'imaginer tout seul, non ? Et combien de billets portaient les empreintes d'Anker ?

– Un certain nombre.

– Un certain nombre. Merci pour la précision. Mais tu sais quoi, avec ces fausses accusations, tu as perturbé une enquête en cours, et je pense que tu seras le premier à t'en vouloir si ça finit mal. Dans quelques heures, Bierbek mourra. Tu le sais peut-être déjà, Sisle Park a aussi enlevé Gordon.

– Oui, nous sommes au courant. Quand nous avons lancé l'avis de recherche contre elle, elle nous a envoyé une photo sur laquelle on les voit tous les deux dans cette pièce où elle les a enfermés. Depuis, nous cherchons cet endroit par tous les moyens.

– Gordon risque d'être tué aussi, tu y as pensé ?

– Nous en sommes moins sûrs que toi. Cela ne correspondrait pas à sa façon de procéder. Nous avons embauché une équipe de profileurs pour nous aider.

– Je vois. Mais alors, si vous savez déjà tout ça, mon équipe et moi-même pourrions peut-être vous donner un coup de pouce, qu'est-ce que tu en penses ? Ce serait une bonne idée, non ? Ne serait-ce que vis-à-vis de Maurits Bierbek et de sa famille ?

– Tu es en train d'essayer de négocier, Carl, je te connais. Et la réponse est non. Tu ne t'en tireras pas comme ça. À la minute où on te retrouvera, on t'arrêtera, quoi que tu essayes de nous faire croire. »

Soudain, Carl perçut la lenteur inhabituelle de l'élocution de Marcus. Il cherchait à le retenir au téléphone ! Les secondes défilaient. Merde !

« Tu n'es pas chez toi, Marcus, n'est-ce pas ? Tu es au bureau ? Il y a quelqu'un à côté de toi en ce moment, en train de trianguler l'appel ?

– Bien sûr que je suis chez m... »

Carl raccrocha brutalement et regarda la durée de l'appel. Une minute trente-quatre. Le bornage n'avait aucune chance d'avoir abouti en aussi peu de temps.

« Il faut que tu manges quelque chose, Carl. Comment veux-tu qu'on se concentre avec tout le boucan que fait ton estomac ? » Assad était planté devant lui avec une assiette contenant des restes du repas de Noël que Laura leur avait apportés.

« C'est gentil, Assad, mais je suis incapable de manger pour l'instant. Un peu plus tard, peut-être. »

Le portable de Laura sonna. Enfin !

« OUI ! répondit-il, hors d'haleine, à l'assistant du directeur de l'usine d'Åbenrå.

– Excusez-moi de vous appeler si tôt », dit son interlocuteur, sincèrement désolé. Il appelait ça tôt ! Les gens se levaient à quelle heure à Åbenrå ?

« Dites-moi que vous avez trouvé quelque chose !

– Oui. Je n'ai pas encore l'adresse de l'endroit où ces rails ont été posés, mais je sais que la commande a été passée par un certain Adam Holme, et que le travail a été effectué les 15 et 16 octobre 2016 par un technicien venant d'une entreprise avec laquelle nous ne travaillons plus. Je me disais que vous auriez pu appeler cet Adam Holme, j'ai son numéro, là. »

Non, non, non, gémit Carl intérieurement. Et le temps qui continuait de s'écouler...

« Le nom du technicien, vous l'avez ?

– Non, mais j'ai le numéro de la société pour laquelle il travaillait. Mais pourquoi est-ce que vous n'appelez pas tout simplement cet Adam Holme ?

– Parce qu'il est couché sur une table en inox à l'institut médico-légal, transformé en morceau de charbon. Voilà pourquoi. Mais merci quand même, et maintenant, vous voudrez bien m'excuser, nous avons du travail. »

Il nota le numéro de l'installateur et balança son portable sur la table avec un juron.

« Rose ! Trouve-moi tout ce que tu peux sur une société de montage qui s'appelle Lang et Fils. Leur siège social devrait se trouver à Vanløse. » Puis il dit à Assad : « Je veux bien manger quelque chose, maintenant. »

Il regarda tristement la sauce figée dans l'assiette et pensa à l'hôpital psychiatrique de Brønderslev, près de chez ses parents. Sa mère y avait travaillé comme cuisinière pendant quelque temps, pour mettre un peu de beurre dans les épi-nards.

« Lang et Fils a fait faillite en 2019, dit Rose. La société a repris du service l'année dernière sous le nom "Les Fils de Lang". Je te donne le numéro de Sigurd Lang, qui est l'actuel directeur. »

Il composa le numéro aussitôt. « Pendant ce temps, Rose, toi tu appelles n'importe qui d'autre dans cette société. Il FAUT qu'on avance, tout de suite. »

Le téléphone sonna interminablement, jusqu'à ce que le répondeur se mette en marche.

« Comment ça se passe de ton côté, Rose !? demanda-t-il.

– Répondeur. Congés de fin d'année. Ils rouvrent le 4 janvier.

– Putain ! jura Carl en abandonnant assiette et sauce figée. Note l'adresse personnelle du directeur. On y va !

– Elle n'est pas indiquée !

– Il s'appelle Sigurd Lang, ils ne doivent pas être légion ! Débrouille-toi, je ne te demande pas une chose insurmontable, merde !

– J'appelle une Gerda Lang qui habite Hvidovre. Peut-être qu'elle le connaît », répondit-elle.

Mon Dieu, faites qu'elle le connaisse, supplia Carl inté-rieurement.

Il se passa une minute et Rose se mit à parler. « Oui, oui, oui ! répéta-t-elle. Oui, oui, oui ! »

Sa conversation terminée, elle annonça aux deux autres :

« Gerda est la mère des trois garçons qui ont repris l'entre-prise et elle m'a affirmé que ce n'était pas eux qui avaient installé ces rails, parce que cela ne rentrait pas dans leurs attributions. Elle en est d'autant plus sûre que c'est elle qui fait tourner la boîte depuis la maladie et le décès de son mari.

Pour ce genre de travail, ils employaient deux Polonais en free-lance qui effectuaient ce genre de travaux de montage pour différentes sociétés. »

Carl sentit sa tension monter d'un seul coup. Des travailleurs polonais en free-lance ? Ces types n'étaient-ils pas tous catholiques, et depuis longtemps rentrés chez eux pour fêter Noël avec leur famille, à Vratislavie ou à Catovice, ou n'importe où ailleurs ?

Il se prit la tête entre les mains. « Tu n'as pas pu avoir leur adresse, par hasard ?

– Si, il y en a un qui réside au Danemark. Il s'appelle Jurek Jasinski et il habite à… »

Ils entendirent un grand bruit et se tournèrent brusquement vers Assad, planté devant une assiette cassée, les pieds couverts de sauce.

« Tu peux répéter, Rose, s'il te plaît ? » Assad avait les yeux tellement écarquillés qu'il s'en fallait de quelques millimètres avant qu'ils ne lui sortent de la tête.

« Jurek Jasinski et il habite à…

– Venez avec moi », ordonna-t-il en se dirigeant au pas de charge vers la porte, laissant des traces de sauce sur le sol derrière lui.

Assad feuilletait son calepin, pendant que Carl pilotait l'Alfa Romeo de Victoria, pied au plancher.

« Vous n'allez pas me croire, mais Jurek Jasinski est l'homme que j'ai appelé hier pour me renseigner sur les chaises métalliques. La première fois que je l'ai interrogé, c'était le 7 décembre, pour en savoir plus sur Oleg Dudek, le type qui s'est fait trancher les mains dans une cisaille. Il m'avait dit qu'il avait été obligé de se rapprocher de Copenhague en 1998, après la fermeture de l'usine, mais il ne m'a pas dit ce qu'il faisait. »

Carl osait à peine réfléchir.

« Personne ne pouvait savoir que Maurits Bierbek serait enlevé quelques jours après que tu l'as interrogé. Alors arrête de faire cette tête, Assad, le consola Rose.

– J'aurais dû lui demander ce qu'il avait fait après son licenciement.

– Et ça t'aurait servi à quoi ? D'après Gerda Lang, lui et son collègue polonais n'ont effectué des montages pour eux que très peu de temps. Il a travaillé pour un tas de gens depuis.

– Pourquoi est-ce qu'il ne répond pas au téléphone ? grogna Carl. S'il est parti en Pologne, je vais exploser.

– C'est malheureusement très possible, chef. Le virus n'avait pas l'air de l'inquiéter beaucoup et ni lui ni moi ne portions de masque, quand je l'ai vu. En plus, lorsque je l'ai appelé hier pour me renseigner sur les chaises métalliques, il était rond comme une queue de pelle. »

Tous les trois poussèrent un gros soupir de déception en se garant devant la petite maison en béton cellulaire. Aucune fenêtre n'était éclairée. Au lieu de se trouver à sa place, devant la porte, le paillasson gisait dans une plate-bande.

Il n'y avait pas de voiture dans l'allée et les prospectus débordaient de la boîte aux lettres, dont le volet claquait dans le vent glacial.

Ils sonnèrent, frappèrent, regardèrent par la fenêtre, mais rien ne bougeait dans la maison...

Du moins pas avant qu'ils soient de nouveau assis dans la voiture et que Carl l'ait démarrée, avec dans la gorge une boule si grosse qu'il était obligé de déglutir constamment.

« STOP ! » s'écria Rose en montrant du doigt la porte de la maison, où un type à l'allure pour le moins négligée, avec une tignasse grasse rouge pétard et une robe de chambre ouverte sur un caleçon à motifs les regardait d'un air endormi.

63

Samedi 26 décembre 2020, lendemain de Noël

Sisle

Elle se réveilla après une nuit sans rêve et s'étira voluptueusement avant de se rappeler où elle était, et pourquoi elle avait dormi sur un sol en béton.

Ses deux prisonniers étaient avachis sur leurs chaises. Le premier les yeux mi-clos, et l'autre, derrière lui, apparemment inconscient.

Elle consulta l'heure avec étonnement. Était-il réellement midi moins le quart ? Elle n'avait pas dormi aussi longtemps depuis des lustres.

Bon, c'est l'heure ! se dit-elle. La journée de la veille avait été constructive. Elle avait mis un point final à une organisation qui n'était plus viable. Dans un instant, elle verrait sur Internet ce que les journalistes avaient écrit sur l'incendie et s'ils avaient cité les noms des victimes. Elle l'espérait sincèrement.

Je suis désolée pour eux, mais après tout, je les avais prévenus, songea-t-elle en se levant.

Elle alla inspecter les accessoires posés sur la table. Les seringues étaient à leur place, l'intraveineuse suspendue à sa potence et le mélange salin dans son bidon, tout était prêt, la suite serait une formalité.

« Seigneur, dit-elle, merci pour la clairvoyance que Tu m'as donnée. Merci d'avoir fait de moi Ton bras armé en ces temps où le diable règne sur la terre. Merci de m'avoir ouvert les yeux sur les trahisons des hommes et apporté la force nécessaire pour leur faire payer. Merci de m'avoir donné la lucidité de reconnaître le mensonge quand il se présente à moi. On dit qu'il faut pardonner l'égoïsme des hommes, parce qu'il n'a pas de remède. Mais Toi et moi savons que c'est faux. Il existe un remède, et c'est la mort. »

Elle se retourna et leva les bras dans un geste théâtral. « J'ai devant moi deux individus dont le diable a pris possession et qui vont recevoir Ton châtiment par ma main. Je vais à présent les aider à comprendre leur sacrilège afin qu'ils acceptent le trépas et l'enfer éternel. »

Elle s'approcha de Gordon.

« Ah, Gordon, je suis contente que vous soyez là. Vous serez mon témoin, afin que tout le monde sache que les choses se sont passées dans le respect de la dignité. »

Il leva les yeux vers elle. Il était tellement en colère que ses lèvres tremblaient.

« Bientôt, je vais brancher une perfusion qui va vous réveiller. Une simple petite piqûre qui remettra votre corps en état de fonctionner pendant le temps nécessaire. Je vais commencer par Maurits, la vedette du jour, qui semble avoir besoin d'un petit remontant. »

Elle alla chercher la potence près de la table. Elle savait que le contenu de la poche réveillerait Bierbek en quelques secondes. Même Franco Svendsen, qui était pourtant à l'article de la mort, avait retrouvé tous ses esprits avec ce cocktail. Il avait été si efficace que le type s'était mis à prier pour son salut et à supplier qu'on le laisse en vie.

Avec un peu de chance, elle obtiendrait le même résultat avec Bierbek.

Elle sentait le regard noir de Gordon qui suivait chacun de ses gestes, et en passant à côté de lui, elle l'entendit marmonner quelque chose, sans comprendre ce qu'il disait.

L'aiguille pénétra comme dans du beurre dans la plus grosse veine qu'elle trouva sur le dos de la main de Maurits. Plus il maigrissait, plus ses veines devenaient saillantes, et Sisle savait apprécier cet effet secondaire. Elle aimait quand tout se passait de manière fluide, y compris pendant la phase de préparation.

Elle s'accroupit pour que son visage soit à la même hauteur que celui de Maurits, et attendit. Normalement, au bout d'une minute, les mouvements imperceptibles de ses paupières devaient devenir plus nets. Quand une minute se fut passée sans évolution notable, elle augmenta le débit de la perfusion.

Après deux minutes, Sisle crut percevoir un soupir, mais elle n'était toujours pas satisfaite. Jamais il n'avait fallu aussi longtemps.

« Allez, Maurits, le stimula-t-elle en le gratifiant d'une gifle.

– Ordure », murmura Gordon.

Elle fit volte-face et croisa son regard.

« C'est à moi que vous parlez ?

– Oui, vous êtes une ordure », dit-il de nouveau d'une voix faible.

Sisle se leva.

« Vous vous imaginez peut-être, dans votre grande naïveté, que vous serez épargné ? Mais vous m'avez contrariée, Gordon Taylor, avec vos paroles insolentes et diaboliques et je vous annonce que j'ai décidé de vous faire subir le même sort que Maurits. Vous comprenez ce que je vous dis ? »

Il ne cilla pas, le visage impassible. Elle n'y lut ni peur ni regret.

Soudain Bierbek commença à hyperventiler. Il respirait par à-coups désordonnés. Elle lui avait peut-être administré une dose trop forte. Elle se précipita pour presser la pince de la perfusion qui s'arrêta aussitôt de couler.

« Réveille-toi, Maurits ! » cria-t-elle, le secouant si fort que sa tête se balançait dans tous les sens. Il devait faire une réaction allergique et elle ne savait pas du tout ce qu'il fallait faire.

Elle s'accroupit de nouveau devant lui, prit sa main, et se mit à la caresser comme s'il était un petit enfant qui n'arrivait pas à s'arrêter de pleurer.

« Allons, allons, Maurits. Je sais que tu m'entends. N'aie pas peur, allons, allons ! »

Elle continua ainsi un certain temps, pendant que Gordon derrière elle répétait en boucle : « Ordure, ordure, ordure. » Mais à ce moment Sisle ne pensait qu'à Adam et à sa capacité à ramener le calme dans n'importe quelle situation.

« Je n'ai plus besoin de lui, dit-elle à haute voix en caressant la tête de Bierbek. Je veux que vous entendiez ce que j'ai à vous dire, Maurits, c'est très important. J'ai tellement préparé mon discours, il faut que vous l'entendiez. »

Gordon se tut.

Elle sortit un papier de sa poche et se mit à lire à haute voix, tout en continuant de caresser la main décharnée de Maurits.

Au bout d'un moment, voyant qu'il ne donnait toujours aucun signe de vie, elle interrompit sa lecture.

« C'est Satan qui passe sa tête cornue entre nous, dit-elle en levant les yeux vers le plafond. Dis-lui d'arrêter, Dieu, et fais revenir Maurits dans cette pièce ! Redonne-lui l'usage de ses sens. Rends-le-nous afin qu'il puisse entendre la bonne parole. »

Quand presque une demi-heure se fut écoulée, et que midi fut depuis longtemps passé, Sisle sentit pour la première fois depuis de nombreuses années que le diable était en train de prendre le dessus. Jamais elle n'avait senti son haleine empoisonnée d'aussi près. Elle se retourna et imagina dans sa folie que c'était en Gordon que le démon avait trouvé corps.

Alors elle sortit la canule de la main de Maurits, et quelques secondes plus tard, elle l'avait plantée dans celle de Gordon. Ses doigts se crispèrent, ses mains s'agitèrent dans la limite que lui permettaient ses liens. Il essaya de se défendre, hurla, mais son instinct de survie, si puissant soit-il, ne suffit pas à changer la donne.

En moins d'une minute, il ouvrit grand les yeux, toussa et se racla la gorge. Il prit plusieurs longues inspirations, et à chacune d'entre elles, sa force et sa volonté revenaient un peu plus.

Malgré ses chevilles entravées, ses jambes se mirent à s'agiter comme des baguettes de tambour. Ses genoux tressautaient et il respirait comme un homme qui, après avoir passé un long moment sous l'eau, aspire goulûment l'air à la surface.

« C'est très bien, Gordon Taylor, merci beaucoup, maintenant au moins, je sais que le produit est efficace. » Elle lui caressa la joue, sortit l'aiguille et la remit dans le dos de la main de Maurits.

« Allez, à toi », dit-elle, deux doigts sur son cou, les yeux sur la trotteuse de sa montre-bracelet.

Le pouls était faible mais régulier, et elle avait l'impression de voir ses joues se colorer légèrement. Peut-être fallait-il attendre une demi-heure de plus ? Auquel cas elle en prendrait son parti.

« Foutez-nous la paix, Sisle Park, dit Gordon d'une voix plus ferme.

– Vous, taisez-vous, ou je vais vous faire taire, et ça ne va pas traîner.

– Fichez le camp. Partez, disparaissez de l'autre côté de la terre, ou ça va aller très mal pour vous. »

Elle sourit. Finalement, c'était assez amusant de tuer les gens dans cette ambiance un peu survoltée. C'était une expérience inédite.

« Tout le monde est à vos trousses, et quand on vous aura arrêtée, il ne faudra espérer aucune clémence. »

Elle secoua la tête d'un air plein d'indulgence. « Vous croyez vraiment que le département V me fait peur ? Mais merci pour ce conseil. Dès que vous serez tous les deux morts, je m'en irai.

– Démon ! Ils vous retrouveront, vous savez ! »

Elle éclata de rire. « Mais mon cher ami, j'ai préparé ma fuite depuis longtemps ! Un avion privé m'emmènera en Pologne, puis une voiture de location me conduira jusqu'à Bruxelles où je prendrai un avion pour le Nigeria. Un pays complètement corrompu qui accueille les multimillionnaires à bras ouverts, du moment qu'ils disposent d'un passeport à peu près crédible. C'est un grand pays qui offre une multitude d'opportunités pour quelqu'un comme moi. Je suis sûre qu'une vie passionnante m'attend là-bas. »

Elle vit à l'expression de Gordon que son cerveau essayait de comprendre ce qu'elle était en train de lui dire. Poursuivrait-elle sa croisade là-bas ? Avait-elle l'intention de continuer à assassiner des gens à l'étranger ?

« Vous pensez tellement fort que je vous entends, Gordon. Et la réponse est évidente. Bien sûr que je vais continuer. »

Il poussa un long soupir et décida d'essayer autre chose.

« Vos agissements sont une insulte à Dieu, dit-il d'une voix enrouée. Vous injuriez ce Dieu que vous adorez. Vous n'avez jamais entendu parler des dix commandements, Sisle Park ? Probablement pas, sinon vous ne les transgresseriez pas comme vous le faites.

– Chut, taisez-vous, maintenant. Vous n'entendez pas que Maurits commence à respirer normalement ?

– "Tu n'aimeras pas d'autre Dieu." Mais votre Dieu, c'est vous-même. "Tu n'invoqueras pas le nom de Dieu en vain", vous le faites sans arrêt. "Tu ne travailleras pas le septième jour", mais Palle Rasmussen et Franco Svendsen ont tous les deux été tués un dimanche. "Tu ne tueras point" ! Vous voulez que je répète le sixième commandement, Sisle ? TU NE TUERAS POINT !

– Je vois que vous avez bien appris votre catéchisme. Mais vous souvenez-vous aussi de toutes les fois où Dieu a engagé des serviteurs afin qu'ils tuent pour Lui ? Je suis l'ange de Dieu sur terre… »

À ce moment, Maurits Bierbek toussa faiblement.

« Vous êtes revenu parmi nous, Maurits ? dit-elle en lui assenant une nouvelle gifle.

– Mmmm », gémit-il en guise de réponse.

D'un pas déterminé, Sisle Park alla chercher les deux seringues qu'elle remplit avec le liquide fatal. Transparent comme l'eau, il semblait inoffensif, voire revigorant.

Puis elle relia une épaisse durite au gros bidon contenant l'eau salée. Quand ils seraient morts, elle leur insérerait ce tube dans la gorge, jusqu'à l'estomac, et chacun d'eux aurait droit à au moins trois ou quatre litres d'eau salée concentrée.

Ce n'était pas comparable à un véritable embaumement, mais la symbolique était là. Enfin, elle verserait un petit tas de sel au pied de leurs chaises.

Dans un instant, quand Maurits aurait un regard moins flou, elle lui injecterait une dose supplémentaire, et elle pourrait lui lire le texte qu'elle avait écrit.

Enfin, elle pourrait achever son œuvre.

Dans une heure, elle serait partie.

64

Samedi 26 décembre 2020, lendemain de Noël

Carl

À cause de sa femme qui lui tapait sur le système, Jurek Jasinski buvait sans relâche depuis l'avant-veille de Noël. Avec ses 88 degrés d'alcool, une bouteille de vodka Balkan 176 aurait assommé un ours, et Jurek adorait être saoul.

Après plus d'une semaine de disputes incessantes, il en avait eu sa claque, et il avait exhumé d'un seul coup les dix jolies bouteilles qui auraient dû couvrir sa consommation pour une année entière. Puis il s'était mis à écluser sérieusement.

Dès le lendemain, indignée, sa femme l'avait abandonné à son sort, et elle était partie pour Horsens chez sa sœur et son beau-frère.

Voilà la réponse toute simple que Jurek leur fournit pour leur expliquer pourquoi il n'avait pas réagi tout de suite aux coups insistants frappés à sa porte.

Tanguant dangereusement, il les conduisit dans un séjour qui puait la sueur, le tabac froid et l'alcool fort.

« Je vous en sers un petit ? » dit-il avec un sourire en coin, s'en jetant un de plus sans attendre leur réponse. Le moins qu'on puisse dire, c'est qu'il tenait l'alcool.

« Vous vous souvenez de moi, Jurek ? » lui demanda Assad.

Il acquiesça et rigola à gorge déployée. « Bien sûr, vous êtes venu me parler d'Oleg Dudek ! Et hier vous m'avez téléphoné pour les chaises... Qu'est-ce que vous voulez savoir d'autre sur ce salopard ?

– J'aimerais que vous regardiez cette photo. » Assad lui montra la photo des deux captifs envoyée par Sisle Park. « Ce ne sont pas les hommes assis sur les chaises qu'il faut regarder, mais les rails au plafond. » Il lui tendit une deuxième photographie qui représentait un agrandissement des rails et du chariot auquel étaient fixées les chaînes de Maurits.

« Qu'est-ce que c'est que ce bordel ? » Jurek frotta ses yeux troubles et chercha à tâtons une paire de lunettes au milieu des mégots et des bouteilles.

« Je vous dis de ne pas regarder les hommes, Jurek ! dit Assad. Est-ce vous qui avez posé ces rails avec un collègue il y a plusieurs années ?

– Plusieurs années !? répéta-t-il avec l'air d'avoir besoin d'un peu plus que de la Balkan 176 pour reprendre ses esprits.

– Je vous aide, c'était les 15 et 16 octobre 2016.

– Ces rails-là ? » Il posa sur la photographie un index jauni par la nicotine. « Je vais vous dire pourquoi je m'en souviens bien. Ils sont trop serrés, putain. S'ils étaient prévus pour déplacer des marchandises, ils auraient dû être plus écartés. Je n'ai jamais compris pourquoi le client les voulait comme ça. »

Carl retint son souffle. « Vous voulez dire que vous les reconnaissez ? s'assura-t-il, sentant son pouls s'accélérer.

– C'était hyper dangereux de les monter aussi serrés, insista-t-il d'une voix graillonneuse.

– Nous avons besoin de savoir le plus vite possible où vous avez installé ces rails, Jurek, dit Assad. Nous ne connaissons pas l'adresse, et si nous ne la trouvons pas rapidement, les deux personnes que vous voyez sur la photo mourront. » Assad hésita un instant et poussa un soupir. « S'ils ne sont pas déjà morts.

– Ce sont peut-être de sales types qui méritent ce qui leur arrive ! ricana Jurek, ne faisant rire que lui.

– L'un des deux est notre collègue, alors au moins un des deux n'est pas un salaud. Si vous savez où se trouve ce local, vous devez nous le dire ! » dit Carl avec une furieuse envie de prendre le type par le col et de le secouer jusqu'à ce qu'il dessaoule. Mais Rose vint à sa rescousse.

« Vous êtes un bel homme, Jurek. Et je trouve que votre femme a tort de vous traiter comme ça. Ce n'est pas bien de sa part de vous avoir laissé passer Noël tout seul ici. Mais puisqu'elle n'est pas là, ça vous dirait de gagner mille couronnes et de continuer à boire jusqu'à ce qu'elle revienne ? Que pensez-vous de cette idée ? » dit-elle en agitant le billet sous son nez.

« Qu'est-ce que je dois faire ? grommela-t-il.

– Nous dire où vous avez monté ces rails. Réfléchissez bien ! »

Il se pencha, les bras croisés sur la poitrine et souffla son haleine alcoolisée dans la figure d'Assad qui faillit tomber à la renverse.

« Où était-ce ? Où était-ce ? *Kurwa, kurwa*[1] ! » Il se frotta les tempes et secoua la tête, comme si cela devait aider sa mémoire à revenir.

« Est-ce que c'était à Copenhague ? » demanda Rose en agitant de nouveau le billet.

Il hocha la tête.

---

1. « Putain, putain ! »

« On a mis trois jours à les poser, parce que la bonne femme nous foutait dehors au bout de deux heures, et que le béton au plafond était de la *gawno*[1].

– *Gawno* ?

– De la merde, vous ne comprenez pas le polonais ? Il était tellement dur qu'on était obligés de...

– OÙ ? Jurek. Dites-nous OÙ ? C'est tout ce qui nous intéresse, insista Rose en commençant à ranger le billet dans son portefeuille.

– Attendez ! Attendez ! C'était un peu en dehors de Copenhague, en prenant l'autoroute. C'était bizarre comme endroit. L'immeuble n'était même pas terminé. Il y avait un monte-charge et plusieurs étages en sous-sol, alors qu'au-dessus du sol, le bâtiment ne faisait pas plus d'un étage. On se serait cru à Varsovie, du temps où les Russes y étaient. Il y avait d'autres bâtiments autour qui avaient été laissés comme ça, à moitié construits. »

Rose lui colla le billet sur le front. « À quelle distance de Copenhague ? Sur quelle autoroute, celle de Helsingør ou celle de Hillerød ? On se réveille, maintenant ! »

« Tu n'as pas le droit de rouler à cette vitesse, chef, prévint Assad, on n'est pas dans une voiture de police, là.

– Peut-être, mais c'est tout comme, se défendit Carl.

– Toi, tu le sais, mais la police locale l'ignore, et s'ils nous arrêtent parce qu'on roule à cent quatre-vingts kilomètres à l'heure dans une Alfa Romeo sans gyrophare, ils vont t'arrêter, Carl. Ralentis. »

Assise sur le siège arrière, Rose lui tapa sur l'épaule. « Fonce, Carl. Assad a raison, mais... »

---

1. « Merde ».

534   S E L

Carl transpirait à grosses gouttes. Ils savaient à peu près où se trouvait le bâtiment, et ils avaient une vague idée de l'apparence qu'il avait quatre ans auparavant. Mais comment allaient-ils faire pour le reconnaître si entre-temps il avait été achevé ? Jurek Jasinski avait décrit une construction toute simple, blanche, en béton, où ils avaient utilisé les toilettes une fois ou deux, qui se trouvait en face du bâtiment qu'ils cherchaient.

« On l'aperçoit depuis l'autoroute, cet immeuble blanc, vous ne pouvez pas le rater », avait-il précisé. Et ils lui avaient donné ses mille couronnes.

« Je n'arrive toujours pas à comprendre l'incroyable coïncidence qu'Assad ait déjà eu affaire à ce type. Quelle probabilité y avait-il pour qu'un truc pareil se produise ? s'étonna Rose à voix haute.

– Quand il y a des ouvriers polonais dans l'histoire, tout peut arriver, répondit Assad. Vous ne connaissez pas celle du chameau qui, pour se rendre intéressant, voulait adopter un âne ? Non ? Alors voilà, il rencontre…

– LÀ ! cria Rose. C'est là ! Regarde ! L'immeuble blanc, là !

– Tu es sûre ? » Carl avait un doute. Il ne reconnaissait pas la description de Jurek.

« Qu'est-ce que tu veux que ce soit d'autre ? C'est le premier dans son genre depuis qu'on a quitté Copenhague. Prends la bretelle, Carl. Maintenant ! Tu as tout juste le temps.

– Je te promets de vous raconter l'histoire de l'âne une autre fois, Carl. Je crois que Rose a raison. Cet immeuble ressemble à celui que Jurek a décrit. »

Carl prit la bretelle sur les chapeaux de roues et entra dans la zone industrielle.

« Vous le voyez quelque part ? Je l'ai perdu de vue ! » dit-il d'une voix légèrement désespérée. Ils avaient sous les yeux pas loin de vingt constructions, toutes différentes et pourtant extrêmement semblables, desservies par des routes qui partaient dans tous les sens, sans aucune logique apparente. Le genre de quartier industriel qui avait poussé dans les années soixante et s'était figé depuis dans sa laideur.

« Pourquoi un seul immeuble de ce quartier aurait-il été laissé inachevé ? se demanda Carl à haute voix en s'engageant dans une rue.

– Un chantier commencé avec des matériaux de mauvaise qualité est souvent la cause d'une construction abandonnée, répondit Assad.

– Comme ce HLM à Amager dont le béton des fondations ne pouvait pas soutenir le nombre d'étages prévus sur les plans, confirma Rose.

– Ou un financement insuffisant ? suggéra Assad.

– Que dit ta liste, Assad ? Est-ce que Sisle Park possède quelque chose dans ce secteur ? » demanda Carl.

Assad secoua la tête. « J'ai déjà vérifié, chef. Elle n'a aucune propriété par ici. Mais c'est peut-être une location. »

Carl frémit. « Qui, hormis une psychopathe, louerait un endroit pareil dans l'unique but d'y assassiner des gens ?

– Là-bas, à droite », cria Rose tout à coup, le doigt pointé entre les deux sièges avant.

Carl reconnut l'immeuble blanc et en face un bâtiment dont la construction semblait avoir été abandonnée. Le bâtiment se trouvait au milieu d'un parking assez grand, à l'entrée duquel on pouvait voir une pancarte annonçant qu'il était possible d'y louer une place à l'année. Le prix pour un stationnement standard était de cinq mille couronnes par an. En cette période de fêtes de fin d'année, il n'y avait pas la moindre voiture, mais en temps normal, vu le nombre d'entreprises installées dans la zone industrielle, toutes les places devaient trouver preneur. Carl estima à la louche qu'à plein rendement, ce parking rapportait probablement un bénéfice d'au moins sept cent cinquante mille couronnes.

« Non ! s'exclama tout à coup Assad, furieux contre lui-même. Je viens de comprendre. Bien sûr que Sisle est proprié-taire de cet endroit. C'est juste que le terrain a été répertorié comme parking. Je n'ai pas pensé qu'il pouvait y avoir une construction sur un parking. J'aurais dû vérifier. » Étant donné les circonstances, il avait quelques raisons de s'en vouloir.

Carl se gara devant l'entrée du bâtiment. Sans les dix marches pour accéder à la porte, il l'aurait défoncée avec le pare-chocs de l'Alfa.

Rose était déjà sur le palier en train de secouer la poignée, sans succès.

« Il y a peut-être une alarme, lui lança Carl. Si on entre par effraction, elle sera prévenue de notre arrivée.

– À condition qu'elle soit à l'intérieur. Ce n'est pas sûr.

– C'est vrai. Il faudrait qu'on trouve la cabine de l'ascen-seur. S'il est en bas, ça veut dire qu'elle y est aussi », dit Carl.

Assad leva le doigt. « Là-bas ! » dit-il.

Carl et Rose regardèrent dans la direction qu'il leur montrait et remarquèrent un mur solitaire qui s'élevait au-dessus du toit plat. L'immeuble aurait dû au départ comporter plusieurs étages. De l'endroit où ils se trouvaient, on aurait dit un décor dans un studio hollywoodien.

« Qu'est-ce que tu as vu, Assad ?

– Ce mur a peut-être quelque chose à voir avec la cage d'ascenseur. »

Ils s'élancèrent pour trouver un accès.

« Comment on fait pour monter là-haut ? » cria Rose. Ils continuèrent à courir jusqu'à ce qu'ils se retrouvent dans une sorte de terrain vague ayant servi de décharge.

Jusqu'au grillage délimitant le terrain, à une dizaine de mètres de là, le sol était jonché de blocs de béton, de rouleaux de laine de verre désagrégés et nauséabonds, de palettes pourries, de poutres d'acier rouillées, de fil de fer barbelé et de déchets de chantier de toutes sortes.

« On n'arrivera pas là, Assad », lui dit Carl. Mais, tel un chien de chasse, son collègue avait flairé une piste, et tout à coup, il disparut.

Carl resta un instant immobile, scannant les alentours. « Où est-ce qu'il est passé ? Rose, tu le vois quelque part ? »

Elle secoua la tête et regarda sa montre, l'air terrifié. « On ne devrait pas appeler du renfort maintenant, Carl ? Il FAUT qu'on entre là-dedans ! »

Carl tira son portable de sa poche. C'était donc ici que tout allait s'arrêter pour lui. Mes derniers instants de liberté, songea-t-il. Il allait composer le numéro quand ils entendirent Assad les appeler depuis le toit.

« Écartez les deux palettes appuyées l'une contre l'autre, là-bas. Regardez, chef, elles sont à quatre ou cinq mètres de l'endroit où vous êtes. Par-là, dit-il, indiquant la direction. La porte de l'ascenseur du rez-de-chaussée est condamnée, mais il suffit de prendre l'escalier pour monter sur ce toit. La porte donnant à ce niveau n'est pas fermée, et l'ascenseur ici a l'air d'être en état de marche. Il est simplement verrouillé. »

Réunis devant la porte du monte-charge, ils examinèrent le système de verrouillage. Il s'agissait d'un simple barillet dans lequel il fallait tourner une clé pour appeler l'appareil. La porte, elle, devait s'ouvrir automatiquement quand la cabine arrivait à l'étage. Mais où trouver cette clé ?

Ils fouillèrent attentivement le toit de béton. Une vingtaine de palettes étaient dispersées au hasard, avec dessus des sacs de ciment solidifié et des morceaux de fer à béton un peu partout. Les travaux avaient probablement été abandonnés du jour au lendemain. L'entrepreneur avait dû avoir les yeux plus gros que le ventre et faire faillite.

« Il doit bien y avoir quelque chose dans ce souk qui pourrait remplacer une clé », dit Assad. Rose sembla sceptique.

« Si, contre toute attente, cela devait fonctionner, Assad, l'ascenseur monterait, et Sisle serait prévenue de notre arrivée. »

Elle avait raison, mais que faire ?

« Si Maurits et Gordon sont encore en vie, nous devons prendre ce risque. Peut-être qu'elle renoncera à commettre l'irréparable si elle sait qu'elle est sur le point d'être prise en flagrant délit.

– Peut-être, grommela Rose, mais en attendant, moi j'aimerais bien qu'au moins l'un d'entre nous ait une arme. Qu'est-ce qu'on a pour la maîtriser, en admettant qu'on arrive en bas et qu'on la trouve ?

– On a ça, dit Assad, un petit bouquet de fers à béton à la main.

– Et pour déverrouiller l'ascenseur, tu as une idée, Mac-Gyver ? Sinon, tes piques à brochettes ne vont pas nous être utiles à grand-chose.

– Oui, ça », répondit-il en brandissant une ceinture porte-outils.

Il la lança à Carl, qui plongea aussitôt la main dans toutes les poches, sans rien y trouver d'autre qu'une vieille boîte de réglisse et un paquet de cigarettes vide.

« Il n'y a rien du tout là-dedans ! »

Assad tendit les fers à béton à Carl et lui reprit la ceinture. « L'arbre te cache la forêt, chef. Regarde ! » dit-il en lui montrant l'ardillon rentrant dans les trous de la lanière en cuir.

« Acier inoxydable, très bonne qualité », dit-il en montrant la marque. À l'aide d'un bloc de béton, il enfonça profondément la dent métallique dans la serrure. « Parfois ça marche, et parfois non », prévint-il nerveusement. Il attendit quelques secondes, les yeux levés vers le mécanisme du monte-charge, qui ne réagissait pas. Puis il inspira un grand coup et tourna la ceinture autour de l'axe de l'ardillon pour se rendre compte très vite que ça non plus, ça ne fonctionnait pas. Carl reprit son téléphone pour appeler du renfort.

« Attends, je n'ai pas fini », le stoppa Assad.

Carl espérait de toutes ses forces que son acolyte viendrait à bout de la serrure avec un grand bruit d'arrachement de métal et que le mécanisme de l'ascenseur se déclencherait tout à coup dans un doux ronronnement, mais cela n'arriva pas.

« Voilà, je crois qu'il est prêt », dit Assad sans explication avant de sortir quelque chose de sa poche. Le trousseau de clés ressemblait à n'importe quel trousseau de clés aux yeux d'un profane, mais Assad semblait très sûr de lui en choisissant une clé parmi les autres et en la montrant à Carl et à Rose.

« Ce n'est pas un passe-partout, mais pas loin. Vous connaissez le principe ? C'est une clé avec des petites fentes régulières qu'on insère dans une serrure et sur laquelle on frappe doucement avant de la tourner rapidement vers la droite pour actionner le rotor. »

Ils le regardaient sans comprendre.

« Comme je n'ai pas de passe-partout, je vais me servir de ceci. Vous voyez, les goupilles sont assez petites. C'est la clé de la boîte à lettres d'un appartement qu'on m'avait prêté à une époque et que j'ai dû rendre à la famille qui y habitait. »

Il fit entrer lentement la petite clé dans la serrure.

« Tout à l'heure, je voulais juste faire en sorte que les incises soient lâches. Maintenant, elles le sont. »

Carl retint son souffle pendant qu'Assad donnait des petits coups répétés sur la clé de fortune, puis la faisait tourner rapidement dans le sens des aiguilles d'une montre.

Quand il eut renouvelé la manœuvre plusieurs fois sans succès et que des gouttes de sueur commencèrent à apparaître sur son front, Carl alluma son portable et appela Marcus Jacobsen.

« Alors, Carl, dit son patron, qui avait décroché à la première sonnerie. Tu es prêt à te rendre ?

– Puisqu'il le faut… », répondit-il.

« Yessss ! » s'exclama Rose à l'instant où soudain la clé tourna. Le moteur au-dessus d'eux se mit à ronronner.

« … Mais pas tout de suite ! Je te souhaite une bonne journée, Marcus ! »

Et alors que les relais cliquetaient au fond de la gaine et que la cabine du monte-charge se hissait vers le haut, Carl éteignit le portable et le lança parmi les déchets en contrebas.

65

Samedi 26 décembre 2020,
lendemain de Noël

Sisle/Carl

Sisle sursauta en entendant le bruit du monte-charge s'élevant dans les étages.

Le doute et l'incompréhension la figèrent un instant. Est-ce qu'il y avait un défaut dans le système ? Elle se jeta sur le bouton de l'ascenseur et le pressa frénétiquement pour tenter de rappeler la cabine. IL FALLAIT que ce soit une panne, mais s'il était parti de lui-même, comment le faire redescendre ?

Elle essaya plusieurs fois, sans succès.

Elle s'écarta de la porte. S'il ne s'agissait pas d'un dysfonctionnement, cela signifiait que quelqu'un là-haut attendait l'ascenseur. Mais qui ?

J'ai mis le feu à la maison, et j'ai fermé les yeux de Debora, mais ai-je contrôlé le pouls d'Adam ? essaya-t-elle de se rappeler. Elle n'en était plus très sûre.

Comment Adam avait-il pu survivre à un coup pareil ? Et par quel miracle s'était-il réveillé avant que les flammes n'aient absorbé tout l'oxygène de la pièce ?

Sisle colla son oreille à la porte de l'ascenseur. Adam était le seul à connaître l'existence de cet endroit, le seul à pouvoir deviner qu'elle s'y trouvait en ce moment. Ils avaient déniché ce terrain ensemble, et personne d'autre, pas même

Debora, n'en connaissait l'existence. Quand Sisle venait ici, elle ne se garait jamais sur le parking. Elle préférait marcher quelques centaines de mètres en surveillant soigneusement les alentours, contourner discrètement le bâtiment et entrer par le rez-de-chaussée en passant par le terrain vague envahi de déchets de chantier.

Est-ce qu'en dépit de toutes ces précautions, quelqu'un l'avait vue entrer depuis l'un des immeubles voisins ? Non, c'était impossible. Sans compter que pour activer l'ascenseur depuis en haut, il aurait fallu avoir la clé, et Adam et elle étaient les seuls à la posséder.

Il me tuera s'il en a l'occasion, c'est certain, se dit-elle. Il avait tant de raisons de vouloir se venger, et il était passé maître dans l'art d'occire son prochain. C'était lui, elle en était certaine à présent.

Sisle se tourna vers ses deux prisonniers. Gordon Taylor souriait. Il avait manifestement compris ce qui était en train de se passer.

« Ils arrivent ! dit-il. Vous entendez, Maurits ? Ils viennent nous sauver ! J'en étais sûr. » Il éclata d'un rire hystérique, et Sisle eut terriblement envie de le gifler. De manière générale, elle détestait les gens qui, leur dernière heure venue, se comportaient de manière aussi indécente. Ne pouvaient-ils donc pas accepter leur sort avec dignité ?

« Taisez-vous, Gordon Taylor. »

Un combat n'est gagné qu'une fois que l'adversaire a rendu les armes. Lorsque Gordon vit Sisle pousser la table devant la porte du monte-charge au prix d'un énorme effort, son sourire disparut.

« Je vais commencer par m'occuper de vous, et ensuite, j'injecterai à Adam les fonds de seringue restants. Heureusement, il y en a assez pour vous tuer tous les trois. Je peux vous assurer qu'il aura à peine eu le temps de passer l'obstacle que déjà, je lui aurai fiché l'aiguille dans le corps. Finalement, messieurs, vous ne partirez pas tout seuls pour l'enfer. »

Les seringues étaient prêtes, Adam et elle s'en étaient occupés la veille. Elle alla malgré tout les vérifier. Il ne lui restait plus qu'à prononcer son réquisitoire afin de respecter le rituel jusqu'au bout. Malheureusement, étant donné les circonstances, elle allait devoir l'écourter un peu. Adam serait là dans moins d'une minute, et c'était un cas de force majeure.

Elle se planta devant Maurits Bierbek et vit dans ses yeux qu'il savait ce qui l'attendait et qu'il en avait pris son parti.

« Maurits Bierbek, dit-elle. Vous avez vécu une vie de péché. Vous avez trahi les commandements que Dieu, depuis Son royaume céleste, a dictés aux humains. Vous avez décidé sans le moindre scrupule d'œuvrer à la chute de l'homme, le fléau de l'humanité depuis qu'elle a été chassée du jardin d'Éden, et à présent, Maurits Bierbek, vous allez mourir pour vos fautes. »

« NOUS SOMMES LÀ ! AU SECOURS ! » hurla Gordon Taylor de toute la puissance de ses poumons. Sisle avait entendu comme lui le son métallique de l'ascenseur lorsqu'il avait atteint le fond de la gaine, et celui de la porte de la cabine qu'on essayait d'ouvrir et qui vint cogner contre la table.

« Je te laisse t'amuser un peu, Adam, je viendrai m'occuper de toi quand tu auras réussi à sortir de là », ricana-t-elle.

« Gordon, c'est nous ! » appela une voix féminine, ce qui fit d'abord hurler de joie le grand dadais avant qu'il leur intime de se dépêcher.

Prise de court, Sisle ne savait pas comment réagir ni quel plan d'urgence adopter.

Alors elle se tourna vers Maurits Bierbek qui la regardait, la tête penchée sur le côté, d'un air infiniment triste.

« Maurits Bierbek, regrettez-vous vos actes et la vie que vous avez menée ? » lui demanda-t-elle tout en faisant entrer la longue aiguille de quelques millimètres dans la région du cœur.

« Arrêtez, Sisle, pour l'amour de Dieu, ne faites pas ça, la supplia Gordon.

– Pour l'amour de Dieu, Gordon Taylor ? » Elle sourit sans se retourner. « C'est pour l'amour de Dieu que j'accomplis ma mission », déclara-t-elle. Puis elle enfonça l'aiguille dans la cage thoracique de Bierbek en y mettant tout son poids.

« NOOOOOON ! » rugit Gordon.

Bierbek fut immédiatement pris de convulsions et ses yeux s'écarquillèrent. La douleur que ressentaient ses victimes une fois cette aiguille fichée dans leur cœur les rendait en général complètement muettes pendant plusieurs secondes.

« Maurits van Bierbek, remerciez votre créateur pour les années durant lesquelles Il vous a accordé de vivre », dit-elle en pressant le poussoir de la seringue jusqu'au bout.

La suite se déroula dans une atmosphère de chaos total. Bierbek se raidit brusquement et tomba sur le sol avec sa chaise, ses chaînes dégringolant sur lui dans un cliquetis de métal. Gordon poussa un hurlement de dément et, dans la cabine d'ascenseur, plusieurs personnes crièrent et tambourinèrent sur la porte qui peu à peu parvenait à repousser la lourde table.

Et pendant que, la bave aux lèvres et le corps secoué de mouvements réflexes qui faisaient tressauter violemment ses jambes, Maurits Bierbek quittait cette existence, Sisle se tourna vers Gordon et ramassa la seringue posée par terre à ses pieds.

« Pourquoi !? » gueula-t-il.

Mais Sisle n'eut pas le temps de lui répondre. Elle se tourna brusquement vers la table qui venait de se renverser avec fracas, le réservoir d'eau salée se brisant et répandant son contenu sur le sol.

Les trois démons du département V déboulèrent tous ensemble, armés chacun d'un fer à béton avec lequel ils comptaient visiblement la terrasser. L'immigré était en tête, l'arme levée au-dessus de sa tête, et elle ne douta pas un instant qu'il ait l'intention de s'en servir.

Elle inspira profondément et dirigea l'aiguille vers le cœur de Gordon Taylor. Un calme étrange l'envahit. N'était-ce pas elle qui se trouvait du côté des plus forts, en cet instant ?

« N'approchez pas ou j'enfoncerai cette aiguille dans le cœur de votre ami. Vous pouvez voir vous-même l'effet que cela produit, dit-elle en montrant Maurits Bierbek encore en proie à d'horribles convulsions. Posez ces bouts de ferraille, alignez-vous contre le mur du fond, et tenez-vous tranquilles. Je vais libérer Gordon et l'emmener dans l'ascenseur. Si vous faites un geste, je le pique. S'il résiste, je le pique aussi, et vous savez que je ne plaisante pas. »

Elle eut beau les regarder avec toute la détermination dont elle était capable, ils ne bougèrent pas d'un pouce. Alors elle posa la pointe de l'aiguille en dessous du sternum de Gordon. Il poussa un cri. Carl Mørck et la femme lâchèrent leur arme improvisée, mais pas le troisième policier.

« Arrête, Assad ! gémit Gordon.

– Non. De toute façon, elle te tuera dans l'ascenseur, crois-moi », argua-t-il.

Sisle éclata de rire. « On ne peut pas dire que tu aies une grande confiance en moi, toi ! » lui dit-elle.

À ce moment, l'inspecteur Mørck avança d'un pas.

« Vous n'avez aucune intention de le tuer, Sisle, je me trompe ? Vous n'avez pas pour habitude de tuer les innocents. »

Elle resta de marbre.

« Je croyais que vous étiez l'ange de la justice, Sisle ?

– Je suis l'ange de la justice et de la vengeance. Dieu m'a choisie pour accomplir Son œuvre sur terre.

– Alors prouvez-le-moi, parce que je ne vous crois pas, dit Carl. Vous avez tué un petit garçon qui s'appelait Max. Aujourd'hui, il aurait le même âge que Gordon, et comme lui, il était innocent. Indirectement, vous avez aussi tué sa mère. Elle s'appelait Maja et elle aussi était parfaitement innocente. Enfin, vous avez tué Pauline Rasmussen qui n'avait rien fait pour mériter ça. Alors prouvez-moi que Dieu est de votre côté, et je vous promets d'entendre vos conditions.

– Je n'ai aucun compte à vous rendre, je n'ai de comptes à rendre qu'à Dieu, et Dieu a gravé Sa marque sur mon corps pour l'éternité », rétorqua-t-elle en enfonçant l'aiguille un centimètre plus loin dans la poitrine de Gordon.

Le hurlement de Gordon fit réagir la femme du département V. « Montrez-nous cette marque, Sisle Park, dit-elle, et nous vous laisserons en paix. »

Elle sourit. Depuis qu'elle était sortie du service des grands brûlés, personne d'autre que ce porc de Palle Rasmussen n'avait vu ses cicatrices. Quand elle l'avait rencontré, elle avait dû lui faire un numéro de charme pour gagner sa confiance. Tout à coup, cet être vicieux l'avait prise au dépourvu en lui arrachant son chemisier sans la moindre hésitation.

Il avait hoqueté d'horreur en découvrant ses cicatrices, et par réflexe, Sisle l'avait frappé de toutes ses forces. À sa grande surprise, il avait apprécié, les cicatrices autant que le coup.

« Voici la marque que m'a donnée le Tout-Puissant », dit-elle fièrement en déboutonnant son chemisier. Ils la contemplèrent, fascinés, et elle prit plaisir à voir leurs regards glisser sur son corps à moitié dénudé. Elle aussi aimait se voir nue.

Les cicatrices noueuses, blanches et rouges, qui zébraient la majeure partie de son torse étaient les marques de son malheur, et celle qui se trouvait au centre et qui avait la forme d'une croix représentait la grâce de Dieu, ne le voyaient-ils pas ? C'était la brûlure laissée par la foudre, bien sûr, mais elle avait été envoyée par le doigt tendu de Dieu. Elle était le symbole de Sa puissance et de la mission qu'Il lui avait confiée. Tout à sa jouissance, elle ne vit pas Assad lancer la pique, et ne la sentit que lorsqu'elle se planta dans son rein, la faisant basculer en arrière. Elle essaya aussitôt de se relever, en vain.

Sisle baissa les yeux et vit que le fer à béton l'avait traversée de part en part et que lors de sa chute en arrière, il était allé se ficher dans le cadavre de Maurits Bierbek. Elle était clouée à sa victime.

Elle ne quitta pas des yeux l'homme à la peau sombre tandis qu'il marchait vers elle puis s'asseyait sur elle à califourchon pendant que la femme allait libérer Gordon.

« Vous connaîtrez pour le restant de vos jours le châtiment que Dieu réserve à Ses faux prophètes, lui dit Carl Mørck. Là où vous serez, vous ne pourrez contaminer personne avec vos idées délirantes. Et chaque jour, vous prierez pour qu'Il vous accorde Son pardon, ce qu'Il ne fera pas, Sisle Park. »

Sisle sourit. Quels idiots ! Comme s'ils en savaient quelque chose ! Comme ils étaient médiocres et pitoyables. Sans but et sans mission dans l'existence. Ils ne craignaient pas Dieu, leur créateur, et ils ne seraient pas sauvés, contrairement à elle. Enfin était venu le temps de la moisson. Enfin, l'esprit en paix, elle allait échapper à ce monde odieux et sans foi. Elle leva les bras en l'air, les mains serrées autour de la seringue. La pointe était cassée, sans doute encore plantée sous le sternum de Gordon Taylor, mais la canule était encore assez longue pour faire son office.

« Votre prophétie ne se réalisera pas, Carl Mørck. Dieu m'attend, et Il prendra soin de moi jusqu'à la fin des temps. »

Puis elle ferma les yeux et se planta l'aiguille juste au-dessus du cœur, à l'intersection des deux cicatrices qui formaient une croix blanche sur sa peau.

Au moment où elle appuya sur le poussoir, ce fut comme si tout l'univers s'écartait devant elle.

ÉPILOGUE

Samedi 26 décembre 2020, lendemain de Noël

Carl

« Va-t'en maintenant, Carl, lui dit Rose. Assad et moi prendrons un taxi pour emmener Gordon à l'hôpital. »

Carl se tourna vers leur collègue, qui était encore plus pâle qu'à l'accoutumée. Il lui faudrait du temps pour redevenir tout à fait lui-même. S'il y parvenait un jour.

Carl posa doucement la main sur son dos. « Tu as été très courageux, Gordon. Maintenant, c'est terminé. Je crois qu'après tout ça, tu vas pouvoir prendre quelques semaines de congé. »

Gordon était très affaibli, mais Carl vit beaucoup de détermination dans son regard quand il leva les yeux vers lui.

« Certainement pas, dit-il. Tant qu'il y aura des monstres comme Sisle Park sur terre, vous ne vous débarrasserez pas de moi !...

– Exactement ! Comme on dit, il faut tout de suite remonter sur le chameau », commenta Assad.

Rose sourit, mais le cœur n'y était pas. Qu'allait-il advenir du département V et de son équipe ?

Tandis qu'il s'engageait sur l'autoroute et s'éloignait de la ville, Carl sentait toutes sortes de sentiments l'envahir.

La situation avait été pénible, et elle l'était toujours. Sa famille qui lui manquait, le virus, la souffrance de Gordon, tous ces drames, et ce type qu'ils avaient tout fait pour sauver et qui était mort.

Des années auparavant, l'affaire du pistolet à clous avait déclenché chez lui des troubles anxieux, et maintenant, cette affaire était revenue dans sa vie et elle avait fait de lui une bête traquée. Ce dossier ne le laisserait donc jamais en paix ?

Il se moqua de lui-même. Elle était revenue dans sa vie ? Quel euphémisme ! C'était quoi sa vie, aujourd'hui ? La promesse de croupir en prison ? La perspective d'aller annoncer à la famille Bierbek la pire nouvelle qui soit ?

Ce n'était pas la première fois qu'il accomplissait cette tâche. Briser le cœur de quelqu'un en lui annonçant la mort d'un être cher. Accident, suicide ou, comme c'était le cas cette fois-ci, meurtre.

Son pas était lourd et son cœur triste tandis qu'il marchait vers la maison des Bierbek. Laura et sa petite sœur vinrent lui ouvrir.

Il n'eut pas besoin de dire un mot.

Elles comprirent aussitôt.

Mona le rejoignit un peu plus tard dans la soirée, et aida Victoria et les filles à s'apaiser un peu.

« Il faudra te battre, Carl, lui dit-elle quand ils furent seuls. Je vais appeler Hardy pour savoir ce qu'il a à dire. Je te tiendrai informé.

– Et Lucia, quand est-ce que je pourrai la voir ? »

Elle sourit et regarda sa tignasse rousse. « Je te rappelle que tu es marié avec moi, et que ton épouse a l'habitude de fréquenter les établissements pénitentiaires, alors compte sur moi pour trouver une solution. Mais tu seras gentil de mettre un bonnet, pour ne pas l'effrayer.

– Promis. SI je vais en prison.

– Oui. SI tu vas en prison.

– Ils ne vont plus tarder, maintenant », dit Carl.

Elle hocha la tête et le serra dans ses bras.

Quelques minutes plus tard, les murs de la pièce se mirent à pulser sous les lumières bleues des gyrophares, et une horde de collègues en civil sortirent de plusieurs voitures blanches et se précipitèrent vers la porte d'entrée des Bierbek.

Il vint lui-même leur ouvrir. Marcus Jacobsen s'avança vers lui, suivi de près par le Pif et derrière lui un tas de visages que Carl ne connaissait pas.

Marcus salua Mona d'un signe de tête, suivi d'un deuxième, très bref, à l'intention de Carl.

« Vous avez terminé votre enquête et résolu l'affaire », dit-il.

Deux hommes l'empoignèrent et lui mirent les bras dans le dos pour le menotter.

« Tu sais que Carl est innocent de ce dont on l'accuse, Marcus », dit Mona.

Marcus Jacobsen lui fit un sourire ironique, et à cet instant Carl eut envie de lui cracher au visage.

« Beaucoup de choses sont possibles en ce bas monde, mais celle-là n'en fait pas partie », dit-il froidement en regardant Carl droit dans les yeux. Puis il déclara :

« Carl Mørck, il est vingt et une heures dix-sept, et tu es en état d'arrestation. »

REMERCIEMENTS

Merci à Hanne, mon épouse et âme sœur pour ses indispensables commentaires et sa tendre approbation dès la première lecture. Merci à Henning Kure pour ses encouragements virils. Merci à Elisabeth Ahlefeldt-Laurvig pour son indéfectible assiduité, son travail de documentation, sa polyvalence et son esprit pratique. Merci également à Elisabeth Wæhrens, Eddie Kiran, Hanne Petersen, Micha Schmalstieg, Kes Adler-Olsen, Jesper Helbo, Sigrid Engeler et Karlo Andersen pour leurs corrections judicieuses et leurs suggestions. Merci à Lene Wissing, ma très exigeante et consciencieuse rédactrice chez Politikens Forlag, pour son professionnalisme sans faille et sa capacité à trouver des solutions à n'importe quel problème. Merci à Lene Juul et à Charlotte Weiss chez Politikens Forlag pour leur soutien en toutes choses. Merci à Charlotte Fournais pour son talent d'organisatrice. Merci à Tomas Henriksen pour sa subtile compréhension du marché du livre et à Mogens Larsen, directeur des éditions Nørhaven, pour les portes qu'il nous a ouvertes. Merci à Helle Skov Wacher pour avoir assuré la promotion de ce livre. Merci à Louise König parce qu'elle veille toujours au grain. Merci à Pernille Weil, cheffe du marketing et à Pernille Hjorth, directrice des ventes qui propulsent le livre dans le monde. Merci à mes correctrices Jette Thillemann Wulff, Ane Horslund et Louise Urth Olsen pour leur regard d'aigle. Un grand merci à tous les autres membres de l'équipe chez Politikens Forlag, pour leur incomparable travail et la fluidité avec laquelle ils accompagnent toutes les phases du processus d'édition. Merci au commissaire Leif Christensen pour ses conseils éclairés. Merci à Rudi Urban Rasmussen et Sigrid Stavnem pour leurs remarques essentielles et parce qu'ils gardent tous les intervenants étrangers sur la brèche. Merci à Bobo Madsen qui par l'intermédiaire de l'ONG Danmarks Indsamling a donné son nom à un personnage du roman. Merci à Olaf Slott-Petersen pour m'avoir offert, à Barcelone, un nouveau cadre de travail encore plus exceptionnel que le précédent. Merci à Thomas Szøke pour sa magnifique couverture. Merci au directeur de la communication de la police danoise, Thomas Kristensen, d'avoir assuré la coordination avec les autres services. Merci à l'inspecteur Dannie Rise de la police de Copenhague pour nous avoir ouvert les portes des nouveaux locaux de Teglholmen et avoir remis à jour mes connaissances. Merci à Jesper Deis, Nicklas Josephsen et Stephen Falch Larsen d'avoir terminé notre atelier d'écriture à temps. Merci à Stine Bolther pour l'extraordinaire stage auquel nous avons participé à l'automne 2020. Merci à Tine Harden pour l'excellente et très particulière ambiance qu'elle a su créer lors des prises de vues pour la campagne de lancement et merci à Rie Kamp de nous avoir laissé libre accès à son fabuleux garage automobile.

Et enfin, un grand merci à Ellie, qui m'a donné l'énergie pour écrire et à qui ce livre est dédié.